FRIEDRICH
NIETZSCHE

Dados Internacionais de Catalogação na Publicação (CIP)
(Câmara Brasileira do Livro, SP, Brasil)

Janz, Curt Paul
Friedrich Nietzsche : uma biografia, volume II : os dez anos do filósofo livre (primavera de 1879 a dezembro de 1888) / Curt Paul Janz ; tradução de Markus A. Hediger, Luís M. Sander. – Petrópolis, RJ : Vozes, 2016.

Título original : Friedrich Nietzsche : Biographie : Die zehn Jahre des freien Philosophen
Bibliografia.

1ª reimpressão, 2022.

ISBN 978-85-326-5198-3

1. Filosofia – História 2. Filósofos – Biografia 3. Nietzsche, Friedrich Wilhelm, 1844-1900 I. Título.

15-11036 CDD-190

Índices para catálogo sistemático:

1. Filósofos : Biografia e obra 190

CURT PAUL JANZ

FRIEDRICH NIETZSCHE

Uma biografia

Volume II:

Os dez anos do filósofo livre
(Primavera de 1879 a dezembro de 1888)

Tradução de Markus A. Hediger e Luís M. Sander

Petrópolis

Tradução realizada a partir do original em alemão intitulado
Friedrich Nietzsche – Biographie (Band II) by Curt Paul Janz

Direitos de publicação em língua portuguesa – Brasil:
2015, Editora Vozes Ltda.
Rua Frei Luís, 100
25689-900 Petrópolis, RJ
www.vozes.com.br
Brasil

Editoração: Fernando Sergio Olivetti da Rocha
Diagramação: Sheilandre Desenv. Gráfico
Capa: Ygor Moretti
Ilustração de capa: pixabay

ISBN 978-85-326-5198-3 (Brasil)
ISBN 5-86150-315-8 (Alemanha)

Este livro foi composto e impresso pela Editora Vozes Ltda.

Sumário

Terceira parte

Os dez anos do filósofo livre
(primavera de 1879 a dezembro de 1888)

I

Transformação (maio a dezembro de 1879)

A despedida de Basileia, o afastamento da profissão, do cargo e da ligação ao lugar de modo algum significam um passo para a liberdade para Nietzsche, pois esse afastamento não decorreu de uma resolução livre, mas foi forçado pela doença. Para Nietzsche se coloca a nova tarefa de dar conta da "doença", tirar o poder *dela*, transformar *a ela* de inimigo externo em aliado para cumprir a missão de sua vida, integrá-la na totalidade da existência. Essa é uma missão que se coloca para muitas pessoas, mas nem todas conseguem resolvê-la, ao menos não com o mesmo grau de sucesso.

A doença como impulso intelectual

A história dos espíritos determinantes do século XIX se caracteriza por essa missão em uma proporção muito maior do que geralmente se acredita, porque, no caso de qualquer um desses grandes, os pósteros dificilmente fizeram tanto barulho por causa dessa questão, ou até abusaram dela como pretexto para a crítica rebaixadora, chegando até a rejeição, condenação e até ridicularização, como no caso de Nietzsche. E, nesse sentido, ele dá um exemplo de cumprimento corajoso dessa missão. O que significa "doença" no caso de Nietzsche e, indo além dele, de modo bem geral? Enfermidades hereditárias seriam "doenças"? Desde seu nascimento, Nietzsche era extremamente míope. O cansaço rápido dos olhos e mesmo a dor de cabeça a ele ligado podem ser provenientes disso. Também a enxaqueca acompanhada de vômito – se é que realmente era enxaqueca – parece ser igualmente uma enfermidade hereditária, da qual a irmã também padecia. Sua dependência do clima – real ou só imaginada – tinha grande importância em seu estado de saúde. Seriam isso "doenças"? Supondo-se que se tenha estabelecido a existência de uma infecção luética, isso seria designado, em sentido usual, como uma doença que acarretou, passando por uma paralisia progressiva, ou seja, por uma lesão orgânica do cérebro, à morte precoce na idade de pouco menos de 56 anos. Resta perguntar, porém, se o colapso físico de 1879, do qual Nietzsche iria se recuperar espantosamente bem nos anos seguintes, já se situa no transcurso dessa lues – apenas suposta – e se essa doença só teve consequências prejudiciais. A pesquisa ensina justamente a respeito da lues, bem como de outras infecções (tuberculose, p. ex.), que elas estimulam ou intensificam, ao menos temporariamente, certas funções vitais, produzindo um efeito como aquele decorrente de distintos narcóticos – como o álcool, p. ex. – e que, nesse caso, seriam descobertas forças e possibilidades da fantasia que, no organismo "normal", permaneceriam soterradas ou suprimidas[52]. Não se poderiam chamar essas supressões do livre jogo da mente também dc "doença", de transtornos psicopatológicos? Será que o fato de que elas são amplamente disseminadas, "normalmente predominantes", protege contra essa crítica? Aqui se oculta algo que Lange-Eichbaum formula da seguinte maneira[150]: "Só existe, portanto, um conceito de relação extremamente complicado, 'a' doença não existe. Além disso, porém, doença também é ainda um conceito relacional como conceito de valor, ou melhor, de desvalor. [...] Despido de todo elemento valorativo, o conceito de doença perde inteiramente seu sentido".

Se quisermos fazer justiça a grandes talentos, entre os quais Nietzsche realmente deve ser contado, não podemos tornar compreensíveis e muito menos avaliar sua atuação e seus efeitos com o conceito de doença ou patologia. Lange-Eichbaum procura desobstruir o caminho para uma avaliação que não esteja de antemão comprometida pelo conceito desvalorativo de "doença" por meio de um enfoque inteiramente distinto: "Tendo visto quão impreciso e de difícil definição é o conceito de doença, é preciso procurar um conceito amplo, que abranja, de modo bem geral, todos os fatores biológicos desfavoráveis e do qual 'a' doença representa apenas uma parte. Vemos esse conceito amplo no termo 'bionegativo'. Ele visa designar, de maneira abstrata e lógica, toda dinâmica biologicamente desfavorável e visa abranger todos os processos que sejam de alguma forma prejudiciais à vida".

Se criarmos um par de conceitos contrapondo à definição do bionegativo a do biopositivo, obteríamos um conceito daquilo que, a partir de agora, é tematizado na vida e no pensamento de Nietzsche e, como tema, passa a ocupar, de modo cada vez mais claro, o primeiro plano.

Enquanto que, nos últimos anos, Nietzsche tinha sido *estorvado* pelo estado dos olhos e pelas dores de cabeça no estilo de vida que escolhera ou lhe fora imposto, agora ele procura extrair desses obstáculos as regras constitutivas para uma nova configuração da vida na qual esses transtornos se tornariam dependentes dele, de sua vontade, de sua coerência na execução dos hábitos reconhecidos como biopositivos. Para isso, ele envereda pelo caminho de uma autodisciplina que beira a ascese e ganha com isso, como pensador da ética, uma credibilidade sem a qual dificilmente poderia ter manifestado suas percepções ousadas nessa área da filosofia. Mas também nas questões da estética, assim como nos assuntos da metafísica, para ele o critério supremo é se as teses que apresenta promovem a vida ou não. Nesse sentido, a "verdade" vai sendo relativizada cada vez mais, tornando-se, segundo uma formulação paradoxal, "uma espécie de equívoco sem o qual uma determinada espécie de seres vivos não poderia viver. O valor para a vida é o que decide, em última análise"[4, 6], e, para ele, "que a verdade tenha mais valor do que a aparência não passa de um preconceito moral [...] sequer haveria vida, se não fosse com base em estimativas e aparências perspécticas. [...] O que, afinal, nos obriga a supor que haja uma contraposição essencial entre 'verdadeiro' e 'falso'?"* Justamente a aparência em forma de obra de arte, como produto da imaginação artística, pode contribuir mais para a estimulação da vida do que "verdades", isto é, conhecimentos, quando estes deveriam indicar o caráter questionável e insondável da existência humana. Com essa exigência dirigida à arte, Nietzsche dá a ela um novo significado, mas rompe com a concepção tradicional da arte como arauto de "verdades" ou – na linguagem de Schopenhauer – como mais direta exposição da "vontade" enquanto protofundamento do mundo e a priva, com isso, da dimensão metafísica.

Possíveis razões da transformação mais profunda

Karl Jaspers também registra enfaticamente que, por volta dessa época (1879/1880), uma reviravolta de grande alcance está se dando em Nietzsche[126]: "Quem lê as cartas e os escritos em sequência cronológica [...] não pode deixar de ter a extraordinária impressão de que, desde 1880, está ocorrendo com Nietzsche uma transformação tão profunda como nunca antes em sua vida. Ela se mostra não só nos conteúdos do pensamento, em novas criações, mas também na forma da vivência; [...] o que ele diz adquire um novo tom. [...] Perguntamos se [...] na vida de Nietzsche não está se tornando visível algo que, sem necessidade mental e existencial, dá ao novo, por assim dizer, uma coloração que não lhe corresponde forçosamente; ou se entram a serviço desses impulsos e objetivos intelectuais fontes cuja proveniência aponta para o que, de modo impreciso, chamamos de 'fator biológico'. [...] Não é possível responder a pergunta sobre qual seria esse fator

---

* *Além do bem e do mal*, § 34.

biológico. O que aconteceu com Nietzsche a partir de 1880 precisa ficar indefinido por enquanto. Mas o observador isento de preconceitos que tenha se aprofundado cronologicamente no conjunto das cartas e dos escritos dificilmente poderá duvidar [...] que tenha acontecido algo incisivo. É injustificado compreender esse processo como primeira fase da paralisia, enquanto a experiência da paralisia não mostrar, mediante uma comparação casuística, que esses estágios preliminares – que, então, ainda não seriam, eles próprios, paralisia como processo destrutivo – fazem parte dela". E Jaspers conclui disso o seguinte: "Uma pergunta com consequências sérias para toda a compreensão de Nietzsche, ainda que não decisiva em termos substanciais, é aquela a respeito da *transformação* mental *a partir de 1880* e da possibilidade de que ela tenha coincidido com um processo biológico que estivesse começando. Não se dispõe de uma investigação pormenorizada sobre isso que mostre domínio de todo o material e o reproduza de maneira organizada; ela é a mais urgente exigência da biografia de Nietzsche: Möbius percebeu a incisão por primeiro, mas logo comprometeu sua percepção com tanta coisa errada que, com razão, ela não prevaleceu na forma proposta por ele. A incisão como tal, porém, por mais indistinta que continue sendo sua espécie [...], parece-me tanto mais evidente". Mas também Jaspers vê na possível – para ele, até provável – influência de um "fator biológico" secundário não só fontes de distúrbio. "Os fatores 'doentios' [...] não causaram só distúrbios, mas talvez tenham até tornado possível o que, do contrário, não teria surgido dessa maneira. Só agora Nietzsche chega até as origens com uma imediatez de quem está bem no início; em toda a riqueza das possibilidades de reflexão, seu jeito de ser consegue, no traço básico da total originariedade – mas só depois de 1880 – lembrar os pré-socráticos."

O psiquiatra sueco Poul Bjerre[52] viu, já em 1903, a transformação no desenvolvimento de Nietzsche como um ganho real. Partindo da opinião de que a infecção luética certamente existiu, Bjerre propôs que o veneno da lues exerceu um leve efeito intoxicante crônico, semelhante ao álcool, que liberou a imaginação e desinibiu a mente; por conseguinte, ele teria tido um efeito biopositivo até o colapso mental, quando, então, a obra de destruição orgânica da substância cerebral preponderou. O próprio Nietzsche vê sua situação assim já no início de 1880, quando escreveu o seguinte a seu médico, o Dr. Otto Eiser[7]: "Minha existência é um fardo terrível; eu já a teria lançado fora há muito tempo se não tivesse feito as mais instrutivas experiências na área mental e moral justamente neste estado de sofrimento e de renúncia quase absoluta – essa alegria sequiosa de conhecimento me leva às alturas, onde triunfo sobre todo suplício e desesperança. De modo geral, estou mais feliz do que jamais estive na vida. [...] Meu consolo são minhas ideias e perspectivas. Em minhas caminhadas para lá e para cá eu rabisco alguma coisa em uma folha; não escrevo nada à escrivaninha; amigos decifram meus rabiscos". E em 1886 escreveu no prefácio tardio à "Gaia ciência", em retrospectiva: "Percebe-se que eu não gostaria de me despedir com ingratidão daquela época de grave enfermidade, cujo ganho até hoje não está esgotado para mim".

Naturalmente, esse efeito intoxicante não produziu diretamente um "Zaratustra" ou o restante da obra do filósofo Nietzsche; do contrário, outras pessoas infectadas com lues deveriam criar coisas semelhantes. Resta perguntar, porém, se sem a suspensão desse limiar inibitório – qualquer que seja sua causa – Nietzsche teria exteriorizado essa obra que estava contida nele.

Todas as muitas interpretações médicas, por mais cuidadosas e perspicazes que sejam, não podem passar de tentativas exploratórias, porque não podem mais aduzir *a posteriori* os dados diagnósticos que seriam necessários para uma avaliação cientificamente justificável e que, por volta de 1890-1900, ainda não era possível obter por causa do nível de conhecimentos da época. Ainda que todas as investigações, desde Möbius até Lange-Eichbaum, divirjam em muitas questões avulsas, em um ponto elas parecem curiosamente congruentes, a saber, na datação aproximada da grande transformação: ela tem lugar nos anos de 1879-1881. Mas essa fixação de uma cesura substancial na vida de Nietzsche não pode ser obtida por nenhum autor a partir do histórico da doença, não pode ser demonstrada, em lugar algum, como estágio do transcurso normal da doença – suposta ou afirmada – a ser necessariamente fixado nesse ano, mas é obtida tão somente a partir da observação do comportamento diferente de Nietzsche em seu estilo de vida, nos conteúdos de seu pensamento e em uma nova forma e intensidade da exposição desses conteúdos. E, para compreender a estes, não se precisa necessariamente derivá-los de variações de uma doença. A mudança ocorrida em torno de 1880 se torna mais compreensível a partir de experiências na esfera da psique.

Como vivências da infância, a doença e a morte precoce do pai tinham deixado marcas profundas na consciência de Nietzsche. Por causa de sua crença incondicional na carga e transmissão hereditária, Nietzsche sempre teve, com graus variáveis de intensidade, a sensação de estar ameaçado por um destino igual ou semelhante ao do pai. Entretanto, com o colapso da existência burguesa imposto pela enfermidade física na primavera de 1879 e o subsequente estado que talvez tenha piorado no decorrer de muitos meses, tornaram-se de novo extremamente atuais as antigas questões a respeito do sentido e da sustentação da existência, e, ao lado dessas questões, passaram forçosa e inteiramente para o segundo plano seu programa político-cultural pregresso ou o problema de uma desejável e possível renovação da cultura alemã nos moldes do exemplo singular da Antiguidade (e, neste tocante, a rigor só substancialmente da Atenas de Péricles) a partir da música, ou até da música de Richard Wagner.

O ponto mais baixo em termos de saúde ocorreu – mais uma vez, em consequência da agitação por causa da festa de Natal cristã – no final de dezembro de 1879 em Naumburg, apesar dos cuidados afetuosos dispensados pela mãe: um acesso de enxaqueca grave que durou três dias, acompanhado de vômitos e até de um longo desmaio. Aí Nietzsche teve uma conversa com a morte; mentalmente ele já se encontrava diante da última barreira e, depois, sentia-se como alguém iniciado nos mistérios da morte. Ele estava marcado, e agora pode e vai falar em tons novos. Em fins de julho de 1879, já tinha confessado a Paul Rée[12]: "Querido amigo, você por acaso sabe por qual situação eu passei? Algumas vezes escapei por pouco da morte, mas fui terrivelmente atormentado – é assim que vivo um dia após o outro"; e, em 22 de outubro de 1879, escreveu o seguinte a Overbeck[11], apesar de ter acabado de passar algumas semanas "melhores": "Em meio à vida eu estava envolvido pelo bondoso Overbeck* – talvez, do contrário, o outro companheiro teria aparecido – *mors* [a morte]". Tais expressões de desespero podem ter contribuído para que se espalhasse um boato da morte de Nietzsche, que chegou até Paris, de onde Malwida von Meysenbug, que estava lá com sua filha Olga Monod, escreveu, preocupada, a Meta von Salis** em 28 de outubro: "Hoje uma necessidade muito triste me leva a dirigir-me a você. Ontem ouvi dizer, inteiramente por acaso, que Nietzsche teria morrido. Como não quero escrever à irmã dele sem ter certeza do fato, envio a carta a você, pois, se estiver em Naumburg, certamente está sabendo disso. Se for verdade, encaminhe logo a carta, por favor; se não for verdade, queime-a". Meta von Salis pôde queimar a carta. Ela também não teria conseguido repassá-la à irmã de Nietzsche em Naumburg, pois esta estava em Tamins (no cantão de Graubünden), o que Malwida, ao que tudo indica, não sabe. Ocorre que o contato por carta já estava interrompido há bastante tempo. Nietzsche o retomou, em dezembro de 1879, com a remessa de seu mais recente livrinho, "O andarilho e sua sombra", e, em 14 de janeiro de 1880, deu a seguinte resposta à carta de Malwida de 17 de dezembro do ano anterior[7]: "Embora, para mim, escrever faça parte dos frutos mais proibidos, você,

---

* O original, "Mitten im Leben war ich vom guten Overbeck umgeben" é uma alusão à expressão *mitten im Leben sind wir vom Tod umgeben*, que é a versão em alemão do antigo dito latino *media vita in morte sumus* [N.T.].

** Na ocasião, ela visitava a Baronesa Wöhrmann em Naumburg; através desta, conhecia a mãe de Nietzsche, mas não o próprio Nietzsche.

que amo e venero como uma irmã mais velha, ainda receberá uma carta minha – decerto acabará sendo a última, pois o tormento terrível e quase incessante de minha vida me faz ansiar pelo fim, e, a julgar por alguns indícios, o derrame cerebral redentor está perto o suficiente para poder ter esperança [...]. Creio que realizei a obra de minha vida, mas como alguém a quem não foi dado tempo. Mas sei que ofereci alguma coisa boa para muita gente [...]. Nenhuma dor conseguiu nem conseguirá me fazer dar um falso testemunho a respeito da vida que conheço". E ainda: "No tocante ao tormento e à renúncia, minha vida nos últimos anos pode ser comparada a todo asceta de qualquer época; ainda assim, nesses anos ganhei muito em termos de purificação e aprimoramento da alma – e para isso não preciso mais da religião nem da arte". Neste ponto, Nietzsche se distancia claramente de todos aqueles que também vivenciaram a proximidade da morte e, em função disso, tornaram-se profetas convictos da crença na superação da morte por meio de uma vida eterna. Para Nietzsche não havia mais essas consolações, seja em forma da dogmática cristã e eclesiástica, seja em doutrinas filosóficas, por exemplo, de uma crença pitagórico-platônica na metempsicose. São justamente *essas* doutrinas que ele haveria de designar de "embuste mais elevado", de equívoco e doutrina errônea, e de combater apaixonadamente. Ele via nessas proposições religiosas, que carecem de qualquer evidência comprobatória, apenas truques dialéticos com cuja ajuda se tentaria diminuir o valor da vida e deste mundo de tal maneira que a perda pudesse ser tida em pouca conta. A ele, a ameaça perturbadora levou na direção oposta: para ele, a vida neste mundo se tornou o valor supremo. E para manter esse valor, e talvez até para aumentá-lo, tudo tinha de ser subordinado. Nesse sentido, para Nietzsche não havia dúvida de que ele entendia sob "vida" a maior realização possível do ser humano.

Mesmo que um "fator biológico" em sentido médico e material também tenha exercido certa influência, parece-nos, não obstante, que o abalo psíquico na vivência da ameaça representada pela doença, debilidade e cisão desgastante entre profissão e vocação foi a força decisiva que desencadeou a mudança que teve início agora.

Em diálogo consigo mesmo

Nietzsche teve de perceber muito em breve que estava se movendo sozinho na nova trajetória que contrariava toda tradição. Ele tinha de assumir de modo sereno e resoluto o risco *dessa* vida. Estando nesse contracaminho, de repente ele vê todas as coisas a partir de um outro lado e sob uma iluminação contrária: a luz e a sombra estão distribuídas de modo bem diferente, e é uma contraluz, uma luz fria, que as ilumina. "Um equívoco após o outro é serenamente depositado sobre o gelo, e o ideal não é refutado – ele morre de frio [...]. Aqui, por exemplo, morre de frio 'o gênio'; no canto seguinte morre de frio 'o santo'; sob um bloco espesso de gelo morre de frio 'o herói'; por fim morrem de frio 'a fé', a chamada 'convicção', e também a 'compaixão' esfria bastante – e quase em toda parte morre de frio 'a coisa em si'" – assim ele resume, em 1888, no "Ecce homo" a respeito de "Humano, demasiado humano", e assim começa agora a reexaminar cuidadosamente todas as coisas e relata sobre isso. Mas para quem? Em sua solidão, para quem haverá ele de comunicar suas opiniões, suas percepções?

Já no verão de 1879 ele encontra a forma. Trata-se da roupagem de uma cena de conversa entre duas pessoas, como no diálogo platônico. Mas Nietzsche tem de usar sua própria sombra como parceiro de diálogo. As observações aforísticas do verão de 1879 têm, por isso, o título "O andarilho e sua sombra". Essa coletânea de 350 aforismos, inicialmente publicada em separado, torna-se então, como "Segunda seção" junto com as "Opiniões e sentenças diversas", o segundo volume de "Humano, demasiado humano", mas já estabelece claramente um elo com a obra subsequente, "Aurora". Aqui, com o breve revestimento de uma cena, o caráter de diálogo ainda é explícito. Todos os textos de Nietzsche são tais diálogos com sombras das mais diversas proveniências, sombras de acontecimentos ou de ideias que lhe ocorrem. Para conversar com elas intensivamente e sem ser perturbado, ele se retira exteriormente para uma relativa solidão, mas nunca a tal ponto que nada mais chegasse até ele, pois precisa de objetos e problemas em função dos quais seu jeito apaixonado de ser possa inflamar-se: ele precisa da conversação polêmica. Nietzsche não tem a predisposição para ser um pensador contemplativo, que construa seu sistema tranquilamente, colocando pensamento após pensamento, rumo a um único objetivo cognitivo. Seu profundo abalo nunca mais o deixará ter tranquilidade – ainda que ele pretexte estar em busca dela –, e, por isso, desconfia de tudo que pareça possuir ou oferecer tranquilidade e segurança, procurando arrastá-lo para dentro de sua agitação.

Tentativa com o clima de Graubünden Central

Inicialmente, Nietzsche tinha de reorganizar e planejar de novo sua vida exterior. Disso fazia parte a busca de lugares que, em termos climáticos e de expressão paisagística, produzissem um efeito externamente calmante sobre ele, de tal maneira que se pudesse esperar uma certa tranquilização de seu organismo e espírito alterado. Alguém (talvez a sogra de Franz Overbeck, a Sra. Rothpletz em Zurique) deve ter-lhe indicado, no verão de 1879, a aldeiazinha de Wiesen no cantão de Graubünden [Grisões]. Do contrário, ficaria incompreensível como Nietzsche descobriu esse lugar, que não é um ponto turístico renomado. Wiesen, a cerca de 1.400m acima do nível do mar, fica na ligação leste-oeste de Davos para Tiefenkastel, o ponto de partida para a estrada dos desfiladeiros de Julier e Albula, portanto as passagens para a Alta Engadina, em um terraço alpino moderado, aberto para o sul, uns 200m acima da profunda fenda do Rio Landwasser[146]. Aí Nietzsche desembarcou em fins de maio (talvez já no dia 26), no "Hotel Bellevue", onde havia só mais um hóspede, um certo Sr. Hirzel, natural de Zurique, que morava em Palermo e já estava há 12 semanas em Wiesen. Nietzsche elogia (em carta de 08/06/1879 a Overbeck): "De resto, o lugar, o prédio, o quarto, a cama, a comida, o atendimento, tudo é muito bom e me agrada". Mas: "Dor, solidão, passeios, tempo ruim – este é meu ciclo", diz a mesma carta. Ele observa o nível extraordinariamente baixo do barômetro (só 751mm em Zurique) e sofre com o vento quente que se forma nos vales alpinos em consequência disso. Assim como, já no início da estadia, teve de pagar com um acesso grave de três dias pelos esforços da viagem, o tempo todo em Wiesen foi ruim do ponto de vista da saúde. Nietzsche sente especialmente falta de trechos sombrosos de mata nas proximidades. A radiação solar intensiva naquela altitude incomoda muito seus olhos sensíveis.

Convite para ir a Veneza

O cuidado que inspiram os olhos também é uma das razões pelas quais Nietzsche não aceita o convite amistoso de Heinrich Köselitz, que, em 7 de agosto, tinha escrito de Veneza dizendo[13]: "Mas não seria possível que você viesse para cá? [...] Acho que você deveria ficar morando no Lido e desfrutar, durante o verão, do notável frescor que sopra lá vindo do mar! Tenho sempre a impressão de que justamente esse ar é a única coisa adequada para você; certamente não é por acaso que os gregos respiravam o ar marítimo. Essa temperatura e esse ar [...] não se encontram na própria Veneza, também não no lado da Ilha de Lido virado para a laguna, mas só no lado da praia [...] seria o caso de fazer uma tentativa, por cujo eventual malogro aceito assumir a responsabilidade". E mais uma vez mais extensamente no dia 13 de maio: "O banho no Mar Adriático é tido em alta conta aqui, e com razão: chão macio de areia, e não, como em Livorno, lajes rochosas em que se machucam as solas do pé; grande agitação do mar geralmente só em março. Na esfera física, conheço pouca coisa que me transmitisse uma sensação vital como esses banhos [...]. Quando se caminha na beira da praia, pode-se colocar o pé na areia da qual a onda acaba de se retirar sem que se fique molhado. É a mesma característica dos caminhos de areia em Baden-Baden, só que potenciada [...]. Na extremidade oriental do Lido estão situados, de modo muito pitoresco, a aldeia e o Forte de São Nicolau, com muitas árvores. A vista da laguna com as ilhas, Veneza, os Alpes, o sossego sobre as águas – não conheço outro lugar onde a gente tivesse tanta disposição criativa quanto aqui [...]. Não preciso usar palavras mais enfeitadas. Além disso, seria de se perguntar a Burckhardt, que lhe diria que, por mais que o estrangeiro aceite de bom grado, nas lagunas não há nada de monótono ou descorado. Byron queria ter seu túmulo no Lido; Shelley gostava de vir para cá e escreveu um poema mais longo ambientado no pôr do sol desta ilha [...]. Podem-se alugar cavalos de montaria. A viagem de barco para a cidade custa 30 centavos. [...] Em Veneza, descobri um clube de leitura com biblioteca [...] ao estilo daquele de Basileia; lá há revistas e periódicos alemães, ingleses, franceses e italianos". Por fim, Köselitz ainda confecciona cinco aquarelas reproduzindo essa paisagem, das quais envia duas a Nietzsche para dar mais força persuasiva a suas palavras[7].

Decisão pela Engadina

As avaliações dos amigos e médicos de Basileia, porém, devem ter sido diferentes, e parece que também Jakob Burckhardt se manifestou desfavoravelmente sobre o efeito de Veneza no verão, de modo que Nietzsche, depois de três semanas de bastante mal-estar suportado com firmeza em Wiesen, passou, por fim, para a Alta Engadina, situada em maior altitude ainda, a pouco mais de 1.800m acima do nível do mar, sobre a qual ainda tinha escrito o seguinte à sua irmã em 7 de junho[124]: "Por causa da grande quantidade de pessoas da Alemanha e da Basileia, quase não consigo pôr os pés na Engadina, como percebo agora (além de ser muito cara)". No dia 15 de junho, informa a irmã, de Wiesen, que seu destino é a pequena localidade de Campfèr, distante de St. Moritz cerca de 1 hora vale acima. Depois, porém, ele sempre diz o que se encontra no cartão postal que enviou dia 25 de junho a Köselitz: "Se você quiser me contar alguma coisa, use o seguinte endereço: St. Moritz, Graubünden posta restante – mas não dê a ninguém uma dica sobre esse endereço, por favor!" A mesma cautela com um endereço de posta restante também é mantida na correspondência com Franz (e Ida) Overbeck, que agora tem a tarefa de resolver todos os assuntos financeiros para ele, administra as quantias recebidas a título de pensão e termina de pagar as contas da residência em Basileia, depois que a irmã viajou, pouco depois de 7 de junho, para uma estadia de verão na Suíça francesa e se hospedou na casa do Pastor Martin em St. Aubin, junto a Neuchâtel. Ele só dá esse endereço a ela e também à mãe em Naumburg, a quem pede ocasionalmente – mas nesse seu primeiro verão na Engadina ainda muito pouco – que lhe envie gêneros alimentícios.

A partir de agora, Nietzsche evita hotéis e restaurantes e reside solitariamente, como único morador, em algum lugar perto de St. Moritz, talvez mais perto de Campfèr, em um quarto privado, onde ele próprio também pode preparar sua modesta comida, pois precisa se acostumar a viver de modo muito econômico, para que ainda reste alguma coisa para as viagens caras associadas a seu novo estilo de vida.

No início não estava nem um pouco claro para Nietzsche quanto dinheiro ele teria à disposição. Por enquanto só lhe estavam assegurados os 1.000,00 francos do Fundo Heusler. Em 6 de julho, escreve o seguinte à irmã[124]: "A direção da universidade também aprovou 1.000 francos anuais por um período de seis anos; portanto, terei 2.000 no total, e vou precisar me adequar a esse montante". Quando, então, Overbeck pode comunicar-lhe o seguinte, em 19 de julho[11]: "[...] refiro-me à resolução da Sociedade Acadêmica [...] de participar, por um período de seis anos, com 1.000 francos anuais em sua pensão, de modo que ela agora soma 3.000 francos", Nietzsche responde dizendo, em 24 de julho: "A Sociedade Acadêmica me surpreendeu com a maior amabilidade. Sou tratado tão bem, como se eu merecesse".

Junto com os rendimentos do pequeno patrimônio que tinha herdado e que o banqueiro Kürbitz, em Naumburg, administrava cuidadosamente e até conseguiu aumentar um pouco, essas quantias proporcionavam, para um homem solteiro e com os preços da época, o suficiente para assegurar a subsistência, especialmente tendo em vista as pretensões modestas de Nietzsche. Ele perseverou em seu plano de alimentação invariante e econômico iniciado no último ano em Basileia, com uma comida tão insípida quanto possível.

Estilo de vida rigoroso

No dia 24 de junho, ele escreve pela primeira vez à irmã de St. Moritz: "Estou morando bem sozinho e como no quarto mesmo (como em Basileia, e também quase as mesmas coisas, mas não figos), quase nada de carne, mas muito leite". E em 6 de julho: "Eu moro bem sozinho em uma casa, e sossegado. A cama é boa". E: "Aqui todos os produtos de padaria são incrivelmente caros; por isso, mandei fazer 150 torradas em Wiesen". De modo geral, ele encomenda os alimentos de fora, quando são mais baratos lá. Por isso, ainda acrescenta o seguinte na mesma carta[124]: "Graças à Sra. Rothpletz, estou comprando gêneros alimentícios de Zurique, especialmente língua americana", e, no dia 12 de julho, pergunta à irmã[124]: "Quanto custa uma caixa com 3 quilos de Brown College? (um biscoito de cevada) [...]. Estava muito bom. Comi a linguiça com apetite".

Com isso iniciam os envios de alimentos de Naumburg, com os quais ele é abastecido nos dez anos seguintes. Em meados de julho, escreve o seguinte à mãe[124]: "Estou morando sossegado, tenho leite e ovos de boa qualidade", e acrescenta: "Um mês mais tarde talvez eu peça que me enviem linguiça, mas não antes disso". No dia 21 de julho, pode relatar à mãe: "Agora que me alimento no próprio quarto (leite, ovos, língua, ameixas (secas), pão e torrada), meu estômago está funcionando perfeitamente. Ainda não fui a nenhum hotel ou restaurante".

Ele certamente podia estar satisfeito com o estômago, mas tinha dificuldades constantes com uma digestão aparentemente muito indolente, apesar da grande movimentação produzida por suas caminhadas diárias de sete até oito horas de duração. Assim, diz ainda na mesma carta: "Tomar a água de Karlsbad se torna urgentemente necessário a uma certa altura, por causa do abdômen". Em outras ocasiões, ouvimos falar de pó de ruibarbo e outros remédios que ele encomendou para si. Em meados de agosto, iniciou um tratamento com água de St. Moritz. No dia 19 de agosto, escreve o seguinte à irmã: "Agora mesmo nesses dias iniciei o tratamento com água medicinal e banhos; não tolero a água muito bem e só posso tomar a metade da quantidade costumeira. Em compensação, preciso tomar durante mais tempo, ao menos quatro semanas". A irmã deve ter se informado a respeito de remédios mais eficazes junto a um farmacêutico. Em 26 de agosto, Nietzsche respondeu à carta e ao pacote dela, dizendo[124]: "Querida irmã, ontem *ri* muito, o que é algo bem raro! Quer dizer que o farmacêutico quer que eu cozinhe essas ameixas horríveis junto com o chá de frângula? Então certamente surgirá aquilo que *Fausto* chama de 'o doce de ameixa infernal'!* E se o efeito for forte demais, devo então comer as torradas puritanas? Você não me informou o preço da linguiça de N[aumburg]. Justamente agora não posso comê-la, pois, aos poucos, meu tratamento mudou completamente meu estilo de vida e de alimentação". Essas eram dificuldades que o acompanham sempre e seriam um dos assuntos principais na correspondência com a mãe nos anos seguintes.

Bem diferente, acreditava ele, tinha sido a escolha da paisagem e do lugar. Pouco tempo depois de chegar a St. Moritz, escreveu aos Overbeck: "Desde meu último cartão**, passei a maior parte do tempo na cama; esse é um comentário sobre o qual não preciso escrever. Mas agora tomei posse da Engadina e estou como um peixe na água, coisa bem estranha! Eu tenho afinidade com essa natureza". E no dia

* GOETHE. *Faust*, vol. 1/050.

** Wiesen, 8 de junho.

11 de julho: “[...] aqui estou tão doente quanto em toda parte e, no total, já passei oito dias na cama. Essa é a lenga-lenga que repugna a mim e a vocês! Apesar disso, St. Moritz é o lugar certo, combina muito com minhas sensações e meus sentidos (olhos!) e está preparado para receber pacientes. O ar é quase melhor do que o de Sorrento [...]”. Um dia mais tarde, em 12 de julho, escreve a Köselitz em termos semelhantes: “Entrementes encontrei meu tipo de natureza, de modo que só agora estou percebendo do que tenho sentido falta há anos, como eu era pobre também nesse tocante”. E em meados de julho escreve à mãe: “St. Moritz é mais alto do que Rigi-Kulm, onde você esteve [...]. Matas, lagos, as melhores trilhas para caminhadas, assim como têm de estar preparadas para gente quase cega como eu, e ar agradabilíssimo – o melhor da Europa – isso me faz gostar do lugar”. Mas ele erigiu o mais belo monumento à natureza quase no final de “O andarilho e sua sombra” (aforismo 338): “Sósias da natureza. – Em algumas regiões da natureza redescobrimos a nós mesmos, com agradável espanto; esse é o mais belo caso de sósias. – Quão feliz deve poder ficar quem tem essa sensação justamente aqui, neste constante ar ensolarado de outubro, nessa brincadeira brejeiramente feliz do vento que sopra de manhã até a noite, nesta mais pura claridade e neste mais moderado frescor, em todo o caráter graciosamente sério de colinas, lagos e matas deste planalto, que se reclinou sem medo ao lado dos horrores da neve eterna, aqui, onde a Itália e a Finlândia se aliaram e parece ser a terra natal de todos os tons de cores prateadas da natureza: quão feliz aquele que possa dizer: ‘Certamente existe muita coisa maior e mais bonita na natureza, mas *isto* me é íntimo e familiar, e, mais ainda, consanguíneo”.

Mas também aí lhe sobrevém subitamente o fastio. “Já estou tão farto [...] das muitas caminhadas que meus olhos querem a penumbra; e então muita leitura em voz alta, para não ficar refletindo sempre – minha única ocupação, além de minhas dores eternas. Não *consigo* ler, não *consigo* interagir com pessoas, e a natureza daqui eu já conheço de cor, ela não me distrai. Mas o ar é bom demais, tenho até medo de deixá-lo [...] ‘em nenhum outro lugar sinto esse alívio produzido pelo ar, até mesmo em meio às mais violentas dores’” (carta de 29 de agosto à mãe). As dores de cabeça também não diminuíram nesses meses, e, apesar dos constantes elogios a St. Moritz, ele deve ter sido acometido por dúvidas a respeito da opção por esse lugar, pois no início de agosto tenta se mudar para outra localidade na Baixa Engadina. Mas a tentativa acaba sendo um lastimável fracasso, e ele já desiste dela depois de três dias. Nietzsche se aferrou à Alta Engadina como *sua* paisagem, não porque aí tivesse, por exemplo, menos acessos de sua enfermidade, mas por ter a sensação de que aí as suportava com mais facilidade e as superava melhor.

Fastio da solidão

Com a Engadina, porém, ganhava-se apenas um refúgio para o verão, pois naquela época dificilmente alguém pensava ainda em uma estadia durante o ano todo, e sequer em uma estadia durante o inverno. Não havia nem sombra da linha ferroviária de Albula e tampouco passagens seguras no inverno pelos desfiladeiros cobertos de neve e ameaçados por avalanches. Permanecer com a calejada e frugal população estabelecida no alto vale, que, em função disso, muitas vezes ficava isolado de todo o entorno durante períodos mais longos, significava solidão demais até mesmo para Nietzsche. Já durante a estadia no verão, em que ele certamente se encontrou, nas trilhas de caminhada mais cômodas por ele procuradas, com alguns visitantes e, entre eles, conhecidos de Basileia, a separação de amigos e outras pessoas que lhe eram próximas lhe custou muito. Por isso, ele literalmente implorou a Overbeck que lhe fizesse uma visita, e o amigo veio em 19 de agosto e ficou três dias, embora a viagem lhe fosse penosa e ele praticamente não pudesse fazê-la por razões financeiras. No dia 11 de julho, Nietzsche tinha escrito o seguinte: "Eu gostaria que você inventasse, no outono, uma excursão para St. Moritz, junto com sua amável esposa [...]. Não quero prometer demais porque, como disse, pessoalmente gosto do lugar", mas lamentavelmente Overbeck precisa, ainda assim, dar uma resposta negativa em 19 de julho: "Se nós dois não o visitarmos nessas férias, isso não tem nada a ver com 'aversão' (essa era a suspeita de Nietzsche) a St. Moritz. [...]. Mesmo sem você, se de resto fosse possível, dificilmente preferiríamos outra coisa a uma visita a St. Moritz. Mas não é mesmo possível, e isso unicamente por causa das malfadadas finanças, [...] que neste ano nos prendem bastante à gleba com correntes curtas, mas infelizmente não de ouro. Mas se me for possível, vou visitar você por pelo menos um ou dois dias. Desejo de todo o coração revê-lo". Assim, Nietzsche se resignou e respondeu em 12 de agosto dizendo: "Há muito eu já disse a mim mesmo que não devo pensar em uma visita sua; certa vez pensei sobre os custos absurdos e as dificuldades da viagem para chegar até esse alto vale terrivelmente caro e todo inundado. Às vezes, entretanto, o pesadelo da renúncia – da renúncia realmente completa que tenho de me impor – pesa horrivelmente sobre mim, e então gosto de imaginar que você está presente". Ainda assim e surpreendentemente, o amigo veio. A alegria de Nietzsche foi grande, e grande *demais* a agitação desencadeada pela vinda dele, de modo que, ainda durante a visita, reagiu a ela com um de seus acessos. Assim, Overbeck também escreve no dia 27 de agosto, em retrospectiva: "Recentemente deixei você sob circunstâncias que fazem com que agora eu esteja ansioso para receber de novo notícias suas. Infelizmente parti com a certeza de que o dia da despedida foi ruim [...]. O que mais me afligiu foi pensar no próximo inverno e o fato de eu não ter tido condições de dissipar as sombras que tolhem suas decisões a respeito dele. Só posso repetir constantemente o conselho de que você não se entregue a nenhum plano que o condene de novo a uma solidão contínua. Escrevei a Köselitz, assim como a Romundt, e também a Rohde*, [...] ele pensou na possibilidade de um encontro com você não muito longe de Genebra, em cuja região ele está retirado. Agora o informei sobre a total impossibilidade de qualquer viagem que não seja absolutamente inevitável para você [...]. Sua irmã escreveu hoje falando da possibilidade de uma estadia junto com você em Riva no outono [...]. Eu, porém, [...] por causa da sombra, consideraria Meran mais conveniente".

Planos para o outono e inverno

Entrementes, um plano bem diferente para o inverno havia amadurecido. Nietzsche ainda continuava aferrado à cosmovisão de sua antiguidade grega. O estilo de vida dos "sete sábios da Grécia", por exemplo, de Myson [de Queneia], e o jardim de Epicuro, com os quais ele estava muito familiarizado a partir de seus trabalhos sobre Diógenes Laércio, podem ter nutrido a ideia de assumir em Naumburg, perto da moradia da mãe, junto ao chamado "Zwinger"**, o largo baluarte da cidade, uma torre e um pomar para tomar conta. Em 21 de julho, dá a seguinte incumbência categórica à mãe: "Eu me comprometo formalmente [...] a pagar anualmente 17,5 táleres durante seis anos. Mas preciso daquele quarto na torre. O cultivo de hortigranjeiros corresponde inteiramente a meus desejos e de modo algum é indigno também de um futuro 'sábio'. Você sabe que eu tenho uma propensão a um estilo de vida simples e natural; isso está se confirmando cada vez mais para mim, e também não há outra salvação para minha saúde. O que me faz falta é um *trabalho* de verdade, que custe tempo e exija *esforço*, sem fatigar a cabeça!" Também nos verões vindouros, Nietzsche irá à Engadina até mais ou menos meados de setembro, e se pergunta: "Como compatibilizar isso com os deveres de um hortelão? [...] Para o trabalho na horta restariam os meses de abril, maio, a primeira metade de junho e do fim de setembro até novembro – parece-me que esses são os meses dos mais importantes trabalhos". Portanto, também os meses de inverno ainda ficam livres no plano.

---

* Carta de Overbeck a Rohde[188]: "Tive de deixar Nietzsche em um estado verdadeiramente aflitivo, sem poder ajudá-lo. O que [...] o deprime particularmente é a falta de perspectivas de suspender sua solidão, agora, antes de mais nada, perniciosa para ele, no próximo inverno sob condições climáticas que lhe sejam suportáveis".

** Local ou área diante do muro da cidade em que o inimigo deveria ser derrotado [N.T.].

No dia 24 de julho, ele informa à irmã como se falasse de um fato consumado: "Para a primavera ou o verão, imaginei a horticultura (cultivo de hortigranjeiros) em Naumburg. A partir de outubro, vou começar a arrendar o 'Zwinger' e o quarto na torre será preparado para que eu more nele". No mesmo dia, escreve o seguinte também a Overbeck: "Para ter algo firme na terra [...]". Portanto, Nietzsche não consegue se conformar com seu total desarraigamento, embora, na carta a Paul Rée[12] de final de julho, já se designe de *fugitivus errans* [fugitivo errante]. Ele está procurando um lugar fixo e crê reencontrá-lo em sua terra natal, perto da mãe, e até na antiga torre de uma fortificação citadina, que proporciona proteção e segurança. Neste caso, a torre talvez seja, inconscientemente, símbolo do "meio" ou "centro", daquele meio ou centro que, na esfera intelectual, ele está a ponto de abandonar e do qual fala com tanta frequência justamente agora: em *media vita* [no meio da vida] e formulações semelhantes. O fato de agora se encontrar no meio da vida parece significar muito para ele.

Mas ele só quer ir morar nessa torre em Naumburg no outono e na primavera; os planos para o inverno ainda são muito discrepantes. Nietzsche pensa em Berlim, para poder estar junto de Paul Rée lá. Por isso, escreve a ele em setembro e envia a carta para Stibbe, para onde Rée se retirou, mais doente do que antes, após um tratamento inútil em Nassau[12]. "Os maus-tratos semelhantes aos de animais que estou sentindo agora fazem com que Sorrento e Bex me pareçam tempos do 'paraíso relativo'. Se agora vou para Naumburg, estou fazendo isso na esperança certa de comemorar com o amigo, cuja falta senti durante tanto tempo, uma festa de reencontro (talvez um mês de reencontro, em casas contíguas, em Berlim, p. ex., no mês de janeiro)." Por outro lado, ele também se sente atraído pelo norte da Itália, mas isso ainda precisaria ser experimentado. – E há mais uma coisa que ele quer experimentar, da qual espera um alívio para os olhos, uma nova invenção: em uma nota marginal de sua carta de 14 de agosto à irmã encontra-se a seguinte pergunta[124]: "[...] afinal, a máquina de escrever está em Zurique?" Ele precisa dessa ajuda para escrever, que lhe permitiria produzir "em braile" um manuscrito legível, pois ele também trabalhou nesses dias tão frequentemente perturbados por acessos de sua doença e continuará fazendo isso.

Em 11 de setembro, Nietzsche escreve o seguinte a Köselitz: "Prezadíssimo amigo, quando você ler estas linhas, meu manuscrito estará em suas mãos; ele próprio pode apresentar seu pedido a você, pois eu não me animo a isso. – Mas você também compartilhará comigo alguns instantes de felicidade que estou sentindo agora ao pensar em minha obra agora concluída. Estou no final do 35º ano de vida; o 'meio da vida', como se disse durante um milênio e meio [...]. Só que agora, no meio da vida, estou de tal modo 'cercado pela morte' que ela pode me pegar a cada hora [...]. Neste sentido, sinto-me agora igual ao mais velho dos homens; mas também pelo fato de ter feito a obra de minha vida [...]. Leia esse último manuscrito, caro amigo, e, ao fazê-lo, pergunte-se sempre se aí se podem encontrar vestígios de sofrimento e opressão; *não creio nisso*, e essa própria crença já é um sinal de que nessas opiniões devem estar ocultas *forças*, e não impotências e cansaços que aqueles que antipatizam comigo irão procurar [...]. Eu mesmo não irei ter com você – ainda que os Overbeck e minha irmã estejam zelosamente tentando me persuadir a fazer isso; há um estado em que me parece mais conveniente ir para perto da mãe, da terra natal e das lembranças da infância [...]. Para este inverno o programa é o seguinte: recuperar-me de mim mesmo, descansar de minhas ideias – [...] talvez em Naumburg eu consiga organizar minha agenda de tal forma que esse descanso me seja dado. – Mas *primeiro* o 'posfácio'. 'O andarilho e sua sombra' –".

Para casa

No dia 17 de setembro de 1879, depois de uma estadia de 90 dias, Nietzsche deixa St. Moritz e se encontra com sua irmã em Chur, que, entrementes, trocou St. Aubin por Tamins, junto a Chur, onde cuida, decerto mais no papel de dama de companhia, de Meta von Planta, que sofre de depressão, e fica nessa função até março de 1880, embora isso nem sempre pareça ter sido fácil para ela. Nietzsche ainda a consola em meados de outubro, em uma carta escrita de Naumburg[124]: "Quanto à sua situação, que não deixa de ser interessante, ainda que talvez não muito divertida (mas de modo algum a considero perigosa), creio, mesmo que de modo inteiramente despretensioso, que se vocês duas passarem a *fazer planos*, as horríveis perturbações mentais também devem ficar mais raras: é preciso recorrer um pouco ao futuro na luta contra o passado e conseguir antecipar com a fantasia os prazeres de uma vida *que aprende, amadurece, faz bem*. Provavelmente estou falando de coisas que você está praticando agora mesmo; mas essa é a melhor espécie de conselhos, que chega tarde demais. Vingar-se de seus (supostos) amigos por meio de benefícios e gentilezas – para isso você talvez também pudesse estimular a coitada; os doentes querem ter razão e, nesses casos, também exercer sua vingança".

Nietzsche planejou muito cuidadosamente a convivência com a irmã em Chur como estação intermediária entre St. Moritz e Naumburg. Em 15 de setembro, escreveu à irmã, que estava em Tamins: "[...] por fim, não sou capaz de deixar de me encontrar com você em minha viagem para Naumburg: primeiro eu queria fazer isso para evitar todas as emoções. Por fim: vamos encarar a coisa *com alegria* [...].

Portanto: vou viajar na *quarta-feira* (depois de amanhã) para Chur, aonde chegarei por volta das 4 da tarde. Peço-lhe que me espere lá, se possível; pegue uma condução que chegue antes [...] vá até o hotel *Weisses Kreuz*, pergunte pela hoteleira [...] e escolha dois quartos para nós: ficaremos juntos, então, na quinta e na sexta-feira. No sábado de manhã cedo viajarei diretamente para Naumburg (passando por Rorschach, Lindau e Leipzig)". Assim, os irmãos passaram quase quatro dias com caminhadas nos arredores de Chur. Depois Elisabeth voltou a Tamins, e Nietzsche partiu no dia 20 de setembro para Naumburg, ao encontro do mais sombrio inverno, dos mais negros dias, de um primeiro e horrível auge de seu sofrimento.

Inicialmente ocorreu, ao que tudo indica, uma melhora de seu estado, pois em 10 de outubro ele escreve o seguinte à irmã: "[...] hoje não posso dizer que meu estado de saúde seja desfavorável". E mais uma vez no dia 16[124]: "Desde que nos revimos e nos separamos, minha doença tem me tratado de maneira bastante clemente, de modo que estou começando a me lembrar do tratamento em St. Moritz com gratidão [...] sofro de irreflexão e, a rigor, estou satisfeito com meu sofrimento". Mas então ele continua: "Imagine que agora eu poderia estar contando com a visita do Dr. Rée e que a razão desaconselhou à razão os prazeres que eram de se esperar; a mim *como amigo* a resolução se tornou penosa e amarga". Também tinha comunicado isso a Overbeck no dia 29 de setembro com a seguinte observação: "Desculpe-me por estar um pouco orgulhoso desse grau de renúncia! É necessário". E isso embora ele realmente tivesse ansiado de coração pela visita. A mãe, que o "mima com belas comidinhas e passeiozinhos e novelinhas", como tinha escrito à irmã[124], tinha incluído também esse desejo sincero do filho em seu programa de cuidados e escrito a Paul Rée sobre o assunto em 7 de setembro. E Rée lhe respondeu em fins de setembro[12]: "Decerto nem preciso lhe dizer, prezada senhora, que aceito inteiramente sua magnífica sugestão e, por isso, lhe peço o obséquio de reservar o apartamento mobiliado para mim". Mas Nietzsche sabia que tinha de se precaver contra agitação e como tinha de fazê-lo. Isso também se mostra na inconstância de suas decisões. Assim como ele ainda haveria de mudar de ideia depois de declinar da visita de Rée, sua existência na torre e como horticultor já se lhe tornara impossível depois de três semanas. Enquanto que em 30 de setembro ainda tinha escrito a Köselitz sobre isso: "Nessas fantasias a respeito do futuro, às vezes também imagino o caro amigo em Veneza incluído na rede de minha torre", em 10 de outubro já diz o seguinte à irmã: "Talvez eu acabe devolvendo de novo o 'Zwinger'", e no dia 24 do mesmo mês comunica a Overbeck: "O 'Zwinger' e a torre, ambos mais pitorescos e maiores do que eu supunha, ainda assim já passaram de minhas mãos para outras: percebi que meus olhos são fracos demais para a atividade de horticultor e que abaixar-me é muito desaconselhável para minha cabeça – olhando bem de perto, o cultivo de hortigranjeiros mostrou ser impossível, infelizmente, infelizmente [...]. O *melhor* na história toda é que eu tive a expectativa; e dessa felicidade da horticultura *in spe* [na forma de esperança] também faz parte o avental de horticultor *in spe*, pelo qual agradeço cordialmente à sua amável esposa". É que Overbeck tinha escrito a ele em 13 de outubro: "Quando recentemente, ainda em Zurique, coloquei o avental de horticultor, ocorreu à minha esposa que você também poderia precisar de alguns. [...] A rigor, você deveria recebê-los em seu aniversário, só que nas últimas semanas [...] minha esposa tem sido tão exigida que precisamos pedir desculpas a você pelo fato de ainda ter de esperar pelos aventais".

O andarilho e sua sombra

A torre e o cultivo de hortaliças desaparecem tão rapidamente da correspondência quanto a ideia tinha aparecido de repente em julho. É a horta ou pomar da filosofia que Nietzsche começa agora cultivar em uma sequência ininterrupta de obras. Inicialmente ele se ocupa com a impressão de "O andarilho e sua sombra". No dia 30 de setembro, Nietzsche recebe "um pouco mais da metade"[13] do manuscrito para impressão passado a limpo por Köselitz. Ao mesmo tempo em que lhe agradece, Nietzsche envia ao fiel assistente em Veneza as últimas páginas do manuscrito ainda escritas na Engadina, e apenas três depois, em 3 de outubro, ele também tem a versão passada a limpo dessas páginas. "Não entendo como você conseguiu dar conta desse trabalho horrível em tão pouco tempo", escreve ele dia 4 de outubro, e no dia 5 admite o seguinte a Köselitz em relação ao surgimento do texto: "O manuscrito que você recebeu, enviado de St. Moritz, foi adquirido de modo tão custoso e difícil que talvez ninguém o tivesse escrito por esse preço [...]. Às vezes, ao ler, me espanto, especialmente com os trechos mais longos, por causa da horrível lembrança. – Tudo isso, com exceção de poucas linhas, *concebido* a caminho e esboçado a lápis em seis caderninhos: ao fazer a revisão, quase sempre me senti mal. Tive de deixar escapar cerca de 20 correntes de ideias *mais longas* porque nunca encontrei tempo suficiente para resgatá-las dos mais medonhos garranchos; isso já me aconteceu no verão passado. Depois de esboçá-las, o nexo das ideias se perde de minha memória: acontece que tenho de roubar os minutos e os quartos de hora de 'energia cerebral' [...] de um cérebro enfermo. Às vezes tenho a impressão de que nunca mais vou fazer isso. Leio a transcrição que você fez e tenho dificuldade de entender a mim mesmo, de tão cansada que está minha cabeça". E no dia 5 de novembro: "Nesse escrito, muitas vezes o âmbito da compreensão equivocada está perto. A causa disso é a brevidade, o maldito estilo telegráfico ao que a cabeça e os olhos me obrigam". Essa é a resposta de Nietzsche às mudanças ou ao menos propostas de mudanças do texto, algumas bastante profundas, feitas por Köselitz. Algumas delas são aceitas por Nietzsche – por exemplo, uma bem drástica no aforismo 57, onde um trecho inteiro acaba ficando fora, aliás proveitosamente, em função de objeções levantadas por Köselitz. Também por ocasião da leitura das provas, que se seguiu em novembro, Köselitz mostra ser um colaborador empático e não apenas editor ou revisor. É importante enfocar a maneira como Nietzsche produz seus textos, porque isso torna compreensível a forma. É só com relutância que ele cede à forma breve do aforismo, e o esvoaçar irrequieto e muitas vezes desconcertante de assunto para assunto mostra-se como uma consequência da única forma de trabalho que lhe era possível: tudo é apreendido *en passant*, consistindo de breves anotações dos solilóquios que ocorrem em suas longas caminhadas solitárias. Nelas, o cenário exterior e interior muda constantemente, assim como os assuntos.

No dia 5 de outubro tem início a correspondência com o editor Schmeitzner, a quem ele entrega o manuscrito por volta de 18 de outubro em Leipzig, que Schmeitzner aceita de novo sem hesitar, apesar do fracasso de vendas do primeiro volume de "Humano, demasiado humano". No dia 22 do mesmo mês, Nietzsche pode informar Köselitz de que "amanhã a primeira prova deverá estar em minhas mãos".

A impressão deve ter corrido bem, pois no dia 19 de dezembro de 1879 Nietzsche recebeu os primeiros exemplares, e dois dias depois os amigos, inclusive Köselitz em Veneza. (Nietzsche tinha incumbido Schmeitzner de enviar diretamente exemplares a Franz e Ida Overbeck, à Sra. Rothpletz, à Sra. Baumgartner, a Paul Rée, Heinrich Romundt, Jacob Burckhardt, à biblioteca da Universidade de Basileia, ao "conselheiro áulico" Heinze, a Erwin Rohde e à sua irmã Elisabeth.)

A primeira a reagir foi a Sra. Marie Baumgartner[124]: "Enquanto eu lia, tinha a impressão de que você estava falando comigo de novo com a antiga confiança tranquila e, não obstante, orgulhosa, e eu ouvia de novo a agradável saudação que tanto gostava de ouvir quando você subia a escada: 'Eis-me aqui!', e tudo me pareceu tão natural, tão claro e simples, como só é possível quando se conhece e, ao mesmo tempo, gosta de uma voz". Para Nietzsche, por sua vez, esses eram tons há muito conhecidos e prezados, e ele respondeu em 28 de dezembro, assim que seu estado lhe permitiu fazê-lo[124]: "O primeiro eco da informação que dei a meus amigos veio de suas mãos, cara senhora: li cada palavra com gratidão e votos de bênção para a senhora. Meu estado é tão terrível e medonho como nunca. Não compreendo o fato de ter sobrevivido as últimas quatro semanas. Envio-lhe os mais cordiais votos de feliz ano-novo e incluo neles as esperanças de seu dileto filho. Seu fiel amigo F.N."

Também Rohde enviou, depois de uma interrupção de exatamente um ano, com data de 22 de dezembro, uma carta longa e cordial: "Eu deveria consolar você em todos os seus tormentos, mas não posso lhe dizer outra coisa senão que de seus mais recentes livros obtenho, não obstante toda a tranquilidade do espírito, [...] uma constante comunhão no tormento: isso não transborda como uma superabundante sensação de estar vivo – [...] uma corrente profusa de ideias de toda espécie se derrama, mas ela flui por sobre tanto sofrimento pessoal e renúncia de toda espécie que o amigo que compartilha isso sente uma dor no coração [...]. Como se estivesse com os olhos fechados, você vê toda a abundância do mundo e da atividade humana, compreendida corretamente, mas sem que você mesmo seja inquietado e impelido por ela, e isso dói no leitor, se ele quer bem a você [...]. Mas na verdade vamos nos alegrar juntos pelo fato de seus diálogos imaginários levarem você tão para o alto e para longe de todas as questões pessoais [...]. Você mesmo dificilmente pode avaliar o presente que dá aos poucos *leitores* de seus livros, pois você mora em seu próprio espírito, mas nós outros, do contrário, *nunca* ouvimos tais vozes, não faladas, não impressas; e assim, o que se passa comigo agora é o que acontecia sempre que eu estava junto com você: durante um certo período de tempo sou elevado para um nível superior, como se eu fosse mentalmente enobrecido [...]. O fim de seu livro dilacera a alma da gente; depois dessa desarmonia interrompida devem e precisam vir acordes mais suaves [...]. Até logo, meu caro amigo; você é sempre aquele que dá, e eu sou sempre aquele que recebe: O que eu poderia dar e ser para você? exceto ser seu *amigo*, que, em quaisquer circunstâncias, gosta de você e está ligado a você por igual". O quanto Rohde já se distancia aqui do filósofo Nietzsche para conseguir salvar a amizade pessoal é algo que Nietzsche não percebe – ou fica, justamente por isso, mais grato ainda pela confissão pessoal. Por essa razão, ele escreve a Rohde também no dia 28 de dezembro: "Muito obrigado, caro amigo! Seu antigo amor, confirmado de novo – isto foi o mais precioso presente na noite de Natal. Raramente fui tão bem: via de regra, o resultado pessoal final de um livro para mim era que um amigo, magoado, me *deixava* [...]. Conheço bastante bem a sensação do isolamento sem amigos; o magnífico testemunho de sua fidelidade me comoveu por inteiro".

Paul Rée agradece em 20 de dezembro*. Mas, levando em consideração o estado de saúde de Nietzsche, que entrementes piorou de maneira rápida e acentuada, ele escreve à mãe de Nietzsche: "Cara senhora, suas notícias sobre o estado de saúde de seu filho teriam me deixado mais triste ainda se, por acaso, com a mesma correspondência, seu filho mesmo, para minha grande surpresa e alegria, não tivesse

* Datado erroneamente no dia 20/11.

aparecido *in optima forma* como o mais bonito dos presentes de Natal [...] aqui uma conversa me é concedida tão inesperadamente do mais belo modo. Ultimamente os mesmos assuntos parecem ter nos ocupado muitas vezes. Aliás, me envergonho de que a 'conversa' [...] já há anos venha sendo travada de modo tão unilateral. Seu filho já se manifestou três vezes agora e eu ainda não respondi". Com isso, Rée está se referindo a três publicações de Nietzsche, a "Humano, demasiado humano", a "Opiniões e sentenças diversas" e agora ao recém-publicado "O andarilho e sua sombra", e contrapõe a isso suas próprias dificuldades e o consequente retardamento de uma nova obra própria. Mas Rée já tinha se integrado antes, de outra maneira, às conversas em Naumburg, de modo quase imperceptível e, ainda assim, persistente: enviou livros, dos quais a mãe tinha de ler trechos em voz alta para poupar os olhos de Nietzsche. Esse envio foi acompanhado de uma observação feita por Rée na carta de 19 de outubro[12]: "Alguma coisa decerto já é de seu conhecimento. Particularmente bonito é o livro de Lermontov ('Um herói de nossa época', romance de um ser humano 'moderno', 'supérfluo'); o que Macaulay diz sobre poesia e ciência talvez esteja mais certo do que as opiniões de Schopenhauer, embora não tão brilhante*; Möser ('Fantasias patrióticas') [...] 'Leonardo e Gertrudes' ('Um livro para o povo', de Johann Heinrich Pestalozzi) mais ou menos a primeira terça parte. No momento estou lendo a 'Crítica da razão pura' (Kant), com o agradável sentimento de que não tenho necessidade de entendê-la". Nietzsche agradece em 31 de outubro: "Minha mãe [...] leu Lermontov para mim; um estado que me é muito estranho, o esnobismo europeu, é descrito encantadoramente, com ingenuidade russa e sabedoria mundana adolescente, não é verdade? Agradeço-lhe, prezado amigo, por tudo que você disse, enviou e desejou".

Não está mencionada aqui uma outra referência importante para Nietzsche: a Adalbert Stifter.

Prazer com livros

Nietzsche sentia a necessidade de demonstrar a Köselitz, de alguma maneira delicada, gratidão por seu grande e dedicado trabalho com o "Andarilho", e lhe pergunta no dia 22 de outubro: "Posso lhe enviar alguma coisa que lhe dê prazer – alimentos da alma ou do corpo?" Köselitz responde com franqueza no final de sua longa carta de 2 de novembro[13]: "[...] ao que, agradecendo cordialmente pela

---

* Provavelmente *Essays*, primeiro folheto da edição da Editora Reclam, com um ensaio sobre Milton.

pergunta, só me permito responder que gostaria de aceitar respeitosamente e sem hesitar a bondade e honra que você me demonstraria com isso, mas só sob a condição de que fosse um pequeno sinal de lembrança da preparação do manuscrito feita nesse verão: o fato de ela provir de você, meu grande educador, vai constituir seu valor [...]. Mas agora ainda me ocorre, por fim, que em seu último livro você menciona o 'Veranico' de Stifter, que eu não conheço. Sob a condição de que esse livro não seja caro, eu o aceitaria com prazer de sua bondosa mão". A passagem aduzida por Köselitz se encontra no "Andarilho" como aforismo 109: "Deixando-se de lado os escritos de Goethe e, especialmente, das conversas de Goethe com Eckermann, que é o melhor livro alemão que existe, o que sobra, a rigor, da literatura alemã em prosa que merecesse ser lido repetidamente? Os aforismos de Lichtenberg, o primeiro livro da história de vida de Jung-Stilling, 'Nachsommer' [Veranico] de Adalbert Stifter, 'Leute von Seldwyla' [Gente de Seldwyla] de Gottfried Keller – e por enquanto a lista termina aqui".

Nietzsche anui logo ao desejo de Köselitz e lhe responde em 5 de novembro: "Convém-me muito ficar sabendo que você não conhece o 'Veranico'; prometo-lhe algo puro e bom. Eu próprio o conheço há pouco tempo; Rée me disse certa vez que nele se encontra a mais bela história de amor que ele jamais leu; isso me ocorreu". Portanto, também nesse caso o estímulo de Paul Rée se encontra por trás da recente descoberta desse livro – que, afinal, já tinha sido publicado em 1857. No mesmo dia 5 de novembro, Nietzsche também faz a encomenda em uma carta à Sra. Ida Overbeck[124]: "Peça a meu amigo (Overbeck) que pegue o 'Veranico' de Stifter dentre meus livros ('Köselitziana'), mande encaderná-lo no Memel* (capa de linho verde, bordas arredondadas) e dê também ao Memel o endereço do Sr. Köselitz (ele deve enviar o livro bem-empacotado e franqueado para Veneza)". A obra também chega lá em 30 de novembro, e Köselitz lhe agradece por ela em 2 de dezembro: "Desde domingo estou [...] absorto no livro maravilhoso [...]. Agora estou me sentindo consternado e envergonhado por ter expresso aquele desejo sem conhecer o alcance e a preciosidade do livro, e não faço ideia de como devo remediar minha irreflexão. Mas [...] de momento não encontro outra saída do que lhe expressar [...] meu mais cordial agradecimento por esse presente nobre e sublime, que, para citar logo uma passagem dele, 'entra qual óleo suave na mente aberta'". Se, com isso, Nietzsche tinha introduzido Köselitz no mundo de Adalbert Stifter, Köselitz, por sua vez, lhe relatou com entusiasmo a respeito de sua leitura de Thomas Morus.

* Encadernador de livros de Basileia.

Nietzsche respondeu a ele em 11 de novembro dizendo: "Não conheço a 'Utopia', de Morus; certa vez, Jacob Burckhardt me falou com entusiasmo dela dizendo que ela teria o olhar do futuro, ao passo que o 'Príncipe', de Maquiavel teria *apenas* o olhar do passado e do presente".

Mas não é só a literatura alemã contemporânea que interessava a ele. No dia 14 de novembro, escreve a Oberbeck: "Minha mãe leu em voz alta para mim Gogol, Lermontov, Bret Harte, M. Twain, E.A. Poe. Se você ainda não conhece o mais recente livro de Twain, 'As aventuras de Tom Sawyer', seria um prazer para mim lhe dar um pequeno presente com esse livro".

Justamente através de Overbeck e sua esposa Ida, Nietzsche também travou conhecimento com a literatura francesa do século XVIII. Ida Overbeck estava trabalhando em um livro intitulado "Pessoas do século XVIII", que continha traduções de St. Beuve e Fontenelle e pôde ser publicado em 17 de agosto de 1880 na editora de Schneitzer por recomendação de Nietzsche[50].

Em 23 de novembro, Overbeck respondeu ao anúncio do presente do livro de Mark Twain: "[...] meu agradecimento está seguindo um pouco tarde, pois meu tempo está sendo bastante exigido de momento [...] por causa dos olhos de minha pobre esposa, [...] e aí tenho sempre lido em voz alta para ela toda noite. O Mark Twain que você tem a bondade de me enviar também será muito bem-vindo para isso, pois nós dois não o conhecemos. Sob essas circunstâncias, a atividade literária de minha esposa fica inteiramente paralisada. De momento estamos lendo 'Terra virgem', de Turgueniev, instrutivo para a sublime absurdidade dos anseios políticos radicais na Rússia atual e um livro muito sensível, cuja leitura você talvez também queira ouvir". O prometido livro de Mark Twain chegou, então, para o Natal com a seguinte dedicatória: "Para seu amigo Franz Overbeck (recomendado para leitura em voz alta nas noites da época de Natal na Rua Falkenstein), Naumburg, dezembro de 1879".

Dias ruins em Naumburg

A carta de Overbeck, porém, ainda continha uma nota que alegrou Nietzsche: "Agora me ocorre também na hora certa [...] Jacob Burckhardt enviou repetidamente saudações". Burckhardt acompanhava a distância, mas com perceptível interesse, o destino de seu infeliz colega mais jovem. Nietzsche necessitava do consolo dessa compreensão e a recompensou com uma veneração de Burckhardt que nada podia mais quebrantar. Justamente essas demonstrações discretas de empatia recebidas nesse mais sombrio outono e inverno dos poucos amigos que lhe eram caros deram a Nietzsche a força e o ânimo de continuar caminhando sobre a ponte estreita que seu estado físico lhe tinha deixado como acesso à vida que seguiria. Já no dia 14 de novembro ele teve de informar Overbeck de que "as coisas não estão indo bem; os efeitos positivos do verão estão diminuindo [...]. É lamentável que desta vez o outono em Naumburg esteja tão sombrio e úmido", e em 11 de dezembro precisa admitir que "desde as últimas notícias tenho andado sempre doente, os acessos são terríveis (com vômito etc.), e passo muitos dias na cama. Em duas semanas talvez eu parta para o sul (para Riva)! Eu só aguento a existência de caminhante que me está sendo negada aqui por causa dessa neve e desse frio". Mas ele não pode viajar, pois já está fraco demais até mesmo para a fuga necessária; além disso, no norte da Itália também está fazendo um inverno rigoroso com neve e frio implacável, como Köselitz lhe informa repetidamente nessas semanas e meses. Nietzsche está numa situação desesperadora! Assim ocorre o colapso, junto com uma perda dos sentidos, na época de Natal de 1879. Em 28 de dezembro ele parece, finalmente, estar se sentindo um pouco melhor de novo e usa o dia bom para escrever e agradecer a todos. Assim, relata a Overbeck: "O estado era horroroso [...]. Se eu não puder sair para buscar ar melhor e mais quente, o pior vai acontecer". E no final de janeiro faz o seguinte resumo: "Oh, esse inverno! (No ano passado tive 118 dias de acessos intensos.)" Da mesma maneira, informa sua irmã em 28 de dezembro: "Estes são tempos tão duros e terríveis para mim como nunca [...]. Jamais observei a piora regular assim como nos três últimos meses. O frio me faz muito mal. Assim que eu puder, pretendo me encontrar com Köselitz em Riva [...]. A receita que você me deu infelizmente não surtiu efeito, assim como bolsas de gelo. Já conheço suficientemente de Sorrento banhos dos pés com mostarda, e eles são inúteis!"

Vozes amistosas

A correspondência com Malwida von Meysenbug estava interrompida desde março, mas a especial cordialidade da concordância mútua não tinha sofrido por causa disso. Nietzsche tinha determinado que o "Andarilho" também fosse enviado a ela, que respondeu em 27 de dezembro: "Há alguns dias, 'O andarilho e sua sombra' chegou até mim como um mensageiro de salvação, pois me informou finalmente que o amigo não só ainda está andando, mas, em animado diálogo com os próprios pensamentos, desfruta da única felicidade que não está sujeita a nenhuma mudança e nos eleva até mesmo acima do sofrimento, enquanto não nos tira o sofrimento. Obrigada, caro andarilho, pela bela dádiva, que só me é dado desfrutar lentamente, já que os conhecidos inimigos infelizmente me obrigam à moderação até no melhor que o ser humano tem". Nietzsche não consegue responder a esta chamada tão rapidamente quanto aos outros amigos. Ele só escreve a ela no dia 14 de janeiro de 1880: "A você, minha querida amiga, a quem venero como irmã, envio a saudação de um idoso jovem, que não está zangado com a vida, embora tenha de ansiar pelo fim".

Em 12 de dezembro de 1879, Schmeitzner informou Köselitz que enviara seus "anúncios da editora", em que "O andarilho e sua sombra" é divulgado, também a Bayreuth e que, a partir disso, teria ocorrido uma certa aproximação. Por isso, é de se supor que Schmeitzner tenha enviado o livrinho, ao qual os anúncios da editora estavam anexados, para Bayreuth, certamente com o conhecimento, se não com a concordância, de Nietzsche*. Sobre isso, entretanto, naturalmente nada foi dito a Nietzsche, como tinha sido feito desde "Humano, demasiado humano" de modo geral. Mas o livrinho foi lido. Em todo caso, em uma carta à mãe de Nietzsche em final de janeiro de 1880, Paul Rée pôde informar o seguinte[12]: "Minha viagem, de resto monótona e melancólica, ainda foi embelezada pouco antes de Berlim por um encontro interessante [...] com um amigo de Stein. Este último está há algumas semanas definitivamente em Wahnfried**. Ele disse que ficava contente em saber que seu filho estava passando tão bem de novo. Pois ele também conhecia o 'Andarilho'". Essa notícia vinda do círculo de Bayreuth deve ter afetado Nietzsche, fazendo-o sentir alegria e orgulho, mas também melancolia. Assim também deve ser entendida a queixa que ele expressou na carta de 14 de janeiro a Malwida: "Você está tendo boas notícias de Wagner? Faz três anos que não fico sabendo nada deles: *esses* também me abandonaram, e há muito tempo eu sabia que no instante em que Wagner percebesse o abismo existente entre nossas aspirações, ele também não me apoiaria mais. Disseram-me que ele estaria escrevendo contra mim. Ele que continue fazendo isso: a verdade precisa vir à luz de toda forma! Penso nele com uma gratidão duradoura, pois devo a ele alguns dos mais vigorosos estímulos para a autonomia intelectual. A Sra. Wagner, como você sabe, é a mais simpática mulher com que jamais me encontrei na vida. – Mas não tenho quaisquer condições para todo tipo de relações e mesmo para uma retomada. É tarde demais".

Nem por sombra Nietzsche consegue se desligar definitivamente. Ele continua mantendo o periódico "Bayreuther Blätter", que despreza por causa de sua forma e seus colaboradores, e dá a Overbeck a seguinte instrução em 29 de outubro de 1879: "[...] pague, como até agora, o pequeno montante para a finalidade ligada a

---

* Comunicação de Montinari por carta.

** A vila de Richard Wagner em Bayreuth [N.T.].

Bayreuth. Não vejo razão pela qual eu deveria deixar de pagá-la (mas desde o outono de 1877 não li mais nada daquele periódico)".

Mas também do outro lado a ferida sangrava e doía igualmente. Quando, em 9 de setembro, o pianista interno regular de Wagner fala em Nietzsche durante uma conversa no âmbito da família, Wagner acaba sendo tomado por uma grande agitação, que Cosima amaina habilmente através de uma partida de uíste. Só que ela própria não é menos sujeita a agitação ao pensar em Nietzsche. No dia 1º de outubro, Wagner está lendo um escrito de Eduard von Hagen. Cosima também olha o texto e "vê nele a citação de Nietzsche e tem de se dar conta, com lágrimas, o que perdemos com ele". No outro dia, ela volta mais uma vez a falar dessa citação (de "O nascimento da tragédia" ou "Wagner em Bayreuth"?) e anota o seguinte[258]: "Espantar-se mais uma vez com esse rompimento; creio que nesse caso se cometeu o único pecado a respeito do qual se diz que não pode ser expiado: o pecado contra o Espírito Santo. Não há palavras que possam ser mais comoventes do que as dessa citação!"

O destino do amigo "desencaminhado" não deixa Wagner em paz. Em 19 de outubro ele escreve a Overbeck[187], inicialmente para agradecer pelos cumprimentos deste enviados por escrito por ocasião do aniversário em maio, mas se desculpa pela resposta tão tardia e indica como razão de sua hesitação que esta seria "ocasionada especialmente por minha lembrança de Nietzsche. Como seria possível esquecer esse amigo separado de mim tão violentamente? Afinal, também eu sempre tinha a sensação de que Nietzsche, em sua ligação comigo, era dominado por uma convulsão vital em termos intelectuais, e só podia me parecer admirável que essa convulsão pudesse produzir nele um fogo tão comoventemente luminoso e caloroso, que se manifestava a partir dele para a admiração de todos, e percebi com verdadeiro horror, a partir da última decisão de seu processo de vida interior, o quanto aquela convulsão deve tê-lo afligido de modo acentuado e, por fim, insuportável – e assim devo, por fim, perceber também que, com um processo psíquico tão violento, nem se deve litigar segundo suposições morais, e um silêncio comovido é a única coisa que resta. Mas perturba-me que eu deva ficar tão inteiramente excluído da possibilidade de participar da vida e das aflições de Nietzsche. Eu seria imodesto se lhe pedisse cordialmente que me enviasse alguma notícia sobre nosso amigo? Recentemente, na realidade, eu quis lhe solicitar isso insistentemente". E quando, uma semana mais tarde (em 26 de outubro), chega o relato "sobre o estado aflitivo de nosso pobre amigo Nietzsche", Cosima se queixa[285]: "E aí não só não poder, mas também não dever fazer nada!"

Lê-se mais uma vez (em 20 de novembro) a "Exortação aos alemães" de Nietzsche, de 1873, e Cosima diz o seguinte sobre isso: "[...] o início excessivamente tucidideano dela não agrada a Richard, mas ele concorda com minha admiração pelo conjunto", e em 29 de novembro Wagner defende o "Nascimento da tragédia" de Nietzsche contra os ataques "bobos" da "Teoria da tragédia alemã" de Karl Ritter. Em fins de dezembro, Wagner (provavelmente introduzido por Hans von Wolzogen) pega o "Andarilho e sua sombra" de Nietzsche. Em 27 e 28 de dezembro, lê "alguns trechos do novo livro do pobre Nietzsche" para Cosima, "e ocorreu-lhe aquela palavra de E. Schuré: *nihilisme éoeurant* (= niilismo repugnante). 'Não ter nenhuma outra coisa exceto escárnio para um fenômeno tão sublime e simpático como Cristo!', exclama Richard com indignação. Ele continua com isso hoje e está lendo ainda algumas coisas (p. ex. sobre "Fausto") que são horríveis". Mas, como no "Andarilho" apenas em dois aforismos (42, 168) se encontram observações sobre o "Fausto", Wagner deve ter aduzido de novo passagens mais antigas – ou o "horrível" se refere a outra coisa.

Para Wagner, o "Fausto" de Goethe fazia parte dos "livros sagrados", sendo uma das poucas obras da literatura alemã que, além de Shakespeare, tinha consistência para ele. O tratamento tão descuidado da figura de Fausto proposto por Nietzsche nesse livro tinha de magoar Wagner profundamente.

Nesse mês de janeiro de 1880, porém, foi concedida a Nietzsche *uma* alegria na qual ele não tinha mais acreditado: seu amigo Paul Rée, que agora lhe era o mais próximo, veio visitá-lo por uma semana, de 14 ou 15 até 20 de janeiro. Nietzsche já deve ter superado, até certo ponto, seu ponto físico mais baixo, pois Rée relata à irmã de Nietzsche o seguinte a respeito das impressões que teve em Naumburg[12]: "O estado de seu irmão não piorou, e isso me parece de importância decisiva no caso de uma enfermidade assim. Se houvesse alguma doença que acometesse o próprio cérebro, em um período de tempo tão longo já deveria ter ocorrido uma crise. A estabilidade de seu estado, por mais horrivelmente triste que seja de momento, nos faz ter esperança para o futuro".

Só que Rée não consegue compreender a dieta especial, pois é de opinião que uma comida mais substanciosa seria mais favorável para a recuperação. Ele também tinha escrito à mãe dizendo[12]: "Seu filho deveria comer diariamente ao menos um bife malpassado. Perdão! Perdão!" Mas neste caso ele se deparou com a mesma obstinação incompreensível tanto por parte da mãe quanto do filho.

Finalmente, porém, Nietzsche consegue esquivar-se do tormento do norte nevoento que era insalubre para ele. No dia 10 de fevereiro de 1880, parte de Naumburg e se deixa atrair, como que por um polo magnético, desde o norte da Itália até a Riviera Francesa.

II

Novo terreno
(Do "Andarilho" até a "Gaia ciência"; de janeiro de 1880 à primavera de 1882)

Sobre a viagem decisiva de Nietzsche para o sul não existem relatos que revelem detalhes. No dia 13 de fevereiro de 1880, ele já está há dois dias em Bozen e escreve à irmã, que está no momento de visita na casa da Família Rohr em Basileia, no dia 14: "Cheguei ontem a Riva. Estive dois dias de cama, doente, em Bozen. Hoje está nublado. Moro num jardim sempre verde, que se estende até o lago, fora da cidade. Endereço: Hôtel du Lac. Riva. Tirol do Sul".

Lar opcional entre montanha e mar

Provavelmente Nietzsche deve ter viajado passando por Leipzig, Munique e Innsbruck, pela ferrovia inaugurada em 1867 que passa pelo mais baixo desfiladeiro dos Alpes orientais, o Brenner. Como de costume, a agitação da viagem se refletiu em um acesso de dois dias de duração, que ele aguentou até passar em Bozen, para então alcançar, em 13 de fevereiro, seu destino, visado constantemente há meses: Riva, na extremidade superior (ou no início) do Lago de Garda. Com isso, adentrou o espaço climático e cultural que haveria de se tornar, para os próximos anos de vigília que ainda lhe restaram, seu espaço vital definidamente delimitado: os vales meridionais dos Alpes (Tirol, Engadina) e o vestíbulo dos Alpes meridionais até a Riviera no oeste e o Adriático (Veneza) no leste. Os componentes dominantes desse espaço são mar e montanha. Nas anotações desses anos se encontra a seguinte frase[1]: "Não quero mais conhecimento sem perigo: o mar insidioso e as altas montanhas impiedosas devem circundar o pesquisador!" Portanto, Nietzsche, em absoluto, não é tanto alguém que foi expulso da terra natal e anda errante, sem plano e sem destino, um *fugitivus errans*, como ele gosta de se ver em sua auto-heroicização. Ainda que também mantenha aí uma grande liberdade de movimentos, ele a realiza, ainda assim, em um espaço nitidamente delimitado e bastante claro e em um ritmo quase obstinado em relação às épocas do ano. As poucas tentativas de sair dessa restrição exigida pelas circunstâncias, mas ainda assim resultante de opção própria, planos de se mudar para o México, ou para Túnis, ou, mais perto, para a Sardenha, Sicília, sul da Itália, mas também para o norte, fracassam todos já no estágio de planejamento ou após poucas e decepcionantes tentativas. Algumas visitas a Naumburg ou Leipzig praticamente não passam de viagens feitas "a negócios" ou por obrigação, realmente sentidas como excursões ou até como viagens ao exterior a partir do terreno recentemente conquistado.

Dietética da mente

Exatamente essa mesma demarcação estreita é realizada por Nietzsche no relacionamento com as pessoas. Por certo alguns amigos e admiradores temporários o abandonam, mas resta perguntar o quanto disso é reação à propensão – acentuada e perceptível para todos – de Nietzsche à solidão e ao isolamento, portanto o quanto disso, em última análise, deve ser atribuído a ele próprio. Em suas anotações encontramos a seguinte observação[1]: "Tenho paixão pela independência e sacrifico tudo por ela – provavelmente porque tenho a mais dependente das almas e me torturo mais por causa de todas as pequenas cordas do que outros por causa de cadeias". E ainda: "Estou cedendo à minha inclinação à solidão, e não consigo agir de outra forma: 'embora não tivesse necessidade disso', como dizem as pessoas. Mas eu *tenho* necessidade disso. Estou desterrando a mim mesmo".

As cartas dos próximos dois anos são endereçadas quase exclusivamente à mãe e à irmã, a Heinrich Köselitz e Franz e Ida Overbeck. A isso se acrescentam a correspondência inevitável com o editor Schmeitzner e algumas poucas cartas – como exceções – a Malwida von Meysenbug, Erwin Rohde e ao antigo amigo dos tempos de escola Gustav Krug. Além disso se mantém a única amizade genuína com um filósofo, aquela com Paul Rée, com uma correspondência escassa, mas cordial. Os dois amigos ainda não conseguem pressentir quão conflituosa é a amizade deles e de que maneira trágica se efetuará a separação necessária para ambos os parceiros – e como ela é iminente.

Querendo esquivar-se de vivências e encontros que agitem seu ânimo, Nietzsche se assegura para não se encontrar por acaso com os Wagner em algum lugar na Itália. Essa é a pergunta apreensiva que ele faz à irmã já em 6 de julho de 1879, no primeiro estágio do planejamento de uma estadia na Itália no inverno seguinte. Chama a atenção com que exatidão Nietzsche parece estar informado tão cedo (em julho!) a respeito de planos para o inverno em Bayreuth, sobre os quais certamente ainda deveria haver incerteza por causa do estado de saúde já muito comprometido de Wagner, seus compromissos em Bayreuth e, principalmente, por causa do trabalho na ópera Parsifal. Portanto, embora não se pudesse saber nada de definido com tanta antecipação, os caminhos acabaram não se cruzando, pois os dois lados escolheram e percorreram caminhos diferentes demais.

Nietzsche traçou os círculos de sua filosofia ao seu redor de maneira silenciosa e solitária, enquanto que a viagem de Wagner ocorreu de modo inteiramente público e com grande pompa. Por um lado, Wagner via agora seu empreendimento em Bayreuth salvo financeiramente e contava com uma repetição do festival no verão de 1880; por outro, o "céu invernal incessantemente cinzento de Bayreuth" o deprimia mentalmente e um forte acesso de acne rosácea o atormentava fisicamente. Por isso, uma estadia na Itália durante o inverno parecia aconselhável. Em 31 de dezembro de 1879, a família inteira viajou junta para Nápoles, aonde chegou dia 4 de janeiro. Para a viagem, o Rei Luís II colocou um carro-leito à disposição, e para a estadia a esposa Cosima alugou a Villa d'Angri no Posilippo. O magnífico panorama que se tinha dali fez com que Wagner exclamasse: "Nápoles é minha cidade, danem-se as ruínas! Aqui tudo está vivo". Ele trabalhou na partitura da ópera Parsifal e escreveu matérias para as "Bayreuther Blätter". Entre os acompanhantes estava também o jovem escritor Heinrich von Stein como professor particular de Siegfried. Nas proximidades morava o pintor russo Paul von Joukowsky, que apresentou esboços para o cenário de Parsifal. O pintor Arnold Böcklin também fazia visitas, mas não aceitou fazer o cenário para Parsifal. O pianista Josef Rubinstein alegrava o grupo com suas interpretações das últimas sonatas para piano de Beethoven. Em excursões se ia também ao jardim do Palazzo Rufolo em Ravallo, onde Wagner encontrou o modelo para o jardim mágico de Klingsor. Todo o mundo na Itália sabia que Wagner estava em Nápoles, e, quando Lohengrin foi encenado com grande triunfo em Roma, no dia 3 de abril de 1880, telegramas de congratulações vindos de todo o país chegaram à Villa d'Angri. Entretanto, com o calor do verão Wagner começou a ter problemas cardíacos. A família toda, junto com Joukowsky, viajou para o norte e ficou dois meses na vila "Torre Fiorentine" em Siena. Franz Liszt veio de visita, como nos velhos tempos. Ele tocou muito piano, Beethoven, Chopin e composições próprias. Mas partiu em breve, tão silenciosamente quanto viera. Finalmente, a hora do retorno chegou também para Wagner. Passando por Veneza, que adorava, em 30 de outubro ele foi para casa, rumo ao inverno bávaro[39].

Portanto, só Veneza encerrava o perigo de um encontro. Mas Nietzsche se demorou lá na primavera; no verão desviou para o norte, e quando, em outubro, dirigiu-se de novo para o sul, escolheu Gênova.

Mas toda essa cautela e essas limitações não eram um fim em si mesmas nem visavam apenas prevenir os acessos de dor de cabeça. Elas estavam correlacionadas com a economia da existência *toda*, em que a obra reclamava o primeiro lugar e consumia a maior parte das forças. Nietzsche acentua constantemente sua "paixão cognitiva": não reflete simplesmente os problemas, e filosofar, para ele, não é apenas um processo do pensamento; ele *vivencia*, *sofre* os problemas, e disso provém o singular poder explosivo de sua contribuição para a filosofia. Justamente na "Aurora", que está surgindo nessa época, ele fala repetidamente dessa paixão do conhecimento. Mas não são só os problemas por ele mesmo percebidos que o afetam dessa maneira. "Assim, leio os pensadores e canto suas melodias: sei que por trás de todas as palavras frias se move uma alma desejante; eu os ouço cantar, pois minha própria alma canta quando se emociona", anota Nietzsche[1]. Ele procura refrear um transbordamento dessa paixão, mas diz: "Eu poderia apresentar minha causa de maneira sonora, veemente e arrebatadora, assim como a sinto – mas depois fico semimorto e me sinto mal, e também fico desgostoso por causa de exageros, omissões etc."

Já em Riva Nietzsche começou a fazer esses apontamentos, que acabaram levando à "Aurora". Foi uma grande ajuda e alívio para ele a chegada de Köselitz a Riva dez dias depois, em 22 de fevereiro, para quem ele podia agora ditar seus textos e que também lia em voz alta para ele, pois, como nunca dantes, Nietzsche estava devorando agora, em uma espécie de irresistível apetite literário, livro após livro de autores contemporâneos, entre eles conspicuamente muitos franceses, e publicações do círculo da filosofia mecanicista-materialista.

Tentativa de união amistosa: com Köselitz em Riva e Veneza

Köselitz morava em Veneza de modo extremamente modesto e até em certa pobreza. Os pais em Annaberg lhe davam pouco dinheiro – ele fala de 100 francos que teria mensalmente à disposição –, e como músico autônomo ele quase não conseguia ganhar dinheiro. Aí Paul Rée viabilizou de maneira sensível, quase refinada, que ele ficasse com Nietzsche em Riva, ajudando, com isso, a ambos. Naqueles anos Köselitz namorava uma austríaca, Cäcilie Gusselbauer, que trabalhava no hotel "Sandwirt" em Veneza. Em 27 de janeiro ele escreveu a ela o seguinte: "Ontem de manhã o carteiro veio e me entregou uma folha com o aviso de que havia um vale postal de 250 francos no correio [...]. Ao meio-dia fui, então, ao correio e lá está escrito que o [...] Dr. Rée me enviou essa quantia, e o fez com a observação de que Nietzsche provavelmente queria [...] ir a Riva, mas seria horrível que Nietzsche ficasse lá sozinho; por isso, ele se permitia me enviar uma pequena quantia [...] para custear a ida até lá etc. Bem, essa é uma questão delicada, e embora o Dr. Rée se safe da dificuldade com uma expressão elegante, será difícil remover da questão o aspecto ofensivo com algum engenho". Ele deve ter acabado aceitando o dinheiro, que também lhe seria útil em Riva.

Certamente ambos – Nietzsche e Köselitz – ficaram contentes com esse reencontro após dois anos de separação geográfica, e ao menos para Köselitz ele estava associado com a ideia de ter agora o "mestre" permanentemente perto de si. Isso também intensificaria e, principalmente, facilitaria a cooperação. Köselitz sabia muito bem quão desejável e até necessário isso era para Nietzsche em função de sua deficiência visual, mas, apesar de toda a reserva mantida por Nietzsche, ele tinha subestimado em muito o ônus que lhe resultaria disso. Mesmo assim, os dois aguentaram a companhia um do outro durante quatro meses, inicialmente por três semanas em Riva, depois em Veneza, para onde foram juntos no dia 13 de março e de onde Nietzsche partiu em 29 de junho, para finalmente fazer de novo uma tentativa de passar o verão no norte, desta vez em Marienwald, na Floresta da Boêmia. A própria designação "floresta" exercia sempre uma atração sobre Nietzsche; ela prometia sombras benfazejas para seus olhos.

Fazendo uma retrospectiva desses meses, Köselitz disse à namorada em carta de 24 de junho[54]: "Nietzsche não é, por exemplo, um intelectual insensível, e sim uma das pessoas mais calorosas [...] ele só é [...] prudente neste sentido e deu à sua razão a melhor formação possível. Não obstante toda a atitude muitas vezes bem hostil que, ao olhar para meu dia, tenho – e quase devo ter – para com ele no interesse de meus trabalhos, sei perfeitamente que devo ser grato a ele e não lhe posso cobrar nada, pois ele não tem ciência de minhas aflições e tem quase direito de supor que minha vida seja tão idílica quanto a sua". Köselitz ainda haveria de sofrer durante muito tempo com essa ambivalência, como mostra uma carta posterior de 2 de dezembro de 1889 para seu amigo Paul Heinrich Widemann[54]: "Nietzsche expressou muitas vezes seu desejo de que eu estivesse com ele lá (em Gênova). Mas eu nunca pude aceitar isso direito; a proximidade dele me absorvia demais. Em todos esses anos, eu lhe prestei mais serviços práticos do que qualquer um de seus amigos. Um, dois meses juntos no ano – mas então viver de novo separados, era isso que eu preferia [...]. Se eu pudesse me dividir, com uma das metades eu certamente teria estado em torno dele [...]. Teria sido bom se nós dois tivéssemos nos dividido em Nietzsche: algum tempo você, algum tempo eu em torno dele...!"

Mas as exigências de Nietzsche não eram tão completamente ocupantes quanto essas manifestações nos fariam supor. No dia 2 de abril de 1880, Nietzsche relata a seus familiares em Naumburg a respeito disso: "Köselitz está lendo em voz alta para mim; ele vem às 14:15h e à noite às 19:30h, e fica de uma hora a uma hora e meia de cada vez" e escreve a Overbeck (11 de abril de 1880): "Köselitz apresenta seus cumprimentos, tem muito para fazer; nós só nos veremos à noite, ele está lendo Stifter em voz alta".

Portanto, certamente não era a exigência de tempo que onerava Köselitz. Quando, nos períodos de separação espacial, ele tinha de decifrar os manuscritos, produzir manuscritos para a impressão e, depois, fazer a leitura das provas e ainda manter uma correspondência a respeito delas, o dispêndio puramente de trabalho por certo não era menor e a tarefa eventualmente até mais difícil. Eram, antes, a presença de Nietzsche, sua personalidade apaixonada e a problemática vivenciada por ele que exigiam o emprego total de todas as suas forças físicas e mentais. Quando ele voltou a se encontrar com Nietzsche nesse fevereiro de 1880, deparou-se com um filósofo maduro, mudado, abalado e purificado por vivências profundas. O destino de Köselitz decerto também não era fácil, e ele tampouco conseguia levar uma vida tranquila, mas a ele não tivera abalos como aqueles que Nietzsche tinha de suportar.

Em função dos últimos trabalhos de Nietzsche e também da correspondência, Köselitz decerto estava preparado para certas mudanças e deslocamentos da problemática filosófica. Mas ele não estava contando com essa transformação profunda e intensificação da vivência filosófica, ligadas a uma abstinência monacal-ascética de todas as agitações indesejadas. O quanto ele ainda ignorava nessa época, só, por exemplo, em relação à necessária abstinência coerente da música de Wagner, principalmente do "Crepúsculo dos deuses", já foi mencionado (vol. I, p. 637). Em compensação, coube-lhe a tarefa de introduzir Nietzsche no universo musical de Chopin, na atmosfera íntima do salão de Paris. Também isso o levou a um limite: ao limite de suas capacidades pianísticas.

Mas Nietzsche também tirou as mais duras consequências de sua colisão física com a festa cristã do Natal em Naumburg. Seus ataques ao cristianismo paulino no primeiro livro da "Aurora" nada ficam a dever, em termos de veemência, ao posterior "Anticristo". Com isso também se torna insustentável a fé em uma ordem moral do mundo, já que a crítica de Nietzsche também exclui inteiramente uma possível ancoragem, baseada no platonismo, dos juízos morais em dados transcendentes, como, por exemplo, a "ideia do bem". De muitas formulações voltadas para a mesma direção, aduzimos apenas o § 210 da "Aurora": "Refletimos e chegamos à conclusão de que em si não há nada bom, nem mau, nem belo, nem sublime, mas estados de alma que nos fazem atribuir às coisas que estão fora de nós e em nós tais palavras. Retiramos novamente às coisas seus predicados ou, pelo menos, lembramo-nos de que não havíamos feito nada mais que lhes emprestar esses predicados. Cuidemos de que esta compreensão não nos faça perder a faculdade de emprestar e ponhamo-nos em guarda para não nos tornarmos, ao mesmo tempo, mais ricos e mais avaros". Assim, no pensamento de Nietzsche todos os juízos morais e estéticos se tornam, a uma altura qualquer, preconceitos humanos surgidos de maneira racional ou irracional, cuja "santidade" atualmente consiste apenas no fato de que não se conhece mais a origem deles.

Tudo isso não podia deixar indiferente uma pessoa intelectualmente curiosa como Köselitz. Ele vivia esses juízos com Nietzsche sem ter vivenciado seu fundamento ou aquilo que, ao menos, tinha contribuído para sua formação. E ele carregava tudo sozinho, pois, além da relação pessoal com ele, Nietzsche só mantinha ainda uma correspondência muito limitada, que só transmitia pouco daquilo que o movia realmente, isto é, filosoficamente. Só um ano mais tarde, após a publicação do livro, Nietzsche se deu conta de que esperava demais de seu admirador. Assim, em 21 de julho de 1881, ele escreve de Sils-Maria para Köselitz: "Ocorreu-me, prezado amigo, que em meu livro a constante confrontação interior com o cristianismo deve lhe parecer estranha, e até constrangedora", e continua dizendo em tom apaziguador: "mas é a melhor parte da vida ideal com que eu realmente travei conhecimento: eu a segui desde criança, até muitos cantos, e creio que em meu coração *nunca* fui infame para com ela. Afinal, sou o descendente de gerações inteiras de clérigos cristãos!" Com isso, porém, Nietzsche também reproduz seu próprio conflito, que haveria de se descarregar da maneira mais estranha no livro seguinte, na "Gaia ciência", no aforismo "O homem louco".

À irrupção veemente de suas forças mentais, que exigia demais das possibilidades intelectuais de seu parceiro, sempre se contrapunha ainda o lastimável estado físico de Nietzsche. Köselitz era sensível o suficiente para também sofrer em termos humanos por causa desse espetáculo que seu venerado e amado mestre lhe oferecia. Aí todas as sentenças de Nietzsche contra a compaixão não ajudavam a resolver isso. Talvez ele as tenha apresentado com tanta frequência e veemência justamente porque esperava, com isso, ajudar Köselitz à sua maneira? Por outro lado, demonstrou essa compaixão tão difamada por ele para com seu amigo Paul Rée. Este tinha perdido sua imã de criação de 27 anos no início de maio. Rée admitiu à Sra. Nietzsche em 17 de junho[12]: "Nós todos ainda não nos conformamos com essa perda, e minha mãe e eu – os membros nervosos da família – também ficamos muito mal fisicamente". Nietzsche escrevera a Rée no dia 28 de maio: "[...] quem diria que tais ferimentos seriam infligidos justamente a você! A você, a quem desejo [...] um sol pacífico, aquecedor, constante, da manhã até a noite da vida, para que toda a plenitude de frutos nobres se torne madura e perfeita sem acidez". – A partir deste exemplo pode ficar claro como Nietzsche queria que se entendesse seu ataque à compaixão e como ele mesmo a realizou: uma empatia delicada, mas não uma lamentação, e comunicada com discrição. Ele deseja que o amigo seja poupado de um destino semelhante ao seu próprio, para que também a ele, por causa de vivências difíceis, não sejam estragados e se tornem azedos os mais nobres frutos do pensamento. É uma admissão inquietante!

Embora Nietzsche consiga louvar as vantagens da localidade, mais uma vez a estada em Riva não lhe fez bem. Em 14 de fevereiro de 1880, escreve à mãe[124]: "O tempo até agora esteve nublado, hoje está chovendo. Há um jardim. O caminho pelas rochas corresponde à minha expectativa. Sempre não estou me sentindo bem. – Por favor, envie imediatamente o sobretudo leve, a calça cinza e uma camisa de dormir. Fique com a coberta quente aí. Muito boa a calefação. Lembro-me sempre com gratidão de seus cuidados, mãe!" Que diferença de tom e conteúdo em comparação com cartas para Rée, para Köselitz! Duas semanas mais tarde, ele escreve para a irmã, que está em Basileia[124]: "Eu acabo de superar um pouco (quatro dias ruins ficaram para trás) e estou mais alegre. Agradeça ao amável Overbeck em meu nome. Escrever está difícil para mim [...]. Köselitz está aqui. Aqui há belas florestas de oliveiras e tanta sombra quanto eu quiser". No dia seguinte, escreve à mãe usando quase as mesmas palavras[124]. Apesar da sombra favorável, ele se vê obrigado a comunicar a Overbeck no dia 13 de março: "[...] amanhã partiremos para Veneza. Eu estou bastante insatisfeito, meu estado de saúde piorou nas três semanas, e a dor constante é um suplício. Agora, portanto, vem a tentativa muito cogitada com Veneza, e não consigo me livrar de minha desconfiança em relação a ela", ao que Overbeck responde em 27 de março: "Seu último cartão foi uma surpresa para mim, pois eu supunha que Veneza estivesse descartada. Só desejo que as primeiras notícias de lá tenham um outro tom do que as últimas de Riva, mas estou preocupado. Recentemente, Burckhardt me disse, quando perguntou de novo a respeito de você, que ouvira dizer que a primavera, que aqui está de uma beleza rara, estava muito agreste no norte da Itália. O que mais me tranquiliza é saber que Köselitz está perto de você".

No mesmo dia – as cartas devem ter se cruzado – Nietzsche pode informar o seguinte ao amigo: "Hoje vou entrar em um alojamento que encontrei, que, de acordo com minhas necessidades, não está situado nas lagunas estreitas, mas em local aberto, como junto ao mar, com vista para a Ilha dos Mortos. Veneza tem o melhor dos calçamentos e sombra como uma floresta. E não há pó. O tempo está claro. O Lido também se legitimou". Nesse dia 27 de março ele também escreve de sua nova moradia para a irmã, que entrementes voltou para Naumburg: "Meu quarto tem 22 pés de altura, 22 pés de largura e 22 pés de comprimento, com belo mármore, uma escada magnífica leva até ele, mas é estranhamente parco. Ele é um achado que fiz". Em 2 de abril ainda relata o seguinte: "[...] este é o primeiro dia de chuva em Veneza e eu o estou sentindo um pouco. Mas de modo geral o lugar me faz muito mais bem do que Riva. O regime está muito bem organizado, e decerto vou ficar aqui no verão [...]. Os cômodos altos e o silêncio favorecem meu sono, e também tenho acesso direto ao ar marinho [...] estou sentindo um efeito calmante". Mas então o clima muda e, com isso, muda também o estado de saúde de Nietzsche. Em 11 de abril ele se queixa ao escrever para casa: "Entrementes o tempo foi continuamente horrível, siroco, chuva. Assim sendo, não tenho nenhuma notícia boa. – Mas até agora se mostrou que minha moradia foi bem escolhida"; e em 21 de abril: "O tempo aqui está bem inconstante; está começando a ficar quente, e os mosquitos também estão chegando". Ele fala de seu regime no dia 3 de maio: "Talvez você fique contente em saber que vivo principalmente de arroz e carne de vitela. Meu estômago não causou qualquer dificuldade desde que parti".

Também a Overbeck ele relata no dia 28 de abril: "*Scirocco sempre*", e esta é a razão pela qual Nietzsche acaba indo embora de Veneza. Em 15 de junho, escreve a Overbeck: "Urge partir, está ficando muito quente". Para Nietzsche, o que estava em primeiro plano no caso da estadia em Veneza não era a visita a Köselitz, mas a experiência com o clima. Neste sentido, ele já tinha escrito à irmã em 22 de março: "[...] estou fazendo o experimento muito necessário para verificar se um clima decididamente 'deprimente' (do ponto de vista médico) não é mais benéfico para minha cabeça do que o clima excitante que é o único que tentei até agora. Veneza exerce uma influência favorável sobre muitas pessoas que sofrem de dor de cabeça".

Os vínculos emocionais de amizade eram muito mais fortes com Paul Rée, Jacob Burckhardt, Franz e Ida Overbeck, que Nietzsche considerava "à mesma altura" ou, como no caso de Jacob Burckhardt, até superior, do que com o "dedicado discípulo" Köselitz, que ele não menosprezava, mas valorizava de outra maneira. Mesmo que o chame de "amigo" em cartas, fica sempre um resto, uma restrição, uma reserva. Não transparece nunca aquela cordialidade que ocorre, ocasionalmente, em cartas para Erwin Rohde, Malwida von Meysenbug, Marie Baumgartner, ou antes para Deussen, Gersdorff ou até Cosima Wagner. Em várias ocasiões, Overbeck transmite, em cartas, saudações de Jacob Burckhardt, o que perceptivelmente faz bem a Nietzsche. Com isso, ele se sentia mais ligado ainda a esse homem mais velho e famoso. É irrelevante para a compreensão de Nietzsche se as perguntas empáticas de Burckhardt a respeito do estado do filósofo eram espontâneas ou, antes, provocadas por perguntas sugestivas feitas por Overbeck, que as relatava. O importante é que Nietzsche acreditava que houvesse tal amizade também por parte de Burckhardt, o que se tornou muito significativo para seu comportamento na hora fatal, no colapso.

Interesse literário intensificado

Em breve Nietzsche teve de reconhecer que a experiência com o clima de Veneza tinha fracassado parcialmente. Mesmo que possa dizer, resumindo, a Overbeck no dia 22 de junho: "Minha saúde esteve melhor em Veneza do que em Naumburg e Riva, e minha aparência é boa", ele acrescenta: "De resto, continua em grande parte como antes", e saúda Ida Overbeck em 24 de maio "de Veneza, a cidade da chuva, dos ventos e das vielas escuras", e ainda observa: "Não acredite em uma só palavra que George Sand diz sobre Veneza (o melhor nela é o silêncio e o belo calçamento)". De resto, agradece a Ida Overbeck pelo grande trabalho de uma tradução, feita para ele, de um ensaio de T. Albert em francês e conversa por carta com a tradutora sobre o assunto. Também o grande trabalho de tradução de St. Beuve dela, "Menschen des 18. Jahrhunderts" [Pessoas do século XVIII (*Causeries du lundi*, no original em francês)] foi acompanhado por ele com crescente interesse e admiração pela realização da venerada esposa de seu amigo. De modo geral, o principal ganho desses quatro meses parece residir no prazer pelo trabalho que Nietzsche readquiriu e na leitura de uma extensa bibliografia. Uma parte substancial dos aforismos para a "Aurora", que ele ditou a Köselitz sob o título "L'ombra di Venezia", surgira em Veneza. Além da leitura conjunta de "Nachsommer" [Veranico], de Adalbert Stifter – que foi temperada com reflexões de Nietzsche e, por isso, com certeza extremamente estimulante –, os seguintes livros aparecem na lista: Herbert Spencer (1820-1903, "Die Tatsachen der Ethik" [Princípios de ética]*; Julius Baumann (1837-1916), professor de Filosofia em Göttingen, "Handbuch der Moral nebst Abriss der Rechtsphilosophie" [Manual de moral e esboço de filosofia do direito]; Hans Lassen Martensen (o professor de Teologia em Copenhague visto por Kierkegaard como um dos principais adversários e, por isso, atacado com veemência, 1808-1884), hegeliano, "Grundriss des Systems der Moralphilosophie" [Esboço do sistema da filosofia moral], de 1841**, uma obra tida como importante

---

* Traduzido do inglês por B. Vetter. Stuttgart, 1879.

** Edição em alemão: Kiel, 1845.

e também traduzida para o sueco, holandês e húngaro. Depois dois volumes do romancista francês Stendahl (Marie-Henry Beyle, 1783-1842), mas também guias de viagem, como, por exemplo, o de Gsell-Fels sobre o sul da França, um livrinho sobre as Ilhas Gregas, tudo o que ele podia fazer com que lhe enviassem de sua biblioteca em Naumburg. Com Overbeck se correspondeu a respeito de "Um príncipe da Boêmia" (1840), de Honoré de Balzac (1799-1850), e "História da minha vida" (1854), de George Sand (1804-1876), e pergunta sobre o catálogo da livraria socialista em Zurique. Pede que ele lhe envie a "Antropologia de Paulo", de Hermann Lüdemann, professor de Teologia em Berna, "O caráter cristão de nossa teologia", de Overbeck, os ensaios sobre Justino e a – entrementes publicada – conferência de seu sucessor em Basileia Jakob Wackernagel (1853-1938), "Über den Ursprung des Brahmanismus" [Sobre a origem do bramanismo], de 1876. Nietzsche recebe de August Siebenlist seu livro – ao que tudo indica, endereçado para Basileia pelo autor – intitulado "Schopenhauers Philosophie der Tragödie" [A filosofia da tragédia de Schopenhauer] (Pressburg, 1880), portanto preponderantemente literatura contemporânea ou, ao menos, pós-clássica.

Com seu editor Schmeitzner há uma primeira perturbação, que, no decorrer dos anos, haveria de produzir consequências sérias, pois este começa a entrar no negócio com o antissemitismo, que agora entra em forte ebulição e é promovido com veemência por alguns agitadores. Overbeck escreve em 28 de maio de 1880: "St. Beuve (a tradução de sua esposa a ser publicada por Schmeitzner) está inteiramente parado há semanas, por razões desconhecidas. Espero que o periódico antissemita esteja mais parado ainda". Nietzsche responde no dia 22 de junho: "O mais recente empreendimento de Schmeitzner [...] me causa repugnância; estou indignado pelo fato de ele não me ter dito uma só palavra sobre isso".

Seria uma grande tarefa à parte mostrar até que ponto isso se refletiu nos aforismos novos que estavam surgindo, o quanto deles são respostas, posicionamentos no diálogo intelectual com os autores. Aqui só podemos fazer referência a eles como fatos biográficos e indicar que a obra surgida seja observada também sob esse ponto de vista.

Verão na Floresta da Boêmia

Os guias de viagem devem ter servido para a preparação de uma estadia durante o verão. Com base neles, entrariam em cogitação o sul da França ou as Ilhas Gregas. Em contatos com Overbeck, Nietzsche deve ter aludido a Corfu ou à Córsega. Por fim, ele se decidiu exatamente pela direção oposta. Provavelmente teria gostado de ir de novo para a Engadina, mas os altos preços de lá devem tê-lo afugentado. Mas queria ir para os Alpes meridionais. Assim, continuou procurando na direção do leste. Ainda em 22 de junho, escreve a Overbeck: "Eu ainda não tinha certeza quanto ao lugar aonde ir; hoje também não sei ainda, mas provavelmente não muito longe, em florestas que me garantam sombra (na Carniola)". No dia 29 de junho de 1880 tem início, então, a viagem, sobre a qual nos faltam relatos específicos. Certo é apenas que ela não transcorreu bem e fez com que Nietzsche, com impressões que o decepcionaram, se dirigisse cada vez mais para o norte, até finalmente parar na Floresta da Boêmia. Em 5 de julho, escreveu, então, a Köselitz de Marienbad: "Assim, eu [...] finalmente entrei em uma espécie de porto de refúgio, após a mais desagradável odisseia que fiz até hoje. Tudo que olhei na Carniola, na Caríntia, no Tirol não me convinha; tudo era, pelo contrário, impossível [...] a viagem fez muito mal à minha saúde, e algumas vezes quase desesperei"; e para casa: "[...] fiz uma viagem muito ruim, em busca de matas e montanhas; tudo me decepcionou [...], era inviável para meus olhos. Assim, então, me retirei para Marienbad, na Floresta da Boêmia, e a moradia em que estou se chama Eremitage. Mas até agora só houve chuva, chuva e lama. Horrendamente caro [...] nada do que provo me apetece, e durante a viagem toda foi assim. Até as florestas não são espessas o suficiente para mim [...]. Não vou aguentar mais do que quatro semanas aqui, e então vou para a Floresta da Turíngia, aonde ela for a mais densa". Uma observação tardia sobre vivências e impressões pessoais da viagem aflora surpreendentemente na "Aurora", no aforismo 388: "A velhacaria com a boa consciência. Em certos países, como por exemplo no Tirol, é extremamente desagradável para alguém ver-se explorado no pequeno comércio porque, além da má compra, tem de suportar a cara feia e a concupiscência evidente do velhaco vendedor, assim como a má consciência e a grosseira hostilidade que manifesta para com o comprador. Em Veneza, pelo contrário, o vigarista goza com a peça que nos prega, e se desfaz em cumprimentos e amabilidades, e está disposto a gracejar com o enganado se este tiver vontade para isso. Em resumo, junto com a velhacaria, deve-se ter também o engenho e a boa consciência; isto faz com que o enganado quase aceite o engano". Isso é um juízo estético e chega bastante perto de um elogio feito a uma opereta espanhola oito anos mais tarde, quando, entusiasmado, ele escreve em 16 de dezembro de 1888 a Köselitz: "[...] para isso é preciso que seja patife e danado por instinto – e isso solenemente".

Mas Nietzsche não ficou apenas quatro semanas em Marienbad, e sim dois meses, até 1º ou 2 de setembro! Parece que esse foi um verão com extraordinariamente pouco sol e muita chuva. No dia 18 de julho, ele descreve sua situação a Köselitz: "[...] ser eremita de novo agora e como tal dar caminhadas durante dez horas por dia, tomar aguinhas fatais e esperar por seus efeitos". Também não chegou a ser edificante o fato de que, depois de poucos dias, a polícia chegou, revistou a casa e, por fim, deteve o senhorio por falsificação de cédulas de papel-moeda.

Abalado de modo bem diferente, na mesma carta ele escreve o seguinte a Köselitz: "Você leu alguma coisa a respeito do incêndio na casa de Mommsen? E a respeito de que o fogo destruiu os excertos dele, que eram, talvez, os maiores trabalhos preliminares que um pesquisador atualmente vivo fez? Diz-se que ele se precipitou repetidamente para o meio das chamas, e por fim foi preciso contê-lo à força, estando ele coberto de ferimentos causados pelo incêndio [...]. Ao ficar sabendo da história, o coração se me revolveu no corpo, e ainda agora sofro fisicamente ao pensar nisso", e isto, embora ele "nem simpatize [...] com Mommsen". Será que o filólogo lamentou mais por causa da obra monumental da "História de Roma" do que o ser humano por causa da tragicidade do destino desse pesquisador? (Uma coleta com o patrocínio do príncipe herdeiro reuniu subscrições no valor de 105.000 marcos. Wagner é de opinião que foi "por intermédio dos judeus, razão pela qual Mommsen também os defendeu"[258].)

Nietzsche não tem contato com os hóspedes porque não os procura, e irrita-se com a mãe porque ela, assim como fez em Veneza, lhe causa correrias e transtornos por colocar endereços inexatos nas cartas e pacotes que lhe envia, de modo que, por fim, toda a estadia é mais toldada por um profundo mau humor do que pelas nuvens de chuva. Assim, ele anseia por ir embora e escreve de modo decidido em 2 de agosto: "Amanhã, minhas caras, pretendo partir daqui. Não posso dizer com certeza para onde vou. São tão poucos os lugares que me são suportáveis [...]. É bem possível que eu volte para casa passando por Dresden" (onde os Overbeck estavam na casa de parentes), mas permanece, precisa permanecer porque seu estado o impede de viajar. Além disso, ele não tem um alvo. Está pensando em Ruta, na Floresta da Turíngia, em um vale lateral no sul do trajeto entre Gotha e Eisenach, mas a viagem até lá lhe parece longa demais. Mais uma vez, a leitura lhe serve de edificação. Desta vez lê um conto de Mérimée: "O vaso etrusco". "O conjunto é zombeteiro, refinado e profundamente melancólico", segundo seu juízo, o que decerto reproduz mais seu próprio estado de espírito, no qual se reflete aquilo que ele leu. A Köselitz, recomenda em 2 de agosto: "[...] não deixe de ler três matérias de seu jornal 'Neue Freie Presse': (há quatro semanas) George Sand e Alfred Musset; (há oito dias): Stifter como pintor de paisagens, e Hektor Berlioz em suas cartas".

Ele tem *uma única* boa lembrança de sua viagem a Marienbad, como relata a Köselitz no dia 18 de julho: "A caminho, conversei com um clérigo de nível superior, que parecia ser um dos promotores da música católica antiga: ele sabia responder qualquer pergunta. Achei que ele via com muito bons olhos o trabalho de Wagner com Palestrina". Isso o confrontou mais uma vez com sua mais grave perda, e assim ele se queixa a Köselitz em 20 de agosto de 1880: "Eu, de minha parte, sofro horrivelmente quando não gozo de simpatia; e nada pode compensar, por exemplo, o fato de, nos últimos anos, eu ter perdido a simpatia de Wagner. Sonho muito frequentemente com ele, e sempre no estilo de nossa convivência íntima naquela época! Entre nós nunca se falou uma palavra com raiva, tampouco em meus sonhos, mas muitas palavras animadoras e alegres, e talvez eu nunca tenha rido tanto junto com outra pessoa. Isso agora se foi – e de que me serve ter razão em alguns aspectos em relação a ele! Como se, com isso, essa simpatia perdida pudesse ser apagada da memória! – [...]. São os mais duros sacrifícios que minha postura na vida e no pensamento exigiu de mim – ainda agora, após uma hora de conversa simpática com pessoas absolutamente desconhecidas, toda a minha filosofia hesita: parece-me sem sentido querer ter razão às custas do amor, e não poder compartilhar o que se tem de mais valioso para não suspender a simpatia". Talvez remonte a isso o aforismo 427 da "Aurora", em que Nietzsche relativiza seu mais genuíno interesse, a filosofia: "[A filosofia] quer o que todas as artes e todos os poemas querem: entreter, antes de tudo. Mas quer, conforme uma altivez hereditária, de maneira superior e mais sublime, diante de uma seleção de espíritos [...]. Isso não é pouca ambição: aquele que a possui sonha também em tornar dessa maneira supérflua a religião, que, entre os seres humanos de outrora, apresentava a forma mais elevada da arte de entretenimento [...] agora já se fazem ouvir as vozes de oposição contra a filosofia que exclamam: 'Voltemos à ciência [...]'. Com isso começa talvez uma época que descobre a beleza mais poderosa precisamente nas partes 'selvagens e horríveis' da ciência [...]". E de fato, por causa disso seu prazer de trabalhar na obra filosófica é sufocado. No dia 20 de outubro ele é obrigado a admitir a Köselitz que, "desde aquela carta de agosto, não coloquei mais a pena na tinta, de tão nauseante que era meu estado, de tão carente de paciência que ele ainda é. Eu realmente não me alegrava com nada, exceto ao me lembrar de você".

Pausa em Naumburg

Nietzsche finalmente se desprende de Marienbad e chega a Naumburg no dia 1º ou 2 de setembro, onde passa cinco semanas na mais completa inatividade, ficando tão quieto que não emite sequer um único sinal de vida: até mesmo o diligente epistológrafo emudece inteiramente.

E nada também chega até ele. Só Paul Rée envia uma breve nota da América do Norte. Como tratamento para o vacilante estado de seus nervos, os médicos tinham lhe recomendado uma viagem marítima mais longa. Overbeck está visitando seus familiares em Dresden, e Köselitz está às voltas com um trabalho de maior porte: está compondo a zarzuela de Goethe intitulada "Brincadeira, astúcia e vingança", que este redigiu de passagem e para a qual a música daquela época se perdeu. Köselitz pretende aprontar a partitura até o final do ano e espera uma encenação ainda durante o inverno corrente no Theater an der Wien [Teatro no (Rio) Viena] – uma esperança enganosa, porém. A obra não foi encenada até hoje. A notícia confiante, planejada para o aniversário de Nietzsche em 15 de outubro, chegou ao destinatário um tanto tardiamente – depois de um desvio por Naumburg – em Stresa, no Lago Maggiore, e Nietzsche responde a ela em 20 de outubro: "O que você está me informando agora, a respeito de 'Brincadeira, astúcia e vingança', mexeu muito comigo ontem, e zanzei algumas horas em um estado de feliz embriaguez". É que ele atribuía grande valor à produção artística bem-sucedida. Nietzsche partiu de Naumburg em 8 de outubro de 1880. Ele só voltou para lá dois anos depois, em maio de 1882, e em circunstâncias completamente diferentes. Inicialmente só chegou até Heidelberg. Manda notícias para casa em 14 de outubro de 1880[124]: "Em Frankfurt começou o vômito, e em Heidelberg acabei me deitando. O acesso veio mais uma vez no meio do São Gotardo, e passei três dias doente em Locarno", e escreve no mesmo dia para Overbeck: "Em Locarno fui obrigado a ficar três dias, no pior dos estados. Não posso prever [...] o que vai acontecer comigo aqui em Stresa, onde devo ficar um mês. – Para mim, o lago não está localizado suficientemente ao sul, pois já se pode sentir o sopro do inverno [...]. As horas em Basileia foram tão agradáveis! Saudações, com gratidão e afeto [...]".

De novo no sul

Em Stresa tem início novamente o trabalho na "Aurora", primeiro como trabalho do raciocínio, em função do qual ele se esquece inteiramente de si mesmo. As amáveis cartas recebidas de casa e dos amigos, dos Overbeck e de Köselitz, e até de um antigo amigo da escola, Gustav Krug, fazem com que ele se lembre de seu aniversário. Agradece aos Overbeck em 31 de outubro com as seguintes palavras: "Meus caros amigos, dessa vez eu tinha me esquecido de meu aniversário, pela primeira vez – Por que será? Provavelmente estou com a cabeça cheia demais de outras ideias, e estas fazem com que eu exclame para mim dez vezes a cada dia: 'O que depende de mim!' [...] Pois muitas vezes não sei como poderia suportar, juntas, minha debilidade (de espírito e de saúde e de outras coisas) e força (no sentido de avistar perspectivas e tarefas). Minha solidão, não só em Stresa, mas em pensamentos, é extraordinária. Tão mais animadora é cada palavra e ação dos amigos verdadeiros; ah, uma verdadeira necessidade!"

Mais uma vez, como em tantas outras ocasiões, deparamo-nos com o caráter súbito das resoluções de Nietzsche relativas a suas viagens; com essas resoluções, ele próprio contraria planos e intenções expressos com certeza. Ainda no dia 20 de outubro, tinha escrito para casa dizendo que ficaria em Stresa até 10 de novembro e então viajaria para Nápoles. Deu instruções ao transportador de sua volumosa bagagem em Naumburg de que ele devia remeter uma guia para o seguinte endereço: "Castellamare (Presso di Napoli) Italia Pensione Weiss". Em 31 de outubro, indica a Paul Rée que sua estada em Stresa vai durar, inclusive, até 13 de novembro – e então chega a Gênova em 8 de novembro, para ficar lá até 1º de maio do ano seguinte. Em 7 de novembro, por um feliz acaso, conseguiu "caçar" suas malas durante o transporte em Intra e encaminhá-las para Gênova. No dia 30 de outubro, os Wagner tinham deixado a Itália. É possível que isso tenha influenciado as decisões de Nietzsche. Desde o alto verão Wagner residia em Siena. Nietzsche queria se esquivar até Nápoles. Depois que os Wagner desaparecerem completamente da Itália, isso não será mais necessário.

Ir a Gênova de maneira tão despreparada cobrou seu tributo. Por isso, em 16 de novembro Nietzsche é obrigado a relatar o seguinte para casa[124]: "Entrementes toda a desgraça se soltou para cima de mim, e tamanha confusão de acessos e acidentes e imprevistos que dificilmente alguma vez passei por épocas piores. Não vou entrar em detalhes; para que afligir vocês? Peço que digam a todo o mundo que estou em San Remo; na verdade, estou em Gênova e pretendo ficar aqui (prova: ontem já fui morar na quarta residência aqui)".

O novo estilo: a "Aurora"

Com isso, acabou a época das tentativas exploratórias. Com a volta para o norte da Itália, Nietzsche recuperou seu "lar", sua paisagem. Ele também assume a forma de existência, restringe seu estilo de vida, como pressupõe sua obra. E também fixou definitivamente a direção temática e o estilo para essa obra. Um traço impressionista é introduzido em suas exposições, e as cadeias ideativas rigorosas são repetidamente abrandadas por elementos paisagísticos, de pinturas de paisagens. Neste sentido, são duas as paisagens que servem preponderantemente de estímulo: montanhas e mar. Em "O andarilho e sua sombra" ele já dedicou um aforismo à Engadina, e descreve pela primeira vez no aforismo 423 da "Aurora" a costa rochosa junto a Gênova, como introdução ao livro quinto: "Estamos ante o mar: aqui podemos esquecer a cidade. É verdade que os sinos tocam ainda a Ave-Maria: ruído fúnebre e insensato, mas suave, no limite que separa o dia da noite. Mas esperai um momento ainda! Agora tudo está silencioso! O mar estende-se ante nós, pálido e brilhante; não pode falar. O céu joga o seu eterno jogo mudo e crepuscular com cores roxas, amarelas e verdes; não pode falar. Os pequenos penhascos e recifes que correm para o mar, como que para nele encontrar o lugar mais solitário, tampouco podem falar. Este enorme mutismo que nos surpreende de repente, quão belo e quão medonho para dilatar o coração [...]. Oh! Olha como cresce o silêncio e como se dilata de novo meu coração: espanta-se diante de uma nova verdade; tampouco ele pode falar [...]. A fala, o próprio pensamento, me são odiosos. Por acaso não ouço atrás de cada palavra o riso do erro, da imaginação, da loucura? Ó mar! Ó noite! Sois mestres malignos! Ensinais ao ser humano deixar de ser humano! Acaso deve ele entregar-se a vós? Acaso deve fazer-se como vós sois agora, pálido, brilhante, mudo, monstruoso, aquietando-se consigo mesmo, elevando-se além de si mesmo?"

Na pintura, o Impressionismo floresce por esses anos na França. Em 1874, a nova geração de pintores pôde inaugurar sua primeira exposição em Paris, e em 1886 já ocorreria a última, pois lá já se destacaram os neoimpressionistas, com Seurat e outros.

Na música, essa corrente estilística ainda se faz esperar por um tempo relativamente longo. Um "impressionismo" (caso seja permitido assumir nas outras disciplinas artísticas essa designação que, a rigor, só é inteiramente adequada para a pintura) só se manifesta plenamente em 1892, com "L'après-midi d'un faune" de Debussy, ainda que esse universo de sons já esteja preparado principalmente na cena das filhas do Reno no "Crepúsculo dos deuses".

O Impressionismo está contido bem mais cedo na poesia, por exemplo através de Baudelaire (1821-1867), que Nietzsche tinha em tão alta estima, e a descrição lexicográfica das características estilísticas*: "entrega a estímulos sensoriais e mentais, ao estado de espírito pessoal e ao nuançamento psicológico, expressa por meio de um ritmo e uma sonoridade refinados, particularmente na lírica" atina exatamente com aquilo que confere à nova obra de Nietzsche seu efeito linguístico sugestivo.

O estilo floresce a partir de juízos de gosto. Estes, no caso de Nietzsche, mudaram ou se consolidaram de novo não só no tocante à expressão linguística, mas também na relação dele com a música. Não só a música de Wagner, mas todo o pesado romantismo alemão – incluindo Brahms – se tornou impossível para ele. Seu esta-

---

* *Neues Schweizer Lexikon*, p. 853.

do de alma, sua sensibilidade levada ao extremo, não suporta mais a exaltação sentimental do Romantismo; Nietzsche se sente sobrecarregado com isso, ou avassalado ou desafiado. Em sua solidão, tudo isso ressoa de todas as paredes com veemência excessiva, seja de maneira surda ou estridente. Ele pede uma música discreta, que dance com roupas leves e uma cara de inocência. Cunha para isso a expressão "música meridional" – e a encontra realizada inicialmente nas composições – que não chegam a ser importantes – de seu "hóspede maestro" alemão, Heinrich Köselitz. "Eu cantava e assobiava suas melodias para me encorajar: é assim que elas ficarão em minha memória! E, na verdade, tudo que há de bom na música deve poder ser assobiado; mas os alemães nunca souberam cantar e se arrastam com seus pianos: daí a ânsia pela harmonia." Assim ele escreve de Gênova para Köselitz em 17 de novembro de 1880, e juízos como esse se repetirão nos anos seguintes, chegando até a comparação completamente híbrida de seu Köselitz com Mozart.

Assim, também nesse caso Nietzsche se protegeu contra uma agitação grande demais vinda de fora, escondeu-se como um urso em sua caverna – para empregar a imagem que ele usava constantemente. Seus juízos estéticos sobre a música aparecem como medidas dietéticas tomadas por causas pessoais. O isolamento do indivíduo na cidade grande e caminhadas extensas no litoral lhe dão a solidão exterior de que ele precisa para poder se entregar, sem ser perturbado, ao seu interior, suas visões e problemas. Em 24 de novembro de 1880, ele descreve sua existência em Gênova para Köselitz da seguinte maneira: "Aqui eu tenho tumulto e tranquilidade e altas trilhas nas montanhas e aquilo que é mais belo do que meu sonho disso: o Campo santo"; e mais detalhadamente em 8 de janeiro de 1881 para Overbeck: "Penso com tanta frequência em você e especialmente quando, após o meio-dia, quase dia após dia, estou sentado ou deitado em minha rocha isolada junto ao mar, como a lagartixa no sol, e saio pensando em aventuras do espírito. Minha dieta e distribuição do dia haverão de me fazer bem a longo prazo! Ar marinho e muito céu limpo – isso, como percebo agora, é imprescindível para mim! O calor é menor no novo ano do que foi no velho, e eu não tenho estufa – mas quem é que tem estufa aqui!" Ficamos sabendo de seu alojamento, além disso, a partir de uma carta para a irmã de 5 de dezembro de 1880: "Aqui se anda muito! E também se sobe! Pois, para chegar a meu quartinho debaixo do teto, tenho de subir 164 degraus no prédio, e o próprio prédio está em um lugar muito alto, em uma íngreme estrada palaciana, que, por ser muito íngreme e terminar em uma grande escada, é muito tranquila e tem um pouco de grama entre as pedras". E no dia 8 de janeiro de 1881: "Quando faz sol, vou sempre até uma rocha solitária junto ao mar e me deito lá ao ar livre debaixo de meu guarda-sol, quieto como uma lagartixa; isso representou várias vezes uma ajuda para minha cabeça. Mar e céu limpo! Como me torturei antigamente! Lavo diariamente o corpo todo e especialmente toda a cabeça, além de friccioná-la com vigor". Aqui não consta nada sobre seu trabalho com ideias; só se fala da dieta, do efeito terapêutico para a cabeça! Mas ele trabalha continuamente e como um cinzelador em sua nova obra, cujo manuscrito provisório é enviado em 25 de janeiro de 1881 a Köselitz com as seguintes palavras: "Assim, pois, deixo meu barco genovês partir para ir até você! [...] Agora é preciso dizer de novo: 'Amigo, em suas mãos entrego meu espírito!', e mais ainda: 'Em seu espírito entrego minhas mãos!' Eu escrevo mal demais e vejo tudo torto. Se você não adivinhar o que estou pensando, o manuscrito será indecifrável".

O título ainda é, por enquanto, "A relha do arado", portanto o título de uma "Consideração extemporânea" planejada anteriormente. Ao que tudo indica, Nietzsche ainda não está conseguindo se livrar inteiramente do plano antigo de 13 considerações extemporâneas. Talvez, em seu íntimo, ele também ainda tenha visto as três partes de "Humano, demasiado humano" dessa maneira, e, assim, essa nova "Relha do arado" seria a Consideração extemporânea n. 8. Também o filólogo clássico ainda se cobra um tributo: a subdivisão é feita em "livros", como no caso dos autores antigos, que nós atualmente chamaríamos de "partes" ou "capítulos".

Mais uma vez, Köselitz trabalha de maneira inacreditavelmente rápida. Em 6 de fevereiro ele já envia o texto passado a limpo de volta e, impressionado com os muitos aspectos novos que se lhe descortinaram, acrescenta a ele o lema "Ainda não luziram todas as auroras", reportando-se ao Rig Veda*. A partir desse lema se ofereceu agora o novo título, e inicialmente era controvertido se ele deveria ser "Uma aurora" ou apenas "Aurora". Por fim, com sua fina sensibilidade para os efeitos, Nietzsche se decidiu por este último. De início, Köselitz queria manter o título "A relha do arado" e reservar "Aurora" para um livro que seria sua continuação e certamente se seguiria, mas acabou concordando em 19 de fevereiro de 1881. Entrementes, em 12 de fevereiro, Nietzsche tinha lhe remetido um extenso "Posfácio", que Köselitz, mais uma vez, passou imediatamente a limpo e mandou de volta no dia 19 de fevereiro. Só agora é que Nietzsche organiza o conjunto e reúne, provisoriamente, a massa de textos em quatro partes. Após uma nova revisão, porém, ele subdivide o material em cinco "livros", e assim as folhas do manuscrito são enviadas novamente a Köselitz em 14 de março. Nietzsche escreve o seguinte a respeito disso: "São cinco livros. Após a página de rosto segue-se uma folha com a epígrafe

* Infelizmente, sem indicar sua fonte, pois as traduções que conhecemos hoje não contêm essa formulação em lugar algum[162].

Livro primeiro (etc.). Não gosto das referências simbólicas para a página de rosto. Linhas simples, fortes e corajosas e máxima legibilidade das palavras!"

Ocorre que Köselitz tinha sugerido um ornamento renascentista, do qual ele próprio, porém, acabou desistindo. Já no dia seguinte, Köselitz enviou uma primeira parte a Schmeitzner, e o resto pouco tempo depois. Quanto ao próprio título, Nietzsche ainda acrescenta uma observação na carta de 20 de março[124]: "Todo título tem de ser, antes de mais nada, citável: portanto, temos de mudar! Não 'Uma aurora', e sim apenas 'Aurora'. Isso também não parece tão pretensioso". E quanto à forma ele escreve em 24 de março: "O Sr. Obschatz deveria criar mais algumas propostas para o título, e você escolherá o mais suportável – é só o que desejo de *minha* parte. Da última vez (no caso do 'Andarilho') você se irritou com a falta de gosto: com a sugestão sobre esse tema eu só tinha o desejo de, desta vez, poupá-lo da irritação".

Schmeitzner aceita de novo também esse livro, mas não dá qualquer sinal de vida durante semanas. Ao que tudo indica, ele tinha dificuldades com seu tipógrafo Obschatz, e precisava de tempo até encontrar um novo tipógrafo, Teubner, em Leipzig. As primeiras provas chegam, então, em maio, e no dia 17 de junho pode congratular-se com seu fiel Köselitz pela "finalização de nossa insuportável leitura de provas". Em 8 de julho de 1881, Nietzsche avisa, de Sils, o amigo Overbeck que o livro acabou de ser publicado.

Um amigo retorna: Carl von Gersdorff

Durante o trabalho na "Aurora", Nietzsche tinha utilizado às vezes expressões como "que ele estava escavando em sua mina moral" ou falado de atividade "subterrânea". Essas imagens refletem seu estado mental. Ele tinha se fechado inteiramente para fora e estava esquadrinhando agora todas as sinuosidades e as galerias e nexos de sua vida anímica até agora ocultos. Agora, depois de ter vivido quase um ano nesse autorrecolhimento e trazido à luz coisas que ele via como pedras preciosas de seu interior, queria de novo descanso desse trabalho rigoroso, queria sair para a luz, desfrutar o sol aquecedor da amizade. Também essa necessidade está profundamente enraizada nele. A tranquila convivência a dois com um amigo parecia a Nietzsche a realização ideal, quando muito a três, mas não com mais pessoas. E quando as pediu, ele também sempre recebeu essa proximidade e calor da amizade. Quando esteve solitário em termos humanos, foi sempre por opção própria. A solidão como pensador, por sua vez, lhe foi dada como foi e será dada a todo pensador importante. Nietzsche também sabia disso. Ele estava consciente do destino do pensador, no qual ele tinha parte por natureza, e se submeteu a esse destino. E também chegou a tirar a conclusão em sentido inverso: inferia a própria grandeza e importância do grau de sua solidão intelectual.

Nesses dias, uma graça especial levou até ele de novo seu velho amigo Carl von Gersdorff, que tinha passado o inverno perto de onde estava Köselitz. Quando enviou seu manuscrito a Köselitz em 14 de março, Nietzsche pôde escrever: "Um acesso de minha dor de cabeça vai me deixar 'inválido' por alguns dias – e, assim, talvez Gersdorff ajude a colar as folhas. Peça isso a ele em meu nome!" Para Nietzsche, poder ouvir falar de seu velho amigo Gersdorff representava uma perceptível libertação de algo que lhe pesava há muito tempo na alma. Já em 25 de novembro de 1880, Köselitz tinha escrito o seguinte[13]: "O Sr. Barão von Gersdorff está aqui, de passagem para Florença; eu tive, já por gratidão, de dedicar algum tempo a ele, toquei para ele em algumas tardes e também o procurei em sua residência; ele está desenhando algumas cabeças aqui, mas só estou sofrivelmente satisfeito com elas". E em 10 de fevereiro de 1881: "O barão mencionou recentemente uma vez aquele caso mantido por cartas e me pediu muito calorosamente que lhe enviasse suas cordiais saudações. A história de amor continua existindo; os obstáculos parecem se dever aos pais da Finochietti – ouço muitas vezes uma alusão a isso, mas não quero entendê-la". Embora ainda fosse demorar um ano inteiro até que o primeiro contato por carta fosse restaurado com um anúncio de noivado por parte de Gersdorff, a aproximação passou a se encaminhar a partir de então, mediada por Köselitz. Inicialmente, porém, a reaproximação fez um plano amadurecer em Nietzsche, e Köselitz intermediaria também essa questão. No dia 13 de março, Nietzsche lhe escreve o seguinte: "Pergunte a meu velho camarada Gersdorff se ele teria vontade de ir para Túnis comigo e ficar lá de um a dois anos. O clima é ótimo, não quente demais, a travessia de Livorno, passando por Cagliari, é muito curta, e a vida lá é barata. Quero viver um bom tempo entre muçulmanos, e quero fazer isso lá onde a fé deles é a mais rigorosa: decerto assim meu juízo e meu olhar sobre tudo que é europeu vão ficar mais aguçados [...]. Peço que, por enquanto, você e o amigo Gersdorff não falem de meu plano de viagem para outras pessoas. – Um pintor do gênero encontra em Túnis sua terra prometida: é só com base nisso que faço esta proposta ao amigo".

Gersdorff tinha passado a se dedicar à pintura com algum investimento e até mantinha um ateliê em Veneza, em que também deixou Robert Rascovich trabalhar, um pintor dálmata carente, e lhe encaminhava encomendas de seus conhecidos da baixa nobreza, como, por exemplo, a Baronesa von Wöhrmann, vinda de Naumburg. Ela era uma conhecida da família Nietzsche que tinha buscado o sul por causa de uma grave doença pulmonar e morreu em Veneza em 1º de novembro de 1881, sem que Nietzsche tivesse chegado a fazer contato pessoal com ela, o que sua mãe e irmã sempre o incentivaram a fazer.

Em 16 de março, Köselitz pôde dar a seguinte resposta ao plano da viagem à Tunísia: "Von Gersdorff disse que iria com grande prazer a Túnis, mas infelizmente as circunstâncias o obrigavam a estar em casa de novo em junho. Sua mãe está preocupada com ele, e, além disso, ele é agricultor. Ele disse que iria por alguns meses, mas no outono". Nietzsche aceita imediatamente e sugere em 20 de março: "Agradeça a Gersdorff pela perspectiva que ele me deu. Eu gosto de marcar datas: É possível prever o dia 15 de setembro para isso?" O quanto Nietzsche estava pensando nisso seriamente e com que impaciência aguardava uma resposta afirmativa confiável já é deixado claro pelo fato de que já no dia seguinte, 21 de março, ele pergunta em um cartão postal: "Ele está realmente pensando em me acompanhar?" Ainda no dia 31 de março, Köselitz só pode responder o seguinte: "Recentemente perguntei a Von Gersdorff mais uma vez se iria viajar com você no outono, e ele retrucou 'Quem sabe!' [...] Acho que é melhor você não contar demais com a companhia dele: ele precisa levar algumas coisas em consideração".

De fato, o plano não deu em nada. Exteriormente, um acontecimento político produziu a solução: a eclosão da guerra colonial franco-tunisiana em 10 de abril, que terminou com a anexação da Tunísia. Com isso, os dois amigos haveriam de continuar separados, porque "não é aconselhável chegar lá como estrangeiro neste outono e inverno – a gente tem contra si a desconfiança e coisas piores", escreveu Nietzsche em 10 de abril a Köselitz. Assim, a convivência com Gersdorff no festival de verão de 1876 em Bayreuth acabou sendo a última vez na vida em que eles se encontraram. Só uma correspondência escassa, nem sempre anual, mas, ainda assim, cordial alimentou a pequena chama da amizade.

Resposta negativa a Veneza e Naumburg

Köselitz havia se esforçado sinceramente para viabilizar o encontro, embora isso significasse um sacrifício para ele, que continuava cultivando a ideia de atrair Nietzsche para Veneza, ou seja, para perto de si. Mas Nietzsche se opôs a esse plano, primeiramente por razões climáticas, mas também porque estava certo de que, a longo prazo, isso não seria bom para Köselitz nem para ele. Havia coisas no jeito de ser de Köselitz que o incomodavam bastante, mas sobre as quais calou por enquanto.

Mas ele também teve de dar uma resposta negativa para casa. Nietzsche deve – em uma carta que não se conservou – ter feito a sugestão de que a mãe se mudasse para Baden-Baden, o que foi entendido equivocadamente e mal-acolhido, com a peculiar sensibilidade naumburguesa, pois em 14 de março ele pede desculpas[124]: "Desculpem por ter falado de Baden-Baden – eu nem pensei em mim ao fazer isso! Pensei apenas que nossa mãezinha teria um lugar com um clima agradavelmente moderado, interessante e idílico para sua velhice, para não ficar sozinha na chata Naumburg, cheia de funcionários públicos. (Acho essa Naumburg detestável no inverno e no verão – nunca me senti em casa nela, embora tenha honestamente me esforçado para gostar de lá.)" O nível a que o vínculo interior até mesmo com a família tinha caído é mostrado, assustadoramente, pelo comunicado de 11 de junho de 1881: "[...] em poucas semanas meu livro vai chegar até vocês. Olhem-no amavelmente de fora [...]. Mas peço a vocês de todo o coração que não o leiam e não o emprestem a ninguém". Elisabeth não deve ter entendido esse gesto pouco amável e perguntado sem muito jeito a respeito do novo livro. Nietzsche reage então com veemência, como que a uma insistência irritante, em 19 de junho: "Você acha que se trata realmente de um *livro*? Você também ainda me considera um escritor! Minha hora chegou. – Eu queria poupá-la de tudo isso, pois você não pode carregar meu fardo [...]. Eu gostaria que você pudesse dizer a qualquer pessoa, de sã consciência: 'Não conheço as opiniões mais recentes de meu irmão'".

Nova tentativa com Köselitz: Recoaro

Finalmente Köselitz pôde fazer uma sugestão com a qual Nietzsche conseguiu se entusiasmar. Köselitz escreveu o seguinte em 8 de abril de 1881: "Hoje ao meio-dia me queixei mais uma vez a um farmacêutico [...] o quanto eu estava farto de Veneza e lhe perguntei o que ele me aconselharia em relação a um veraneio. Então ele me recomendou *Recoaro*, na encosta meridional dos Alpes do Tirol [...]. Lá há um pequeno lago, matas, excursões românticas, custo de vida baixo [...]. Ele disse que o lugar era talhado para poetas e outros artistas; lá só poderia ocorrer alguma coisa boa à gente [...]. Maio, junho, julho e agosto seriam os meses mais agradáveis lá; em setembro já vai ficando frio [...]. O que o senhor, caro professor, acharia de nos encontrarmos lá em maio?" Nietzsche aperta imediatamente a mão que lhe é estendida: "Vamos para Recoaro então! Meu quarto só está alugado até o final deste mês e, em todo caso, eu pretendia partir dia 1º de maio: ora, se isso for conveniente para você, vou viajar nesse dia para Vicenza (de lá são quatro horas de viagem – isto seria no dia seguinte). Por favor, trate de obter detalhes sobre os preços dos quartos etc.; aprendi que o próprio conhecimento a respeito dos preços representa a metade da economia" (em 10 de abril de 1881). Excepcionalmente, a viagem transcorreu de acordo com o plano. Os dois se encontraram no dia 1º de maio em Vicenza e pernoitaram no hotel "Tre Garofani" ("Junto aos Três Cravos"). Em 2 de maio, Köselitz informou sua namorada Cäcilie Gusselbauer em Veneza sobre a continuação da viagem[54]: "Agora estou aqui em Recoaro, mas sem Nietzsche: o coitado ficou doente por causa da viagem de Gênova até Vicenza e, como ele diz, por causa da alegria que sentiu quando cheguei, de modo que só posso esperá-lo aqui de novo amanhã. Por enquanto, vim para cá com minhas coisas e as dele, para poupar a ele os aborrecimentos comezinhos com a moradia, a bagagem e coisas desse tipo. Sozinho, eu sempre lido com essas ninharias de modo mais decidido do que quando Nietzsche está junto. Mas, como eu lhe disse isso, ele também me deixou viajar. Portanto, amanhã ele chegará aqui, só com uma bolsinha a tiracolo, vindo de Vicenza, talvez até a pé". Köselitz fica lá quatro semanas, até 31 de maio, e Nietzsche até o início de julho, embora a estadia não lhe faça bem em termos de saúde. A paisagem lhe agrada, mas não o clima, que, nessa época, parece ter sido predominantemente determinado por temporais; ao escrever para casa de Sils, em retrospectiva, no dia 18 de agosto de 1881, ele até apresenta seu consentimento em ficar nesse lugar e a convivência com Köselitz como um sacrifício[124]: "Eu tenho um compromisso com o Dr. Rée, que me proíbe dizer 'não', assim como tenho um compromisso com o Sr. Köselitz; tive de ir a Recoaro quando ele me pediu que fosse para lá (o que estava em jogo não era eu, e sim ele e sua decisão para a vida toda)". E, realmente, o principal conteúdo dessas semanas foi que Köselitz pôde apresentar a Nietzsche sua música para "Brincadeira, astúcia e vingança" e ficou animado e confiante a partir da aprovação dele. Em todo caso, em 8 de maio ele escreve, orgulhoso, à sua namorada[54]: "[...] alegre, entusiástica, generosa – ele destacou essas três propriedades explicitamente", e quando Köselitz voltava para Veneza em 31 de maio e estava sozinho no compartimento do trem, concebeu o final, em um verdadeiro delírio, e gritou sem parar tudo que poderia constar nele". As palavras elogiosas de Nietzsche eram genuínas, sua percepção da música era essa e ele a via como significativa. Em 18 de maio, ele também reconheceu isso em contato com Overbeck: "Mas agora ainda uma notícia alegre, muito alegre: nosso amigo Köselitz é um músico de primeira classe, sua obra é de um encanto novo e próprio em termos de beleza, em que nenhum dos que estão vivos se iguala a ele. Jovialidade, graça, intensidade, um grande arco de sentimentos, desde a alegria inócua até a sublimidade inocente: e nisso tudo uma perfeição técnica e sutileza de exigências para consigo mesmo que me parecem indizivelmente revigorantes neste século tosco. E, além de tudo, existe uma afinidade entre essa música e minha filosofia: esta última encontrou a mais bem-soante defensora!" Ainda assim, por ocasião da partida de Köselitz em 31 de maio, ele se vê obrigado a admitir a Overbeck: "[...] agora mesmo o Sr. Köselitz está se preparando para partir e voltar. Isso é tão necessário – para nós dois. Apesar de toda a cautela, minha saúde não tolera mais tal convivência; houve acessos do pior tipo, como os de Basileia". Ainda assim, Nietzsche ficou por enquanto nesse lugar, porque ele ainda não tinha qualquer ideia a respeito do passo seguinte. Ele não podia voltar para o calor da Riviera, para o abafamento de Veneza, e suspeitava que todos os locais que lhe foram sugeridos no Tirol estivessem sujeitos a tempestades.

O compositor "Peter Gast"

Ele se ocupava continuamente com o destino de compositor de Köselitz, e uma objeção parecia afligi-lo particularmente: com o nome Köselitz o amigo nunca seria bem-sucedido. Um compositor não deveria se chamar assim, e muito menos na Itália, pois esse nome era simplesmente impronunciável para línguas italianas. Essa consideração se tornou ainda mais urgente porque Köselitz estava se preparando para compor de novo um libreto italiano, o "Matrimonio segreto" ("O matrimônio secreto"), até então famoso pela música de Cimarosa. Ocorreu a Nietzsche, de alguma maneira, o pseudônimo "Peter Gast". Köselitz o aceitou, adotou o nome dado por seu mestre e o usou durante todo o resto de sua vida, de modo tão coerente que ele quase só é mencionado sob esse nome, e assim entrou na história da literatura e da filosofia, embora aí tenha se perdido algo que Nietzsche sempre conservou em suas cartas: Nietzsche sempre chamou o ser humano de "Köselitz", e só onde se refere única e exclusivamente ao compositor ele escreveu, algumas poucas vezes, "Peter Gast", fazendo-o pela última vez no bilhete da loucura escrito para seu "Maestro Pietro" no início de janeiro de 1889. Mas pouco tempo depois do "batismo", quando Köselitz já tinha voltado a Veneza e Nietzsche, na solidão de Recoaro, teve tempo de pensar sobre isso, ele foi assaltado pela dúvida. Em um cartão postal de 17 de junho ele acrescenta o seguinte como PS[124]: "Pseudonímia e ocultação impossíveis para você: mudança do nome basta. Coselli, p. ex.", mas Köselitz responde ainda no mesmo dia: "Ainda assim, gostaria de manter a pseudonímia, e vou ficar com Peter Gast – mas reconheço que ela não pode ser executada plenamente: nessa estrada militar para a Itália gente demais já copiou coisas minhas. Mas não vou mais andar em estradas militares".

Distanciamentos filosóficos

Assim como, no ano anterior em Riva, "Nachsommer" [Veranico] de Stifter tinha se tornado uma vivência literária para ambos, desta vez isso aconteceu com "Grüner Heinrich" [O verde Henrique], de Gottfried Keller, ainda que, em 8 de julho, Nietzsche escreva a Overbeck dizendo que, para seu "estado a rigor patético" a obra seria "um pouco miniaturesca e variegada demais, um epítome de poesia e marotice, talvez até de seriedade". De maior importância foi para Nietzsche a leitura de "Mechanik der Wärme" [Mecânica do calor], de Julius Robert Mayer, um livro com o qual Köselitz tinha se entusiasmado e literalmente imposto a Nietzsche. Köselitz até o mandou encadernar de novo para Nietzsche e ainda o enviou a ele para Gênova no dia 8 de abril. Provavelmente se tratava da 2ª edição da obra, publicada pela primeira vez em 1867. Julius Robert Mayer, nascido em 1814 em Heilbronn e lá falecido em 1878, conta entre os mais marcantes expoentes do movimento do materialismo de meados do século XIX. Depois que o princípio da conservação da substância foi constatado, ele lhe acrescentou – mais ou menos ao mesmo tempo que o físico Helmholtz, mas independentemente deste – o princípio da conservação da energia e expôs "que a força só é mutável segundo a qualidade, mas indestrutível segundo a quantidade, e que também o calor é só uma espécie de movimento, ou que o calor e o movimento se transmutam um no outro, e que uma lei da proporção imutável de magnitudes entre o movimento e o calor também pode ser expresso numericamente; o respectivo número é chamado por ele de equivalente mecânico do calor"[247]. Nietzsche não deve ter estudado a obra de Mayer imediata e detalhadamente, pois ele só aborda o assunto muitos meses depois, em 20 de março do ano seguinte, em uma carta para Köselitz, e o faz com restrições significativas. Contrapõe ao autor Copérnico e principalmente Boscovich, "e também todos os físicos e químicos materialistas, e os melhores adeptos do próprio Mayer". Nietzsche vê nele "um grande especialista – e não mais do que isso". Além disso, acusa-o de incoerência e acha que ele não é radical o suficiente: "Em última análise, também Mayer ainda tem uma segunda força no segundo plano, o *primum mobile*, o bom Deus – além do próprio movimento. Também precisa dele ao extremo!" Por ocasião da estada conjunta em Recoaro, em vista do entusiasmo de Köselitz com Mayer, justamente esse livro deve ter sido assunto de conversa e depois, na época que Nietzsche passou sozinho lá, também deve ter sido assunto de reflexão para ele, fazendo-o lembrar-se da Teoria da Evolução Mecânica de Darwin, que tinha absorvido como estudante universitário, bem como da "História do materialismo" de Friedrich Albert Lange. Em todo caso, o conhecimento travado com essa obra de Mayer define a tendência de todas as leituras dos meses seguintes, que se distingue decisivamente daquela do ano anterior: antes "Moralia", agora exclusivamente publicações da filosofia mecanicista-materialista. Não se haverá de estar equivocado ao pensar que isso tudo teve ao menos grande influência sobre a súbita ideia nietzscheana do "Eterno retorno do mesmo" no mês de agosto seguinte, com a qual ele acrescentou às teses da finitude e do isolamento quantitativo da matéria e energia ainda o princípio da finitude e limitação matemática das possibilidades de combinação – aquele dogma estranho e tão facilmente refutável que nasce de modo bem estranho em meio ao trabalho na continuação da "Aurora", a "Gaia ciência", que são os dois livros antidogmáticos por excelência, que negam todo princípio abrangente ou transversal e aplicam isso metodologicamente à esfera da moral e da metafísica. Em Nietzsche, então, também se travou uma luta desses antagonismos que quase excedeu suas forças.

Retorno ao refúgio na Engadina

O precário estado de saúde de Nietzsche lhe ordenou categoricamente que deixasse Recoaro. No dia 19 de junho, a resolução quanto à estadia no verão parece estar tomada: "Meu endereço: St. Moritz em Graubünden [Grisões] (Suíça), posta restante. Esta é, mais uma vez, uma última tentativa", escreve ele para casa. Em 2 de julho de 1881, viaja para St. Moritz, passando pelo Lago de Como, Chiavenna e Maloja, mas se dirige logo para Sils-Maria, de onde escreve para Köselitz em 8 de julho: "Durante a viagem, um trem perdeu sua conexão, o que me duplicou o tempo e os custos da viagem [...]. St. Moritz me repeliu com veemência, pois se me apresentou sob a cristalização do que sofri lá há dois anos. Saí de lá depois de três horas; à noite até tive vontade de ir embora da Engadina! Por fim, graças a um suíço sério e amável com o qual viajei a noite toda [...] fui acomodado no mais ameno canto da terra: nunca tive tanta quietude [...]. Aceito esse achado como um presente tão inesperado quanto imerecido, como a música magnífica que você faz, que aqui, neste eterno idílio heroico, penetra de forma mais bela no coração do que lá embaixo. Estou justamente me refazendo de um acesso de três dias (temporal)".

Nietzsche fica em Sils três meses, até 1º de outubro de 1881, e é atormentado o tempo todo por muitos acessos graves de sua dor de cabeça. Já no dia 21 de julho ele se queixa para Köselitz: "[...] até agora quatro acessos graves de dois-três dias de duração. O verão está sendo quente demais para os engadinenses". Em 30 de julho ele comunica à mãe que já teve até seis acessos*. Mas isso não pode se dever apenas ao calor, à umidade associada aos temporais e à eletricidade da atmosfera. Como quase sempre, a causa que desencadeou os acessos se encontra no próprio Nietzsche, em sua inquietação interior. Isso é atestado pela expressão agitada de suas cartas, mas também pelo enorme número de encomendas de livros e pelas

* Na 7ª edição da coletânea das cartas, "corrigidos" para três.

indicações a respeito de suas novas ideias, como, por exemplo, em 14 de agosto para Köselitz: "Em meu horizonte ascenderam ideias com as quais ainda não vi parecidas – não quero falar nada sobre isso, e manter a mim mesmo em uma calma inabalável. Decerto ainda vou ter de viver alguns anos! [...] A intensidade de meus sentimentos faz com que eu me arrepie e ria – já algumas vezes não pude sair do quarto pela ridícula razão de que meus olhos estavam inflamados – por causa de quê? A cada vez, em minhas caminhadas do dia anterior eu tinha chorado demais, mas não lágrimas sentimentais, e sim lágrimas de júbilo; enquanto isso, eu cantava e falava disparates, repleto de um olhar que faz com que eu me antecipe a todas as pessoas". Uma grande tensão também pairava sobre ele por causa do lançamento da "Aurora". Como seus amigos iriam reagir ao livro? Será que perderia alguns de novo? "A Sra. Baumgartner me escreveu em tom muito amável e cordial", comunica ele a Overbeck em 23 de julho, ao qual agradece pelo fato de que "nossa amizade está resistindo também nesse assunto e até foi selada de novo". De resto, porém, vê-se obrigado a escrever a Köselitz, resignado (em 14 de agosto): "Houve realmente instantes [...] (p. ex., o ano de 1878) em que eu teria percebido uma palavra revigorante de ânimo [...] como o maior dos bálsamos – e justamente então todos me deixaram na mão [...]. Agora eu não espero mais isso e só sinto um certo espanto melancólico quando, p. ex., penso nas cartas que recebo agora. – Tudo é tão insignificante, ninguém vivenciou alguma coisa por meu intermédio, ninguém se preocupou comigo – o que me dizem é respeitável e benevolente, mas distante, distante, distante. Também nosso caro Jacob Burckhardt escreveu uma cartinha tão desanimada". Burckhardt usou mais uma vez a metáfora de quem caminha na crista de um monte e encerra dizendo o seguinte[61]: "Provavelmente no vale irá se reunir e crescer, aos poucos, uma comunidade que, no mínimo, vai se apegar a essa contemplação do ousado caminhante na crista do morro", e nisso ele haveria de ter razão. Mas começa a carta afirmando: "Algumas coisas nele, porém, me desagradam, como você adivinhou, mas minha opinião não precisa ser a única verdadeira!" Portanto, ele não fará parte dessa comunidade! Isso só podia ser decepcionante para Nietzsche, pois ele tinha acrescentado alguns aforismos políticos que correspondiam efetivamente à perspectiva de Burckhardt. Mas no momento até essa recusa veio como que de um mundo distante, pois Nietzsche, assaltado por suas novas ideias, já tinha se situado de novo na mais extrema solidão e blindagem. Paul Rée, contente com a "Aurora" e percebendo o quanto Nietzsche precisava de ajuda, tinha sugerido ir até ele na Engadina, para lhe servir de escrevente e leitor em voz alta. Mas Nietzsche finalmente rejeitou a proposta em fins de agosto[12]: "Se você quiser viajar agora, não faça isso para se encontrar comigo [...] e sim com vistas à sua saúde e à de sua querida mãe! Mas será que, neste último sentido, a Engadina não seria inadequada? Aqui está fazendo frio e ventando; ultimamente até tivemos um dia inteiro de inverno com neve", depois de ainda ter escrito o seguinte à sua irmã no dia 18 de agosto: "Não consigo telegrafar ao Dr. Rée dizendo-lhe que não venha, embora considere meu inimigo qualquer um que [...] interrompa meu verão de trabalho na Engadina. Uma pessoa entrando na teia de minhas ideias que brotam de todos os lados – isso é uma coisa terrível; e se eu não puder assegurar minha solidão de agora em diante, juro que vou ficar longe da Europa por muitos anos!" Por trás dessa ameaça havia planos efetivos de ir para as montanhas do México.

Nesse meio-tempo houve um caso de família que também não chegou a contribuir exatamente para tranquilizar o espírito. Um tio por parte de mãe, Theobald Oehler, pastor em Altendammbach, tinha falecido. Nietzsche escreveu à mãe, no início de julho, o que achava ser uma carta de consolo[124]: "Nosso Theobald foi uma pessoa tão mansa e boa, rigoroso para consigo mesmo sem, no entanto, ser fanático; eu o considerava o melhor entre os Oehler. Quem sabe se o principal responsável por sua doença dos nervos não foram, mais ainda do que sua teologia, as charlatanices de sua sogra. Ele preferiu a morte ao manicômio e provavelmente agiu de maneira sábia". Ele deve ter recebido uma reprimenda severa por causa disso, pois em 13 de julho se apressa em adotar a tese oficial da família[124]: "É verdade, isso parece mais provável: o coitado do Theobald, em um estado de agitação emocional, quis tomar um banho (para se acalmar) e, ao fazer isso, teve um derrame. Isso acontece com muita frequência". Aqui, portanto, já está se praticando o diagnóstico de derrame que, mais tarde, é retomado pela irmã em conexão com o colapso sofrido por Nietzsche. Mas agora Nietzsche já via seu destino mais claramente, pois na mesma "carta de condolências" encontra-se uma frase assustadora: "Minha doença cerebral é muito difícil de avaliar; no tocante ao material científico que é necessário para isso, sou superior a todo e qualquer médico".

Necessidades do corpo e do espírito: desde a linguiça até Spinoza

A parte mais importante de sua correspondência com Naumburg, entretanto, é constituída por encomendas de alimentos e artigos de uso diário: linguiça, presunto – "mas nada de peras!" – pílulas laxantes, luvas de tricô, meias de lã, tela, linha e agulha, e então cadernos e livros dos acervos próprios, como, por exemplo, de um contemporâneo seu, o positivista Eugen Dühring (1833-1921), seu "Kursus der Philosophie als streng wissenschaftliche Weltanschauung und Lebensgestaltung" [Curso de filosofia como cosmovisão e estilo de vida rigorosamente científicos] ("i. é para eu poder rir"), e, de H.C. Carey, "Lehrbuch der Volkswirtschaft und Sozialwissenschaft" [Manual de economia e ciência social], na tradução de Karl Adler de 1870.

A Overbeck, pede que lhe envie da Biblioteca de Basileia dois volumes de Hellwald: 1) "Kulturgeschichte" [História da cultura] e 2) "Die Erde und ihre Bewohner" [A terra e seus habitantes], além do "livro de Kuno Fischer sobre Spinoza". Nietzsche já tinha consultado anteriormente a "Geschichte der neuen Philosophie" [História da nova filosofia] de Kuno Fischer (1824-1907), professor de Filosofia em Heidelberg, e decerto também as palestras dele de 1860 intituladas "Leben und Werke Kants" [Vida e obras de Kant] e "I. Kant, Entwicklung, Geschichte und System der kritischen Philosophie" [I. Kant: desenvolvimento, história e sistema da filosofia crítica] e, particularmente, obtido seu conhecimento de Kant por intermédio de Fischer. A partir disso, deve ter tido ainda uma lembrança da exposição feita por Fischer da filosofia do solitário Baruch Spinoza, expulso de sua comunidade judaica por causa de suas ideias heréticas e iluministas. Agora ele voltou a recorrer a esse livro, à 2ª parte do 1º volume, que contém "A escola de Descartes" e, justamente, "Spinoza". Overbeck providenciou tudo imediatamente. Nietzsche começou logo com a leitura e, em 30 de julho, escreve o seguinte em um cartão postal enviado a Overbeck: "Estou bem espantado, bem encantado! Tenho um predecessor, e que predecessor! Eu quase não conhecia Spinoza; o fato de ter ansiado por ele agora foi algo 'instintivo'. Não só a tendência geral dele é igual à minha – fazer do conhecimento o mais poderoso dos afetos –, mas em cinco pontos principais de sua doutrina eu também me reencontro; este pensador extremamente anômalo e solitário me é mais próximo justamente nestes aspectos: ele nega o livre-arbítrio; os fins; a ordem moral do mundo; o elemento não egoísta; o mal. Mesmo que as diversidades sejam enormes, elas residem mais na diferença de época, cultura, ciência. Em suma: minha solidão, que, como se eu estivesse em montes bem altos, muitas vezes me causou dispneia e fez o sangue jorrar, é agora ao menos uma solidão a dois".

Zaratustra se faz anunciar

Na exaltação de ter encontrado seu caminho e ter consumado a descoberta com a "Aurora", Nietzsche passa a trabalhar com verdadeiro ardor. Ainda antes de ter em mãos um exemplar do novo livro, ele já começa a continuação. Seu diálogo não se interrompe mais. Surgem os primeiros esboços que – com material que restara da época de surgimento da "Aurora" – por fim se tornam a "Gaia ciência", e no meio-tempo se apresentam com insistência as ideias fundamentais do "Zaratustra", mas não ainda a figura de Zaratustra, e tampouco a forma e roupagem linguística desse poema didático de filosofia. Mas a ideia do "Eterno retorno do mesmo" se coloca como um pesadelo sobre a alma de Nietzsche. Dois anos mais tarde, em 3 de setembro de 1883, ele comunica o seguinte a Köselitz: "Esta Engadina é o lugar de nascimento de meu 'Zaratustra'. Acabo de encontrar o primeiro esboço das ideias reunidas nele, sob as quais está escrito 'Início de agosto de 1881 em Sils-Maria, 6 mil pés acima do nível do mar e muito mais acima de todas as coisas humanas'". Também no "Ecce homo", um livro tardio, Nietzsche confirma essa gênese[5]: "A concepção básica da obra, a Ideia do eterno retorno, essa suprema forma de afirmação que se pode alcançar – situa-se no mês de agosto do ano de 1881. Naquele dia, eu passava pela mata junto ao Lago de Silvaplana; parei junto a um bloco imponente, em formato de torre piramidal, perto de Surlej. Aí me ocorreu essa ideia [...]. No inverno seguinte, morei naquela encantadoramente tranquila Baía de Rapallo, perto de Gênova, [...] de manhã, subia, seguindo em direção ao sul, rumo a Zoagli, passando por pinheiros e com uma vista ampla sobre o mar; à tarde, sempre que a saúde o permitia, eu dava a volta por toda a Baía de Santa Margherita até depois de Porto Fino [...]. Ao percorrer esses dois caminhos me ocorreu todo o Zaratustra, principalmente o próprio Zaratustra, o tipo: mais correto seria dizer que *ele me tomou de assalto*".

Portanto, se atualmente na Engadina é mostrada uma "pedra de Zaratustra" – ou até duas –, isso se deve a um mal-entendido. A "Ideia do eterno retorno" pertence à Engadina, e a figura de Zaratustra como anunciador dessa ideia pertence à Riviera, mais precisamente à Baía de Rapallo.

Nietzsche sentiu imediatamente o fardo que lhe era imposto com essa ideia. Ele também ainda se confrontava com ela como algo efetivamente estranho e ainda se debateu durante meses com ela. Mas isso Nietzsche tinha de resolver consigo mesmo; por isso, nas cartas ainda não se encontram, além de observações bem genéricas, quaisquer referências diretas ao que está crescendo em seu íntimo. Só no verão de 1882 ele falou disso a Lou Salomé, e só a ela. Também em seus trabalhos, ainda se obriga a manter o programa pregresso: a elaboração dos três primeiros livros da "Gaia ciência", por enquanto ainda entendidos como continuação da "Aurora" – um verdadeiro trabalho de ourivesaria em termos de ideias e de moldagem linguística. Só em poucas passagens se infiltram as ideias de Zaratustra e a fermentação interior violenta e forçadamente contida se torna perceptível. Foi nessa situação de se defrontar com o produto de seu próprio espírito de modo inicialmente tão alheio que encontramos Nietzsche aos 18 anos por ocasião da composição do poema sinfônico

"Ermanarich". "A melancolia do desgosto com o mundo é introduzida através de harmonias estranhas, que são muito amargas e dolorosas e *de início realmente me desagradaram*. Agora elas me parecem, em função do andamento do conjunto, ao menos atenuadas e escusadas. A insistência e ânsia da paixão, com suas súbitas transições e erupções tempestuosas, está repleta de monstruosidades harmônicas a respeito das quais não ouso me decidir", afirma ele na retrospectiva de sua vida, de 1862[4]. Já naquela época, Nietzsche não se via como o autor; a composição "se fazia" por intermédio dele. Exatamente da mesma maneira ele percebe agora a "Ideia do eterno retorno" e a figura de Zaratustra: elas o tomam de assalto e o obrigam a anunciá-las, a "compô-las". A isso se acrescenta, porém, como elemento novo, a consciência de uma responsabilidade quase monstruosa, sob a qual ele está na iminência de entrar em colapso. Será que ele quer, pode, precisa carregar tudo isso? Para resolver essa questão crucial, Nietzsche precisa de tempo e energia, e a decisão de fazer isso lhe dá a orgulhosa consciência profética de ser um predestinado, um porta-voz que fala por milênios.

Para facilitar o trabalho, ele procura agora, inicialmente, conseguir uma máquina de escrever. "Estou em contato com o inventor dela, um dinamarquês de Copenhague", escreve a Köselitz em 14 de agosto. Entretanto, a máquina de escrever foi "inventada", isto é, desenvolvida já dez anos antes nos Estados Unidos, sendo produzida em série a partir de 1873 pela Remington, uma fábrica de armas e máquinas de costura em Ilion. Nietzsche preferiu o modelo dinamarquês por ser mais leve e, portanto, mais cômodo para suas viagens do que o americano, mas não fez experiências muito boas com ele, como haveria de se mostrar.

Necessidade de fundamentação pelas ciências naturais

Leituras ampliadas também lhe pareceram necessárias. Ainda em setembro, Overbeck lhe enviou alguns livros para Sils, que revelam uma necessidade de novo mais urgente de conhecimento baseado nas ciências naturais e uma conexão com as correntes intelectuais mais influentes na época. Há muito ele estava familiarizado com os neokantianos Zeller e Fischer. Agora ele se volta para Otto Liebmann (1840-1912; desde 1872 professor em Estrasburgo, a partir de 1882 em Jena), proveniente da Silésia, e encomenda seu livro "Kant und die Epigonen" [Kant e os epígonos] (1865) – em que cada capítulo termina com a conclusão "[...] portanto, é preciso voltar a Kant" – e "Analysis und Wirklichkeit" [Análise e realidade] (1876). O que deve ter parecido particularmente simpático a Nietzsche neste caso é o esforço de Liebmann de eliminar da cosmovisão crítica a "coisa em si" proposta por Kant.

"A ideia central da cosmovisão crítica consiste na percepção de que o ser humano conhece tudo tão somente pela via da consciência humana [...]. O fato primordial não é o mundo, p. ex., mas nossa consciência"[247]. Essas são ideias que Nietzsche já enunciou na "Aurora", mas pode agora continuar desenvolvendo, com maior segurança, na "Gaia ciência". Ele quis ter também um texto do darwinista Otto Caspari, "Die Thomsonsche Hypothese" [A hipótese de Thomson] (1876), e, de Adolf Fick – que, junto com Helmholtz e Friedrich Albert Lange e outros, faz parte da chamada tendência fisiológica do neocriticismo –, "Versuch über Ursache und Wirkung" [Ensaio sobre causa e efeito], uma obra conceituada na época, cuja 2ª edição foi publicada em 1882.

Com o livro de J.G. Vogt intitulado "Die Kraft: Eine realmonistische Weltanschauung" [A força: uma cosmovisão a partir do monismo realista] (1878), Nietzsche se enfronha nas ideias do monismo proveniente de E.A. Häckel. "Depois, eu precisaria muito de um de meus livros das caixas de Zurique: Spir, 'Denken und Wirklicheit' [Pensamento e realidade] [...] que consiste de dois volumes", continua dizendo ele na carta a Overbeck.

Nietzsche tinha estudado African Spir (1837-1890) pela primeira vez já em 1873[37] (cf. vol. I, p. 440s.]. Uma ideia básica e uma atitude pessoal básica de Spir tinham exercido uma influência considerável sobre Nietzsche: "A lei moral provém de nós, não de Deus, ela é nossa própria melhor natureza! Spir considerava, ainda que praticamente não tenha recebido atenção, suas doutrinas como absolutamente demonstradas e como o principal acontecimento do século XIX, com o qual teria início a segunda época da humanidade, aquela da maturidade intelectual".[247]

Ele continua perguntando a Overbeck: "A Sociedade de Leitura (ou a Biblioteca) de Zurique tem o periódico 'Philosophische Monatshefte'? Preciso do volume 9, do ano de 1873, e também o do ano de 1875. Além disso, da Revista 'Kosmos', vol 1". Neste caso, Nietzsche comete um de seus frequentes enganos ao citar de memória: o volume 9 é do ano de 1874. O "Philosophische Monatshefte" teve como editor, além de outros colaboradores, Julius Bergmann, professor de Filosofia em Königsberg e mais tarde em Marburg, que também moldou o periódico. Nele se expressava toda a tensão existente na época entre os neokantianos, hegelianos e materialistas. Visto que o redator, Julius Bergmann (1840-1904), apoia-se em Lotze e sua busca de uma síntese entre materialismo e idealismo e não abre mão da metafísica, aqui se manifesta mais o contramovimento contra a leitura de resto unilateral de Nietzsche, o que este talvez tenha efetivamente procurado, pois isso correspondia precisamente à sua própria situação "dialética". Em todo caso, seus aforismos publicados e os póstumos dessa época refletem toda a gama das possibilidades do pensamento e de sua discussão. O fato de que também seu velho amigo da "Caverna de Baumann" Heinrich Romundt participou com contribuições sobre a gnosiologia provenientes da época em que esteve em Basileia deve ter sido um estímulo adicional para Nietzsche pedir esse eclético periódico.

O polo oposto ao "Philosophische Monatshefte" é constituído pelo outro periódico solicitado por Nietzsche, como já se depreende de seu título prolixo: "Kosmos: Revista de Cosmovisão Unitária Baseada na Doutrina do Desenvolvimento / em associação com Charles Darwin e Ernst Häckel / bem como uma série de destacados pesquisadores nas áreas do darwinismo / editores: Dr. Otto Caspari (Heidelberg) / Prof.-Dr. Gustav Jäger (Stuttgart) / Dr. Ernst Krause (Carus Sterne [pseudônimo], Berlim)". Ainda existem muitas possibilidades de pesquisa não esgotadas da exegese de Nietzsche na comparação de todas essas publicações expressamente solicitadas com a reação dele a elas em sua obra e seus escritos póstumos! Isso porque as obras e artigos de periódicos de todos esses autores eram, decerto em sua maioria, trabalhos detalhados e profundos de especialistas, mas eles, assim como a enorme produção da época na música e poesia, quase não são mais conhecidos do especialista, e mesmo os meros nomes só continuam existindo nos dicionários especiais mais volumosos. A obra de Nietzsche, principalmente, sobrepôs-se a eles, e seu gênio extraiu deles um extrato preciso em que estão suprassumidos os elementos duradouros – e, infelizmente, também os problemáticos –, os "elementos-traço" de seu desenvolvimento intelectual contemporâneo do Ocidente. Nietzsche não só pensou, abstraiu, todas essas ideias, mas as vivenciou, sofreu com elas, por causa delas, por meio delas, debateu-se com elas. Isso dá o poder demoníaco à sua obra, a suas formulações. Sua paixão pelo conhecimento soprou nelas o fôlego.

Overbeck tem de cuidar não só dessas necessidades intelectuais, mas também de outras muito materiais. Já no dia 5 de setembro, Nietzsche tinha encomendado da Sra. Ida Overbeck uma panela de pressão, e disso inferimos, assim como do envio de alimentos de Naumburg, que ele está morando de novo em St. Moritz, em um quarto privado – não está documentado se nesse ano já morou com os Durisch*, mas é provável. O endereço é, como frequentemente, "posta restante". Agora Nietzsche encomenda o seguinte por intermédio de Overbeck: "[...] para completar minha farmácia privada [...] 1) ferrum phosphoricum; 2) potássio com ácido fosfórico; 3) natrum sulfuricum; 4) natrum muriaticum – 10 gramas de cada em forma de pó. Muito bem embalado".

---

* Nome romanche, acentuado na segunda sílaba com "i" longo.

Seu estado de saúde deve ter sido horrível, mais uma vez. Ele admite isso a Overbeck no dia 18 de setembro, e o resume em uma parte da carta escrita em latim: "Sum in puncto desperationis" [Cheguei ao ponto do desespero]. Ele teria chamado a morte como médico cinco vezes e, ontem, tido a esperança de que esse fosse o último dia, mas em vão. Em 22 de setembro, descreve a situação para Köselitz: "Foram tempos perigosos, a morte me menosprezou e sofri terrivelmente durante o verão inteiro: ao que poderei recorrer! [...] Imagine que, no total, tive dez dias suportáveis aqui no alto, e os dias ruins trouxeram estados tão horríveis como aqueles pelos quais passei em Basileia".

Alojamento de inverno em Gênova: esperanças em relação ao compositor Peter Gast

O estado de saúde adiou sua partida, e ele deixou a Engadina extraordinariamente tarde, só no dia 1º de outubro, para ir mais uma vez para Gênova. Em 10 de outubro, escreve para Naumburg, como se tivesse voltado para a terra natal[124]: "[...] por mais difícil que seja admitir para mim mesmo, eu só consigo ainda viver junto ao mar. O martírio que se estendeu de 1º de maio a 1º de outubro foi horrível e me reservou os piores perigos, como os de antigamente. Também aqui estou sofrendo muito, como vocês sabem, mas é humanamente possível conviver com isso, enquanto que na Engadina, em Marienbad, Naumburg e Basileia a vida virou uma tortura para mim".

Nietzsche ainda pudera ter uma surpresa alegre na Engadina: em 24 de agosto, Köselitz o informou que tinha concluído a composição para "Brincadeira, astúcia e vingança" e, em 5 de setembro, depois de mandar encadernar a partitura e acrescentar algumas marcações sobre a dinâmica, que a enviara a Viena. De lá tinham chegado indícios esperançosos de que ela seria aceita. E ele logo dá início a seu projeto de ópera, sobre o qual eles já devem ter falado em Recoaro e em função do qual Nietzsche quis mudar o nome de Köselitz para Coselli: a ópera cômica "Il matrimonio segreto" [O matrimônio secreto], ou, como acabou sendo o título da versão em alemão: "Der Löwe von Venedig" [O leão de Veneza]. Nietzsche parabeniza Köselitz pelo projeto e o anima no dia 4 de outubro: "Atenha-se a seu projeto do Matrimônio secreto! Ainda não existe nenhuma ópera em que uma pessoa do norte se sinta inteiramente como uma do sul – isso está reservado para você!" No dia 14 de outubro, Köselitz tem condições de informar o seguinte: "[...] há três dias estou sentado em meio a harmonias e aprontei os esboços para oito peças. Espero que você tenha algum prazer com essa música flutuante!" E no dia 1º de novembro: "A ópera ficou quase completamente pronta no rascunho [...] isso inclui quase todos os recitativos, que não quero fazer secos demais, mas também não, segundo a expressão que você usou, molhados demais. Um traço periódico também deve perpassar os recitativos [...]. No final deste ano talvez tudo esteja pronto até no último detalhe". Nietzsche tomou parte ativamente nos planos e trabalhos de seu amigo. Por causa dele, fui à ópera "e ouvi Semiramide de Rossini e Romeu e Julieta de Bellini (esta quatro vezes)", como escreve em 6 de novembro. Ao fazer isso, fez uma "descoberta" que mexeu visivelmente com ele mesmo. "Ouvi duas vezes uma cantora bem jovem como Sonnambula: Emma Nevada. Duas vezes ela me colocou em uma suave embriaguez (o que nenhuma voz conseguiu fazer comigo). Agora 'Nausikaa' flutua sempre em torno de mim, um idílio com danças e toda a magnificência meridional das pessoas que vivem junto ao mar, música e poesia do amigo Köselitz; Nausikaa cantada por Emma Nevada. Meus genoveses estavam inteiramente fora de si e a trataram como um anjo vindo do céu" (a Köselitz, 18 de novembro de 1881). Em 27 de novembro, todo o *intermezzo* já está de novo no fim: "O lindo pássaro canoro voou embora".

"Carmen"

Uma descoberta bem mais importante feita por meio dessas idas ao teatro, e até um evento fatídico, é o encontro com a ópera "Carmen" de Georges Bizet em 27 de novembro de 1881 no Teatro Politeana em Gênova.

Georges Bizet nasceu em 25 de outubro de 1838 em Paris – portanto, quase exatamente seis anos antes de Nietzsche. Ele foi musicalmente precoce, foi admirado cedo e teve sucesso cedo: assim, com 20 anos de idade recebe o famoso Prêmio de Roma, uma estadia de estudos de três anos em Roma paga pelo Estado francês. Ele compôs muito, particularmente peças dramáticas – algumas óperas –, mas só ficou renomado em sua época madura com a música para "Arlesiana" e "Carmen", mas também neste caso não de modo inconteste no início. A estreia de "Carmen" ocorreu em 3 de março de 1875 em Paris. A obra foi recebida com frieza e ainda é recebida assim hoje em dia quando é tocada na versão original da estreia: como ópera dialogada. Ela era uma encomenda da *Opéra Comique*, a qual, porém, não tinha a permissão de encenar obras *durchkomponiert* [música relativamente contínua, sem divisão em seções e sem repetições], o que estava e continuava estando, por enquanto, reservado à *Grand Opéra*. Os excelentes recitativos de ligação foram compostos posteriormente por Ernest Guiraud (1837-1892). Guiraud também recebera o Prêmio de Roma e era compositor de óperas, mas não prevaleceu com suas próprias obras. Mas seu nome ficou ligado à marcha triunfal de “Carmen” de Bizet, pois essa ópera, não por acaso, só se tornou um sucesso mundial em sua versão, que o próprio Bizet não haveria mais de conhecer. Três meses após a estreia decepcionante, ele morreu perto de Paris, em 3 de junho de 1875 – sem ter completado 37 anos –, portanto, mais ou menos na mesma época em que, em Bayreuth, começaram os ensaios para o primeiro festival de 1876, e, com isso, o triunfo de Wagner nos teatros alemães.

O texto foi redigido pelos experientes libretistas Meilhac e Halévy, segundo uma novela de Prosper Mérimée de 1845. Micaela como figura de contraste para a heroína do título é uma invenção dos libretistas. Nietzsche sentiu a partir da música que essa Micaela não está fixada no original, e ela lhe pareceu estranha.

Mérimée (1803-1870) tinha estudado arqueologia e filologia e, como senador e inspetor dos monumentos artísticos franceses, tinha amizade com a família de Napoleão III. Como escritor ele deixou uma obra extensa de romances e novelas que Nietzsche também apreciava. A entrega a paixões fatídicas animalesco-primitivas, também exóticas, que se mostra na obra deve ter sido bastante estimulada por suas traduções de Pushkin, Gogol e Turgueniev, das quais Nietzsche conhecia algumas. Também de sua novela “Carmen” Nietzsche tinha uma débil lembrança. Assim, o assunto e o gênero não lhe eram estranhos, e ele encontrou mais facilmente o acesso à ópera. No dia após o primeiro encontro, ele escreveu com entusiasmo para Köselitz: “Hurra! Amigo! Fiquei conhecendo de novo algo bom, uma ópera de François Bizet (quem é esse): ‘Carmen’. Parece uma novela de Mérimée, espirituosa, forte, comovente aqui e ali. Um talento genuinamente francês da ópera cômica, nem um pouco desorientado por Wagner, e em compensação um verdadeiro discípulo de Hector Berlioz. Achei *algo assim* possível! Parece que os franceses estão em um caminho melhor na música dramática; e eles têm uma grande vantagem sobre os alemães em um ponto principal: entre eles, a paixão não é tão *implausível* (como, p. ex., todas as paixões em Wagner)”. Em uma semana mais tarde, em 5 de dezembro de 1881: “Saber que Bizet está morto me doeu muito. Ouvi Carmen pela segunda vez, e mais uma vez tive a impressão de que se trata de uma novela de primeira classe, como, p. ex., de Mérimée. Uma alma *tão* apaixonada e *tão* encantadora! Para mim, essa obra vale uma viagem para a Espanha – uma obra extremamente meridional – não ria, velho amigo, eu não me equivoco tão facilmente, tão inteiramente com meu ‘gosto’”.

Bem, dessa vez Nietzsche teria razão com seu gosto, mas ele nem sempre acertava. Também nesse caso ele não percebeu que o colorido espanhol da ópera não é genuíno. Já os espanhóis são de outra opinião quanto a isso.

Mais uma vez três dias depois, ele comunica a Köselitz: "Só muito tarde minha memória (que às vezes fica soterrada) está me dizendo que realmente existe uma novela de Mérimée chamada 'Carmen', e que o esquema, a ideia e também a coerência trágica desse artista ainda se refletem na ópera [...]. Quase sou levado a crer que Carmen é a melhor ópera que existe; e enquanto *nós* estivermos vivos, ela estará em todos os repertórios da Europa". Mas de seis anos depois, em maio de 1888, no "Caso Wagner" Nietzsche volta a falar de "Carmen" com palavras entusiasmadas: "Ouvi ontem – será que você vai acreditar? – pela vigésima vez a obra-prima de Bizet [...]". Mas no final do ano ele escreve o seguinte a Carl Fuchs: "Você não deve levar a sério o que eu digo sobre Bizet; assim como sou, esse Bizet não entra mil vezes em cogitação para mim. Mas ele tem um efeito muito forte como antítese irônica contra Wagner; afinal, teria sido uma falta de gosto sem igual se eu quisesse, por exemplo, partir de um louvor a Beethoven".

Mas no inverno de 1881 para 1882 o entusiasmo ainda é genuíno, e "Carmen" se torna para Nietzsche um objeto que ele pode utilizar como exemplo para sua concepção de ópera, de teatro de modo geral, da função da música e de sua estética filosófica.

Neste caso se impõe um paralelo notável. "Don Giovanni" de Mozart tinha a mesma posição na obra "Ou-ou I" de Kierkegaard[119]. Também para ele essa ópera se tornou um paradigma, aliás um mau paradigma, porque escolhido equivocadamente para mostrar um estilo de vida, a saber, o puramente estético, voltado apenas para o prazer dos sentidos, que, entretanto, ele rejeita e não saúda tão efusivamente como Nietzsche o faz com a ópera "Carmen". Nietzsche se depara aqui com o que Kierkegaard chama de "o diretamente erótico". Mas se Kierkegaard se atreve a afirmar que a apresentação desse "diretamente erótico" seria, afinal, a autêntica e única tarefa da música, o músico Nietzsche, por sua vez, sabe muito bem que as possibilidades dela não se esgotam com isso, mas desfruta dela particularmente nessa função.

Diz-se a respeito de Kierkegaard que ele não teria perdido nenhuma apresentação de "Don Giovanni" em Copenhague (e talvez já em Berlim). Nietzsche certamente não perdeu alguma apresentação de "Carmen" à qual podia ter acesso.

Em 5 de janeiro de 1882, ele envia a Köselitz a redução para piano, "que li ontem; ela é extremamente magra, e falta qualquer acompanhamento! Mas as partes do canto estão completas [...]. Eu me permiti anotar algumas glosas marginais [...]. – Neste inverno 'Carmen' realmente fez parte de meus 'felizes achados', e passei a estimar Gênova muito mais por causa dessa ópera".

Essas glosas são extraordinariamente elucidativas em dois sentidos. Elas mostram, por um lado, uma consciência crescente, uma precisão maior das objeções a Wagner e tornam compreensíveis algumas coisas no "Caso Wagner". Por outro lado, Nietzsche vê e vivencia nessa ópera uma forma de amor que não deixará de influenciar os acontecimentos do verão vindouro, o "episódio de Lou". Deve-se observar que a Micaela lírica já agora não lhe agrada. Sobre o dueto dela com Don José, ele observa o seguinte: "O dueto fica um grau abaixo de meu gosto – demasiado sentimental, demasiado no estilo de Tannhäuser. Aliás, a cultura da 'mãe' é francesa. – Nós sentimos isso de outra forma[71]".

Esperança em relação a Bayreuth

Mesmo assim, Nietzsche não consegue se libertar de Wagner enquanto ser humano. Köselitz lhe tinha escrito o seguinte em 23 de fevereiro de 1881: "Os Wagner queriam publicar sua conclamação aos patrocinadores (ou a quem?) [...] no atual periódico 'Bayreuther Blätter'; mas você não foi consultado porque se previa que sua resposta seria negativa – é o que diz Von Gersdorff", que, naquela época, ainda tinha contato estreito com Bayreuth e tinha visitado pela última vez os Wagner em Nápoles de 4 de novembro a 5 de dezembro de 1879, em janeiro (4-16) de 1880 e depois de novo em março, por causa de sua "noiva divorciada" (Nerina), como Wagner o comentou ironicamente[258]. A "conclamação" era o esboço de Nietzsche intitulado "Exortação aos alemães", de 25 de outubro de 1873, que, na época, Wagner tinha saudado e recomendado, mas fora rejeitado pela assembleia dos delegados das associações wagnerianas em 30 de outubro e substituído por um texto do Prof. Stern. A ideia de uma consulta deve ter impressionado Nietzsche, pois, a rigor, *ele* esperava que um primeiro passo desses fosse dado a partir de Bayreuth. Não deixa de ser trágico que essas pessoas, que interiormente ainda se sentiam tão ligadas, simplesmente não se encontraram mais, só porque não superaram a divergência dos pontos de vista filosóficos. Em meio ao primeiro entusiasmo com "Carmen", em 5 de dezembro de 1881, Nietzsche escreveu a Köseliz: "De tempos em tempos (como será que isso acontece?) sinto como que uma necessidade de ouvir falar algo mais geral e incondicional sobre Wagner, de preferência de você!"; e em 19 de janeiro de 1882 a Ida Overbeck: "Desta vez vou 'brilhar' em Bayreuth por minha ausência – a menos que Wagner me convidasse pessoalmente (o que, segundo meus conceitos de 'propriedade mais elevada', decerto seria muito apropriado!)". E mais uma vez no dia 29 de janeiro, desta vez para Overbeck: "Eu mesmo era próximo demais de Wagner [...] para, sem uma espécie de 'restabelecimento', poder aparecer lá como simples visitante do festival. Mas não há perspectivas de que ocorra tal restabelecimento, que naturalmente teria de partir do próprio Wagner [...]. Entretanto, estou perdendo a única oportunidade de rever todos os que me são ou foram próximos e de firmar novamente muitos relacionamentos abalados. Temos aí o amigo Rohde, que desde o envio da 'Aurora' não me concedeu uma única palavra, assim como a Srta. Von Meysenbug, e assim por diante". Ele também escreve nos mesmos termos à irmã em 30 de janeiro e no mesmo dia recomenda a Köselitz que, no próximo verão, vá à estreia de 'Parsifal', para a qual disponibiliza para a irmã seus lugares como patrono, observando quanto a isso: "[...] gosto muito do fato de você querer estar lá".

Mas esse gesto praticamente não foi percebido na casa dos Wagner. A própria Cosima estava muito decepcionada e magoada, o que, no mínimo, revela que a "apostasia" de Nietzsche, que ela até chamou de traição, não lhe era indiferente e a tinha atingido em um ponto sensível. Ainda assim, ela tenta várias vezes erigir uma lembrança amistosa, como, por exemplo, em 6 de abril de 1880, quando vê, em um catálogo de autógrafos, uma carta de Hölderlin a Schiller[258]: "[...] lembrando-me de que Hölderlin era o favorito de N., leio a carta e a comunico a R., que [...] me pede que a guarde". Wagner também a acusa mais tarde (p. ex., em 28 de dezembro de 1881) de que "lhe falta a capacidade de manter presentes as experiências ruins; no caso de Nietzsche, p. ex., eu só me lembraria dos traços amistosos".

A ausência de Rohde deixou Nietzsche desolado; ele queria forçar a ligação e tinha escrito a ele em 21 de outubro de 1881: "Como você não escreveu entrementes, suponho que haja alguma dificuldade para você fazer isso. Por isso, expresso hoje o pedido cordial, e isso sem todas as segundas intenções embaraçosas para você: não me escreva agora! Com isso nada vai mudar entre nós; mas a sensação de aparentemente ter exercido uma espécie de coerção sobre um amigo por meio do envio de um livro é insuportável para mim. O que importa um livro! Tenho coisas mais importantes para fazer – e sem isso eu não saberia para que viver. Pois as coisas estão difíceis para mim, e estou sofrendo muito".

Mas dessa maneira não se consolida uma amizade!

Admiradores

Ao lado disso, Nietzsche pôde experimentar novas simpatias, que, entretanto, por causa da importunidade associada a elas, não representaram todas só alegria para ele. Já em 30 de março de 1881 ele tinha se queixado a Köselitz: "O Sr. Otto Busse está causando a maior preocupação a seus parentes e amigos (cheio de mania de grandeza em relação a si e a mim), e estes agora estão se dirigindo a mim! – achando que eu teria posto alguma coisa na cabeça dele [...]. Ele se considera o reformador dos alemães e a mim, a "autoridade das autoridades" – em suma:

Maomé e Alá!" Busse era um admirador mais idoso de Nietzsche proveniente de Brandemburgo que deve ter entendido os textos mais antigos de Nietzsche de modo equivocado e unilateral como programa de uma renovação cultural nacional da Alemanha. Ele enviou poemas extensos a Nietzsche e conseguiu com isso, até certo ponto, impressioná-lo, pois a carta de Nietzsche para Köselitz de 27 de novembro de 1881 não deixa de ter uma ambivalência que chama a atenção: "Havia algumas sensações tão delicadas na carta dele que eu fiquei tocado – tocado e repleto de escárnio sobre meu destino! Ninguém [...] até agora me venerou tanto quanto esse coitado Sr. Busse. Envie apenas as cartas dele, quero até responder-lhe – ele é todo o meu 'público'". Em breve o público se ampliaria. "O novo ano trouxe um 'texto de homenagem' da América, em nome de três pessoas (entre elas um professor do Instituto Peabody em Baltimore)" (para Köselitz, 17 de janeiro de 1882). Trata-se principalmente da Sra. Fynn, que nos anos seguintes virá à Europa e é a primeira daquele círculo de senhoras instruídas que vão rodear Nietzsche em Sils e iniciar o diálogo com ele. Um crescente interesse mais geral por Nietzsche é revelado pelo jornal "Berliner Tagblatt" em março de 1882 com uma matéria, uma "reportagem", sobre a vida de Nietzsche em Gênova, e "até mesmo a máquina de escrever não foi esquecida", como ele observa de bom humor para Overbeck.

Nietzsche também teve uma grande alegria com o anúncio, em 15 de dezembro de 1881, do noivado de Gersdorff com a Srta. Martha Nitzsche, em que Rée e Romundt acrescentaram saudações de Leipzig.

Em junho, Gersdorff tinha visitado mais uma vez sua Nerina Finochietti saindo de Veneza. A respeito dela, Köselitz tinha há muito a impressão de que agora ela queria se afastar de seu ex-noivo, depois que uma ligação fracassara primeiro por causa dos preconceitos de classe do pai de Gersdorff. Simplificando muito as coisas, Nietzsche escreve a Köselitz em 18 de dezembro, abordando o novo noivado de seu amigo: "Gersdorff estabeleceu, de maneira grandiosa, uma meta para a desproporção entre nós! – Conheço a família de meu nome (sem e) desde minha infância; passei uma vez as férias de verão na bela propriedade deles [...]. Moças bonitas!" Como precisa esperar muito tempo por uma resposta à carta em que tinha cumprimentado Gersdorff, ele se dirige de novo a Köselitz: "[...] [eu] esperava, por causa do gênero dessa carta, que Gersdorff escrevesse imediatamente. Mas um mês já se passou sem que chegasse uma carta. O que será que aconteceu?" Nessas palavras inquiridoras transparece a expectativa temerosa de que também nesse caso o alheamento já pudesse ter iniciado. Felizmente, o temor de Nietzsche era infundado. Contudo, ele ainda haveria de esperar até agosto uma resposta, que, então, foi tanto mais cordial.

Após a morte inesperada de seu pai em fevereiro de 1881, Gersdorff tivera de assumir a administração das propriedades em Ostrichen, na Prússia Oriental. Agora ele também acelerou seu casamento, que ocorreu em 19 de março de 1882, como Overbeck comunica a Rohde. Nesse caso havia, bem silenciosamente, uma correspondência; e parecia que Rohde queria manter dessa maneira um contato indireto com Nietzsche.

Gersdorff, por sua vez, tirou a consequência em uma outra direção. Köselitz o tinha introduzido pouco a pouco nos novos textos de Nietzsche em Veneza. Gersdorff simpatizou com eles e, em compensação, distanciou-se interiormente de Bayreuth, a tal ponto que em abril evitou encontrar-se com Wagner em Veneza (o que Cosima registra, decepcionada, em 29 de abril de 1882[258]) e também não viajou para assistir a "Parsifal" no verão de 1882, "e nem mesmo me foi difícil desistir disso. De qualquer modo, os Wagner estão insatisfeitos comigo, por não ter procurado minha esposa em Wahnfried", admite ele a Nietzsche[14].

Paul Rée em Gênova

A maior alegria desse inverno foi a visita de Paul Rée de 4 de fevereiro a 13 de março de 1882. A felicidade, porém, é grande demais. Já no terceiro dia após a chegada de Rée, Nietzsche tem de pagar por ela com um acesso grave de vários dias de duração, acompanhado, inclusive, por um desmaio. "Em suma, nós ainda temos de aprender a conviver. Mas é extremamente agradável interagir com o Dr. Rée; não seria fácil encontrar um relacionamento mais reconfortante. Mas eu não estou acostumado com o que é bom", relata ele em 10 de fevereiro para casa.

Os dois amigos foram juntos ao teatro, já no dia 5 de fevereiro, quando viram a famosa Sarah Bernhardt como Dama das Camélias na peça de Alexandre Dumas Filho. Mas "tivemos azar com Sarah Bernhardt [...] após o primeiro ato ela caiu como se estivesse morta. Após uma constrangedora hora de espera, ela continuou a representar, mas em meio a esse ato foi acometida por uma hemorragia [...] e aí acabou. Foi uma impressão insuportável, ainda mais que ela estava desempenhando justamente o papel de uma doente assim [...]. Ainda assim, na noite seguinte e nas demais ela voltou a representar e persuadiu Gênova de que é 'a maior artista viva'. – Ela me lembrou, tanto na aparência quanto nas maneiras, muito da Sra. Wagner", admite ele na mesma carta.

Eles também ouviram "O Barbeiro de Sevilha" de Rossini. "Foi a mais exemplar das apresentações, tudo de primeira classe [...]. Mas a música me desagradou. Eu gosto de uma Sevilha muito diferente", comunica ele a Köselitz, provavelmente fazendo referência, com isso, à diferença óbvia para com "Carmen". Köselitz replicou com um extenso elogio de Rossini. Pondera que, na época de Rossini, ainda não se precisava levar em consideração a fidelidade histórica e o colorido local, mas, em compensação, podia-se ser mais espontâneo. "Quanta coisa que em Mozart e Cimarosa parece mármore frio se tornou colorida e ambivalente em Rossini." Ele também elogia os "crescendos de Rossini, em que a orquestra como que começa a ferver e fervilhar". Nietzsche responde a ele brevemente dizendo: "O quanto eu daria para pensar como você a respeito da música do Barbeiro! Em última análise, isso também tem a ver com a saúde. A música tem de ser muito passional ou muito sensual para me agradar. Essa música não é nenhuma dessas duas coisas: a enorme agilidade me é inclusive embaraçosa como a visão de um palhaço".

O mês de fevereiro também já traz um clima tão cálido que os dois amigos podem tomar banho de mar, pelo que Nietzsche sempre tem uma predileção especial, e no início de março eles fazem uma excursão de dois dias para Mônaco. Nietzsche, porém, mantém-se distante dos jogos de azar e estuda as pessoas lá. Surgem planos ousados. No dia 4 de março, ele escreve o seguinte a Köselitz: "Eu gostaria de liderar uma colônia para o planalto mexicano, ou viajar com Rée para o oásis de Biskra, cheio de palmeiras"; sobre isso Rée já tinha escrito em 11 de fevereiro à irmã de Nietzsche[12]: "Para o ano que vem combinei com seu irmão uma viagem para Biskra, Algéria, posto no deserto, oásis, camelos", mas aí os dois amigos já estavam separados para sempre por causa de vivências amargas. Rée também tinha trazido a máquina de escrever de Hansun, em Copenhague, comprada por Nietzsche e que, infelizmente, já fora danificada durante a viagem. Embora um mecânico a tenha consertado em uma semana, em pouco tempo ela deixou de funcionar inteiramente. Só há poucas cartas escritas a máquina, mas ela nem sempre funcionou até o fim. Na carta de 20 de março para Köselitz, Nietzsche teve de terminar de escrevê-la a mão.

Portanto, o semestre de inverno em Gênova não deixou de ter alguns rasgos de esperança. Mas também desta vez Nietzsche tinha chegado a Gênova de modo repentino demais e sem aviso prévio, e isso mostrou ser desfavorável mais uma vez. Por isso, as condições exteriores de vida, particularmente no primeiro período, foram precárias, mesmo medidas pela despretensão fundamental de Nietzsche, que se expressa em uma nota póstuma dessa época e está claramente dirigida contra Wagner[1]: "A necessidade de luxo me parece apontar sempre para uma profunda vacuidade interior; é como se alguém se fizesse cercar de bastidores por não ser nada pleno, real [...]. Quem é mentalmente rico e independente é, de qualquer maneira, o mais poderoso ser humano; ao menos para tempos tão humanos, é vergonhoso que ele queira ter mais ainda: esses são os insaciáveis. Simplicidade na comida e bebida, aversão a bebidas mentais – isso pertence a ele”.

Inicialmente as avaliações expressam bastante satisfação: “Então estou mais uma vez instalado na velha Gênova, em meio ao tumulto das vielas e em total contraposição à elegância dos doentes em Nice”, escreve ele para casa em 4 de outubro de 1881. Em 14 de outubro, em carta para Overbeck, chama Gênova de “cidade que não é moderna nem romântica”, o que, não obstante, lhe agrada, mas no dia 21 de outubro se queixa para a mãe[124]: “Estou escrevendo no café, pois meu quarto não tem luz suficiente para ler e escrever (mas no dia 25 do mês vou ter a terceira moradia de novo!) [...]. Nesse meio-tempo, é preciso ser corajoso. – A rigor, nós temos inverno aqui, chuva gelada com trovoada; estou com medo do que vem por aí, um inverno rigoroso, e mais uma vez estou sem estufa. Mas não há estufas por aqui”. Ele já tinha ficado sabendo disso no inverno anterior. Em 27 de outubro, então, pode escrever o seguinte[124]: “Desde ontem tenho a nova moradia, que promete me dar bastante tranquilidade. É bom que o amigo Rée não tenha me visto nas últimas semanas aqui – eu tinha descido até o mais baixo nível de minhas exigências. Agora já posso ‘ser visto’ – custou-me muita reflexão encontrar este prédio. Endereço: Gênova, salitta della Battistine 8 (interno 6), mas só para Rée, não para cartas. Com amor, seu Filocteto”. Aqui nos deparamos pela primeira vez com esse pseudônimo! Sobre esse alojamento Rée relata o seguinte à irmã de Nietzsche em 5 de fevereiro de 1882[12]: “Ele tem um quarto aprazível no centro da cidade, mas bem sossegado, porque há um convento do lado diante do qual nenhum veículo pode passar”.

Igualmente variável era seu estado de saúde, especialmente nos primeiros meses, e ele piorou até chegar a uma crise, ao ponto mais baixo, por volta do Natal. As queixas não acabam, e Nietzsche procura desesperadamente a causa: e o faz por um caminho equivocado, pois só a procura externamente, e crê tê-la encontrado agora na eletricidade atmosférica. Já em setembro de 1881, por ocasião de sua grande encomenda de livros por intermédio de Overbeck, essa ideia o tinha levado a perguntar: “Existe uma edição completa dos discursos de Dubois-Reymond?” Já em 1848, Emil de Dubois-Reymond (1818-1896) tinha publicado uma “Investigação sobre eletricidade animal”. Além disso, em 28 de outubro Nietzsche também encomenda ainda o texto do médico Pierre Foissac intitulado “Meterologia”* e fundamenta seu desejo da seguinte maneira: “É por causa das terríveis influências da eletricidade atmosférica sobre mim – elas ainda vão me fazer vagar pela terra;

* Edição em alemão pela Emsmann em 1859.

deve haver condições melhores de vida para minha constituição física. P. ex., no planalto mexicano, do lado do Oceano Pacífico". O livro veio prontamente, mas Nietzsche se decepcionou de novo, e no dia 14 de novembro escreveu a Overbeck sobre isso: "[...] mas essa meteorologia médica [...] infelizmente é uma ciência no estágio da infância e, para meu problema, representa apenas uma dúzia de pontos de interrogação a mais [...]. Eu deveria ter estado em Paris por ocasião da feira de eletricidade, em parte para aprender as coisas mais recentes, em parte como objeto de exposição: pois como pressentidor de mudanças elétricas e profeta do tempo eu posso concorrer com os macacos [...]. Será que Hagenbach pode dizer qual é a melhor roupa (ou correntes, anéis etc.) [...] para se proteger? Quando o Túnel de S. Gotardo vai ficar pronto? [...] Ele vai me levar [...] até você e os médicos; estive pensando na possibilidade de uma longa consulta". O Túnel de S. Gotardo foi inaugurado em 22 de maio de 1882. Mas Nietzsche acabou não o utilizando para viajar até os médicos em Basileia.

Em fins de janeiro de 1882, ele relata o seguinte à mãe: "Além de tudo isso, desde outubro sofro de muita dor de dente – estou com uns seis dentes cariados. Talvez eu precise finalmente me decidir a viajar a Florença para ver o Dr. Marter". Também o inverno sem estufa cobra seu tributo. Nessa carta, Nietzsche continua dizendo[124]: "Recentemente fiquei conhecendo um outro problema de saúde, que tem sua própria inconveniência; agora é um problema na bexiga que me atormenta e se recusa a me deixar".

Enquanto o mês de janeiro já se caracterizara por um tempo insolitamente claro, fevereiro e março trouxeram uma época realmente quente. Em meados de março, Nietzsche relata a Overbeck sobre isso: "A primavera já passou: temos agora a claridade e o calor do verão. Essa é a época de desespero para mim. Para onde? Para onde? Para onde? Não gosto nem um pouco de deixar o mar [...] mas preciso ir embora. Passei por cada acesso! As enormes quantidades de bílis que sempre estou vomitando agora despertam meu interesse".

Gênova se torna inóspita; tentativa em Messina

O amigo Rée tinha partido em 13 de março para visitar Malwida von Meysenbug em Roma. Com isso ele deu início, sem saber e sem querer, ao último ato na amizade com Nietzsche. Este ainda aguentou cerca de duas semanas em Gênova, e então também partiu. Com um cargueiro a vela, viajou precipitadamente no dia 29 de março para Messina, onde afirmou de novo, como tantas vezes, encantado por novas impressões, ter finalmente encontrado a coisa certa. Em todo caso, escreve para Oberbeck em 8 de abril, uma semana depois de ter chegado: "Por fim, com um salto ousado, viajei diretamente como único passageiro para cá, para Messina, e estou começando a crer que tive mais sorte do que juízo fazendo isso, pois esta Messina foi feita para mim; também os moradores daqui me tratam com uma amabilidade e solicitude que já me fizeram pensar nos mais estranhos motivos ulteriores (p. ex., se alguém não está viajando atrás de mim e subornando as pessoas para mim?)". Overbeck encarava a situação de modo mais cauteloso. Por isso, em 20 de abril escreve o seguinte para Rohde[50]: "Incerto quanto ao que escolher, ele [...] parece ter embarcado bem de repente em um barco no qual era o único passageiro. Inicialmente ele parece encantado com o lugar, mas hoje lhe escrevi falando de minhas dúvidas a respeito da conveniência justamente dessa escolha para o verão. Tomara que ele não tenha dado mais uma vez [...] uma *coup de tête* [cabeçada, ação impulsiva]". Nietzsche também envia um relato otimista para casa a respeito do lugar e do clima, e só acrescenta uma observação sobre os aspectos exteriores em 14 de abril[124]: "Minhas roupas estão na última lona! Estou deixando de usar duas camisas ainda viáveis. Também minhas roupas, além de simples, estão gastas. Mas meu quarto tem 24 pés de comprimento por 20 de largura".

O ímã Wagner

Gênova tinha se tornado inóspita não apenas por causa da partida de Rée, mas também começou a fazer mais calor. Nessa época, Nietzsche sempre tinha de deixar o sul, sua Riviera, porque ficava claro e quente demais. E agora ele vai para o ponto mais distante no sul para o qual jamais foi!

Muito ao contrário da cautela com que Nietzsche ainda tinha evitado os caminhos de Wagner na Itália na primavera e no verão de 1880 (cf. acima p. 38s.), ele se sentiu atraído, contrariando toda razão da experiência climática, justamente para onde Wagner tinha se estabelecido. Nietzsche devia saber – pois todo o mundo sabia, e os grandes jornais falavam constantemente disso – que Wagner vivia em Palermo desde novembro de 1881, que só deixou em 10 de abril de 1882, ficando até a tarde do dia 14 em Messina. É quase um milagre que eles não tenham se encontrado.

Acaso Nietzsche tentou provocar um encontro "casual"? Será que entrementes ele tinha se fortificado tanto em seu universo mental que pudesse e quisesse ousar o reencontro? O que mais o atraiu para essa direção – certamente equivocada em termos de clima?

Para Wagner, o encontro provavelmente teria sido mais do que constrangedor, e, em função de sua maior sensibilidade e irritabilidade causada por um problema de saúde (coração!), poderia ter ocorrido uma cena terrível. Todo o caminho mais recente de Nietzsche repugnava a Wagner, que o acompanhava a distância e fazia observações ocasionais sobre ele. Assim, por exemplo, ele se indignou com a contraposição feita no § 155 do "Andarilho"[258]: "Se se pudesse chamar Beethoven de ouvinte ideal de um menestrel, Schubert teria direito de chamar-se, ele próprio, de menestrel ideal", o que Wagner entendeu como "maldade" contra seu texto sobre Beethoven[260]. De modo geral, causa-lhe estranheza o tipo de crítica de Nietzsche: "[...] poder-se-ia abrir mão de inclinações equivocadas, como, p. ex., minha inclinação por Feuerbach, mas não insultá-las" (21 de fevereiro de 1880). Mas qual é a razão dessa veemência de Nietzsche? Wagner também observa e considera uma aberração a maneira como Nietzsche se deixa influenciar pelos autores franceses, e externa a seguinte opinião sobre isso (6 de abril de 1880): "Só para se libertar de mim, ele se rende a todas as platitudes", com o que Wagner por certo enxerga corretamente um dos lados do movimento de Nietzsche. Wagner também possui o sensório para perceber uma outra fonte das divergências: quando visita a catedral de Siena em 28 de agosto de 1880 e capta lá, de certa maneira, o modelo para seu templo do Graal, ele e Cosima pensam no "tom arrogante, friamente depreciativo" de Jacob Burckhardt e enxergam nisso "vestígios da influência sobre Nietzsche". Também essa aversão a Burckhardt tinha uma razão profunda, que ia além dos aspectos pessoais e se aplicava igualmente a Nietzsche. Wagner não se dava bem com o Renascimento – e, indo além dele, com o rococó –, que considerava uma fatalidade e ruína da cultura europeia. Deplorava o triunfo da "latinidade" sobre o jeito de ser germânico que se expressaria nele. "A influência da latinidade" (no Renascimento) "é a morte de tudo", afirma ele sem hesitar ainda em 3 de janeiro de 1882, depois de ter externado a seguinte opinião (em 2 de dezembro de 1881): "Afinal, as pessoas como Nietzsche, por intermédio do renascentista Burckhardt, expressam o que querem: Erasmo, Petrarca, que acho odiosos".

Já em Tribschen, o jeito de ser rígido e professoral de Nietzsche tinha chamado a atenção de Cosima como, ao menos, algo curioso. Agora, porém, no caso de Wagner, isso se transforma igualmente em uma profunda aversão. Ele escarnece, de modo bem geral, dos professores universitários alemães chamando-os de "farejadores de trufas" (28 de fevereiro de 1881). Do livro do erudito alemão ele tira a seguinte conclusão (em 20 de fevereiro de 1881): "Que a ciência alemã não sabe absolutamente nada, e, 'se dependesse de mim, não se gastaria um só cruzado com ela. Por um lado esse exército, e por outro lado esses professores', exclama ele". Wagner, porém, tinha razões para se queixar depois de todas as experiências que fez com seus médicos.

Portanto, a contrariedade de Wagner também se volta contra o exército de Bismarck – e, com isso, contra a ideia de *Reich* por ele representada. Neste ponto Nietzsche teria concordado inteiramente com ele. Mas nas consequências os caminhos dos dois se separariam inteiramente também neste sentido. Enquanto Nietzsche tentava avançar até um espírito europeu supranacional, Wagner acreditava no jeito de ser germânico primigênio como força criadora de cultura que seria despertada e apresentada na obra de arte e só era soterrada no presente pelo militarismo e ameaçada pelo avanço do elemento judaico, do qual Nietzsche justamente esperava os impulsos fecundantes. Por isso, Wagner gostava de ouvir Adolf Stöcker, o pregador da corte em Berlim (a respeito do qual Nietzsche haveria de escrever, em seus bilhetes da loucura, que queria mandar fuzilá-lo!) e acompanhava com interesse a trajetória de Bernhard Förster, agitador antissemita e fundador de colônias, que em breve haveria de tornar-se o detestado cunhado de Nietzsche. Wagner lhe dá espaço em seu periódico "Bayreuther Blätter", mas censura ocasionalmente sua "eloquência de comediante" (19 de abril de 1881) e se recusa a assinar um manifesto antissemita, pois, afinal, ele tem Josef Rubinstein como pianista permanente na casa, está em contato estreito com Hermann Levi, diretor musical da corte em Munique, com vistas à encenação de Parsifal em Bayreuth, e Angelo Neumann viaja com sua produção do "Anel" e é um dos poucos parceiros de negócios confiáveis que paga a Wagner pontualmente os direitos autorais, nada módicos!

Wagner encalhou em sua cosmovisão há muito fechada. Ele encontra a fundamentação e consumação filosófica em Schopenhauer, ao qual se apega firmemente. Apesar desse fundamento pessimista, Wagner nutre esperanças e trabalha em uma renovação cultural a partir da força do jeito de ser germânico como helenismo renascido da Antiguidade e manifestado na Era Moderna; no dramaturgo Shakespeare (a poesia e o romance estão fora de cogitação para Wagner), e na música por intermédio de Bach, Beethoven e dele próprio. Fazendo uma comparação intensiva do budismo e de doutrinas indianas, Wagner se aproxima – também neste aspecto em contraposição a Nietzsche – cada vez mais do cristianismo, dizendo, finalmente, a respeito de Paulo (3 de maio de 1882), que "[...] ele foi o primeiro cristão", ao passo que Nietzsche irá atacar a dogmática paulina justamente como desvio do Cristo genuíno! Também para Nietzsche, Shakespeare e Beethoven são magnitudes singulares, mas não nessa exaltação e nesse isolamento como no pensamento de Wagner.

Além disso, sobre Wagner se estende a tragicidade daquela geração mais antiga cuja vida (como também no caso de Goethe) ainda se projeta para dentro de uma nova época estilística ou cultural: ele não entende mais seu entorno, recusa o contato com ele. Em Wagner, isso se torna visível nas constantes dúvidas sobre se ele ainda deve encenar o "Anel", se deve, afinal, encenar "Parsifal" e na resolução, por fim, de conservar "Parsifal" em Bayreuth e não mais entregá-lo ao "mundo", que, imagina ele, teria profanado o restante de sua obra. Nietzsche, pelo contrário, praticamente força a entrada em sua época – e no futuro. Wagner também percebe isso com pesar e o expressa na seguinte queixa (7 de novembro de 1882): "Quão ruim é o mundo atual, isso [...] se pode perceber no fato de que pessoas como Nietzsche, que são um tanto promissoras, rapidamente se estragam nele. Entretanto, para além de todas essas divergências fundamentais, continua havendo uma ligação humana, e esta, em sua maior parte, está associada à lembrança dos dias felizes de Tribschen e leva a um sentimento de pesar pela perda". Nesse sentido, Wagner também se torna consciente de uma possível culpa em consequência de seu jeito ríspido de ser. No dia 29 de dezembro de 1881, ele se lembra de modo bem geral "das veemências que tanto magoavam Nietzsche", e recorda-se, logo depois (em 14 de janeiro de 1882), claramente de um acontecimento bem-determinado: fala-se de "vegetarianismo", e Cosima admite o seguinte: "Desde que o ouvi clamar com veemência contra Nietzsche por causa desse tema, eu não teria mais coragem de ser vegetariana. Richard conta: 'Pois é, quando ele veio, não comia nada lá em casa e disse: 'Sou vegetariano', eu disse a ele: Você é um burro'". Wagner não parece se lembrar de juízos duros sobre as composições de Nietzsche, embora as tivesse em pouca conta. Certamente a afirmação feita em 12 de dezembro de 1882 deve se referir a Nietzsche, embora Cosima, envergonhada, suprima o nome: "Existem pessoas boas e más, e para cada uma chega a hora de decidir se ela é capaz de sacrificar o outro por sua própria causa ou não. Como essa teoria é considerada um tanto dura, especialmente em relação àquele amigo, Richard diz: 'Existem certas predisposições fracas/boas que, no máximo, desembocam em música ruim'". E finalmente, quando, ao repassar, em 17 de janeiro de 1883, "as amizades infiéis", mencionando Gersdorff e Nietzsche pelo nome (não Rohde, como alega Elisabeth a partir de sua suposta conversa com Wagner; Rohde permaneceu ligado a Wagner), "ele opina que é uma verdadeira vergonha para nós que não tenhamos conseguido prendê-los melhor, pois Nietzsche, cujo jeito estranho de ser pode ser resumido no fato de que não tinha inteligência (Wagner decerto quer dizer: ainda não tinha uma filosofia própria claramente delineada na época da amizade deles), mas podia ser magnetizado".

Wagner estava consciente de sua força de irradiação como ímã. O fato de que no caso de Nietzsche ela não foi suficiente para produzir uma ligação duradoura pesou-lhe como um fracasso. Ele esqueceu ou não percebeu que todo ímã tem dois efeitos ambivalentes: ele pode atrair ou repelir, dependendo de que lados, de que polos se encontram. E quanto mais forte é o ímã, tanto mais vigorosas são a atração *e* a repulsão!

Preocupações com "Peter Gast"

O amigo Köselitz se encontrava, de uma outra maneira, em uma situação de indecisão, e até de desespero. A direção da ópera da corte em Viena tinha lhe devolvido sua partitura de "Brincadeira, astúcia e vingança" sem quaisquer comentários, a *Prima-dona* Lucca, em cujo interesse pelo papel principal Köselitz tinha apostado, não disse nada, e Hans von Bülow, que tinha sido abordado por outra via, não mostrou qualquer interesse. Com a intermediação de Gersdorff, a partitura tinha chegado até o diretor artístico em Weimar, Freiherr von Loën, mas isso mostrou ser um caminho para "Loge", "o pai da mentira", como Gersdorff se expressou simbolicamente parodiando os versos de Wagner no "Anel".

Assim, a receita que se esperava da encenação acabou não entrando, e Köselitz continuava dispondo de recursos escassos. Desde março de 1881, Nietzsche tentou repetidas vezes lhe repassar algum dinheiro de maneira delicada. Ele queria ressarci-lo pelas despesas de correio resultantes do envio dos pacotes com os manuscritos, até algumas centenas de francos, mas Köselitz recusou todas essas ofertas de modo educado e categórico. Agora ocorre a Nietzsche uma nova ideia, que tinha urdido junto com Rée e Gersdorff, pois sozinho ele não tinha condições financeiras para isso. Em 20 de março de 1882, faz a seguinte proposta a Köselitz: "Pense uma vez na possibilidade de vender sua partitura do 'Matrimônio secreto' a mim e a dois de meus amigos. Ofereço 6.000 francos, a serem pagos em quatro parcelas anuais de 1.500 francos. Essa questão pode permanecer sigilosa, se você preferir. Você poderia dizer a seu pai que um editor lhe ofereceu essa quantia". Nietzsche está se sentindo, já agora, ligado a essa obra e comprometido com ela como um padrinho, e haveria de continuar assim até seu fim. Antes de ela estar concluída, ele procura oportunidades para apresentá-la, e continua dizendo nessa carta: "Depois, pense no que pode ser feito para compensar a 'falta de respeito' para com seu clássico Cimarosa frente à sensibilidade dos italianos. Para isso se teria de recomendar a obra à Rainha Margarida [...]. Uma gentileza alemã para com a Itália [...]. Para essa finalidade, entretanto, a primeira encenação só poderia ser em Roma [...] assim, aconselho finalmente que se conquiste a Srta. Emma Nevada para essa obra [...]. Os italianos se comportam muito bem para com todas as cantoras famosas". Mas Köselitz também rejeita isso: "Você quer comprar o matrimônio secreto? [...] Para que isso? [...] No fim das contas, posso morrer já durante o primeiro ato. [...] Por fim, um de nós dois ainda se daria mal por isso". Köselitz também supunha que Nietzsche tivesse visto a Nevada como "Carmen" e, por isso, se entusiasmado com a cantora, mas Nietzsche corrige isso em 24 de março: "A cantora de Carmen era a Sra. Galli-Marié, *une personne très, très chic*." Quanto ao financiamento, ele pondera o seguinte: "[...] não tenha constrangimento quanto a este ponto, como Richard Wagner o faria hoje ainda: e com razão". Portanto, não eram os negócios um tanto ousados – para nossos conceitos atuais – que Wagner fazia com suas partituras que Nietzsche lhe levava a mal! Talvez a situação de seu protegido lhe tivesse justamente ensinado a entender Wagner nesse tocante. Em todo caso, ele começou a executar o plano de compra, sem esperar pela concordância de Köselitz. Em 23 de março, Paul Rée comunica, escrevendo de Roma, a seu irmão e administrador de bens Georg Rée em Stibbe[12]: "Do dinheiro para Köselitz, Nietzsche já pagou 250 francos. A única alternativa agora é que eu deixe Gersdorff pagar primeiro e pague, eu mesmo, depois. Estou fazendo bons negócios!"

Apesar de tudo isso, Köselitz insistiu em sua resposta negativa e se virou trabalhando e apertando o cinto. Schmeitzner tinha criado uma nova revista, chamada "Internationale Monatsschrift", que foi publicada a partir de janeiro de 1882 e teria como colaboradores principalmente autores de sua editora. Mas ela deixou de ser publicada depois de um ano e meio. Um dos colaboradores assíduos era o antigo hegeliano Bruno Bauer (1809-1882), que tinha se mostrado impressionado com Nietzsche principalmente por causa da primeira "Consideração extemporânea" (David Fr. Strauss). Köselitz escreveu então, sob o pseudônimo de "Ludwig Mürner", sobre temas de estética nos moldes de Nietzsche para a nova revista de Schmeitzner. Para isso, pôde aproveitar alguns textos que tinha esboçado para o livro sobre Chopin que estava planejando. Na convivência em Recoaro, as novas concepções de música de Nietzsche e sua posição estritamente antiwagneriana se tornaram claras para Köselitz, e então ele passou a expô-las a partir do exemplo de sua interpretação de Chopin. O livro, contudo, nunca foi concluído. Desde o início, Köselitz tinha grandes dúvidas quanto a seu conhecimento e sua visão geral da história da música, pois "quase só tinha visto óperas de Wagner no palco" e desconhecia essencialmente as sinfonias e quartetos de Haydn, Mozart e Beethoven.

A "Gaia ciência" vem a seguir

Nietzsche também tinha sido consultado por Schmeitzner a respeito de uma colaboração, mas declinou. Sobre isso, ele exclama ao escrever a Köselitz: "Revistas – isso é algo que se tornou inteiramente estranho para mim: Para quê?! Não conheço mais o tempo, me tomo o tempo e não preciso de publicidade: mas se precisar de uma, não pensaria em um periódico que precise se ler a si mesmo para ter leitores. (Ou se está especulando com os antijudeus?) Sejamos pacientes!!!" Agora ele estava de novo às voltas com *seu* trabalho.

Sob todas as referidas circunstâncias e influências surgiram os cadernos de aforismos dos quais Nietzsche extraiu aquilo que, em 25 de janeiro de 1882, anunciou a Köselitz como "livro VI, VII e VIII da Aurora" e acabou se tornando os livros I-III da "Gaia ciência". "Você quer meu novo manuscrito? Talvez você se entretenha e distraia com ele. (Só não pense ainda na transcrição – para isso temos um ano de tempo e talvez até muito mais.) Ocorre-me, porém, que eu mesmo preciso ler o manuscrito mais uma vez [...]. Levando em conta que a saúde e os olhos estão me deixando na mão, não devo ficar pronto com essa revisão antes de duas semanas." Ainda assim, despacha essas folhas em 29 de janeiro, conforme comunica a Overbeck: "Faltam ainda os livros IX e X, que não posso fazer agora – para isso preciso de novas forças e da mais profunda solidão."

O livro IX, porém, ainda acabou surgindo nessa primavera, a partir de esboços que em grande parte já existiam – como mostra seu primeiro aforismo (n. 276). Só o livro X demorou alguns anos (até 1887) para ser concluído. Ele também tinha escrito o seguinte para Köselitz: "Pois vou me reservar os livros IX e X para o próximo inverno – ainda não estou maduro o suficiente para as ideias elementares que pretendo expor nesses últimos livros. Entre elas há uma ideia que, com efeito, precisa de 'milênios' para virar alguma coisa. De onde vou tirar a coragem para enunciá-la?" Era isso, portanto, que lhe inviabilizava o trabalho no novo livro: "Eterno retorno" e "Zaratustra". Talvez por isso as informações sobre a trajetória desse livro também sejam tão escassas nas cartas. Certo é, em todo caso, que em fins de janeiro de 1882 só os três primeiros livros estavam mais ou menos concluídos, e não o conjunto, como se poderia supor a partir do "Ecce homo"[5]: "Gratidão pelo mais maravilhoso mês de janeiro [...] que já passei – o livro todo é presente dele [...]". Mas justamente o livro IV com o título "São Januário", com o início do Zaratustra como final (aforismo 342), ainda está faltando em fins de janeiro. Logo depois, em 5 de fevereiro, entretanto, ele pode prometê-lo a Köselitz. Dificilmente ele o terá elaborado todo nesses sete dias; é mais provável que o tenha compilado a partir de anotações já existentes.

Tendo em vista sua partida de Gênova, ainda sem ter a menor noção do destino, Nietzsche pede, em 11 de março, seu manuscrito de volta a Köselitz, que escreve lamentando a esse respeito: "Sinto muito quanto a isso. Já faz um mês que comprei papel para fazer a cópia; mas até agora me senti [...] sempre fraco demais para a transcrição. Daqui a pouco provavelmente vou ficar doente; no fim posso, então, me homenagear com a preparação do manuscrito". Mas acaba mandando-o de volta agora e também não receberá o manuscrito para deixá-lo pronto para a impressão. Embora Nietzsche tivesse declarado categoricamente à irmã em 30 de janeiro que a impressão não seria feita nesse ano e também tivesse dito a Köselitz que para isso ainda haveria ao menos um ano de tempo, de repente levou a publicação em frente. Em maio vemos Nietzsche em Naumburg, ocupado com a preparação do manuscrito para impressão, agora sob um título novo à parte, "A gaia ciência", e em 20 de agosto essa obra também foi publicada na editora de Schmeitzner, projetando-se para uma época e vivências que haveriam de destroçar o tipo de alegria de Nietzsche. Ele tivera o pressentimento correto ao dar ao último aforismo o título de *Incipit tragoedia* (A tragédia tem início).

Que caminho! O prelúdio em forma de rimas ainda é intitulado "Brincadeira, astúcia e vingança", o que decerto representa mais uma reverência para com a zarzuela de Köselitz do que para com o texto de Goethe, embora nessas rimas Nietzsche procure alcançar a jovialidade clássica de Goethe. Aliás, ele parece estar com uma predisposição poética. Em 17 de fevereiro, envia a Köselitz como amostra da nova máquina de escrever sete versinhos de duas linhas, o terceiro dos quais não se encontra na correspondência publicada[7]: "Não com excessiva generosidade, só cães / cagam a cada hora". Köselitz elogia o "vigor das frases" e pergunta: "De onde você tem, de repente, esse tom de alemão antigo? Você poderia, francamente, editar algumas centenas desses versos como ditos autênticos da época de Sebastian Franck". Entretanto, é mais provável que na memória do filólogo clássico Nietzsche estivessem ressoando versos dos "sete sábios" que se encontravam em latrinas, como em Pompeia, por exemplo*. Isso mostra, em todo caso, a que tipo de traquinice os bons dias das últimas semanas podiam levar Nietzsche. Por fim, cinco desses versos de duas linhas entraram no prelúdio de rimas do livro.

Os "Idílios de Messina", um *intermezzo*

Também devem ter surgido ainda em Gênova, decerto só após a partida de Paul Rée em 13 de março, alguns dos poemas que mais tarde, revistos e ampliados, foram publicados no número de junho do periódico "Internationale Monatsschrift", de Schmeitzner, sob o título "Idílios de Messina". Essa é a única vez em que

---

* Cf., p. ex.: "Ut bene cacaret, ventrum pulpavit Solon"; entretanto, este verso só foi escavado em 1936 em Óstia[222].

Nietzsche libera poemas avulsos para publicação, sem os inserir no plano de uma obra, ou seja, em sua preocupação filosófica. Mais tarde, porém, fará isso ainda: com o novo título “Canções do príncipe Vogelfrei”, elas aparecem – mais uma vez ampliadas – como “Poslúdio” na segunda versão com cinco livros da “Gaia ciência” de 1887, que adquire um novo tom com a ampliação e o novo prefácio. Só que também a versão de 1882 não contém só coisas “gaias”. Os vestígios de uma problemática dolorosamente vivenciada constituem um contraponto contínuo. A sombra de Zaratustra obscurece muitas vezes a paisagem, e também os animais de Zaratustra já aparecem (aforismos 314, 342).

Wagner se prepara para a estreia de seu drama de mistério “Parsifal”, cuja partitura ele tinha terminado em 13 de janeiro de 1882 em Palermo, e Nietzsche sente que seu mistério “Zaratustra” está crescendo nele. Suas trajetórias divergentes estão fixadas rumo a seu destino final. Nietzsche dedica a isso o grandioso aforismo “Amizade estelar” (n. 279), em que ele vivencia, ao menos em imagem e parábola, o último encontro perdido, o encontro sonhado, antes de seu destino os afastar definitivamente. Mas também há considerações igualmente mordazes e zombeteiras sobre Wagner. Os ataques também se dirigem contra Platão e todo platonismo; assim, por exemplo, no aforismo 214: “A virtude só dá felicidade e uma espécie de bem-aventurança àqueles que têm a boa crença em sua virtude: [...] em última análise, portanto, também neste caso ‘a fé salva” – e, note-se bem, não a virtude!”, o que se volta contra toda a doutrina das virtudes da Antiguidade.

Um tema central é, mais uma vez, a confrontação com o cristianismo, que tinha feito Nietzsche ficar doente e acamado também nesse Natal. Ele efetua a mais terrível depreciação ao reduzir todo o problema a um juízo estético no aforismo 132: “Agora é nosso gosto que decide contra o cristianismo, e não mais nossas razões”. Mas o fato de também a “solução” mecanicista e científico-natural dos enigmas do mundo deixar um resto insatisfatório quase o abala mais ainda. O aforismo 125, “O homem louco”, atesta, neste sentido, uma luta mental inaudita, situada em meio ao mais incisivo acerto de contas com o cristianismo e toda a metafísica. O homem louco – Nietzsche – se precipita, em plena luz do dia, no mercado e chama por Deus. Mas “nós o matamos – vocês e eu. Todos nós somos seus assassinos!” E agora ele deplora o que se perdeu com isso: “Como conseguimos beber todo o mar? Quem nos deu a esponja para apagar o horizonte inteiro? Que fizemos quando soltamos a terra de seu sol? Para onde se move ela agora? Para onde nos movemos nós? Para longe de todos os sóis? Não estamos caindo continuamente? E para trás, para o lado, para a frente, para todos os lados? [...] Não estamos vagando como que por um nada infinito? [...] Não é sempre a noite que está chegando, e mais noite ainda? [...] Não estamos sentindo ainda o cheiro da putrefação divina? [...] Deus está morto! [...] E nós o matamos! [...] O mais sagrado e o mais poderoso que o mundo possuía até agora sangrou inteiramente sob nossos punhais", sob os bisturis do conhecimento das ciências naturais que se propõem poder explicar tudo, também o enigma da vida.

Mas esse abalo foi apenas uma extremidade do movimento pendular de sua vivência. As muitas boas experiências desse inverno de 1881/1882 em Gênova, o clima preponderantemente aberto com seu efeito positivo sobre o estado de saúde, a consciência de ter uma tarefa, e até uma incumbência, a saber, proclamar uma nova filosofia, fizeram com que Nietzsche adquirisse mais autoconfiança. Com que confiança e também determinação ele olhava para o futuro transparece da melhor forma em uma carta dirigida a Malwida von Meysenbug na segunda metade de março (e não em fevereiro) de 1882[7]: "[...] a rigor, já dissemos um último adeus um ao outro [...]. Entrementes a força vital e toda espécie de força atuaram em mim, e, assim, estou vivendo uma segunda existência [...]. Mas não devo acelerar nada – o arco em que minha trajetória passa é grande e eu preciso ter vivido, em cada ponto seu, de modo igualmente profundo e enérgico: preciso ser jovem por muito tempo ainda, embora esteja me aproximando dos 40". Em 29 de março, Nietzsche partiu nesse estado de espírito alegre para a Sicília, "para a extremidade do mundo", como lhe pareceu, e ele estava disposto a viver de acordo com a proposição central com que tinha aberto o livro IV da "Gaia ciência" (aforismo 276), o "São Januário": "Quero aprender cada vez mais a ver como belo aquilo que é necessário nas coisas; – assim serei um daqueles que fazem belas as coisas. *Amor fati* [amor ao destino]: que seja este, de agora em diante, meu amor!"

Lou
(abril a outubro de 1882)

"Personagens em torno de Nietzsche"[198] é o título de um livro de Erich Podach que, com isso, aponta para um assunto real, mas não se aplica inteiramente a todas as pessoas incluídas nessa designação, e menos ainda, talvez, a "Lou". Já nos deparamos várias vezes e continuamos nos deparando constantemente com nomes que, para nós hoje em dia, só são interessantes por causa de sua posição para com Nietzsche. Eles giram à volta de Nietzsche como luas, recebem sua luz apenas dele, e praticamente só os vemos sob esse ponto de vista. Pode-se também dizer que, no drama histórico-intelectual ou nos dramas que, no último terço do século XIX, passaram pelo palco da cultura europeia, essas pessoas foram personagens secundários de maior ou menor importância, coadjuvantes ou mesmo apenas figurantes.

Lou von Salomé era uma dessas atrizes, só que com a ambição de protagonista, o que, contudo, apesar de sua inegável importância, jamais realmente se tornou, mesmo tendo participado intensivamente de mais de uma peça. Em que tipo de papel? H.F. Peters, em seu livro sobre Lou[190], chega ao ponto de chamá-la de *une femme fatale* [uma mulher fatal]. Mesmo que ela nunca tivesse se encontrado com Nietzsche, saberíamos a respeito dela pelo menos a partir das biografias de Rainer Maria Rilke e Sigmund Freud; o que ela realizou, para além disso, como autora se desvaneceu em grande parte já depois de poucas décadas. Podemos aqui nos restringir à atuação que ela teve como atriz visitante no drama "Nietzsche", que, embora relativamente breve, faz parte das mais empolgantes cenas para o personagem principal e o levou à beira da autodestruição.

Origem e juventude

Os Salomé eram provenientes do sul da França – huguenotes. Após a terrível sangria na nação, a expulsão dos huguenotes, eles se salvaram indo para o norte, inicialmente para Estrasburgo e depois para o Báltico. O pai, Gustav Salomé (1804-1879), veio com os pais aos 6 anos de idade para São Petersburgo. Entusiasmado com a vitória russa sobre Napoleão, optou pela carreira militar, em que chegou ao posto de coronel já aos 25 anos. O Czar Nicolau I o elevou à nobreza hereditária em 1831 como recompensa por sua conduta corajosa no levante polonês de 1830/1831. O sucessor de Nicolau, o Czar Alexandre II, convocou o militar que ascendera de posto tão jovem para o Estado-Maior e o nomeou inspetor do exército; com isso, Von Salomé passou a residir nos recintos feudais do Ministério da Guerra em frente ao palácio de inverno do czar. Essas convocações eram características da época. Os czares se esforçavam para orientar seu país atrasado por modelos ocidentais e convocavam para isso muitos estrangeiros, especialmente alemães e franceses, para ocupar elevadas posições civis e militares. O General Von Salomé nos é descrito como "um homem corajoso, cavalheiresco, um *gentleman* autêntico, resoluto e profundamente enraizado na fé da Reforma, mas de modo algum rígido ou inflexível nesse sentido. Vestígios do temperamento gaulês de seus antepassados se mostravam principalmente em súbitas explosões emocionais. Ele era conhecido por ter sangue quente, assim como sua filha mais tarde. Como ela, ele se sentia atraído por pessoas que se destacavam."[190] Diz-se que Pushkin era um de seus amigos. "Ele tinha ombros largos, era de compleição física grande, postura enérgica, um aristocrata amável que vivia segundo o lema: *noblesse oblige* [nobreza obriga]." Casou tarde, em 1844, com Louise Wilm, 19 anos mais jovem (n. em 1823) e filha de um "rico fabricante de açúcar de descendência alemã setentrional e dinamarquesa [...] A moça graciosa e loira de olhos azuis, sempre correta na vestimenta e no porte, amadureceu e se transformou em uma jovem mulher enérgica"[190].

Seis filhos resultaram do matrimônio: depois de cinco meninos foi-lhes dada, em 12 de fevereiro de 1861, uma menina, com o que especialmente o pai se alegrou. Ela foi batizada, como a mãe, com o nome de Louise. Por compromisso com a descendência, na família se falava e escrevia francês e alemão, mas naturalmente também se tinha de aprender russo. Assim, Louise tinha os mesmos componentes que, por exemplo, Franz Overbeck ou o repentino "amor genebrino" de Nietzsche, Mathilde Trampedach.

Mimada pelo pai e pelos irmãos, Louise se criou em um entorno acentuadamente masculino – assim como, inversamente, o menino Nietzsche cresceu em um entorno acentuadamente feminino, até chegar à disciplina monacal de Pforta. Tal disciplina, todavia, não existiu para Louise. Ela resistiu – e, ao que tudo indica, com sucesso – já cedo à obrigação de frequentar a escola e impôs seu próprio caminho. Tinha nascido para ser autodidata e realizou e atingiu coisas assombrosas nesse sentido. De modo geral, o elemento revolucionário estava em seu sangue como dote de sua época. Seu nascimento coincidiu quase exatamente com a supressão, finalmente acontecida, da servidão na Rússia. Mas com essa medida, mais do que atrasada, não se atingiu o ponto-final das reformas sociais, e sim se abriu o caminho para exigências muito mais avançadas, como, por exemplo, a formação da mulher em pé de igualdade, que a jovem Louise Salomé, ao contrário de sua mãe, já quis bastante cedo. Esse era um objetivo em função do qual alguém como Malwida von Meysenbug teve de deixar, em 1852, sua pátria alemã e buscar proteção no exílio em Londres[165]. A agitação tensa daquela época tinha substancialmente duas molas motrizes na Rússia. Por um lado, havia o nacionalismo que estava irrompendo em toda a Europa e que, em termos políticos, acabou se descarregando no final da Primeira Guerra Mundial com a dissolução da Monarquia do Danúbio em muitos pequenos estados nacionais e há muito tempo já tinha se manifestado em todos os países da Europa como estilo nacional na arte e literatura. Na Rússia, esse movimento permanece ligado aos nomes de Tolstoi e Dostoiévski para a literatura, e Mussorgski, Glinka e Rimskij-Korsakow para a música: em 1874, estreou em São Petersburgo a ópera popular "Boris Gudunow", de Mussorgski. Esse despertar nacional teve como consequência que "estrangeiros" como os Salomé tinham de se sentir, até certo ponto, como estranhos e excluídos; eles constituíam uma camada cosmopolita que era tolerada. Mas o nacionalismo russo ainda continha um outro gérmen: o sociorrevolucionário. Este também se expressou na literatura e arte e entrou, por fim, na realidade política, o que afetou sensivelmente a família Salomé. Dos irmãos de Louise, só um sobreviveu à Primeira Guerra Mundial e à Revolução Russa, porém na mais profunda humilhação. E os últimos dias de Louise foram obscurecidos e ameaçados pela reação a elas, pela Alemanha nacional-socialista. Ela morreu com quase 76 anos, em 5 de fevereiro de 1937, em Göttingen, como esposa do orientalista F.C. Andreas, com o qual estava ligada desde 1887.

O primeiro grande abalo político vivenciado pela jovem Louise Salomé foram, em 1879, os três atentados contra o Czar Alexandre II. Isso provocou uma terrível dissonância em sua juventude de resto tão bela, despreocupada e socialmente brilhante. Ela foi afetada mais fortemente ainda, porém, nesse mesmo ano, pela morte – precoce demais para ela – da pessoa que mais ternamente amava: o pai. Com isso, de repente, também estavam ameaçados ou tinham até desaparecido os representantes exteriores de uma ordem, de uma ordem do mundo que, por outro lado, já se tornara problemática em seu íntimo e estava até minada: Louise tinha perdido o Deus de sua fé de infância; ainda jovem, ela já estava em busca de Deus.

A pergunta a respeito de Deus

O acontecimento que desencadeou a perda de Deus foi muito singular: criados contaram a ela que duas pessoas idosas tinham desaparecido; eram bonecos de neve que tinham se derretido sob o sol da primavera, só restando ainda botões e um chapéu amassado. A criança tinha se acostumado a expor, em uma hora sossegada, todas as suas perguntas e aflições a seu Deus, que ela acreditava e sentia estar pessoalmente presente. Então ela se dirigiu a ele perguntando se seria possível e poderia acontecer que algo que estivera realmente presente simplesmente desaparecesse. Mas não veio resposta a essa invocação, e agora a criança foi corroída pela dúvida, chegando até a perguntar se Deus só não responde porque Ele também desapareceu, também não existe mais – não só para ela, mas para todo o universo[215].

O General Von Salomé, como homem piedoso, tinha conseguido que o czar consentisse com a fundação de uma comunidade reformada alemã em São Petersburgo. Mas o credo era tanto de caráter religioso quanto político. O clérigo da comunidade era um certo Pastor Dalton, teólogo com uma orientação teológica rigorosamente dogmática. Com sua fidelidade à fé ortodoxa da Reforma e suas provas racionais da existência de Deus, ele não era o homem que poderia devolver à criança a fé em Deus que ela tinha perdido. Assim, não deixaram de acontecer conflitos sérios, inicialmente com o pastor e por fim com a família, pois Louise se recusou a ser confirmada. Entrementes, seu pai ficara gravemente enfermo, e agora ficava ainda mais difícil para Louise causar-lhe mais esse sofrimento. Por isso, ela aceitou a solução conciliatória de estender o ensino confirmatório por mais um ano. O pai morreu nessa época, e agora Louise não se sentia mais comprometida com qualquer consideração, em todo caso não para com a mãe. Ela expôs ao Pastor Dalton sua recusa definitiva em ser confirmada. Isso se tornou mais fácil para ela na medida em que um líder espiritual de tipo bem diferente tinha entrado em sua vida: o pastor da legação holandesa em São Petersburgo, Hendrik Gillot.

Quando chegou a São Petersburgo, Gillot tinha 37 anos, era um homem "do mundo", orador brilhante, pessoalmente fascinante, liberal – para a irritação de seus colegas ortodoxos de ministério – e altamente instruído em filosofia. Sua forma de falar de Deus era um genuíno contrapeso ao ceticismo e latente ateísmo entre a *intelligentsia* russa; suas pregações, mesmo feitas em alemão ou holandês, encontraram atenção justamente nesse meio e se transformaram em um evento social.

O caminho até sua pequena igreja não era longo, mas passaram-se cinco anos até que Louise Salomé, então com 18 anos, acabasse, por acaso, sendo cativada por ele. Mas então ela viu que tinha encontrado lá a pessoa que lhe fazia falta nessa ocasião e em sua situação atual. "Agora toda solidão terminou" e "É bem isso que eu estava procurando", disse ela a si mesma[215]. Louise solicitou sem demora, por escrito, uma conversa, e Gillot acolheu a suplicante como uma criança sem pátria. Percebeu imediatamente o eminente talento intelectual da moça e começou a dar-lhe a instrução aplicável ao caso dela. Durante meses, Louise frequentou as aulas dele várias vezes por semana, sem revelar qualquer coisa à família. Seus numerosos cadernos de apontamentos "dão uma ideia do alcance e da intensidade de seu trabalho sob a orientação de Gillot. Um deles mostra que ela estudou História das Religiões e comparou o cristianismo com o budismo, o hinduísmo e o islã; ocupou-se com o problema da superstição em sociedades primitivas, com o simbolismo de seus ritos e rituais, e matutou sobre as noções básicas da fenomenologia da religião. Um outro caderno de anotações fala de filosofia, de lógica, metafísica e gnosiologia. Um terceiro se ocupa com o dogmatismo e com problemas como a concepção messiânica no Antigo Testamento e a doutrina da Trindade. Um quarto, escrito em francês, contém apontamentos sobre o teatro francês antes de Corneille, sobre a era da literatura francesa clássica, sobre Descartes, Port Royal e Pascal. Em um quinto caderno se encontram ensaios sobre Maria Stuart de Schiller, sobre Cremilda e Gudrun. Sob a orientação de Gillot, ela leu Kant e Kierkegaard, Rousseau, Voltaire, Leibniz, Fichte e Schopenhauer... Com isso, Louise adquiriu uma formação intelectual que lhe foi muito proveitosa mais tarde na vida. Até mesmo a inclinação literária dela foi despertada agora, pois Gillot lhe permitiu redigir algumas de suas pregações dominicais para ele"[190], mas não para a completa satisfação de todos os "fiéis", que perceberam uma divergência grande demais para com a Bíblia.

O primeiro enredamento fatal

A morte do pai tornou Louise livre em relação à família. Ela admitiu agora as aulas que recebia de Gillot e declarou, ao mesmo tempo, que estava saindo da comunidade reformada do Pastor Dalton. A mãe ficou mortalmente assustada. Convocou Gillot – que para ela era duvidoso – e o cumulou de acusações, mas ele, habilidoso como era, conseguiu explicar até a ela que agora é que as aulas iniciadas deveriam continuar. Mas então aconteceu algo que tornou impossível para Louise a permanência ulterior no entorno de Gillot ou até mesmo na Rússia. Não só Gillot era um homem fascinante, mas Louise, com 18 anos, elegante e loira, com seus olhos profundos e seu intelecto bem incomum, era uma garota igualmente fascinante. O professor, que era cerca de 25 anos mais velho e era, ele próprio, pai de duas garotas mais ou menos da idade de Louise, deixou-se dominar pelos sentimentos, encaminhou a dissolução de sua família e propôs casamento à sua aluna. Louise recusou rispidamente, porque não se sentia madura para o casamento – para o que, a rigor, jamais ficou madura. O casamento permaneceu um problema não resolvido para ela a vida inteira.

No "Banquete" ou "Simpósio"[195], Platão faz Aristófanes expor a essência do amor em um mito. Segundo ele, houve uma vez seres que eram redondos, com quatro pernas e braços, uma cabeça com dois rostos e quatro orelhas etc. Esses seres ficaram atrevidos e quiseram abrir um caminho até o céu e atacar os deuses. Então Zeus fez com que eles fossem divididos, e assim surgiu o ser humano atual, que, no amor, pretende anular a divisão e restabelecer e sanar a natureza original. "E é essa ânsia e busca do todo que significa amor."

Louise estava muito distante dessa concepção. Ela se sentia como um "todo" por si mesma e se bastava completamente. O Pastor Gillot não tinha pensado nisso nem contado com essa possibilidade; neste ponto o homem inteligente se enganara. Mas ele não haveria de ser o único a se enganar dessa forma! A recusa ríspida deve ter sido um duro golpe para o orgulho desse homem, mal-acostumado com os sucessos, mas ele conseguiu se conter. Gillot não deu o braço a torcer ficando amuado, e, mais tarde, quando Louise o procurou por causa de alguma aflição da alma, ele mostrou ser um amigo constante. Mesmo agora, apesar do que acontecera, ele quis dar continuidade às aulas, mas Louise sabia que agora ela é que tinha de agir, que tinha de ir embora.

Sua mãe concordou em acompanhá-la para o exterior. Mas então surgiu uma dificuldade inesperada. Segundo a lógica do funcionalismo público, uma pessoa que não era confirmada e cuja existência, em consequência disso, não podia ser confirmada pela Igreja nem existia. E uma pessoa não existente não precisava de passaporte, só que sem passaporte não se podia deixar a Rússia por um período mais longo. Gillot, porém, sabia o que fazer neste caso. Em maio de 1880, ele viajou com a mãe e a filha Salomé para uma breve estada na Holanda, onde realizou a cerimônia na igreja de uma aldeia como convidado de um pastor amigo seu. "Nessa estranha celebração, que foi preparada exatamente de acordo com minhas indicações e ocorreu em um domingo comum, entre os agricultores dos arredores [...] ficamos ambos emocionados; afinal, estava em jogo agora nossa separação um do outro – que eu temia como a morte. Felizmente, minha mãe [...] não entendia uma só palavra da blasfema alocução em holandês, e também não as palavras de confirmação que constituíam o final – quase como palavras de um matrimônio: 'Não temas, porque eu te resgatei, chamei-te pelo teu nome: tu és meu'[215]." Entretanto, Gillot nunca conseguia pronunciar o nome dela na versão russa "Ljola", e também tinha dificuldade de usar a versão em alemão, de modo que agora batizou sua aluna com o nome *Lou*.

Com isso, ele jogou uma rede mágica sobre ela e se apossou dela como sua criatura intelectual. Isso penetrou profundamente na consciência de Lou, e ela manteve esse nome – assim como Peter Gast manteve o nome que recebera de seu mestre.

Fuga para o vasto mundo

Agora o mundo estava aberto para Lou. Ela podia deixar sua pátria, a Rússia, mas só sob a custódia – por enquanto, suportada pacientemente, porém não isenta de tensões – da mãe. O primeiro destino foi Zurique, aonde as duas mulheres chegaram em setembro de 1880. A Universidade de Zurique foi uma das primeiras da Europa a aceitar mulheres como alunas. Por isso, lá já tinha se formado uma pequena colônia de jovens russos, de progressistas a revolucionários, à qual, porém, Lou não se juntou. Também neste sentido ela seguiu seu próprio caminho. A família Salomé já tinha conhecidos em Zurique, de modo que elas não chegaram desorientadas a um lugar completamente estranho. Além disso, o mestre teológico de Gillot, Prof. Alois Emanuel Biedermann (1818-1885) lecionava lá. Também o antigo combatente revolucionário Gottfried Kinkel, defensor dos direitos das mulheres, particularmente da igualdade da mulher em termos de oportunidades educacionais, era professor da universidade.

Também em Zurique havia, mais uma vez, uma barreira formal a ser superada inicialmente. Lou não podia apresentar um diploma de conclusão do ensino médio que lhe permitisse matricular-se. O Prof. Biedermann tinha – ou se tomou – a liberdade de fazer um "exame" com Lou e, em função disso, aceitá-la como estudante. Ela assistiu às aulas dele de Dogmática (protestante independente), História Geral das Religiões com fundamento filosófico (jovem hegeliano), Lógica e Metafísica; além disso, aulas de Arqueologia e História da Arte de Gottfried Kinkel (1815-1882), e de História de Adolf Baumgartner, aluno de Jacob Burckhardt e de Nietzsche.

Lou não decepcionou seus professores. Ela era ambiciosa e trabalhava arduamente, só que isso foi demais para sua constituição juvenil e delicada. O estudo extraordinário junto a Gillot já tinha minado sua saúde, o que representou mais uma razão para deixar a fria Rússia e procurar zonas mais amenas. Mas agora a doença irrompeu abertamente. Os relatos contemporâneos falam de hemoptise; deve ter sido, portanto, uma doença pulmonar, que não haveria de ficar desconhecida na família. Eugen, irmão de Lou, morreu de tuberculose pulmonar.

Naquela época, considerava-se salutar o calor, a estadia no sul, principalmente na Itália. Do círculo em torno de Nietzsche conhecemos o infeliz Albert Brenner, de Basileia, e a Baronesa Wöhrmann, de Naumburg, como vítimas desse método.

Para ambos, o "tratamento" não foi benéfico. Agora, a prescrição do mesmo tratamento enviou Lou Salomé para o sul. No outono de 1881 ela teve de interromper os estudos em Zurique. A filha e a mãe Salomé se dirigiram em etapas para Roma, aonde chegaram no início de fevereiro de 1882. Lou tinha solicitado de Kinkel uma recomendação à sua velha amiga da época da emigração em Londres, Malwida von Meysenbug. Essa recomendação surtiu seu efeito, e em 11 de fevereiro Malwida acolheu no círculo de suas mais próximas relações "a jovem russa" – como a loira do Báltico era sempre chamada. Ela ficou entusiasmada e encantada com o intelecto extraordinário da garota e achou que tinha nela um espírito afim e uma continuadora da obra de sua própria vida. Também neste caso temos um engano que haveria de se repetir. Malwida não foi a única a se encantar com a aparência e todo o jeito de ser de Lou e a tirar uma conclusão errada a partir deles. Já os professores de Zurique se encantaram, e até mesmo o idoso Biedermann, cauteloso em suas manifestações, chamou, em uma carta efusivamente elogiosa dirigida à mãe de Lou, sua filha de "diamante" e "um ser feminino de uma espécie bem incomum: com uma pureza e sinceridade infantil de espírito e ao mesmo tempo, por outro lado, com uma orientação intelectual e autonomia da vontade quase não feminina"[12].

Mas não podem ter sido apenas a extensão de seu conhecimento, incomum para uma moça de sua idade, e sua agudeza intelectual que exerciam esse encanto. A morte tão dolorosa do pai, a experiência com o Pastor Gillot, que a fez despertar, e a ameaça da própria vida pela doença terrível proporcionaram a Lou uma seriedade e lhe deram acesso a uma dimensão da percepção de vida que, surpreendentemente, não podiam deixar de contrastar com sua efetiva juventude e com uma jovialidade e espontaneidade infantil que dela brotavam. Além disso, em sua vestimenta ela cultivava um estilo severo e despretensioso e nunca se enfeitava exteriormente.

No outono de 1881, portanto ainda em Zurique, ela escreveu poemas, entre eles a "Oração à vida", com a qual Nietzsche, depois, ficou tão impressionado que a juntou com a parte hínica de sua grande fantasia intitulada "Hino à amizade" e pediu, ainda em 1887, que "Peter Gast" a compusesse para coro e orquestra, para mandar imprimi-la (por E.W. Fritzsch, em Leipzig), sendo esta a única de suas composições que foi impressa. Ele nunca conseguiu se desligar dessa obra. As palavras que tanto o cativaram são estas:

> Tão certo quanto o amigo ama o amigo,
> Também te amo, vida-enigma,
> Mesmo que em ti tenha exultado ou chorado,
> Mesmo que me tenhas dado prazer ou dor.

Na companhia de Malwida von Meysenbug e com Paul Rée em Roma

Lou era um membro bem-visto e valioso no círculo fixo de Malwida von Meysenbug em Roma, que muitas vezes se reunia à noite na casa dela na Via Polveriera, 6. Em todo caso, ela estava sempre à altura dos parceiros de diálogo em termos de conhecimento e ousadia de ideias, se é que não era bem superior. Em uma noite dessas começa o episódio que, como "vivência com Lou", desempenha um papel tão discutido na vida de Nietzsche. Em sua retrospectiva de vida intitulada "Minha vida", redigida muito mais tarde, Lou registrou o acontecimento da seguinte maneira[215]: "Em uma noite de março do ano de 1882, em Roma, enquanto alguns amigos estavam reunidos na casa de Malwida von Meysenbug, aconteceu que, após um toque estridente da campainha, o fiel factótum de Malwida, Trina, precipitou-se para dentro da sala e sussurrou aos ouvidos dela um recado aflitivo; Malwida, então, correu até sua escrivaninha, juntou dinheiro às pressas e o levou para fora. Ao voltar para a sala, embora estivesse rindo, o fino lencinho de seda preta ainda estava voando em torno da cabeça dela por causa da agitação. Ao lado dela entrou o jovem Paul Rée, seu amigo de muitos anos, amado como se fosse filho, que, vindo precipitadamente de Monte Carlo, tinha pressa em enviar ao garçom de lá o dinheiro que tinha emprestado dele para a viagem, depois de ter perdido literalmente tudo no jogo. – Esse prelúdio divertidamente sensacional para nossa amizade me perturbou espantosamente pouco; ela foi travada de imediato – e talvez até tenha contribuído para ela o fato de que, em consequência disso, Paul Rée, como que destacado por uma luz mais forte, parecia ter adquirido contornos mais nítidos do que os demais. Em todo caso, seu perfil talhado com precisão, o olho extremamente inteligente se me tornou imediatamente familiar por causa de sua expressão, em que, no momento, algo humoristicamente contrito se mesclava com algo superiormente bondoso".

Paul Rée tinha deixado Nietzsche em Gênova em 13 de março e podia ser encontrado, inicialmente, nas mesas de jogo de Monte Carlo. Por ocasião de uma visita anterior a Monte Carlo, a presença de Nietzsche tinha evitado a euforia com os ganhos. Agora Rée recuperou a oportunidade – e perdeu todo o dinheiro vivo que tinha, de modo que teve de emprestar dinheiro até mesmo para seguir viagem. Isso deve ter acontecido rapidamente, talvez já em uma só noite. Assim, pode-se supor que Rée talvez tenha chegado a Roma em 15 ou 16 de março. Ele ainda estava tomado da recente convivência tranquila de cinco semanas com Nietzsche e conhecia suficientemente a problemática da existência deste em Gênova; ainda se ocupava interiormente de modo intensivo com ela e sentia empatia pelo amigo. E então se encontra agora em Roma com essa moça excepcionalmente inteligente. Não só ele tinha chamado a atenção dela, mas ela é que tinha, principalmente, chamado a atenção dele. Rée sabia em que consistia a "solidão" de Nietzsche. Ele podia ter relações sociais a toda hora, se quisesse. O contato por carta também só dependia de sua vontade. Fazia-lhe falta um parceiro de diálogo que pudesse acompanhá-lo em seus raciocínios filosóficos ousados. O próprio Rée deve ter se sentido sobrecarregado para isso, pois, abstraindo de alguma concordância na avaliação dos "preconceitos" morais – como ambos os chamavam –, justamente agora Nietzsche estava avançando para dimensões que eram estranhas a Rée. Já essa "jovem russa" parecia estar mais próxima dos fundamentos de Nietzsche, e tanto a Rée quanto a Malwida von Meysenbug ocorreu a ideia de que essa surpreendente Lou Salomé seria alguém que poderia pensar junto com Nietzsche; ela seria, tanto quanto se podia ver, a única parceira que poderia estar à altura de Nietzsche em termos de agudeza intelectual e conseguiria travar com ele discussões interessantes e profícuas. Assim, em 27 de março, Malwida von Meysenbug também escreveu o seguinte a Nietzsche[12]: "Uma garota muito notável (creio que Rée escreveu a respeito dela), que eu, entre muitos outros, devo a meu livro, parece-me ter chegado, no pensamento filosófico, mais ou menos aos mesmos resultados como você até agora, isto é, ao idealismo prático, deixando de lado todo pressuposto metafísico e toda preocupação com a explicação de problemas metafísicos. Rée e eu estamos de acordo no desejo de ver você algum dia junto com esse ser extraordinário". Rée, provavelmente logo depois do primeiro contato, realmente tinha escrito em tom entusiasmado a Nietzsche. Infelizmente, sua carta parece não ter sido conservada. Ela deveria oferecer um esclarecimento importante. Segundo o reflexo contido na carta de resposta de Nietzsche do dia 21 de março, Rée deve ter ido, em seu prognóstico, um passo além – um fatídico passo além – e até apresentado a Nietzsche a perspectiva de uma companheira. Mas *essa* proposta é rechaçada por Nietzsche, só que em uma formulação cujo acento viria a ser mudado, para seu grande prejuízo.

Nietzsche escreve a carta de 21 de março de 1882 a Paul Rée com sua máquina de escrever, o que influencia o estilo. As frases são secas, não têm ligação mútua, constituindo um catálogo telegráfico de respostas e informações. Assim, as seguintes frases se encontram uma atrás da outra[12]: "O jovem funcionário envia saudações – Ecco! – Overbeck me enviou meu dinheiro – Agora estou garantido por alguns meses – Saúdem essa russa em meu nome, se é que isso tem qualquer sentido: eu desejo esse gênero de almas. Em breve, vou até partir para uma busca predatória disso. – Levando em consideração o que pretendo fazer nos próximos dez anos, preciso dela. Já o casamento é outra história bem diferente. – Eu toparia no máximo um casamento de dois anos de duração, e também isso só levando em consideração o que tenho de fazer nos próximos dez anos". Ora, isso não quer dizer senão que qualquer ideia de casamento efetivo é, de saída, inviável em função de seu projeto de vida. Bem, se houvesse casamentos com prazo limitado – mas não os há, como Nietzsche também sabe. Mas, nas circunstâncias reinantes, ele rejeita as sugestões nesse sentido feitas por Rée; e mais: apesar dessa atraente perspectiva de, em Roma, encontrar finalmente esse ser que, a rigor, está buscando há muito tempo, Nietzsche viaja para Messina, com a intenção de permanecer lá por um período mais longo, ao menos até o outono, e de lá, se possível, deixar a Europa. Mas o clima o obriga a seguir rumo ao norte após três semanas apenas – ou será que foi o ímã Wagner que o levou a fazer isso? Nesse verão seu destino não foi a Engadina, e sim um lugar perto de Bayreuth! Nessa viagem ele pretendia fazer uma curta parada em Roma para se encontrar mais uma vez com Malwida von Meysenbug e, de passagem, conhecer essa jovem russa.

O encontro com Lou e suas graves consequências

Nietzsche deve ter chegado a Roma em 23 ou, o mais tardar, em 24 de abril, onde, mais uma vez – como quase sempre acontecia como sequela de uma viagem –, teve de ficar inativo por um dia por causa de suas dores de cabeça. Então, sem demora, procura Malwida, que, no dia seguinte (quarta-feira, 26 de abril), escreve sobre isso à sua filha de criação Olga[167]: "[...] adivinhe com quem estive, ontem à tarde, por algumas horas na Villa Mattei e quem espero também hoje à noite? Nietzsche. Ele [...] tinha ido [...] para Messina, que lhe agradou imensamente. Mas o siroco frequente [...] o afugentou novamente e ele voltou [...] para seguir viagem rumo à Suíça. Ficou doente logo no primeiro dia, mas ontem ele veio, e eu realmente me alegrei de coração por vê-lo, e ele estava comovedoramente contente por estar comigo de novo, afirmando que há anos não tivera uma hora tão feliz. Coitado, ele é realmente um santo, suporta seus sofrimentos terríveis com uma coragem heroica, e está se tornando cada vez mais afável, quase alegre até, e trabalha constantemente, embora esteja quase cego [...] não tem absolutamente ninguém que cuide dele, o ajude, e tem muito pouco dinheiro".

Nessa visita, Nietzsche também perguntou onde poderia encontrar Rée, e foi encaminhado para a Basílica de São Pedro. E aí ele também se encontrou com Lou Salomé, que registra sobre isso o seguinte em sua recordação[215]: "[...] onde Paul Rée, em um confessionário particularmente bem-iluminado, se ocupava com fervor e devoção de suas anotações de trabalho [...]. Quando me saudou pela primeira vez, suas palavras foram[12]: 'De que estrelas caímos e fomos levados a nos encontrar aqui?'" Uma versão posterior reza[215]: "De que estrelas viemos para nos encontrar aqui por acaso?"

Depois de poucas horas de contato, Nietzsche ficou tão impressionado com a personalidade de Lou, que era pouco mais de dezesseis anos mais jovem (agora ela estava com 21 anos), que se decidiu por uma proposta de casamento não só precipitada, mas também feita de modo desajeitado, como seis anos antes (em 11 de abril de 1876) a Mathilde Trampedach em Genebra. Aqui, como daquela vez em Genebra, Nietzsche não atinou com a situação e confiou a Paul Rée a espinhosa tarefa de apresentar o pedido de casamento, um erro semelhante ao que cometera naquela ocasião ao recorrer à intermediação de Hugo von Senger. Ele próprio solicitou uma audiência com a mãe de Lou para a noite seguinte, 26 de abril. Do ponto de vista de Nietzsche, incumbir Rée dessa tarefa parecia um passo bem natural e adequado. Há bem pouco tempo, eles tinham vivenciado semanas da mais cordial amizade em Gênova, tinham saboreado mutuamente muitos segredos de sua atividade filosófica, Rée mostrou-se sinceramente preocupado com o bem-estar de Nietzsche, ele era fiel, honesto, não havia segredos entre eles, eram irmãos em espírito, amigos na mais bela acepção da palavra. Na época, Nietzsche não tinha – não só em Roma – nenhuma pessoa à qual fosse mais afeiçoado. Ele podia crer que, com essa incumbência, honraria o amigo e lhe mostraria sua confiança. Em vez disso, colocou-o em uma situação extremamente embaraçosa, pois entre Rée e Lou havia se desenrolado algo que Nietzsche, em tão pouco tempo, nem conseguiu perceber. Rée, como Gillot antes dele e agora Nietzsche depois dele, tinha dado o passo errado. Lou Salomé relata o seguinte sobre isso[215]: "Já na primeira noite [do primeiro encontro com Rée], e daí em diante diariamente, nossas conversas entusiasmadas só terminavam ao caminharmos por desvios para casa [...]. Essas caminhadas pelas ruas de Roma sob a luz da lua e das estrelas nos aproximaram tanto em tão pouco tempo [...] que um plano maravilhoso de como poderíamos tornar isso duradouro começou a se desenvolver em mim [...]. Isso embora Paul Rée inicialmente tenha se portado de modo inteiramente errado, apresentando, para meu desgosto e minha irritação, um plano inteiramente diferente à minha mãe – um plano de casamento –, que dificultou infinitamente a concordância dela com meu plano. Agora, tive de tornar plausível primeiramente a ele mesmo para onde me levavam minha 'vida amorosa encerrada para sempre' e meu anseio de liberdade totalmente irrefreado".

Malwida von Meysenbug também não tinha percebido nada disso, até que Rée teve de se explicar. Após a desilusão causada pela ríspida rejeição de sua proposta de casamento, o frio dissecador dos sentimentos morais só enxergou uma saída da aflição desencadeada por sua paixão amorosa: a fuga. Ele queria partir e tinha de justificar isso para Malwida. Lou, entretanto, o obrigou a ficar e a fazer o intelecto controlar sua paixão. Também Malwida recomendou persistência, mas não ocultou sua decepção com o segredo em torno das caminhadas noturnas, longamente cultivado. Ela não repreendeu por pudor, mas por conhecimento e experiência bem-fundamentados. Assim, escreve o seguinte a Paul Rée em 30 de março[12]: "Esclareci tudo com Louise Salomé e, já que fiz isso com você também, não tenho mais nenhuma responsabilidade por isso agora, mas aconselho, como amiga e conhecedora das pessoas e da vida, a não fazer certas coisas. Sempre é perigoso desafiar o destino; com isso a gente se coloca na mão do destino, e o que podia ficar puro, claro e belo no presente e na recordação adquire uma dissonância e fica turvo". E como o relacionamento, ainda assim, teve continuidade, ela admoesta mais uma vez em 25 de maio, em uma longa carta para Lou em Zurique[12]: "O levar para casa só me deixou constrangida ao pensar que isso poderia desagradar à sua mãe, e eu não queria que ela pensasse que em minha casa se promovesse outra emancipação do que a mais nobre emancipação intelectual [...]. Mas agora veio a confissão muito constrangida das caminhadas, que realmente pareceu como algo [...] que só me foi comunicado [...] por remorso. Eu sabia que, por causa de coisas semelhantes, a reputação de várias jovens tinha sido ameaçada por aqui [...]. Se um conhecido tivesse se encontrado com vocês no meio da noite, não se poderia levar as pessoas a mal se tivessem achado isso estranho. E o que teria Rée feito se um oficial ou algum outro tivesse causado algo desagradável a vocês? Teria duelado com ele?"

Lou de fato cultivava um plano aventuroso, como teve de admitir a si mesma, e ainda assim forçou sua realização ao menos parcial, como, de resto, estava acostumada, e impor sua vontade. Ela relata o seguinte sobre isso[215]: "O que mais diretamente me convenceu que meu plano, incompatível com os costumes sociais vigentes na época, podia ser realizado foi, primeiramente, um simples sonho noturno. Nele, vi um escritório agradável cheio de livros e flores, flanqueado por dois dormitórios e – caminhando para lá e para cá entre nós – colegas de trabalho, formando um grupo alegre e sério". E mais adiante: "Algo ainda mais inesperado aconteceu: assim que Nietzsche ficou sabendo do plano que Paul Rée e eu tínhamos, juntou-se a nós como terceiro parceiro. Até o lugar de nossa futura tríade foi logo definido: deveria ser [...]. Paris, onde Nietzsche queria assistir a certas aulas [...]. Malwida até ficou um pouco mais tranquila porque sabia que lá estaríamos protegidos por suas filhas de criação Olga Monod e Natalie Herzen [...]. Mas ela teria preferido que a Sra. Rée tivesse acompanhado seu filho e a Srta. Nietzsche, o irmão".

Portanto, Nietzsche também se deixou prender pela relação de camaradagem, depois que sua proposta tinha sido rejeitada com a justificativa não muito convincente de que Lou, caso casasse, perderia a pensão que recebia da Rússia, e então eles ficariam sem recursos para ainda conseguir viver de acordo com seu nível.

Como, no passado, no caso da recusa de Mathilde Trampedach, Nietzsche também aceitou essa resposta com aparente serenidade, quase como uma libertação. Mas sua atitude interior para com Lou ainda haveria de passar por algumas transformações, e na alma do homem apaixonado foram despertadas forças com as quais ele ainda haveria de se debater arduamente. Por enquanto, porém, esboçou-se rapidamente um plano para a convivência sonhada por Lou, que de repente incluía a mãe Salomé como "dama de companhia", e ela se deixou usar de bom grado para isso só para estar "junto".

Partida de Roma

Já no dia seguinte, 27 de abril, os dois cavalheiros iriam viajar até os lagos no norte da Itália, para lá procurar um lugar idílico. Em 1º de maio, então, as duas damas pretendiam ir até Milão, onde receberiam o recado sobre o "local". Mais uma vez, porém, o estado de Nietzsche atrapalhou tudo. Depois de Nietzsche ainda ter feito uma visita de despedida a Malwida von Meysenbug em 27 de abril, um acesso de vários dias de duração o obrigou a permanecer em Roma, e Rée ficou para cuidar dele. Assim, as duas damas viajaram primeiro e os dois cavalheiros seguiram mais tarde. Todo o pequeno círculo se reuniu, então, junto ao Lago Orta, que Nietzsche deve ter conhecido muito bem em função das excursões que fez a partir de Stresa. Uma anotação de Rée menciona como dados seguros apenas "Orta, 5 de maio" e "Isola Madre, 10 de maio". Mas Nietzsche não estava mais presente neste último local, e deve ter partido, o mais tardar, no dia 7 de maio, pois escreveu a Rée de Lucerna em 8 de maio e continuou a viagem até Basileia, e desta vez, isto é, até a inauguração do Túnel de São Gotardo duas semanas mais tarde (22 de maio de 1882), a viagem ainda passava pelo desfiladeiro, durando, portanto, pelo menos, entre um dia e meio e dois dias.

Em 8 de maio, Nietzsche surpreendeu seus amigos Franz e Ida Overbeck em Basileia, que quase não reconheceram o amigo, que sempre sofria tanto, de tão otimista em relação ao futuro, tenso e "sadio" que ele parecia, e além disso loquaz, principalmente sobre uma nova conhecida: a Srta. Lou von Salomé. Cerca de sete semanas mais tarde, em 25 e 26 de junho, Franz Overbeck relata a Heinrich Köselitz a respeito dessa visita[12]: "Encontrei Nietzsche lá onde eu esperava vê-lo chegar em breve, caso sua saúde ainda permitisse esperar algo, a saber, repleto de um anseio premente por um modo de vida que o afastasse menos das pessoas e das coisas [...]. Mas a aparência de Nietzsche no tocante à tez e à corpulência era tal que estas últimas me seriam inteiramente incompreensíveis se não pudessem ser consideradas indícios de uma saúde que está se restabelecendo ou, ao menos, não se encontra seriamente abalada. Cinco dias como os que ele passou aqui recentemente – falando ou ouvindo, de modo extremamente animado, via de regra até por volta da meia-noite, com exceção de poucas horas, também com muita música, e tudo isso realmente sem crise e com apenas uma hora de prostração completa – são algo que há muitos anos não vivenciei com Nietzsche [...]. Entretanto, isso tinha sido precedido diretamente por dias ruins, e dias ruins também se seguiram imediatamente – mesmo assim, a experiência acabou sendo sumamente surpreendente e satisfatória".

O mistério do Monte Sacro

O que tinha acontecido, o que tinha produzido essa mudança como por um passe de mágica? Desde esses dias de maio na companhia dos Overbeck, todo o mundo se esforçou para encontrar esclarecimentos e explicações – a rigor, sem grande sucesso, pois as informações biográficas confiáveis são escassas, e à pergunta a respeito do que se desenrolou *em* Nietzsche nos poucos dias recentemente passados, do que ele vivenciou, só se pode dar, de maneira apropriada, a resposta que Tristão dá ao Rei Marke*: "[...] isso eu não posso te dizer; e o que estás perguntando jamais ficarás sabendo". Também a única testemunha – Lou – parece querer nos dar a mesma resposta. Só sabemos que, nos breves dias junto ao Lago Orta, Nietzsche conseguiu, uma vez, fazer uma excursão sozinho com Lou, onde, como relata ela[215], "o Monte Sacro, situado ao lado, parece ter nos cativado; ao menos minha mãe ficou – sem que houvesse intenção de nossa parte – magoada pelo fato de que Nietzsche e eu nos demoramos tempo demais no Monte Sacro para pegá-la na hora combinada, o que Paul Rée, que a entreteve nesse meio-tempo, também observou, ressentido". Nesse passeio, Nietzsche foi arrebatado pelo mistério do amor. Esse é o "mistério do Monte Sacro", como ficou em sua memória. O que aconteceu aí – exterior e interiormente – é algo que se subtrai à curiosidade guiada pelo entendimento. Mais tarde, Lou deu a seguinte resposta a uma pergunta a respeito disso[215]: "Se beijei Nietzsche no Monte Sacro? Não sei mais". É claro que ela sabia, mas a tal pergunta só lhe era possível retrucar com a resposta de Tristão. Também ela ficou encantada com a personalidade de Nietzsche, apesar de todas as reservas e de uma sensação jamais superável de estranhamento. Apesar de sua juventude, ela possuía a capacidade de intuir a envergadura da alma com que se deparava nesse caso e que aqui se defrontava com uma pessoa cuja profundeza de vivências era singular. Ainda assim, restou,

---

* Segundo ato, 3ª cena.

como sempre e em todos os aspectos no caso de Nietzsche, um resto não passível de esclarecimento, e ele permaneceu "estranho" a ela. Mesmo que para nós hoje em dia seja difícil fazer isso, precisamos ter presente que tanto Lou quanto Nietzsche eram filhos de seu tempo, da ponderosa época pós-romântica com sua inclinação para o simbolismo e o misticismo, e que justamente Nietzsche podia sofrer com o que vivenciou no Monte Sacro assim como Tristão com sua ferida ou Parsifal com o beijo de Kundry. Justamente Nietzsche vivia as visões musicais e dramáticas de Wagner de muito perto, tão perto que tinha de fugir delas, combatê-las, para não sucumbir por causa delas. Os dias e semanas vindouros haveriam de mostrar quão fortemente essa paixão amorosa desencadeada por Lou estava associada, para Nietzsche, com o universo visionário de Wagner.

Atos solenes em Lucerna e Tribschen

No dia 8 de maio – ainda de Lucerna –, Nietzsche tinha escrito o seguinte a Paul Rée[12]: "Hoje vou diretamente para Basileia [...] até que seu telegrama me chame para ir a Lucerna [...]. De fato, preciso falar mais uma vez com a Srta. L.; talvez no Jardim do Leão?" Ele se refere, com isso, ao enorme Monumento do Leão, criado por Thorwaldsen, talhado diretamente da rocha, perto do chamado Jardim das Geleiras. O local – Monumento do Leão e Lucerna – não foi escolhido por acaso. Ao receber a informação de que o pequeno grupo de viagem estava em Lucerna agora, Nietzsche se apressa a ir para lá sem demora no dia 13 de maio. Ele é apanhado por Lou e Rée na estação ferroviária, como relata a Overbeck no dia 15. Eles caminharam juntos pela ponte do lago, e então Rée teve de deixar os dois – Lou e Nietzsche – sozinhos, e Nietzsche repetiu sua proposta de casamento pessoalmente sob o monumento, "porque agora, *a posteriori*, a intercessão de Paul Rée em Roma lhe pareceu insuficiente", como registra Lou[215]. E mais uma vez ela recusou a proposta e lhe explicou seu projeto de vida: viver tanto com ele quanto com Rée em uma relação de amizade e camaradagem como uma comunidade de estudo e trabalho. Também desta vez Nietzsche aceitou a resposta com serenidade exterior e manteve sua atitude cavalheiresca. Ele ficou feliz por não ter arruinado também a amizade com sua proposta. Assim, a permanência deles em Lucerna se estendeu até o dia 16, e então todos viajaram para o norte por caminhos separados, Nietzsche para Naumburg, passando por Basileia, Rée para casa, para Stibbe na Prússia Oriental, passando por Zurique, e as damas Salomé inicialmente para Zurique-Riesbach como escala antes de Hamburgo-Berlim, lá "já em companhia de meu irmão Eugène, o mais próximo de mim em termos de idade, que tinha sido enviado pelo mais velho, representante do pai, para ajudar minha mãe. Agora se travaram as últimas batalhas: mas, de meu lado, o que mais me ajudou foi a confiança que Paul Rée inspirava infalivelmente e que, aos poucos, também tinha incluído minha mãe, e assim a coisa acabou com meu irmão me acompanhando até Rée, sendo que Paul Rée veio ao nosso encontro até Schneidemühl, na Prússia Ocidental, e o bandido e o guardião puderam trocar o primeiro aperto de mãos".

Nos dias que passaram em Lucerna, Nietzsche tinha induzido Lou a fazer uma excursão reflexiva para Tribschen, "o lugar em que ele tinha vivenciado tempos inesquecíveis com Wagner: ficou sentado por muito, muito tempo em silêncio na margem do lago, absorto em graves recordações; então, desenhando com a bengala na areia, falou em voz baixa daqueles tempos passados. E, quando olhou para cima, estava chorando"[215]. Acaso Nietzsche tinha esperado, por exemplo, tendo Lou ao seu lado, finalmente exorcizar o espírito da "mais venerada mulher", Cosima Wagner, que ainda exercia grande poder sobre ele? Pelo menos a peregrinação comum até o lugar sagrado para ele tinha de consagrar o novo pacto de amizade. "Ao mesmo tempo, Nietzsche também insistia em fazer a fotografia de nós três, apesar da veemente resistência de Paul Rée, que, durante a vida toda, manteve uma aversão doentia pela reprodução de seu rosto. Nietzsche, em uma atitude travessa, não só insistiu nisso, mas também se ocupou pessoalmente e com zelo da preparação dos detalhes, como a pequena carroça (que ficou pequena demais!) e até o *kitsch* do ramo de lilás no chicote etc." Portanto, Nietzsche é o diretor responsável pela ideia da foto que dá a impressão de mau gosto. Mas a ironia trágica que se expressa nisso não pode ser descartada com um rápido juízo de gosto. Realmente Lou estava prendendo os dois homens diante de sua carreta, e os dois filósofos se submeteram. Mas neste caso deve-se levar em consideração também a proximidade de Tribschen, isto é, de Wagner. Na "Valquíria", no início do 2º ato, Brünnhilde dirige as seguintes palavras a Wotan[259]:

> Aconselho-te, pai:
> prepara-te;
> duro tormento
> deverás passar.
> Aproxima-se Fricka, tua mulher,
> *em seu carro com sua junta de carneiros.*
> *Hei! Como ela agita o chicote de ouro!*
> Os pobres animais
> berram de medo;
> as rodas soam furiosas [...]*.

---

* Versão extraída de http://www.luiz.delucca.nom.br/wep/rw_rn2walkure2_1_01.html [N.T.].

Planos audazes

Por enquanto, Fricka/Lou controlava o carro com rédeas firmes; só a direção da viagem era incerta. No caminho para seu alvo extravagante havia dificuldades de toda espécie, também preconceitos morais burgueses. Para fazer frente a eles, parecia uma boa ideia atrelar mais dois cavalinhos leais para exibir no desfile, que no caso seriam as mães. Lou dispunha quase completamente sobre a própria mãe, e Paul Rée estava se esforçando, com boas perspectivas de sucesso, para acrescentar a sua. Além da ideia de que Lou deveria estar presente em Bayreuth para a estreia de "Parsifal" em julho, ideia valorizada especialmente por Nietzsche, houve, temporariamente, planos para uma estadia conjunta na Engadina durante o verão, mas eles não deram certo por causa do estado de saúde da mãe de Rée. Assim, em todo caso, foi tomada uma decisão. Em 28 de maio, Paul Rée escreveu a Lou, que ainda estava em Zurique, dizendo[12]: "A Engadina está definitivamente fora de cogitação. Para o banho de lago talvez Warmbrunn nas Montanhas dos Gigantes [...] seja a alternativa [...]. Belas montanhas, lugar pequeno, sossegado, com teatro, e incrivelmente barato. Também há muita sombra para Nietzsche, caso ele queira ir. De lá, portanto, você poderia seguir para Bayreuth, se não quiser desistir disso, e isso seria interessante em todo caso, já por causa da família de Wagner".

Entre Paul Rée e Lou Salomé havia se estabelecido entrementes o uso do familiar "você". Rée inclusive assinava suas cartas com "de seu [Paul]". Já no relacionamento de Lou Salomé com Nietzsche sempre permaneceu um último resto de reserva. Embora nas cartas ele a chame pelo prenome, por exemplo "minha querida Lou", e ela responda com "meu querido amigo", permanece um tratamento mais distanciado. Nos aforismos dela escritos no verão vindouro em Tautenburg, encontramos a seguinte frase[12]: "Quanto maior é a intimidade entre duas pessoas, tanto mais ela precisa de limites firmes".

Apelidos engraçados na correspondência com Paul Rée e todo o estilo dos textos das cartas dão a ela uma cor leve e um tom jocoso, fazendo com que o relacionamento oscile entre paixão jovem e doida e uma camaradagem brincalhona, até mesmo nos trechos bem sérios que tratam de problemas filosóficos. Mas estes sempre são apreendidos intelectualmente e nunca deixam transparecer o tom sombrio da vivência, que chama a atenção em toda e qualquer expressão de Nietzsche.

Lou queria ter "um ano legal" na companhia de homens inteligentes e estudar em uma grande universidade. Munique, Viena e Paris estavam em pauta nesse sentido; de momento, Viena estava em primeiro plano como destino para o outono e o inverno subsequente. Nietzsche começou logo a se preparar para isso e estava pensando em passar o verão em algum lugar nos Alpes orientais, "a caminho de Viena".

A "Gaia ciência" fica pronta para o prelo

Como etapa preliminar, Nietzsche se dirigiu inicialmente para Naumburg, para lá se dedicar à elaboração do manuscrito da "Gaia ciência" para fins de impressão. Este surgiu, então, em uma colaboração curiosa. Nietzsche a descreve drasticamente a Heinrich Köselitz em 19 de junho de 1882: "A tortura da produção do manuscrito, com a ajuda de um velho comerciante falido e burro, foi extraordinária: desisti de aturar algo assim mais uma vez". O esquema tinha sido inventado por Elisabeth, com boas intenções e levando em conta a visão fraca do irmão: ela lia o texto escrito a mão em voz alta em forma de ditado, Nietzsche controlava como ouvinte e o senhor mais idoso a cuja ajuda se recorreu deveria, com base nisso, passar o texto a limpo. Seja porque ele ouvia mal, seja porque aqui e ali a pena se emperrava para ele – em todo caso, nem sempre o texto desejado pelo autor saiu no papel, e houve um penoso trabalho de leitura de provas. Em si, a ideia de Elisabeth poderia ter dado certo na prática, mas ela foi infeliz na escolha da pessoa – o que, mais tarde, haveria de se repetir mais vezes, infelizmente de modo muito mais fatal. Assim, agora o trabalho de escrita só avançou lentamente e se estendeu até meados de junho. No dia 19, Nietzsche perguntou a Köselitz "se você *pode* me ajudar na revisão da 'Gaia ciência' – meu último livro, suponho – (e nem vou falar de 'querer ajudar', meu velho e fiel amigo!). Sinceridade até a morte! Não é mesmo?" Em 24 de junho, Nietzsche relata o seguinte a Overbeck: "Teubner já está imprimindo a 'Gaia ciência', e Köselitz está ajudando na leitura das provas. A produção do manuscrito para a gráfica foi penosa; espero que essa tenha sido a última vez por um bom tempo!"

A viagem inútil de Nietzsche para a Floresta de Grunewald

O manuscrito para a impressão deve ter ficado pronto o mais tardar em 15 de junho, pois no dia 16 Nietzsche vai apressadamente com esse manuscrito para Berlim, para mostrá-lo a Lou. Lá, dirige-se à Floresta de Grunewald, mas retorna de lá, decepcionado, já em 17 de junho. Então, escreveu o seguinte a Köselitz no dia 19: "[...] imagine que viajei de Messina para Grunewald em Berlim, que me foi recomendada como local de estadia para o verão por um guarda florestal suíço. Entretanto, não encontrei aí o que procurava – e agora estou de novo em Naumburg". Entre Messina e Grunewald, porém, passaram-se quase dois meses. Com essa exposição um tanto sumária, Nietzsche fundamentou uma interpretação inteiramente errada dessa viagem, que foi, então, propositadamente promovida por sua irmã. O que ele não tinha encontrado? As cartas para Lou Salomé o revelam. Em 28 de maio, ele tinha proposto o seguinte a ela[12]: "Meu último plano para falar com você é este: vou viajar a Berlim na época em que você estiver lá, e a partir daí me retirar imediatamente para uma das belas florestas profundas [...] para podermos nos encontrar *quando* nós quisermos, quando você quiser [...]. Portanto: vou ficar na Floresta de Grunewald e esperar o tempo todo [...] talvez eu encontre alguma casa de guarda florestal ou de pastor decente na própria floresta, onde você possa morar alguns dias perto de mim. Pois, sinceramente, eu gostaria muito de ficar inteiramente sozinho com você tão logo seja possível. Pessoas solitárias como eu precisam primeiro se acostumar aos poucos até mesmo com as pessoas que lhes são as mais queridas [...]. Mas se você quiser seguir viagem, encontramos perto de Naumburg uma outra ermida na floresta [...]. Se você quiser, eu poderia pedir que minha irmã fosse para lá. (Enquanto todos os planos para o verão ainda estiverem em aberto, faço bem em manter total silêncio para com meus familiares – não por ter prazer em segredos, mas por 'conhecer as pessoas'.)" E no dia seguinte, 29 de maio, Nietzsche escreve a Rée[12]: "Em uma das próximas semanas, pretendo me mudar para a Floresta de Grunewald em Charlottenburg e ficar lá enquanto L. estiver com você em Stibbe, para, então, recebê-la e, por exemplo, acompanhá-la para um lugar na Floresta da Turíngia, para onde minha irmã eventualmente também poderia ir (p. ex., o Castelo Hummelshayn)".

Nesses últimos dias de maio, Lou Salomé e sua mãe, vindas de Zurique, ficaram alguns dias em Basileia, onde visitaram os Overbeck. Entretanto, Lou não conseguiu se encontrar com Jacob Burckhardt, por mais que o desejasse. Então ela viajou para Hamburgo, passando por Berlim, e de lá sugeriu a Nietzsche um outro plano para o verão. Rée tinha a intenção de ir com sua mãe para a estação de águas termais e banho de lodo de Warmbrunn, em Hirschberg, na extremidade setentrional das Montanhas dos Gigantes, a meio-caminho entre Dresden e Breslau. Além disso, a chegada do irmão mais jovem de Lou a Hamburgo para buscar a mãe fora anunciada. Por isso, Lou tem de comunicar a Nietzsche o seguinte[12]: "Este último fato abreviará nossa estada em Berlim e prolongará nossa estada aqui a tal ponto que dificilmente poderemos nos ver na capital alemã. Toda a minha esperança é, agora, que Warmbrunn seja um lugar propício para sua saúde, para que possamos ficar juntos e trabalhar lá. De momento não é possível que nós dois fiquemos sozinhos por um tempo mais longo [...]. Talvez se possa combinar muito melhor algo assim na ida para Bayreuth [...]. Acredite que se *agora* estou desistindo de ficar sozinha com você, isso só acontece no interesse de nossos próprios planos [...]. Vou lhe comunicar exatamente todas as razões de viva voz, e também falei sobre elas com os Overbeck [...]. Os Overbeck me receberam com grande cordialidade". Nietzsche não ocultou sua decepção e lhe respondeu imediatamente (em 7 de junho): "Eu estava tão preparado para Berlim e Grunewald que podia partir a qualquer hora. Portanto, só vamos nos rever depois de Bayreuth? E mesmo então só 'talvez'? Warmbrunn não é lugar para mim; também me parece mais aconselhável não exibir nossa convivência a três neste verão tão abertamente quanto uma estada em Warmbrunn traria consigo – para o bem de nossos planos para o outono e inverno. Eu sou conhecido demais nessa Alemanha". Dois dias depois, ele já tem uma nova sugestão: "Seria conveniente que eu vá já agora para Salzburg (ou Berchtesgaden), portanto a caminho de Viena? Quando estivermos juntos, vou escrever algo para você no livro enviado". (Trata-se de "Humano, demasiado humano I".)

Repentinamente para Nietzsche, Lou, como resultado de uma correspondência animada com Rée, vai ter com a família Rée em Stibbe. A caminho de lá, ela se demora alguns poucos dias em Berlim e, de lá, escreve no dia 14 de junho para Nietzsche, que está em Naumburg, dizendo-lhe que sua passagem está se dando tão rapidamente que não haveria mais tempo para um reencontro. Nietzsche responde imediatamente no dia 15: "[...] faz meia hora que estou melancólico e faz meia hora que estou me perguntando: Por quê? – e não encontro outra razão do que a notícia dada por sua caríssima carta de que não nos veremos em Berlim. Agora você está vendo que tipo de pessoa eu sou! Portanto: amanhã de manhã às 11h pretendo estar em Berlim, na estação ferroviária de Anhalt. Minha intenção é: 1) --- e 2) que eu possa acompanhá-la em algumas semanas para Bayreuth, desde que você não encontre companhia melhor. – É isso que significa decidir-se de repente!" E: "Berchtesgaden me parece 'refutado'. Por enquanto vou ficar em Grunewald. – O manuscrito está pronto. Pelo maior burro de todos os escribas! Vou levar junto para Berlim a introdução, que tem por título 'Brincadeira, astúcia e vingança' – Prelúdio em rimas alemãs".

Mas foi em vão que Nietzsche fez essa viagem forçada. Ele não conseguiu encontrar Lou, que talvez já estivesse viajando no dia 16; em todo caso, em 18 de junho ela está em Stibbe, sendo cordialmente recebida pela Sra. Rée, que abraça a jovem amiga de seu filho como se fosse uma filha de criação, depois que, dois anos antes, uma filha de criação, nascida na Inglaterra, lhe tinha sido arrancada pela morte por ocasião do nascimento do terceiro filho. Para a Sra. Rée pode ter sido uma necessidade e um consolo poder preencher de novo essa lacuna dolorosamente sentida. Em todo caso, hospedar uma filha de criação não era nada de novo em Stibbe.

Tautenburg se torna residência do verão de 1882

Por enquanto, Nietzsche teve de desistir de qualquer ideia de se encontrar com Lou antes do Festival de Bayreuth em final de julho. A mais estupenda possibilidade ficou sem ser explicitada: celebrar o reencontro *em* Bayreuth, caso ele ainda fosse convidado por Wagner de maneira aceitável. Por precaução, Nietzsche não se afastou muito e permaneceu em posição de espera, até que viesse um sinal de Wagner – ou de Lou. Mais uma vez, aceitou com gratidão um favor de sua irmã, quando esta descobriu para ele um lugar que parecia apropriado: Tautenburg, em Dornburg, perto de Jena.

Em Tautenburg, o pastor local, chamado Stölten, tivera a ideia de dar um pouco de impulso econômico à modesta aldeia, sonhadoramente localizada na Floresta da Turíngia, tornando-a acessível para o fluxo cada vez maior de veranistas, sendo que ele próprio – o que não era incomum na época – assumiu a atividade de estalajadeiro. Entretanto, Nietzsche não morou na estalagem dele, mas em uma casa de agricultores, do jovem casal Hahnemann. Uma semana depois da fracassada tentativa de ficar na Floresta de Grunewald, em 25 de junho de 1882, Nietzsche viajou para Tautenburg, onde ficou, com pequenas interrupções, dois meses, mais precisamente até 27 de agosto. Elisabeth o acompanhou, mas foi embora de lá em 27 de junho. No dia 25, Franz Liszt também esteve lá – Nietzsche não anota se foi como visita dele. Nesses dias entre a volta de Grunewald e a viagem para Tautenburg – não antes, e talvez até no sossego acolhedor de Tautenburg –, Nietzsche deve ter "se aberto" a respeito de Lou para sua irmã, possivelmente também para a mãe. Que ele já tivesse feito isso em 28 de abril, em uma carta escrita de Roma, certamente é uma das grosseiras falsificações epistolares de Elisabeth. A própria data da carta desperta suspeitas: no dia 28 de abril, Nietzsche deveria estar viajando com Rée, mas teve de ficar por dias em Roma por causa de um acesso grave. De uma maneira ou de outra, em 28 de abril ele nem poderia escrever.

A correspondência cada vez mais densa com "Stibbe", com Paul Rée e Lou Salomé, a excursão envolta em mistério para Grunewald com a perceptível decepção que acarretou, os contatos pessoais entre a mãe de Nietzsche e os Overbeck em Basileia e a mãe de Rée, dos quais podia fluir uma informação indireta, depois os planos conjuntos para o verão, incluindo Bayreuth e um encontro na sequência – tudo isso tornava inadiável uma confissão. Além disso, Nietzsche precisava agora com urgência de sua irmã o favor de tirar, com sua presença, o aspecto socialmente ofensivo do encontro com Lou – por enquanto, planejado unilateralmente – na aldeiazinha em meio à floresta. E Elisabeth também lhe fez esse favor. Entretanto, o fato de Elisabeth, de vez em quando, ter se tornado consciente do caráter questionável – ou até indigno – de seu papel e ter perdido a cabeça por causa disso trouxe alguma perturbação para o idílio de verão e acarretou, por fim, a ruptura da vontade da irmã de se sacrificar. De momento, os envolvidos não pareciam ter se preocupado com a possibilidade de que se estava exigindo demais até mesmo da resistência da melhor das "boas vontades", ou então tais ideias foram postas de lado, como o fez Nietzsche. Com base em uma sensação correta, ele tinha silenciado em Naumburg e lembrado isso constantemente aos poucos iniciados no segredo, como a Overbeck, no dia 23 de maio: "Com relação a Lou, profundo silêncio. É necessário que seja assim", comunicando-lhe ainda, em 19 de junho: "Estou silenciando direto aqui. No tocante à minha irmã, estou totalmente decidido a deixá-la fora; ela só poderia confundir (e por enquanto a si mesma)", até poder admitir a Lou em 27 de junho[12]: "Entrementes comuniquei à minha irmã tudo o que diz respeito a você. Eu a achei, nesse longo tempo de separação, tão adiantada e tão mais adulta do que antes, digna de toda a confiança e muito afetuosa para comigo [...] e assim creio, em suma, que você pode fazer uma tentativa com ela e conosco. – Mas você vai achar agora que todo esse meu silêncio não era necessário? Eu o analisei hoje e achei a seguinte razão última para ele: desconfiança para comigo mesmo [...]. Eu tinha de silenciar porque falar de você teria me desconcertado toda vez (isso me aconteceu na companhia dos bondosos Overbeck)". Agora – e só agora – Lou pode concordar com a estadia conjunta no verão que Nietzsche tinha lhe proposto em 26 de junho. Respondendo a isso, Nietzsche escreve a ela no dia 2 de julho: "Agora o céu sobre mim está claro! Ontem ao meio-dia me senti como se estivesse de aniversário: você enviou seu consentimento, o mais belo presente que alguém poderia me dar agora – minha irmã mandou cerejas, Teubner enviou as três primeiras partes da prova da 'Gaia ciência'; e, ainda por cima, a última parte do manuscrito tinha acabado de ficar pronta e, com ele, a obra de seis anos (1876-1882), toda a minha 'livre-pensação'! Oh, que anos foram esses! [...] oh, cara amiga, sempre que penso nisso tudo, fico abalado e comovido e nem sei como isso pôde dar certo: fico repleto de autocomiseração e da sensação de vitória. Pois trata-se de uma vitória, e uma vitória completa – até minha saúde física se manifestou de novo, e todo o mundo me diz que eu pareço mais jovem do que nunca".

Elisabeth já tinha averiguado, por precaução, a possibilidade de alojamento na casa pastoral, e agora Nietzsche providencia zelosamente a confirmação: três quartos por 12 marcos diários para as duas senhoras: a irmã e Lou. Nietzsche também admite sua nova amizade a Köselitz, mas com uma introdução estranha. Junto com as provas da "Gaia ciência", ele envia, sem comentários, em 1º de julho, sua transcrição do poema "À dor" de Lou Salomé, de modo que Köselitz só podia considerá-lo um produto de Nietzsche. Ainda assim, ele teria respondido de bom grado como Walter von Stolzing nos "Mestres cantores" (1º ato): "Isso tudo soa estranho ao meu ouvido", mas o formula em palavras mais reservadas[13]: "Vou guardar fielmente sua poesia repleta de sublimidade; acredite que estou tentando entendê-la no espírito do qual ela proveio". E, respondendo a isso, Nietzsche comunica finalmente o seguinte, em 13 de julho: "Aquele poema [...] não era de minha autoria. Ele faz parte das coisas que têm total poder sobre mim; nunca consegui lê-lo sem lágrimas nos olhos. [...] Esse poema é de minha amiga Lou, da qual você não deve ter ouvido falar ainda. Lou [...] tem 20 anos de idade [...] sagaz como uma águia e corajosa como um leão, e, em última análise, uma criança com todo o jeito de menina [...]. Depois de Bayreuth ela virá me visitar, e no outono nos mudaremos juntos para Viena. Vamos morar em uma casa e trabalhar juntos; ela está espantosamente preparada justamente para meu estilo de pensamento. Caro amigo, você certamente nos prestará a honra de manter o conceito de amor distante de nosso relacionamento. Nós somos amigos, e vou considerar sagrada essa moça e essa confiança em mim. – Aliás, ela tem um caráter incrivelmente seguro e sincero".

Bayreuth, verão de 1882: estreia de "Parsifal"

Nessas semanas, a atenção de Nietzsche se mantém ocupada com o trabalho de revisão de provas em seu novo livro, mas também com a expectativa da visita pela qual anseia. A isso se acrescenta a agitação em torno do que está acontecendo em Bayreuth. Nietzsche nunca abandonou inteiramente a esperança silenciosa de uma mudança que lhe fosse favorável, e um convite de última hora não o teria pego despreparado. De imediato, ele estudara minuciosamente a partitura para piano de Parsifal só publicada em 4 de maio e se correspondido sobre ela com Köselitz. Agora, em 23 de julho, na véspera da partida de sua irmã para Bayreuth, ele vai às pressas vê-la em Naumburg, para prepará-la ao piano para essa música com base na partitura. Dois dias mais tarde, relata o seguinte a Köselitz a respeito disso: "Por fim eu disse: 'Minha cara irmã, é bem esse tipo de música que eu fiz quando menino, naquela época em que fiz meu oratório – e agora fui pegar os papéis antigos e, depois de um longo intervalo de tempo, os toquei de novo: a identidade entre afinação e expressão era fabulosa! Algumas passagens, p. ex. 'A morte dos reis'[125], pareceram a nós dois mais emocionantes do que tudo que nos apresentamos de Parsifal, mas, ainda assim, bem parsifalesco! Com um verdadeiro susto, fiquei mais uma vez consciente de quão estreita é minha afinidade com Wagner [...]. Você certamente me entende, caro amigo, que com isso não quer elogiar Parsifal!! – Que súbita decadência! E que cagliostricismo! –" Também esta é uma das passagens das cartas de Nietzsche que levaram a suposições e "percepções" erradas.

As composições de Nietzsche – também o "Oratório de Natal" – nunca soam "wagnerianas", como muitas obras dos epígonos de Wagner. Mas no oratório de Natal de Nietzsche a pretensão é a mesma como em Parsifal de Wagner: empregar a música como meio da vivência cristã da transcendência e só admiti-la nessa função, e até ver nisso sua consumação suprema, sua única e genuína esfera de expressão; portanto, fazer com que a música não se consumasse como música, e sim como portador emocional do mistério cristão, portanto, como um princípio de estética filosófica que, entrementes, Nietzsche tinha "superado", abandonado, mas em que, em sua juventude – graças ao fundamento comum da concepção schopenhaueriana de música – estivera próximo de Wagner de uma maneira que agora o assustava.

No dia 26 de julho de 1882 foi encenada a estreia de "Parsifal"[258] – sem Nietzsche. Uma tentativa de reconciliação fora empreendida junto a Wagner, provavelmente por parte de Malwida von Meysenbug, sempre bondosa e propensa à harmonização dos opostos, que, como amiga íntima da casa dos Wagner, era a que mais podia se sentir vocacionada para isso. Mas a tentativa malogrou. Doze anos mais tarde, Lou Salomé, lembrando-se vagamente, observa o seguinte sobre isso em seu livro sobre Nietzsche (p. 78)[214]: "Wagner saiu da sala, muito agitado, e proibiu que alguma vez se pronunciasse o nome em sua presença". Isso provavelmente após uma discussão, e não só por ocasião da mera menção do nome. Portanto, também para ele a separação era uma experiência dolorosa, e até ainda lhe causava tanta dor que não podia ouvir falar disso. A irmã de Nietzsche afirmou que também havia empreendido uma iniciativa semelhante, mas não há nada que demonstre isso. Também os diários minuciosos de Cosima não mencionam nada disso*. Igualmente questionável permanece a descrição do comportamento de Wagner que Nietzsche comunica a Köselitz em 1º de agosto: "Recentemente, Wagner disse, extremamente triste, que seus melhores amigos Nietzsche e Rohde o abandonaram e ele se sentia solitário". De onde Nietzsche sabia disso? Nenhuma outra fonte entra em cogitação exceto sua irmã, que já estava de volta em Naumburg no dia 1º de agosto, enquanto que Lou Salomé ainda ficou em Bayreuth até o dia 7.

A desconfiança para com essa suposta manifestação de Wagner também é justificada pelo erro objetivo: justamente Rohde permaneceu fiel a Wagner!

Elisabeth e Lou em concorrência

Elisabeth Nietzsche e Lou Salomé tinham ingressos para a segunda apresentação em 28 de julho. Elas tinham se encontrado em Leipzig no dia 24 para continuarem a viagem juntas até Bayreuth. Por intermédio de Malwida von Meysenbug, Lou também foi introduzida na casa de Wahnfried e tomou parte nas "noites de Wahnfried". Aí ela viu "muito da vida da família, por mais agitada que ela ficasse por causa da enorme enxurrada de hóspedes de todas as partes do mundo. Lá onde estava o centro,

---

* Deve-se levar em consideração, entretanto, que, depois do dia 26 de julho de 1882, Cosima só retomou seu diário seis semanas mais tarde, após 6 de setembro, em Veneza. Será que o fez com base em apontamentos sumários? Nele também falta sua visita a Malwida, seguramente atestada por Lou (a qual morava com Malwida). Ainda assim, a conversa de Elisabeth com Wagner permanece improvável. Durante as primeiras apresentações e ensaios para troca de papéis, Wagner dificilmente tinha tempo e força para isso; além disso, ele evitava *toda e qualquer* visita e ficava, tanto quanto possível, sozinho com Cosima.

Richard Wagner – que, por causa de sua baixa estatura, sempre só ficava visível por instantes, como um chafariz cuja água salta para cima –, ouviam-se sempre manifestações da maior alegria, ao passo que a aparição de Cosima a destacava, por causa de sua altura, de todos os circundantes, pelos quais passava a cauda de seu vestido infinitamente longo – formando, literalmente, um círculo em torno dela e criando distância para com ela. Em todo caso, por amabilidade para com Malwida, essa mulher indescritivelmente atraente e de maneiras nobres me procurou certa vez, possibilitando-me, com isso, uma conversa longa e detalhada com ela [...]. Entre as pessoas mais próximas de Wagner, fiz a maior amizade com o pintor russo Joukowsky [...]. Sobre o impressionante evento do próprio Festival de Bayreuth, não devo dizer aqui uma só palavra, de tão imerecidamente que ele foi concedido a mim, que, sem qualquer ouvido musical, encontrava-me lá sem nada compreender ou sem ter qualquer mérito", como escreve Lou Salomé em suas memórias[215]. Este testemunho é importante para nós: Lou von Salomé não tinha, como se diz, "sensibilidade musical", e entre ela e Nietzsche faltava o vínculo musical que tem um papel significativo em todas as amizades de Nietzsche. Assim, nem "Parsifal" e nem seu criador Wagner representaram um enriquecimento duradouro da vida dela. Em compensação, ela se movimentou mais ainda nas ondas da sociabilidade, e para isso houve oportunidades abundantes. O fato de que, nesse sentido, o Conde Joukowsky, seu compatriota, ocupou o primeiro plano foi ocasionado por algumas coincidências bem exteriores. A tutora de Lou, Malwida von Meysenbug, não morou, durante o período do festival – ao contrário de outras ocasiões –, na casa Wahnfried de Wagner, e sim com o jovem Heinrich von Stein, que, já no inverno seguinte, haveria de fazer parte do "círculo de Berlim" em torno de Lou Salomé e Paul Rée e, até um ano antes, tinha atuado em Bayreuth como educador do jovem Siegfried Wagner, agora com 13 anos, na vila de Joukowsky, que tinha feito o cenário para Parsifal e pinturas para Wahnfried, diretamente ao lado de Wahnfried. Isso acarretou, entre outras coisas, a visita de Cosima acima mencionada. Para Lou, Joukowsky – um homem do mundo, artista, livre e ligado a ela pela mesma pátria – era um conhecido estimulante e divertido, e, para Joukowsky, a garota ousada, que se movimentava de modo tão pouco convencional e, não obstante, seguro e livre no ambiente da sociedade, representava uma possibilidade oportuna de jogar com seu lado galanteador. Mas os dois não se deram conta de que, neste caso, tias preocupadas não podiam ver nisso somente jogo, e sim ensejo para fofocas horríveis, que chegaram até Stibbe e deixaram Rée preocupado e ciumento – ou, se tivessem se dado conta, ainda teriam se divertido com isso. Mesmo uma alma tão compreensiva como Malwida von Meysenbug escreveu o seguinte a Nietzsche, ainda meio ano depois, em 13 de dezembro, a respeito de Lou: "Mas desde Bayreuth não sei mais muito bem o que pensar dela, e gostaria de ouvir sua opinião".

Entretanto, mesmo essa voz não teria pesado tanto. Depois de duas semanas de estadia em Bayreuth, esse flerte terminou por si mesmo, e também a fofoca teria emudecido sem deixar repercussões, se Elisabeth, naquela semana em que teve de assistir a isso, não tivesse se enchido de indignação e ciúme. Elisabeth estava com 36 anos de idade, era solteira e nunca tinha sido cortejada. Ela tinha de se preparar para uma existência de solteirona em uma cidadezinha tediosa, ficando ainda e decerto por muito tempo sob a guarda e disciplina de uma mãe beata. O horizonte concedido a ela era definido pelo pequeno lar e os habituais encontros de senhoras para tomar café e comer bolo. Para ela, só havia *um* avanço para um mundo superior: na admiração pelo irmão, que ela venerava desmedidamente, embora já há bastante tempo ele a mantivesse friamente a distância tão logo o que estivesse em pauta era o que ele tinha de mais próprio, sua obra, sua filosofia. Ainda assim, ela acreditava ter conquistado junto a ele uma posição que não cabia a ninguém exceto a ela, pela qual ela também tinha sofrido e sacrificado algumas coisas, e especialmente passado por abalos religiosos, e que agora tinha de defender, porque de repente a estava vendo ser ameaçada. E a estava vendo ser ameaçada por uma garota de 21 anos que, avaliada segundo critérios pequeno-burgueses, portava-se de maneira "escandalosa", flertava com todos os homens, tinha de se defender a duras penas de uma série de propostas de casamento, e, embora sem sensibilidade musical e sem relação ou compreensão, está entrando no mais íntimo recesso da casa dos Wagner, ao passo que ela, como irmã do ex-apóstolo apóstata e ostracizado, ocupa aqui uma posição um tanto secundária. Mas isso não é tudo. Essa jovem se dá com pessoas que não conhecem sequer o nome de Nietzsche, como esse horrível Joukowsky, e pode, como a mais íntima amiga de Nietzsche, vangloriar-se de ser iniciada na filosofia de Nietzsche, ter conhecimento de ideias e problemas com os quais ele se debatia em seu mais secreto íntimo como nenhuma outra pessoa. Lou ocupava no coração de seu irmão um lugar pelo qual nunca tinha se esforçado e que sequer desejava.

Elisabeth tinha coisas demais a perder para deixar de agir imediatamente. Por isso, comunicou sem demora ao irmão suas impressões de Bayreuth, decerto uma mescla de ficção e realidade, assim como ela a tinha visto. Sem ter qualquer noção disso, Lou escreveu ainda de Bayreuth a Nietzsche, que estava em Naumburg, o seguinte no dia 2 de agosto[12]: "Sua irmã, que agora já é quase minha também, vai lhe contar tudo que aconteceu aqui – a presença dela foi um grande apoio para mim, e sou grata de coração a ela". No mesmo dia, porém, Nietzsche lhe escreveu uma carta que a deixou magoada. Ela adiou sua partida e explicou o retardamento alegando seu estado de saúde, mas respondeu a carta em 3 de agosto, rejeitando as acusações; ao que Nietzsche lhe responde no dia 4: "Venha, sim, estou sofrendo muito por ter feito você sofrer. Juntos vamos suportar isso melhor". Então Lou sugere que eles se encontrem em Jena e, eventualmente, fiquem lá, até que o atual tempo, que estava horrível, faça com que a estada em Tautenburg pareça agradável.

Conflito explícito das rivais

Em 7 de agosto, Elisabeth e Lou se reencontraram na casa de um amigo, o Prof. Gelzer, e aí ocorreu então uma cena extremamente feia. Elisabeth descarregou toda a sua indignação mesquinha em acusações venenosas. Então Lou, que fora atacada, partiu para o contra-ataque, usando uma linguagem polida, mas sem freios e, ao fazer isso, despedaçou a imagem que Elisabeth tinha do irmão. Ela feriu Elisabeth, que agora se transformara em inimiga, onde esta era mais vulnerável: na crença na moralidade, na santidade ascética do irmão.

Em um texto intitulado "Nietzsches Lou-Erlebnis" [A experiência de Nietzsche com Lou][51], C.A. Bernoulli conta uma anedota da época de Sorrento. Segundo ela, "uma jovem de Sorrento passava periodicamente na casa de campo. Ela vinha por causa de Nietzsche. Mas este tinha tão grande consideração pela correção externa, tanto temor de causar escândalo e ensejar palavrório que pediu a seu amigo Rée que assumisse, diante da Srta. Von Meysenbug, as visitas dessa moça do interior como se fossem para ele. Paul Rée fez esse favor a Nietzsche até com algum divertimento, pois não tinha quaisquer preconceitos nessa área". Infelizmente, Bernoulli não indica qualquer fonte para essa informação, de modo que sua "verdade" permanece um tanto questionável. Mas se as coisas realmente foram assim, é possível que Paul Rée tenha contado isso a Lou ainda antes da viagem dela a Bayreuth, para provar a ela que seu novo amigo não era tão inofensivo e inocente quanto ele pretendia ser e era apresentado. Rée tinha ciúmes, pois também amava Lou e tinha medo de perdê-la.

O que se depreende com certeza da correspondência é que Paul Rée comunicou a Lou a estranha passagem de uma carta em que Nietzsche fala do possível "casamento" com prazo de dois anos e que Rée interpretou isso bem enfaticamente como uma proposta séria de "casamento sem papel passado" por parte de Nietzsche. E existe ainda a possibilidade de um terceiro incidente, a saber, que Nietzsche, por ocasião da conversa junto ao Monumento do Leão, em Lucerna, pudesse ter sugerido, reagindo à alegação de Lou (com a qual ela rejeitou de novo a proposta dele, desta vez direta) de que não se sentia madura para o casamento e ainda não tinha superado o choque que sofrera com o cortejo de Gillot, que eles tentassem por enquanto uma convivência sem vínculo jurídico, durante a qual Lou poderia, então, amadurecer para assumir o casamento válido. Afinal, esse ponto de vista não era tão estranho assim para Nietzsche; também em sua época havia muitos casos assim, e ele tinha acompanhado bem de perto um dos mais famosos: naquela noite, ele estava como hóspede sob o mesmo teto em Tribschen sob o qual Cosima deu à luz o filho que teve com Wagner antes do casamento.

Em todo caso, no confronto em Jena, Lou deve ter usado sem entraves esse conhecimento e atingido Elisabeth com a afirmação de que Nietzsche lhe teria sugerido um "casamento sem papel passado"; a isso Elisabeth podia naturalmente retrucar, com toda a razão, que a proposta de uma convivência, até a três, teria partido de Lou. É assim, em todo caso, que Elisabeth descreve a cena em uma longa carta à sua amiga Clara Gelzer, de Basileia[187].

Pontos altos com Lou em terreno perigoso

Apesar desse embate, que deveria ter ensejado a partida de uma das duas mulheres, elas ainda foram juntas, na noite do dia 7 de agosto, para Tautenburg, onde se arriscou um convívio a três, ficando as duas inclusive sob o mesmo teto na casa pastoral: Lou, para cumprir sua promessa e também, de algum modo, sob o fascínio do homem que ela considerava ao menos interessante, e Elisabeth, para não deixar o jogo correr solto.

Nietzsche, entrementes, tinha preparado o ninho para uma estadia tão confortável quanto possível e também incluído, habilidosamente, paisagens para deixar o clima mais animado. Decerto se pode expressar a suposição de que ele não tivesse abandonado sua antiga ideia de conquistar Lou inteiramente para si e visse aqui, nessa convivência – nesse lugar afastado e, com isso, em um "depender um do outro" – uma última e significativa chance de atingir seu objetivo. Desta vez, porém, ele não atropelou Lou com uma proposta de casamento repentina, mas procedeu de maneira cautelosa, como se tivesse lido o "Diário de um sedutor"[135] de Kierkegaard, que Lou possivelmente conhecia de seus estudos de Kierkegaard com Gillot, não podendo, portanto, ser surpreendida com esses métodos.

As lideranças comunitárias de Tautenburg sabiam – por intermédio de Nietzsche ou por sua intervenção – que hospedavam um visitante importante e se esforçaram para deixá-lo satisfeito. As trilhas protegidas do sol na mata, preferidas por Nietzsche, foram particularmente ampliadas e melhoradas. Nada menos de cinco bancos de descanso foram colocados nos locais em que Nietzsche mais gostava de se demorar, e ainda foi dada a ele a possibilidade de escolher os nomes desses locais. Também a definição do texto e do leiaute de plaquinhas comemorativas foi deixada por conta dele. Nietzsche escolheu dois nomes. Um deles era "O homem morto", porque o respectivo trecho de mata tinha esse nome; aí na Guerra dos Trinta Anos se teria encontrado, certa vez, um morto de identidade desconhecida. Nietzsche tinha particular afeição por esse local na mata, o que, para Lou, tinha algo de sinistro; o humor macabro de seu amigo lhe causava repulsa. O outro nome foi dado a um banco circular em volta de uma faia: "A gaia ciência". Nietzsche fala disso pela primeira vez em um cartão postal de 13 de julho*. Em 18 de julho, ele dá a seguinte tarefa à irmã: "[...] fale com um entendido no assunto sobre qual seria o melhor tipo de plaquinhas e inscrições", e desenha as duas plaquinhas, retangulares, com o título no centro. No domingo, 23 de julho, vai para Naumburg e espera poder levar as plaquinhas junto, mas se queixa à mãe no dia 7 de agosto: "É uma lástima que as plaquinhas ainda não tenham chegado; por fim, elas vão acabar vindo quando todos os visitantes tiverem ido embora e as tempestades do outono forem iminentes". Que visitantes lhe interessam e a quem ele quer impressionar? Só pode ser Lou! Depois de 7 de agosto, não ouvimos mais falar das plaquinhas; os acontecimentos tomaram um rumo mais grave que fez com que ele não quisesse se desgastar com essas bagatelas.

Já o primeiro relato de sua irmã sobre Bayreuth, com suas consequências na correspondência com Lou, o afligiu muito. Por isso, o cartão postal de 7 de agosto dirigido à mãe e mencionado acima por causa das plaquinhas começa dizendo: "Nosso último encontro, querida mãe, transcorreu de modo um tanto melancólico, embora eu tivesse vindo com o desejo oposto: só queria me restabelecer um pouco na tua companhia, pois me sentia muito atacado". Mas ele se apruma e recebe sua jovem visita à noite radiante de alegria, como um jovem noivo. Entretanto, ainda na mesma noite sua irmã, agitada, lhe fala a respeito da cena em Jena, ocorrida há poucas horas, e repete todas as acusações que preparou misturando as fofocas de Bayreuth com "observações" e temores próprios. Por isso, na manhã seguinte Nietzsche se encontra com Lou perceptivelmente de mau humor, e entre eles ocorre uma discussão, mas esta acaba terminando harmoniosamente. E isso ainda se repete mais algumas vezes nas três breves semanas de convivência de 7 de agosto, uma segunda-feira, até 26 de agosto, um sábado. Já após a segunda semana, no dia 20 de agosto, Nietzsche escreve o seguinte a Köselitz: "A cada cinco dias temos uma cena em que ocorre uma pequena tragédia". Ainda assim, esse foi um período aprazível e filosoficamente proveitoso para ambos. Elisabeth, naturalmente, ficou em segundo plano nisso tudo. Ela foi tratada como se não existisse. Na maior parte do tempo, teve de fazer seus passeios sozinha, e quando ocorria uma conversa, esta permanecia incompreensível para ela, ou ela ficava horrorizada com os provocantes juízos críticos a respeito da moral. Já Nietzsche e Lou vagueavam durante horas pelas

---

* O P.S. da carta de 3 de julho de 1882 da edição da correspondência reunida foi interpolado a partir desse cartão postal inédito.

matas todos os dias, e à noite suas conversas muitas vezes se estendiam até tarde. Em seu diário, que escreveu em Tautenburg para Paul Rée, Lou relata a respeito disso[12]: "Durante essas três semanas, nós estamos literalmente nos matando de tanto conversar, e, estranhamente, de repente ele está aguentando bater papo cerca de 10 horas por dia. Em nossas noites, quando a lâmpada, presa, como um inválido, com um pano vermelho para não fazer mal aos pobres olhos dele, só joga uma luz fraca pela sala, sempre acabamos falando de trabalhos conjuntos. É esquisito que, com nossas conversas, acabemos chegando, sem querer, àqueles pontos causadores de vertigens para onde decerto se subiu uma vez solitariamente a fim de olhar para as profundezas. Nós sempre escolhemos o caminho das cabras, e se alguém estivesse nos ouvindo, teria acreditado que dois diabos estavam conversando". Eles redigiram aforismos em conjunto, que Lou esboçava e Nietzsche corrigia ou complementava. Em 14 de agosto, Lou escreve o seguinte a Rée: "Nietzsche, que de modo geral é de uma coerência férrea, é concretamente uma pessoa muito temperamental. Eu sabia que, quando nos relacionássemos – o que ambos evitamos de início, no tumulto das sensações –, nós nos encontraríamos, em nossas naturezas profundamente afins, para além de todo palavreado mesquinho [...]. Ele subia constantemente e, à noite, pegou minha mão e a beijou duas vezes, e começou a dizer alguma coisa que ficou sem ser enunciada. Nos dias seguintes, eu fiquei acamada, e ele me enviava cartas para dentro do quarto e me falava pela porta. Então minha antiga febre acompanhada de tosse cedeu, e eu me levantei. Ontem passamos o dia inteiro juntos. [...] Elisabeth estava no Dornburg com conhecidos. [...] Na pousada, as pessoas acham que estamos juntos, assim como você e eu, quando chego com o gorro e Nietzsche e sem Elisabeth [...]. Há um atrativo especial na confluência de pensamentos iguais, sensações e ideias iguais, e a gente consegue se entender quase com meias-palavras. Uma vez ele disse, espantado com isso: 'Acho que a única diferença entre nós é a idade. Nós vivemos e pensamos de forma igual".

No mesmo dia, 14 de agosto, Nietzsche relata o seguinte a Köselitz: "Entrementes algumas coisas se mexeram; de modo geral, tudo está correndo da melhor maneira para mim; eu tive de passar por uma prova dura, e me saí bem. – Lou ainda vai ficar 14 dias aqui; no outono, vamos nos encontrar de novo (em Munique?) – Eu tenho *meu próprio* jeito de olhar as pessoas; o que eu *vejo* também existe, mesmo que outras pessoas não o vejam. Lou e eu somos 'parentes consanguíneos' *de modo extremamente semelhante*". (Quer dizer que não posso nem louvá-la mais ao falar com você!)

Nietzsche ofereceu a Lou reflexões sobre "estilo" e outros assuntos, confiando-se inteiramente a ela. Sem dúvida, ele disputava a moça na concorrência contra seu amigo Paul Rée – assim como Elisabeth o disputava contra a rival. Mas, em vez de encantá-la, ele foi cada vez mais fortemente encantado por ela, e lhe sobreveio um amor genuíno, profundo, disposto ao perdão e sacrifício (até Elisabeth reconhece isso em sua carta a Clara Gelzer). E aí ele não percebeu que Paul Rée estava há muito tempo mais próximo dela; ela mantinha um diário para ele, em que lemos, entre outras coisas[12]: "A diferença entre vocês dois, mencionada acima, também se reflete muito claramente em pequenos traços. Por exemplo, em suas opiniões sobre estilo. Seu estilo pretende persuadir a cabeça do leitor e é, por isso, cientificamente claro e rigoroso, evitando toda sensação. Nietzsche quer persuadir o ser humano todo; quer, com sua palavra, atingir a mente e mexer com o mais íntimo; ele não quer instruir, mas converter". Lou Salomé se agradou do cético Rée, intelectualmente luminoso, especulativo, e não do mágico Nietzsche com suas visões poéticas. Com instinto apurado, Lou estava pressentindo já agora onde suas trajetórias se separavam, e em 18 de agosto escreveu o seguinte no diário: "Será que estamos bem próximos? Não, não obstante tudo isso. O que nos separa, o que se interpõe entre nós, é como uma sombra daquelas ideias sobre como eu me sentia que ainda animavam Nietzsche há poucas semanas. E em alguma profundeza oculta de nosso ser nós estamos muitíssimo distantes um do outro. Nietzsche tem em seu ser, como um castelo antigo, alguns calabouços escuros e porões ocultos, que não caem na vista quando se o conhece superficialmente, mas, ainda assim, podem conter o que ele tem de mais autêntico. É estranho, mas recentemente me passou pela cabeça, com súbita força, a ideia de que alguma vez nós até poderíamos nos defrontar *como inimigos*". E ainda: "Nós ainda o veremos atuar como proclamador de uma nova religião, e então será uma religião que atrairá heróis como discípulos".

Nietzsche também conhecia as diferenças fundamentais entre ele e Rée, e, em seu duelo para conquistar Lou, foi induzido a chamar a atenção dela para as inclinações negativas de Rée, seu cansaço de viver, que chegava até a possibilidade do suicídio; mas com essa tática Nietzsche alcançou o contrário do que pretendia: Lou achou isso de mau gosto e estranho. Nietzsche se entregou à ilusão de ter, finalmente, encontrado em Lou o espírito abrangente que teria condições de compreender sua "mais abissal ideia", o Mistério do Eterno Retorno, e seria tomado por ela da mesma maneira como ele a tinha sofrido. Mas ela certamente tinha uma formação filosófica extensa o suficiente para perceber a completa aporia desse dogma e também sua proveniência da filosofia especulativa da Antiguidade. Ela certamente também tinha condições de refutar toda essa cosmovisão criada especulativamente, mas procedeu com cautela e apoiou Nietzsche cada vez mais na resolução, há muito latente, de adquirir os fundamentos da percepção das ciências naturais mediante um estudo aprofundado. Lou podia esperar que, então, o próprio Nietzsche dispusesse do método e dos critérios para superar, por suas próprias forças, o dogma do

Eterno Retorno. A rigor, o que estava em pauta era o caminho que levava da forma de filosofar da Antiguidade para a forma moderna, contemporânea. Os filósofos da Antiguidade deduziam seus conhecimentos, mesmo quando se tratava de "ciência natural", de princípios gerais e só raramente de experimentos, dos quais estavam privados já pela falta de recursos técnicos. Mesmo nos casos em que eles chegaram a resultados e conhecimentos surpreendentes e até a realizar algo fundamental para o futuro, muitas vezes não podemos aceitar suas fundamentações. Por outro lado, a ciência natural moderna, isto é, da mesma época de Nietzsche, e a filosofia positivista que nela se apoia baseiam-se essencialmente na empiria e no experimento, mas, ao fazer isso, perdem facilmente o nexo com os aspectos fundamentais de uma cosmovisão. Filosofia. Há um duplo aspecto trágico no fato de que a amizade com Lou Salomé fosse se romper tão em breve e tão completamente, a saber, trágico para o ser humano Nietzsche e para sua obra. Uma realização amorosa com Lou teria sido a última chance para Nietzsche reencontrar o caminho para as pessoas; o fato de ter sido privado dela o remeteu definitivamente de volta para sua solidão amarga e sem esperança. Como filósofo, ele era em sua época – e ela foi uma época crítica – o único que tinha a força e o gênio de plasmar toda uma cosmovisão, de reconciliar o positivismo, o materialismo e a filosofia especulativa, bem como até o profetismo, em uma cosmovisão abrangente. Mas a complementação de seu conhecimento necessária para isso, o aperfeiçoamento através de um estudo das ciências naturais, faltou porque, após a separação, não havia mais ninguém que o entusiasmasse para esse estudo, do qual se falou intensivamente desde os dias passados em Roma e para o qual se fizeram repetidamente outros planos. Assim, ainda antes de sua chegada a Tautenburg, Lou tinha questionado por carta o que fora combinado firmemente há algum tempo para Viena, mas desenvolveu em Tautenburg um novo plano para Munique. Mas também isso não deu em nada. Por fim, Nietzsche, Rée e Lou se encontraram em outubro em Leipzig, e fizeram mais uma vez novos planos, dessa vez para Paris, mas eles também acabaram sendo desfeitos.

Pode-se acusar Lou Salomé por causa disso? Dificilmente, pois ela não era a mulher capaz da autorrenúncia exigida por Nietzsche, mas era lúcida e sincera o suficiente para admitir isso e agir de acordo com essa admissão. Ela se sentia sobrecarregada por Nietzsche, assim como todos os amigos e conhecidos dele estavam sobrecarregados. Nietzsche vivenciou que alguém como Richard Wagner, uma das poucas pessoas que ele reconheceu até o fim como um igual, tinha encontrado uma companheira à sua altura: Cosima. Acreditava agora que essa felicidade também caberia a ele, e quis forçá-la. Mas Lou não era Cosima, que, por fim, permaneceu também para Nietzsche a "mulher mais venerada", a mulher mais elevada e, para ele, inatingível.

O idílio em Tautenburg terminou em 26 de agosto, com a partida de Lou para Stibbe, ainda em plena paz e, para Nietzsche, na exaltação de uma felicidade melancólica. Por ocasião da despedida, Lou tinha dado a ele de presente aquele poema, "Oração à vida", que tinha escrito em 1880 quando estudava em Zurique, totalmente a partir de um estado de ânimo juvenil e heroico, para dispersar a aflição causada pela doença que ameaçava consumir sua vida. Nietzsche ficou profundamente abalado pela ideia e pelo estado de espírito em que o poema está redigido. No dia seguinte, foi apressadamente para Naumburg e "compôs" o poema para uma voz e acompanhamento de piano. Mas sua capacidade produtiva musical estava esgotada, e a melodia não brotou mais com tanta fluência como na época da primavera de canto quando cantava para Anna Redtel em Pforta e para Marie Deussen em Bonn. Mas ele tinha uma música, uma melodia solene e heroica, que estava levando consigo há nove anos e que lhe parecia combinar com a letra: Seu "Hino à amizade". Só tinha de mudá-la um pouco, para que o número de sílabas do poema combinasse mais ou menos com a melodia. Com essa criação, Nietzsche vivenciou e realizou sua união com Lou Salomé. Ele enviou a composição sem demora a seu mestre musical "Peter Gast" e escreve o seguinte sobre isso: "Eu gostaria de ter feito uma canção que também pudesse ser apresentada publicamente, 'a fim de seduzir as pessoas para minha filosofia'. Um grande cantor poderia *me* arrancar a alma do corpo com isso; mas pode ser que outras almas, pelo contrário, acabem se escondendo em seu corpo ao ouvi-la! – Você poderia tirar um pouco do estilo leigo da composição como tal? Você há de acreditar que me esforcei dentro de minhas possibilidades". E a Lou ele relata em 1º de setembro[12]: "Em Naumburg me sobreveio de novo o demônio da música – fiz a composição de sua oração à vida; e minha amiga Ott, de Paris, que possui uma voz maravilhosamente forte e expressiva, irá cantá-la um dia para você e para mim". Em 16 de setembro, relata a ela, seguro de si: "O Prof. Riedel aqui se entusiasmou com minha 'música heroica' (refiro-me à sua 'Oração à vida') – ele quer ficar com ela, e não é impossível que a arranje [...] para seu magnífico coro. Isso seria, assim, um pequeno caminhozinho pelo qual nós dois *juntos* chegaríamos à posteridade – sem prejuízo de outros caminhos".

A ruptura com a família se torna inevitável

Elisabeth se recusou a voltar para Naumburg com o irmão; ela não queria mais ficar com ele, pois tinha sofrido demais com as humilhações incessantes. Quanto ao sofrimento que infligiu a ela, Nietzsche se limita à seguinte observação maldosa na carta que escreveu a Lou Salomé em 1º de setembro[12]: "Só falei pouco ainda com minha irmã, mas o suficiente para enviar de volta ao nada, de onde ele tinha surgido, o novo fantasma que apareceu [as outras acusações de Elisabeth a partir da briga ocorrida em Jena]". Naturalmente, a mãe acabaria percebendo isso. Na divergência de opiniões que Elisabeth atiçou por carta a partir de Tautenburg, ela tendeu cada vez mais ao modo de ver as coisas de sua filha, e quando chegou ao ponto de dizer a seu Fritz – de resto tão amado – que ele seria "uma vergonha para o túmulo de seu pai", o filho – que de qualquer maneira já andava nervoso – perdeu a paciência. Fez as malas e viajou subitamente para Leipzig em 7 de setembro. Lá, procurou seu velho amigo Heinrich Romundt, mas este tinha viajado. Ainda assim, Nietzsche pôde ficar uma noite na residência dele, e depois se alojou na Auenstrasse 26, 2º andar, na casa de um professor chamado Janicaud.

Ainda de Naumburg, Nietzsche tinha tentado acalmar a irmã com uma carta espantosamente equilibrada e reconciliadora, mas agora a ruptura estava consumada, e ele recusou qualquer contato durante meses. Escrevendo de Leipzig, Nietzsche relata o incidente em carta a Overbeck: "Infelizmente, minha irmã se transformou em uma inimiga mortal de Lou. Ela ficou repleta de indignação moral do início até o fim e afirma que agora sabe o que minha filosofia contém. Escreveu à minha mãe: '[...] eu amo o mal, mas ela ama o bem. Se fosse uma boa católica, ela iria para o convento e faria penitência por toda a desgraça que vai surgir disso [da filosofia de Nietzsche]'. Em suma, tenho a 'virtude' de Naumburg contra mim, e existe uma ruptura real entre nós – e também minha mãe se excedeu em uma ocasião a tal ponto com uma palavra, que mandei fazer minhas malas [...]. Minha irmã [...] cita quanto a isso, ironicamente, 'Assim começou o ocaso de Zaratustra'". E, em um rascunho de carta para Elisabeth, ele anota, decerto mais para si mesmo[12]: "Desse tipo de almas como a que você tem, minha pobre irmã, eu não gosto; e gosto delas menos ainda quando elas, ainda por cima, se pavoneiam moralmente; conheço a mesquinhez de vocês. Prefiro, de longe, ser repreendido por você".

Ele não consegue sustentar por muito tempo a desavença com a mãe. Depois de dois dias apenas, em 9 de setembro, escreve a ela comunicando seu endereço em Leipzig. Aí ele vive aparentemente tranquilo, feliz com a proximidade de uma biblioteca grande em que pode remexer, e, ao lado disso, passeando, visitando conhecidos e esperando Lou, que iria visitá-lo em Leipzig. Não obstante, em uma passagem de uma carta a Lou Salomé de 16 de setembro revela-se quão instável era seu estado de espírito: "Ontem à tarde eu estava feliz; o céu estava azul, o ar estava ameno e puro, e eu estava no Rosenthal [área verde], para onde fui atraído por música de Carmen. Fiquei sentado lá durante três horas, tomei o segundo conhaque do ano, lembrando-me do primeiro [com Lou] (ah! que gosto horrível ele tinha!), e pensei, com toda a inocência e malvadeza, sobre se eu não teria uma tendência qualquer para a loucura. Por fim, respondi que não. Então começou a música de Carmen, e eu desmoronei por meia hora, em lágrimas e com palpitação".

A serviço do amigo

Ao lado disso, ele se ocupou intensamente com um outro problema. Procurou, fazendo uso de suas antigas relações "musicais" da época de Wagner, conseguir uma apresentação da opereta "Brincadeira, astúcia e vingança", de seu amigo Peter Gast, em Leipzig. Por isso, em 16 de setembro ele também escreve a Köselitz: "O regente Sr. Nikisch me é elogiado de todos os lados como grande dirigente, como músico sensível e afeito a novidades, que atuaria com paixão em favor de sua obra. [...] Também o editor de música Fritzsch está disposto, de todo o coração, a se dedicar à apresentação de uma de suas obras em Leipzig; Nikisch é muito amigo dele". E no dia 25 de setembro: "Acabo de chegar da casa do regente Nikisch. Ele está mostrando a maior boa vontade em relação a 'Brincadeira, astúcia e vingança' e pede o envio imediato da partitura".

A partitura estava em Weimar, em uma gaveta qualquer do diretor geral de lá, e foi só em 4 de outubro que Nietzsche pôde relatar o seguinte: "Finalmente, caro amigo, a partitura chegou até minhas mãos, e daqui a duas horas ela será entregue na casa do regente Nikisch". Nietzsche não levou em conta os maus costumes do teatro e acreditou cedo demais que o jogo estava ganho. Já em 26 de setembro ele tinha escrito o seguinte a Lou: "Entrementes assumi vigorosamente a empreitada da apresentação de uma ópera de meu amigo de Veneza no teatro de Leipzig; até agora foi tudo bem, e as pessoas vêm ao meu encontro com a maior gentileza. Pressupondo que eu atinja o objetivo, o compositor virá passar este inverno em Leipzig". E ele realmente induziu Köselitz a ir para Leipzig, aonde este chegou em 7 de outubro para supervisionar os ensaios, mas sem grandes esperanças ou ilusões, como mostram suas cartas para Nietzsche que atestam uma sinceridade quase comovente[13]. Só que Nikisch não tinha sequer podido tomar tempo para dar uma rápida olhada na partitura; mas Nietzsche estava convencido de que conseguiria a apresentação.

Respostas à "Gaia ciência"

A "Gaia ciência" tinha sido publicada no dia 26 de agosto. Nietzsche ficou feliz com isso. Ele achou que era um sinal particularmente bom que o livro tivesse entrado em sua convivência com Lou. Enviou imediatamente exemplares a diversos amigos, dentre eles também a Erwin Rohde, que deve ter dito hesitantemente, depois de meses, em uma carta (não conservada), que no livro se revelaria "uma segunda natureza" de Nietzsche, que, porém, permanecia estranha para ele. Faltava ao velho amigo da época da juventude toda e qualquer possibilidade de compreender as ideias. Mais rápida e refletida foi a resposta do antigo mestre – ainda venerado por Nietzsche como seu grande professor – Jakob Burckhardt, enviada em 13 de setembro. Este já tinha aprendido há muito, em sua disciplina científica – a da História Universal como história do espírito humano –, a avaliar as coisas independentemente de elas lhe agradarem ou não, a compreendê-las a partir de suas próprias condições e enxergar possibilidades – e até a jogar mentalmente com elas – mesmo que ele próprio não as quisesse realizar. Assim, também tinha condições de escrever ao colega mais jovem, tão duramente atingido pelo destino e pelo qual sempre manteve um nobre interesse humano, uma carta a partir de uma posição objetiva elevada, sem frieza ou crítica que implicasse rejeição, e expressou seu assombro com o novo livro de uma maneira que fez bem a Nietzsche e nada revelava do estranhamento que Burckhardt deve ter sentido com certas passagens e com o estilo apodítico e ríspido. Uma confrontação dos textos das cartas daqueles dias mostra quão pouco Nietzsche, movido por uma paixão ardorosa e com 38 anos incompletos, entendeu do estilo da velhice de Burckhardt – então com 64 anos –, dourado por uma ironia afavelmente sorridente e uma serena resignação. Jacob Burckhardt escreveu o seguinte[61]: "Você pode imaginar o assombro que o livro me causou. Em primeiro lugar, o insólito som de alaúde em rimas, ao estilo de Goethe, coisa que nem se esperaria de você – e depois o livro inteiro e, no fim, o São Januário! [...] O que sempre me dá pano para manga é a pergunta: O que ele produziria se você lecionasse História? A rigor, você decerto leciona sempre História e abriu, nesse livro, algumas perspectivas históricas surpreendentes; o que quero dizer é: E se você quisesse iluminar a história universal, bem *ex professo*, com seu tipo de luzes e sob os ângulos de iluminação que lhe são conformes? Muita coisa ficaria – em contraposição ao atual *consensus populorum* [consenso dos povos] – bem de cabeça para baixo! [...] De resto, muitas coisas (e, temo eu, as melhores) que você escreve vão muito além de minha velha cabeça [...]. Infelizmente, na minha idade preciso ficar contente se consigo juntar matérias novas sem me esquecer das velhas, e se, como carreteiro idoso, continuo percorrendo as ruas costumeiras sem contratempo, até que algum dia chegue a hora de parar. Vai levar algum tempo até eu avançar de uma prova apressada para uma leitura paulatina do livro, como tem sido o caso desde sempre com seus escritos. Uma tendência para a tirania eventual, que você revela na p. 234, § 325, não irá me desconcertar". Nietzsche envia essa carta sem demora para Lou e faz a seguinte observação sobre ela: "Como é um historiador genuíno em sentido pleno (o primeiro entre todos os vivos), ele justamente não se contenta com essa maneira de ser e essa pessoa incorporada nele desde sempre, mas gostaria muito de olhar uma vez por outros olhos, por exemplo – como revela a carta esquisita – pelos meus [...] talvez ele gostasse que eu seja seu sucessor em sua cátedra?"

Nietzsche também fez um primeiro contato com Gottfried Keller, o que decerto pode ser interpretado como um sinal de maior autoconfiança. Ele também lhe enviou a "Gaia ciência" e lhe expressou sua veneração quase devota em uma carta que acompanhava o livro. Quando, então, Lou e Paul Rée também ainda chegaram a Leipzig em fins de setembro ou, o mais tardar, em 1º de outubro, sua felicidade ficou completa, e ele pôde dizer à mãe em 1º de outubro: "Vou bem, aliás, e tudo está avançando e dando certo para mim (este está sendo mesmo um *ano festivo* para mim)", e, como P.S.: "A Sra. Lou e Rée estão aqui". Eles vão ficar cerca de um mês (e não apenas "três semanas", como indica Lou Salomé em sua retrospectiva de vida com base em uma recordação tardia – como, em geral, as informações cronológicas dela são muito imprecisas), pois, ainda no dia 1º de novembro, Heinrich von Stein, escrevendo de Halle, agradece a Paul Rée em Leipzig pelo encontro "de ontem" em Leipzig, e em 7 de novembro Heinrich Köseltz escreve à namorada em Veneza[12]: "A Srta. Lou viajou no domingo (5 de novembro) com o Dr. Rée para Paris".

Decerto os três amigos passaram muito tempo juntos, e uma vez Heinrich Köselitz se juntou a eles. Mas Nietzsche continuou morando à parte na Auenstrasse. Portanto, a ideia de Lou de morarem na mesma casa, objeto de repetidos planos, nunca se tornou realidade. Lou só relata a respeito de idas conjuntas ao teatro, enquanto que Nietzsche teve de ir com Köselitz para o concerto de Wagner em 18 de outubro em que também foi apresentada uma peça da música de "Parsifal".

De modo geral, a trindade não era mais tão harmoniosa e cordial, e a confiança tinha sido turvada. Lou Salomé escreve sobre isso em sua retrospectiva de vida[215]: "Nenhum de nós dois imaginava que essa fosse a última vez. Ainda assim, as coisas não foram mais como de início, embora nossos planos para nosso futuro comum a três ainda estivessem de pé. Se me pergunto o que mais começou a afetar minha atitude interior para com Nietzsche, então foi meu estranhamento com o crescente acúmulo de insinuações dele que visavam fazer com que Paul Rée ficasse mal aos meus olhos – e também o espanto de que ele pudesse considerar esse método eficaz". Suas anotações sobre os dias passados em Leipzig decerto chegam mais perto da razão: "Assim como o misticismo cristão (como todo misticismo) acaba parando, justamente em seu êxtase supremo, em uma sensorialidade religiosa tosca, da mesma maneira o mais ideal dos amores pode – justamente por causa da grande intensificação das sensações – ficar novamente sensorial em sua idealidade. Trata-se de um ponto nada simpático, esse da vingança do elemento humano – não gosto dos sentimentos lá onde eles desembocam de novo em seu ciclo, pois esse é o ponto do *pathos errado*, da perda da verdade e sinceridade do sentimento. – Será que é isso que está me alheando de Nietzsche?" Portanto, ela deve ter tido a impressão de que Nietzsche ainda não tinha abandonado a esperança de tê-la sozinho como sua companheira.

As cinco semanas em Leipzig não foram propriamente um período de estudos. Nem se falou em alojamento na universidade. Também os planos para Munique foram abandonados, e então Nietzsche tentou realizar finalmente seu antigo sonho, de cujo cumprimento fora privado por sua surpreendente nomeação para a docência em Basileia em 1869: Paris. Como atesta uma carta de Köselitz de 5 de novembro, Lou e Rée pareciam ter partido rumo a Paris. Também Nietzsche relata o seguinte a Overbeck: "[...] inicialmente para se encontrar com a mãe de Rée em Berlim; e de lá eles vão a Paris". Assim, em 8 de novembro Nietzsche ainda escreve para Lou em Berlim. Mas, "entrementes, Paul Rée e eu tínhamos nos instalado em Berlim[215] [...]. Nosso plano inicial de mudar-nos para Paris foi adiado, e depois suspenso por causa do adoecimento e da morte de Ivan Turgueniev; e então a comunidade com a qual sonhávamos se realizou plenamente em um grupo de jovens cientistas, muitos deles docentes, que, ao longo de vários anos, às vezes foi complementado e às vezes trocou de participantes". Em um primeiro momento, Nietzsche não soube nada disso; ele foi ignorado, não recebendo sequer as mais necessárias informações. Assim, procurou um lugar para morar em Paris – não um apartamento para três pessoas, como se afirmou, mas um "quarto que sirva para mim. Teria de ser um quarto extremamente silencioso, muito simples. E não muito longe de sua casa, cara Sra. Ott". Pois foi junto a esta mulher, negligenciada há seis anos, timidamente admirada no passado e conhecida da época de Bayreuth, em 1876, que ele buscou ajuda e apoio. Muito lentamente, a percepção de que Lou o deixou se apodera dele.

Assim como, há seis anos, em Sorrento, o encontro com Richard e Cosima Wagner desembocou em uma última despedida sem que eles estivessem cientes disso, da mesma maneira agora Paul Rée e Lou Salomé se separaram de Nietzsche sem ter a intenção ou sequer ideia de que se tratasse de uma última despedida. Isso decerto era menos doloroso naquele momento, mas Nietzsche ainda haveria de sofrer indizivelmente por causa disso durante meses. O "ano festivo" tinha acabado, densas sombras se assentaram sobre seu ânimo, e ele nunca mais conseguiu escapar delas.

IV

Sombra
(outubro de 1882 ao fim de novembro de 1883)

Em breve Leipzig já não oferecia atrativos para Nietzsche. Em 14 de outubro, ele ainda estivera com Arthur Nikisch e pudera marcar um encontro com Köselitz para o dia 17. De ânimo alegre, ainda foi com seu amigo na noite de 14 de outubro a um concerto do Coro de S. Tomás. A música apresentada – de Joseph Rheinberger (1839-1901) e Moritz Hauptmann (1792-1868), dois importantes teóricos e mestres da música, mas compositores ao menos tão pálidos quanto Köselitz – pareceu a Nietzsche "terrivelmente tediosa, desinteressante e até falsa" ao lado de "Brincadeira, astúcia e vingança" de Köselitz, uma música na qual ele conservava "uma fé forte grande", o que Köselitz comunica à sua namorada Cäcilie Gusselbauer em Veneza no dia 16 de outubro[54] como uma razão para manter sua confiança.

Esperanças enganosas para Köselitz

O encontro com Nikisch em 17 de outubro deve ter sido apenas um primeiro contato pessoal, e não já a audição à qual se seguiria, então, o juízo sobre a aceitação ou rejeição da obra, pois Nietzsche pôde continuar cultivando suas esperanças e avaliações equivocadas e exageradas e escrever a Overbeck em 10 de novembro*: "No que diz respeito a [...] Köselitz, esse é meu segundo milagre do ano. Enquanto que Lou está preparada, como nenhuma outra pessoa, para a parte de minha filosofia até agora quase silenciada, Köselitz é a justificativa ressoante para toda a minha prática e renascimento. [...] Aí temos um novo Mozart; não tenho mais outra sensação: beleza, cordialidade, jovialidade, plenitude, excesso de inventividade e a leveza do domínio do contraponto – nunca encontrei isso junto antes [...]. Quão pobre, ar-

* Não "outubro"; cf. [11].

tificial e encenada me parece agora toda a wagneriada. – Será que "Brincadeira, astúcia e vingança" será encenada aqui? Creio que sim, mas ainda não sei". Ela não foi encenada – e não foi até hoje. Os dois amigos devem ter recebido essa notícia decepcionante pouco antes de meados de novembro.

O que Nietzsche silencia é que também se empenhou por Köselitz, sem qualquer sucesso, junto a Hermann Levi em Munique; se o fez apenas em forma de carta ou também com anexos musicais é algo que a descoberta de nova correspondência talvez possa demonstrar. Em todo caso, a decisão de Nikisch – e provavelmente também um juízo duro que o acompanhou – deve ter sido comentado nos teatros alemães maiores, ao menos entre os "regentes de orquestra wagnerianos", pois Cosima anota o seguinte no diário de 4 de fevereiro de 1883[258]: "[...] Levi também conta [em Veneza] que Nietzsche lhe teria recomendado um 'jovem Mozart', que na verdade é um músico absolutamente incompetente! Isso dá o que pensar! Richard me diz finalmente que Nietzsche não teria tido ideias próprias, nem sangue próprio, tudo que lhe foi vertido seria sangue alheio". (Nesses últimos dias, Wagner também tinha lido, com contrariedade, recensões sobre a "Gaia ciência", de Nietzsche.) A resposta negativa de Nikisch também deve ter surtido efeito ainda três anos depois junto a Felix Mottl, junto a quem Nietzsche se empenhou em favor da ópera *Matrimonio segreto* que Köselitz tinha criado entrementes.

Mais ou menos nessa época, nesse clima turvado, deve ter ocorrido uma conversa com a mãe, que tinha viajado para Leipzig com essa finalidade. Em todo caso, Elisabeth escreve o seguinte a Köselitz em 19 de novembro[12]: "Quando mamãe me trouxe [de Leipzig] a notícia de que sua bela ópera não será executada, fiquei muito desolada". Em 31 de outubro, Nietzsche também perdeu uma oportunidade de conhecer o jovem Heinrich von Stein, pelo qual tinha muito interesse, porque "uma carta [o] tirou de Leipzig naquele dia"[12]. Será que ele foi para Naumburg?

Preocupações em torno de Lou

Mas o que aflige Nietzsche é uma preocupação bem diferente. No início de novembro de 1882, ele se queixa a Overbeck: "A situação da saúde de Lou é deplorável; estou dando a ela muito menos tempo do que ainda na primavera. Temos nosso quinhão de preocupação; Rée foi feito para sua tarefa nessa questão. Para mim, pessoalmente, Lou é verdadeiramente um feliz achado; ela cumpriu todas as minhas expectativas – não é possível que duas pessoas tenham mais afinidade do que nós temos". Portanto, agora ele só está temendo perdê-la por causa de sua doença e continua acreditando que eles vão estudar juntos em Paris. No dia 7 de novembro, escreve não só à sua velha amiga Louise Ott, pedindo-lhe que lhe providencie alojamento, mas também a um conhecido de Basileia, o Sr. Jur. August Sulger, que está morando em Paris agora[12]: “Só o céu sabe o que será de minha mudança para Paris, se você não puder me dar uma mão [...]. Portanto, eu chegaria a Paris daqui a uns dez dias, mais ou menos [...] desde que você me receba lá, pois sou meio cego. [...] Um quarto, muito simples, mas em um local extremamente silencioso, um silêncio sepulcral que seja adequado para um ermitão absorto em pensamentos como sou [...]. Oportunamente, você receberá um aviso definitivo sobre o dia de minha chegada”.

Nos dias seguintes, os acontecimentos desagradáveis devem ter se acumulado. Após a resposta negativa do teatro de Leipzig a Köselitz e a visita da mãe, que decerto não trouxe descontração, e sim um agravamento das relações familiares, Nietzsche deve ter adquirido a certeza de que Lou e Rée não iriam a Paris. Antes, ele já tinha escrito o seguinte a Overbeck: “Não há nada decidido ainda. Nem mesmo no tocante a meus planos de viagem e para o inverno. Paris ainda continua em primeiro plano, mas não há dúvida de que meu estado piorou sob a impressão deste céu setentrional [...]. Houve mais de um dia em que viajei mentalmente rumo ao mar, passando por Basileia”, mas agora a atração pelo sul é preponderante. Em 15 de novembro, escreve ao Dr. Sulger em Paris: “Esse desagradável tempo invernoso me atormenta tanto que chego a perder a vontade de continuar enfrentando o norte e seus céus encobertos. A saúde diz: ‘Vá para o sul’”; e, no mesmo dia, à Sra. Ott: “Oh, cara amiga, mal acabo de lhe dizer que vou e já tenho de avisar que isso vai demorar [...]. Mas quando eu for, será por muito tempo! – e se não puder morar no coração de Paris, então talvez em St. Cloud ou St. Germain, onde um ermitão absorto em pensamentos pode levar melhor sua vida sossegada”. Esta é a última carta de Nietzsche a Louise Ott.

De novo rumo ao sul

Ainda na tarde ou noite desse dia 15 de novembro, Nietzsche resolve subitamente partir de Leipzig e chega, no dia 16, de maneira totalmente surpreendente a Basileia para o aniversário de seu amigo Overbeck. Fica três dias lá e, no dia 18, dirige-se por um período mais prolongado para a Riviera.

Assim como, em maio, tinha ido às pressas do Lago Orta diretamente procurar seus amigos em Basileia para lhes admitir seu feliz “achado” Lou, após o fracasso dessa esperança exagerada ele se hospeda de novo primeiramente na casa dos Overbeck para lamentar, em tom deprimido, a separação provavelmente definitiva. Ida Overbeck relata o seguinte sobre essa visita: “Nietzsche estava, muitas vezes, excessivamente sensível, e sua imaginação lhe pregava peças facilmente. Não estou informada sobre as razões da separação em novembro de 1882. Ele não falou sobre isso. Só disse, por ocasião de sua terceira visita no ano, que provavelmente tudo tinha terminado entre eles. Ainda esperava cartas e ainda associava esperanças a elas [...]. Ele estava dolorosamente tocado, não conseguia se ajudar abrindo-se, nem se ajudar recebendo consolo". Ida Overbeck diz "não estar informada" sobre as razões. Mas, poucas linhas antes, ela comunica o seguinte: "Não sei que livro ou manuscrito ele deu a Rée e à Srta. Salomé no início do verão de 1882. Ficou descontente com o fato de ambos terem zombado dele. Naquela ocasião, disse sussurrando ao meu marido e a mim algo assim como que precisava ter de novo outra coisa, o iluminismo puro não o satisfazia, e os dois não entendiam nada disso".

Se realmente se tratou de algo que aconteceu no início do verão, se as palavras estão corretas, ou seja, se a lembrança de Ida Overbeck corresponde precisamente aos fatos não é relevante aqui. Essencial e esclarecedor é o conteúdo dessa comunicação.

Separação de Lou Salomé e Paul Rée

Lou Salomé e Paul Rée eram pessoas filosofantes que praticavam a filosofia como uma ciência e, por fim, encontraram satisfação em uma ciência: Lou Salomé na psicologia (ela se tornou terapeuta clínica da Escola de Freud) e Paul Rée ainda estudou medicina e se tornou médico clínico. Nietzsche, por sua vez, era filósofo. Para ele, a filosofia não era algo que a pessoa estuda, apreende e compreende em um conhecimento técnico tão abrangente quanto possível, e sim uma atitude mental, uma tarefa, uma vivência que o preenchia completamente e absorvia, dissolvia, abarcava todo conhecimento meramente particular. Ao lidar com esses dois amigos, Nietzsche experimentou "o *pathos* [na acepção grega: o sofrer, o 'afeto'] do distanciamento". Ele via até mesmo pessoas com um intelecto tão elevado quanto Lou Salomé abaixo de si, incapazes de seguir sua irrupção para fora da filosofia racional para uma visão total visionária, inspirada pela arte. E, nesse caso, isso fatalmente o afligiria mais ainda porque ele amava "sua" Lou e, por isso, tinha feito todo o esforço para capacitá-la para isso e para inspirá-la a acompanhá-lo em sua trajetória. Foi obrigado a admitir que tinha sido cegado por alguns elementos comuns superficiais e assumido a crença equivocada de que Lou também tinha a mesma força que ele. Assim, nos meses seguintes Nietzsche foi jogado para lá e para cá entre crença e decepção, amor e ódio, atração e repulsão, veneração e desprezo. Sua paixão comovente ameaçou, várias vezes, submergir definitivamente com ondas enormes os alicerces de suas forças mentais e sepultá-las sob lama entumescida.

O juízo equivocado de Nietzsche, porém, não foi formado superficialmente ou com precipitação. Os elementos comuns repetidamente acentuados – por ele e por Lou – existiam e tinham, em parte, peso real. Ambos tinham perdido o pai cedo; em ambos havia o "cosmopolitismo", o europeísmo antinacionalista, ao menos antialemão. Ambos tinham perdido cedo a fé infantil em Deus, sendo céticos decididos. Ambos também tinham em comum a visão anti-idealista de mundo, com a consequência de não fundamentar a ética transcendentemente. A possibilidade de viver de modo diametralmente oposto à exigência de Kant "aja de tal maneira que você possa querer que sua máxima se torne uma lei universal"[133] é algo que Nietzsche vivenciou pela primeira vez e com espanto no caso de Lou Salomé, a qual admirava – e invejava – por sua "coragem leonina" para tomar tal atitude. É que ele próprio teve a coragem de infringir crassamente as convenções na prática da vida. Nietzsche levava consigo a "mais abissal ideia" (Zaratustra III, "O convalescente"), o dogma do Eterno Retorno. Ele sabia que era preciso uma coragem inaudita para lançar tal mito em meio a uma época dominada pelo materialismo e positivismo. Ele precisava de companheiros de armas corajosos, e podia crer que essa Lou, que zombava tão obviamente e sem hesitar de todas as convenções e de tudo que ele tinha, até agora, dado como aspectos fundamentais da filosofia, que essa Lou também tinha a coragem de, como companheira de armas sua, defender essa "mais abissal ideia". Mas justamente nesse ponto, em relação a essa tarefa – a essa exigência pouco razoável – a concordância fracassou, os espíritos se separaram, nesse ponto as discrepâncias fundamentais se tornaram óbvias – Lou ria desse tipo de fantasmagoria. E nenhum outro vínculo conseguia desfazer essa ruptura. O mistério do amor talvez tivesse conseguido, mas – e também isso decepcionou Nietzsche – esse mistério não existia. Ele só existia unilateralmente, como uma inclinação apaixonada de Nietzsche por parte de Nietzsche, que não passou de um amor não correspondido. Também a música como vivência básica comum, como um caminho para a dimensão dos "graus de consciência mais baixos"[45], não os unia. Assim, suas almas permaneceram estranhas no mais profundo fundamento. E no interesse central, na filosofia, uma concordância na intenção básica não podia ser alcançada de modo algum. Eles certamente chegaram, em parte, a resultados surpreendentemente semelhantes ou até iguais, por exemplo na dúvida em relação a Deus ou em certas áreas da ética. Mas essas eram aproximações quase casuais de seus caminhos próprios que partiam de posições bem diferentes e se dirigiam a destinos muito longínquos. Curiosamente, a jovem Lou Salomé se deu conta dessas discrepâncias fundamentais mais cedo e de maneira mais clara do que o homem maduro que queria ser mestre dela. Nas anotações para seu diário que ela reuniu durante as três semanas em Tautenburg para Paul Rée, ela analisou seu relacionamento com Nietzsche a partir da imagem contrária de Paul Rée, que, com seu jeito "científico", estava, desde o início, mais próximo do *habitus* intelectual dela. Nietzsche nunca conseguiu, e tampouco na intimidade de Tautenburg, atrair Lou para seu caminho, atiçar nela o fogo filosófico que o consumia. Assim, em Leipzig, ele, por sua vez, tentou se aproximar dos interesses e formas de trabalho científicos de Lou. Em fins de outubro (ou nos primeiros dias de novembro), escreveu o seguinte a Heinrich Romundt[12]: "Lou, inteiramente submersa em reflexões sobre a história das religiões, é um pequeno gênio, que tenho a felicidade de, de vez em quando, observar e apoiar um pouco". E para poder apoiá-la, ele também realizou estudos da história das religiões, para o que, como amigo de Franz Overbeck, estava extremamente bem-preparado. Também pediu a Overbeck que lhe enviasse a obra do historiador católico Janssen, sobre a qual escreve a Overbeck: "Ela apresenta de maneira precisa e primorosa tudo que distingue sua concepção da protestante (a questão toda desemboca em uma derrota do protestantismo alemão – em todo caso, da 'historiografia' protestante. Eu mesmo não precisei reaprender muita coisa em relação aos aspectos principais. O Renascimento sempre continua sendo para mim o ponto alto deste milênio; e o que aconteceu desde então é a grande reação de todo tipo de instintos gregários contra o 'individualismo' daquela época".

Mas também essa concessão não mostra ser, para ele, o caminho para a solução. Nietzsche não pode abrir mão assim de si mesmo, do que lhe é mais próprio, de sua filosofia. Por isso, ele precisa colocar a questão genuína de confiança em relação à qual Lou *precisaria* se decidir, se assumir. Ele a formula em forma de poesia e a entrega a ela na despedida de Leipzig na seguinte forma poética de expressão[12]:

Amiga – disse Colombo – não confies
Nunca mais em um genovês!
Seu olhar está sempre fixado no azul,
O mais distante o atrai demais!

Ele gosta de atrair a quem ama
Para a amplidão do espaço e do tempo –
Acima de nós, estrela brilha ao lado de estrela
E ao nosso redor brame a eternidade.

Lou ficou devendo a resposta a esse desafio, não se deixou "atrair" para a amplidão do espaço e do tempo e para eternidades ilimitadas. E com isso as dúvidas começaram a consumir Nietzsche, e foi ganhando cada vez mais terreno a percepção da incompatibilidade de seus caráteres e objetivos e, por conseguinte, de seus destinos. Quão dura e veemente se tornou a luta que ele teve de travar, nos próximos meses, em si e consigo é atestado pelas cartas e rascunhos de cartas que se perdiam até as mais extremas formas de expressão e se contradiziam umas às outras. Não se podem entendê-las, exceto vendo-as como sintomas, estações ou instantâneos dessa luta horrível e desesperada para Nietzsche e, assim, relativizando-as em sua importância.

Para Lou Salomé, porém, a separação foi fácil e desassociada de quaisquer emoções. Em 1º de janeiro de 1883, às 4 horas da manhã, após uma estimulante noite de ano-novo, ela escreve a Paul Rée, que momentaneamente está em Stibbe, depois de ela ter passado o tempo desde Leipzig junto com ele em Berlim[12]: "Enquanto batíamos papo até o início da manhã do ano-novo, acompanhados pela árvore e pelo ponche, tive de pensar, com sensações afetuosas, no ano velho que morria e foi tão bom para você e para mim. Foi nos primeiros dias de janeiro que cheguei, doente e cansada, à luz do sol na Itália. [...] Quanto desse sol havia em nossos passeios e bate-papos em Roma, quanto no idílio em Orta com seus passeios de barco e seu *monte sacro* com seus rouxinóis, quanto naquela viagem pelo Gotardo na Suíça, nos dias passados em Lucerna. E então [...] iniciamos aquele peculiar relacionamento de amizade do qual toda a nossa atitude de vida depende até hoje". Nenhuma palavra a respeito de Nietzsche – e também aqui em relação a Rée certamente amizade, mas não amor.

Lou von Salomé não tinha (ao menos naquela ocasião e ainda durante anos) o dom do amor em sua profundidade última e vínculo compromissivo com a pessoa amada. *Ela* não procurou a reunificação com o todo original do Aristófanes platônico, e nunca teve consciência suficiente de sua unilateralidade. O fato de que, com isso, causava dor a outras pessoas é algo de que ela tomou conhecimento ocasionalmente, mas não mais do que isso. Ela não chegou a ter, neste sentido, um sentimento de responsabilidade, ou culpa, ou mesmo compaixão. E Nietzsche se deu conta agora justamente dessa deficiência nos relacionamentos dela, e é isso o que mais o fez sofrer, porque *essa* Lou contrastava de maneira tão repulsiva com a imagem que ele tinha feito dela, que tinha projetado nela. Agora ele tinha tempo e ócio em abundância para matutar sobre isso.

Último cortejar de longe

Em 18 de novembro ele tinha viajado diretamente de Basileia para Gênova com a intenção de alugar de novo seu antigo alojamento, mas como, mais uma vez, não tinha feito contato antes, o encontrou ocupado, e "a própria Gênova fria de gelar e chuvosa; tudo deu errado para mim. Finalmente parti para Porto Fino e fiquei em Santa Margherita. No dia seguinte (até agora), acesso violento de dor de cabeça, com vômito etc. Meu quarto era frio de gelar, como todas as minhas impressões de viagem", relata ele a Overbeck no dia 23 de novembro. Escreve para Köselitz em 3 de dezembro dizendo que não quer "vivenciar uma segunda vez as últimas semanas" e que "também passei frio como nunca na vida. Finalmente me refugiei em um albergue [Albergo dela Posta] bem junto ao mar, e meu quarto tem uma lareira. Meu reino se estende agora de Porto Fino até Zoagli; moro no meio, a saber, em Rapallo, porém minhas caminhadas me levam diariamente até as fronteiras de meu reino. A montanha principal da região, que começa a subir a partir de onde moro, chama-se 'o monte alegre', Monte Allegro: um bom augúrio – assim espero".

A partir desse frio e dessa solidão, ele ousa, no primeiro dia em que não teve um acesso grave após a viagem, em 23 de novembro, escrever mais uma vez uma carta para Lou, implorando, como quem suplica[12]: "E agora, Lou, querida, faça o céu ficar claro! Não quero mais qualquer outra coisa, em todos os sentidos, do que céu claro: de resto vou me virar, por mais duro que seja. Mas um solitário está sofrendo horrivelmente por causa de uma desconfiança para com as duas pessoas que ama [...]. Por que faltou até agora toda jovialidade em nosso relacionamento? Porque tive de usar de violência demais contra mim: a nuvem em nosso horizonte estava sobre mim! [...] Eu sinto toda emoção da alma mais elevada em você, não há nada que eu ame em você exceto essas emoções. Abro mão, de bom gosto, de toda familiaridade e proximidade se puder ter certeza de uma coisa: que nós nos sentimos *unidos* no ponto ao qual as almas comuns não chegam [...]. *Você* não deve se enganar a meu respeito – *você* decerto não acredita que 'o espírito livre' é meu ideal?! Eu sou – desculpe! Querida Lou, seja quem você *precisa* ser".

O chamado ficou sem resposta, a qual Nietzsche deve ter esperado cheio de agitação. Agora ele esboça carta sobre carta a Lou, a Rée, implorando, acusando, tentando um esclarecimento. Enche página sobre página com esses esboços em espaço que ficou vazio em seus cadernos de anotações*. Precisa recorrer a narcóticos para conseguir dominar sua terrível agitação. Em meados de dezembro, cria mais uma vez ânimo para uma carta – a última – conjunta para Lou e Rée: "Se eu, por causa de um afeto qualquer, me tirasse por acaso a vida algum dia, também nesse caso não haveria muito o que lamentar. Que importam minhas fantasmagorias a vocês! (Até mesmo minhas 'verdades' não importaram a vocês até agora.) Ponderem vocês dois juntos que, em última análise, que eu sou uma pessoa meio demente que sofre de dor de cabeça e que a longa solidão deixou inteiramente confuso.

---

* Na marcação de Mette: M III 3,4; N V 8,9; N VI,1 = Esboços para "A gaia ciência" e para "Zaratustra".

Estou chegando a essa percepção sensata – em minha opinião – da situação depois de ter ingerido – por desespero – uma dose enorme de ópio. Mas em vez de perder o entendimento com isso, parece que finalmente o estou tendo [...]. Amigo Rée, peça a Lou que me perdoe por tudo – ela está dando também a mim uma oportunidade de lhe perdoar. Pois até agora ainda não lhe perdoei por nada. É muito mais difícil perdoar aos amigos do que aos inimigos". Finalmente a separação se torna uma certeza para ele. Em 25 de dezembro escreve a Overbeck: "Meu relacionamento com Lou está quase terminando da forma mais dolorosa: é o que acho hoje ao menos. Mais tarde, se houver um mais tarde, vou dizer umas palavras sobre isso. A *compaixão*, caro amigo, é uma espécie de inferno – seja lá o que disserem os adeptos de Schopenhauer". Mas passando por que estações essa percepção foi adquirida em cinco semanas! Só alguns exemplos tirados desses registros feitos nos cadernos têm a função de documentar isso[12].

Tentativa de esclarecimento próprio

"Um poema como aquele 'para a dor' é, saindo de sua boca, uma profunda inverdade."

"Hoje não lhe faço nenhuma acusação, exceto a de que você não foi sincera sobre si mesma para comigo na hora certa."

"Não diga nada, cara Lou, em seu favor: eu já fiz valer mais em seu favor do que você podia – e fiz isso diante de mim e de outras pessoas."

"Você tem em mim o melhor advogado, mas também o mais implacável juiz! Eu *quero* que você condene a si mesma e defina sua pena. Minha cara Lou, tenha cuidado! Se agora a rejeito, isso é uma censura horrível sobre todo o ser! Você lidou com uma das mais longânimas e amistosas pessoas: mas veja bem que contra todos os pequenos egoístas e sibaritas não necessito de outro argumento senão o nojo."

"No tocante a Lou Salomé" – "Isso é uma crueldade do destino, compaixão, inferno – suportar dores; – autossuperação – horrível – 'um cérebro com um rudimento de alma' – caráter do felino – do predador que se faz passar por animal doméstico – o nobre como reminiscência de ter convivido com pessoas nobres / uma vontade forte, mas sem grande objeto, sem diligência e higiene, sem retidão burguesa, sensualidade atrozmente deslocada [...]. Capaz de entusiasmo sem amor às pessoas, mas amor a Deus [...]. Sem coração e incapaz de amar [...] sem gratidão, sem pudor para com o benfeitor [...] incapaz de cortesia do coração [...] cruel nos detalhes – inconfiável – não 'comportada' – grande nas coisas tocantes à honra."

“Na época, em Orta, decidi primeiro familiarizar você com toda a minha filosofia [...] acreditava não ser possível fazer um presente maior a alguém.”

“Que tal nos irritarmos juntos? [...] queria que o céu fosse ensolarado entre nós.”

“E o que pensam essas meninas de 20 anos, que alimentam sentimentos de amor agradáveis e nada mais têm a fazer do que, de vez em quando, ficar doentes e passar o dia na cama? Deveria eu correr atrás dessas garotinhas para afugentar-lhes o tédio e as moscas?”

“Não posso tirar da manga o meu perdão, depois que a mágoa teve quatro meses para se aninhar dentro de mim.”

“Estou, para falar como espírito livre – na escola dos afetos, i.e., os afetos me devoram. Uma compaixão terrível, uma decepção terrível, um sentimento terrível de orgulho ferido – como consigo suportar isso? A compaixão não é um sentimento do inferno? [...] A cada manhã me desespero sem saber como sobreviver ao dia. Não durmo mais! [...] Hoje à noite, tomarei tanto ópio até ficar inconsciente.”

“Estranho! Tenho sobre a Lou um opinião preestabelecida: e mesmo tendo que dizer que a minha experiência deste verão a contradiz, não consigo me livrar dessa opinião [...]. Na verdade, ninguém, em toda a minha vida, se comportou de forma tão feia comigo quanto a Lou [...]. Não tenho dúvidas de como eu trataria um homem que ousasse falar assim sobre a minha irmã. Nisso sou soldado e sempre o serei, entendo de armas. Mas uma garota! E a Lou!”

“Lamentei ver uma natureza de disposição nobre em sua depravação e dizer a verdade: derramei inúmeras lágrimas em Tautenburg, não por mim, mas pela Lou. Assim me enganou a compaixão.”

A Rée: “Por ora, vejo apenas que ela busca exclusivamente a distração e o entretenimento espiritual: e quando penso que aqui se incluem também perguntas da moral, sinto-me escandalizado – para não usar uma palavra mais forte”.

“A Lou em Orta foi um ser diferente daquele que reencontrei mais tarde. Um ser sem ideais, sem propósitos, sem obrigações, sem pudor. E no nível mais baixo da moral, a despeito de sua boa cabeça! Ela me disse pessoalmente que ela não possui moral – e eu lhe disse que ela tinha, igual a mim, uma moral mais rigorosa do que qualquer outra pessoa e que ela lhe sacrificava algo a cada dia e a cada hora (e que isso nos dava o direito de refletir sobre a moral).”

A despeito de todas essas objeções e ressalvas, ainda não ocorre aquela condenação total com expressões indignas de um Nietzsche, às quais ele é levado por sua irmã no verão seguinte. Em sua carta de Ano-Novo a Malwida von Meysenbug, ele apresenta sua situação e suas experiências com Lou Salomé de forma calma e refletida: "Acabo de me erguer de uma crise extremamente dolorosa da minha doença, com a qual 'celebrei o Ano-Novo': aí encontro sua carta e sua antiga bondade! Por favor, perdoe-me meu suspiro recente [...]. Mas justamente agora muitas coisas se acumulam que estão me levando à beira do desespero. Não nego que entre estas se encontra também a minha decepção em relação a Lou Salomé. Um 'santo tão estranho' como eu, que acrescentou o fardo de uma ascese voluntária (uma quase incompreensível ascese do espírito) a todos os outros fardos e abnegações, um homem que, no que diz respeito ao mistério do propósito de sua vida, não possui nenhum companheiro: um homem deste tipo perde *muito*, quando perde a esperança de ter encontrado um ser semelhante, que arrasta consigo uma tragédia parecida e está à procura de uma solução parecida [...]. O que você diz sobre o caráter de Lou é verdade, por mais que me doa admitir isso. Na verdade, jamais conheci um egoísmo tão natural, tão vivo nas coisas menores, tão inafetado pela consciência, um egoísmo tão animal [...]. Mas parece-me que este caráter oculta ainda outra possibilidade: [...] Justo uma natureza deste tipo poderia permitir uma mudança quase repentina, um deslocamento de todo o centro de gravidade: aquilo que os cristãos chamam de 'reavivamento'. A veemência de sua força de vontade, seu impulso são extraordinários. Devem ter acontecido erros terríveis em sua educação – jamais conheci uma moça tão mal-educada. Assim como ela se apresenta no momento ela é quase uma caricatura daquilo que compreendo como ideal – e você sabe que a mágoa mais profunda é a mágoa que afeta os ideais". E ele menciona quase timidamente aquilo que no momento lhe serve de consolo: "Se eu ainda tiver amigos, eu os tenho – bem, como posso expressá-lo? – a despeito daquilo que sou eu desejo ser. Você me permaneceu favorável, querida amiga, e desejo de todo coração que, algum dia e como sinal de gratidão, eu também possa lhe oferecer uma fruta do meu jardim que agrade ao seu paladar".

A fruta mencionada é a obra na qual ele está trabalhando no momento: "Assim falou Zaratustra", primeira parte. Esse trabalho o ajuda a superar as piores dores emocionais, mas o seu modo de trabalho revela a tensão e excitação contínua: ele escreve a poesia, que ele anuncia a Köselitz e Overbeck em 1º de fevereiro de 1883, em mais ou menos dez dias. Ele investe mais alguns dias para melhorar o estilo; então, em 14 de fevereiro, ele envia o manuscrito ao editor Schmeitzner, antes ainda de receber a notícia da morte de Richard Wagner em Veneza, em 13 de fevereiro. Por acaso, Nietzsche havia viajado para Gênova no dia 14, onde, à tarde, leu a notícia no Jornal "Caffaro". A excitação foi tamanha que Nietzsche adoeceu imediatamente, causando preocupações aos seus anfitriões, como escreve a Köselitz em

19 de fevereiro. E ainda em 27 de abril ele resume sua impressão numa carta a Köselitz: "No fim, veio a morte de Wagner. Que feridas se abriram com isso dentro de mim! Foi minha prova mais difícil, no que diz respeito à justiça aos homens – todo esse convívio e não mais convívio com Wagner".

A morte de Richard Wagner e a "ofensa mortal"

A morte de Wagner se deitou como sombra adicional sobre a alma de Nietzsche, apesar de, numa primeira reação, alegar o contrário na carta de 19 de fevereiro a Köselitz[124]: "Creio até que a morte de Wagner foi o maior alívio que pude receber no momento. Foi difícil ser, durante seis anos, o adversário daquele que mais venerei, e não sou robusto o bastante para isso [...]. Meu velho amigo, o céu clareou também para você com esta morte. Agora, mais coisas se tornarão possíveis, por exemplo, que, um dia, nós possamos ir ao 'templo' de Bayreuth e ouvir a *sua* música".

É a primeira vez que ouvimos observações tão amargas contra Wagner. Elas foram provocadas por uma "informação" recente. Nietzsche o expressa de forma ainda vaga na carta de 22 de fevereiro a Overbeck: "Wagner foi, de longe, o homem mais *pleno* que conheci. Neste sentido, tenho sofrido uma grande privação há seis anos. Mas existe entre nós algo como uma ofensa mortal; e coisas terríveis poderiam ter acontecido se ele tivesse vivido mais". Apenas em 21 de abril ele se abre a Köselitz[124]: "Wagner é rico em ideias más; mas o que você diria se soubesse que ele trocou cartas (até com meus médicos) para expressar sua convicção de que minha mudança de postura tenha sido uma consequência de excessos desnaturais, com alusões à pederastia". Hoje, após a publicação das cartas de Wagner ao Dr. Eiser,[266] sabemos qual foi a suspeita, quais foram os temores que Wagner tinha, mas jamais ele fala em pederastia[123]. Em seu livro sobre Wagner, Curt von Westernhagen remete a uma passagem da carta a Overbeck e acredita poder identificar a "ofensa mortal" na correspondência entre Wagner e Eiser, e ele apresenta como prova para isso uma declaração de Wagner na carta de 23 de outubro de 1877 a Eiser: "Por favor, peço que o senhor o aconselhe a fazer uma cura em Gräfenburg, sem ocultar a causa primária de sua doença" (que, segundo Wagner, seria a onania). Em 27 de outubro de 1877, Eiser lhe responde: "Para o esclarecimento dos fatos sexuais minha pergunta direta a N. será o caminho mais rápido e honesto [...]. A investigação terá que ser adiada até fevereiro, mês para o qual N. me prometeu sua visita durante os dias de carnaval". (Mas o carnaval de 1877 ocorreu entre 11 e 13 de março [em Basileia após a Quarta-feira de Cinzas!], e a visita não aconteceu.) "Entrementes, deixo à mercê de sua bondosa decisão, se o senhor me permite informar a N. que eu informei o senhor sobre seu estado de saúde, ou se isso deve também permanecer em sigilo." O Dr. Eiser, portanto, acreditava que deveria tratar como segredo entre médico e paciente a suspeita de Wagner, pedindo apenas a permissão a Wagner de contar a Nietzsche que houve uma correspondência entre eles. A resposta de Wagner à pergunta clara do médico é, porém, vaga: "Nenhuma palavra a mais sobre o nosso amigo: Sei que ele está em boas mãos". Isso dificilmente pode ter levado o Dr. Eiser a considerar suspenso o sigilo médico, portanto, Nietzsche dificilmente teve conhecimento já agora (em outono de 1877) dessa correspondência, muito menos de expressões que, por meio de distorções, chegariam a incluir termos como "pederastia". E Nietzsche dificilmente teria esperado ainda em julho de 1882 receber um convite pessoal de Wagner para o "Parsifal", se a "ofensa mortal" já os tivesse separado há anos. É muito mais provável que, no verão de 1882, tenha ocorrido uma conversa sobre isso em círculos íntimos, de onde, então, algum boato já distorcido tenha chegado a Nietzsche; por meio de quem e com que intenção jamais poderá ser apurado. Certamente, porém, não podemos pensar exclusivamente no Dr. Eiser como fonte dessas "indiscrições". Em 14 de fevereiro de 1877, Nietzsche teve uma consulta com o Dr. Schrön em Nápoles, que o aconselhou a se casar! E Nietzsche escreve então à mãe: "[...] conheço agora muito bem a natureza deste mal". O Dr. Schrön foi o médico particular de Wagner durante sua longa estadia em Nápoles em 1880. Tudo indica, porém, que Nietzsche soube de tudo isso apenas agora, como revela uma carta a Ida Overbeck de julho de 1883[124]: "Uma desgraça quis que, no ano passado [ou seja, em 1882] [...] me alcançaram algumas provas de uma perfidia abismal de vingança (por parte do grande músico R.W., recém-falecido)". É provável que realmente houve uma "perfídia de vingança", mas ela partiu de um lado bem diferente. É preciso expressar aqui a forte suspeita de que tenha sido Elisabeth que, em seu zelo de luta e em sua decepção pela humilhação que viveu em Bayreuth, fez de tudo para difamar não só Lou e Rée, mas também Wagner e sua esposa Cosima. É pelo menos assim que a passagem *inteira* da carta (que ela não publicou) pode ser interpretada (Nietzsche a Köselitz, 21 de abril de 1883): "Provenho de círculos para os quais todo o meu desenvolvimento se apresenta como condenável e condenado; uma das consequências disso foi que, no ano passado, minha mãe me chamou de 'vergonha da família' e 'desonra para o túmulo do meu pai'. Minha irmã [...] me ameaçou com inimizade aberta até o momento em que eu voltasse e me esforçasse a ser 'um homem bom e verdadeiro'. Ambas me consideram um 'egoísta duro e frio', e também a Lou acreditava, antes de me conhecer melhor, que eu era um caráter baixo, 'sempre querendo explorar os outros para os meus próprios fins', Cosima me chamou de espião, que se infiltra na confiança dos outros e que foge quando consegue o que quer". (Segue aqui a passagem acima citada com a suposta suspeita de Wagner em relação à pederastia.) "Por fim: Apenas agora, após a publicação do Zaratustra, virá o pior, pois desafiei todas as religiões com o meu 'livro sagrado' [expressão de Köselitz!]."

Mesmo assim, Nietzsche escreve uma carta de condolência a Cosima após a morte de Wagner. Ele não possuía a sensibilidade para saber que, justamente agora, não deveria fazer isso para não aumentar ainda mais a dor dessa mulher. Essa carta lhe pareceria como puro cinismo, por mais sincero que Nietzsche fosse. Infelizmente, conhecemos apenas o texto do esboço, mas a carta enviada não deve ter se afastado muito dele. Trata-se de um produto artificial, altamente estilizado de um virtuoso do pensamento e da língua, e apenas no final transparece o ser humano, o coração de Nietzsche[50]: "A senhora viveu para um propósito e lhe sacrificou tudo; e além do amor daquela pessoa, a senhora compreendeu o mais sublime imaginado por seu amor e sua esperança: a isso a senhora serviu: a isso pertencem a senhora e o seu nome para sempre – àquilo que não morre com uma pessoa, mesmo que tenha nascido dela. Poucos desejam isso: e dos poucos – quem se iguala à senhora! Assim eu a vejo hoje, e assim a vi, mesmo que de grande distância, sempre, como a mulher mais venerada que existe em meu coração". Nietzsche lhe apontou já aqui em direção à tarefa, da qual ela tentou se esquivar no início, mas à qual ela se entregou no fim.

A morte de Wagner libertou Nietzsche da tensão pessoal e da possibilidade de que Bayreuth lançasse um movimento de difamação contra ele. Mas morreu com ele também a esperança de um reencontro, até mesmo de uma reconciliação. O destino teve a última palavra, permaneceu a alienação: incorrigível, irreconciliável, um peso espiritual. A "ofensa mortal" jamais foi esclarecida e permaneceu como brasa escondida sob as cinzas e que apenas cinco anos mais tarde voltaria a irromper com chamas ardentes no "Caso Wagner" e em "Nietzsche contra Wagner".

A amiga maternal Malwida von Meysenbug intervém mais uma vez

Os amigos próximos sabiam o que significava o recuo de Nietzsche para a Riviera: possivelmente o isolamento definitivo em uma solidão extrema, talvez até algo pior. "O urso se escondeu em sua toca", para usar uma metáfora de Nietzsche. E novamente foi a bondosa Malwida von Meysenbug que, com sugestões práticas, empenhou-se para impedir um desenvolvimento irreversível. Ela havia passado o outono em Paris com sua filha de criação, esperando receber a visita de Nietzsche, quando soube por intermédio de Elisabeth que este havia voltado para a Itália. Em dezembro, algumas obrigações quaisquer a forçaram a viajar por Milão e Florença, e não pela costa, onde ela poderia ter se encontrado com Nietzsche, chegando em Roma em 10 de dezembro, onde se hospedou em seu antigo apartamento na Via della Polveriera, 6. Em 13 de dezembro, escreveu a Nietzsche: "Gostaria também de saber o que o senhor pensa sobre Lou Salomé [...] desde Bayreuth não sei mais o que achar dela [...]. Ainda não entendo bem por que sua comunhão se dissolveu, mas fico feliz com o fato de o senhor não ter permanecido no norte, e talvez os deuses antigos ressurjam no senhor em forma ainda mais transfigurada para que então o senhor também possa dizer: 'Quanto teve que sofrer o homem para poder tornar-se tão belo'".

Nos meados de dezembro e no Ano-Novo, Nietzsche responde com duas cartas abaladoras. Malwida reconhece imediatamente a gravidade da situação, procura uma solução e acredita tê-la encontrado com uma nota de 22 de janeiro de 1883: "Agora, porém, falemos do senhor, cuja solidão me dói. O que o senhor acha de vir para cá? A prima do pobre Brenner está aqui, ela não é tão inteligente quanto a Lou Salomé, mas de forma alguma limitada, é culta e possui todo o coração e toda a dedicação que faltam a Lou Salomé. Ela estaria disposta a escrever várias horas por dia para o senhor. Estão alugando um quarto ao lado da casa em que ela mora. 35 liras por mês. [...] O senhor estaria bem próximo do Pincio, que lhe oferece uma linda caminhada solitária de manhã. Para as tardes, encontraríamos outros passeios às sombras, entre eles também a vila, onde o senhor esteve comigo. E se o senhor sentisse o desejo de estar com pessoas, certamente encontraríamos algumas com as quais o senhor pudesse conversar, principalmente alguns noruegueses, pessoas maravilhosas, que certamente seriam de seu agrado [...]. O clima aqui não é pior do que em qualquer outra parte da Itália [...]. No entanto, surge de vez em quando o Scirocco, como em todos os lugares [...]. Agora, por exemplo, temos dias maravilhosos, claros e frescos. Está aqui também um ser encantador, que o senhor já conhece, a Condessa Dönhoff". A prima de seu ex-aluno e companheiro dos meses em Sorrento, Albert Brenner (falecido em 1878), é Cécil Horner, de Basileia. Num primeiro momento, Nietzsche parece acatar a sugestão. Em 1º ou 2 de fevereiro, ele escreve a Overbeck: "Roma não é a minha primeira escolha, mas no momento não sei escolher algo melhor. Acabo de anunciar minha chegada para os meados de fevereiro". Roma se encaixa bem em sua disposição de três fases de trabalho. Ele acabara de tentar se mudar da solidão no campo, que lhe dera a tranquilidade para um esboço, para a cidade de Gênova, mas seu alojamento habitual continuava ocupado. Agora, estavam lhe oferecendo uma possibilidade em Roma. Numa carta a Overbeck, ele detalha seu plano: "Entrementes, na verdade em pouquíssimos dias, escrevi meu *melhor livro* e, o que é ainda mais importante, tomei o passo decisivo para o qual ainda não tive a coragem no ano passado". Trata-se da primeira parte do

"Zaratustra", à qual pretende ainda dedicar alguma atenção. "Ainda estarei ocupado alguns dias com o exame decisivo, uma questão de *audição*, que exige solidão completa." E então seguiria Roma como terceiro passo: "Preciso então apenas de uma pessoa à qual eu possa ditar o texto: a Srta. Horner parece 'ter caído do céu'".

O trabalho no "Zaratustra" ainda preserva seu bom humor durante alguns dias, e ele consegue preparar o manuscrito para a impressão sem ajuda de terceiros. Em 14 de fevereiro, ele envia o texto ao editor Schmeitzner. E em 24 de fevereiro, seu alojamento na pensão em Gênova é finalmente liberado, de forma que a viagem para Roma se torna desnecessária. Mas assim que ele libera a obra, ele sofre um colapso físico e psicológico, que o faz sentir ainda mais o peso da morte de Wagner. E outra coisa o leva a cancelar sua visita a Roma: "Quero falar com ninguém agora. Ouvi também por intermédio de terceiros que minha irmã está sendo esperada em Roma e que ela pretende viajar por Veneza" (carta a Overbeck, 22 de fevereiro de 1883). Foi Heinrich Köselitz que o informara em 16 de fevereiro: "Em duas ou três semanas a Srta. Nietzsche pretende passar por aqui, a caminho de Roma!", mas Nietzsche já decidira antes que cancelaria a sua viagem para Roma, pois em 14 de fevereiro ele havia escrito a Köselitz: "Endereço: Santa Margherita, Ligure, para sempre!" E Köselitz responde, perguntando: "Aparentemente, então, desistiu de Roma?"

A luta feroz da irmã contra Lou Salomé

Não sabemos se houve um convite por parte de Malwida ou se Elisabeth insistiu numa visita: ambas as versões são possíveis, pois as duas mulheres queriam pôr um fim ao profundo conflito entre os irmãos. Além disso, Elisabeth queria difamar Lou e torná-la uma *persona non grata* aos olhos dos amigos mais próximos de Nietzsche. Em cartas desmedidamente longas e prolixas, ela expôs sua opinião sobre o "relacionamento". Segundo ela, Lou havia se agarrado ao seu irmão ingênuo e alienado do mundo, seguindo e seduzindo-o com seus conhecimentos superficiais. Ela é suja, como pessoa e em sua moral, incapaz de compreender sua filosofia e, por isso, ela ridiculariza Nietzsche como homem e filósofo por trás de suas costas. Elisabeth se apresenta como vítima, que sempre sacrificou tudo pelo seu irmão e que agora se sente afastada, traída e injuriada por essa criatura inferior. E ela queria contar e mostrar tudo isso aos amigos, anunciando sua visita aos Overbeck, mas acabou viajando diretamente para Veneza. Este, porém, pedira "explicitamente que nenhuma palavra fosse dita sobre Lou e qualquer coisa relacionada a ela – com a justificativa sincera de que não tenho interesse nenhum por mulheres sem graciosidade", como ele escreve em 16 de fevereiro a Nietzsche. Ele havia conhecido Lou em Leipzig e, aparentemente, foi um dos poucos homens que ela não conseguiu encantar.

Malwida, porém, teve que ouvir as lamentações de Elisabeth, mesmo não se interessando por um esclarecimento do relacionamento entre Nietzsche e Lou. Ela queria retirar Nietzsche de seu perigoso isolamento e via, como passo mais urgente, o reestabelecimento da paz entre os irmãos. Mas era justamente isso que Nietzsche não queria neste momento após a declaração de guerra formal por parte de sua irmã, pois os insultos recebidos da mãe e da irmã ainda pesavam sobre sua alma sensível. Sua autoestima, seu amor-próprio estavam profundamente abalados. Naturalmente, tudo isso influenciou também o seu estado psicológico, e Nietzsche não se cansa de escrever sobre isso em suas cartas. No dia de Natal de 1882, ele escreve a Overbeck: "Esta última mordida da vida foi a mais dura que já tive que mastigar, e ainda é possível que ela me sufoque. Sofri com as lembranças torturosas e caluniadoras deste verão como que com uma loucura [...]. Há nelas um conflito de afetos contrários, e não consigo superá-lo. Ou seja: Contraio todas as fibras da minha autossuperação – mas já passei tempo demais na solidão [...] de forma que agora meus próprios afetos me atropelam. [...]. Se eu não inventar a arte dos alquimistas de transformar estas fezes em ouro, estarei perdido. [...] Minha desconfiança é agora muito grande; percebo em tudo que ouço desprezo contra mim – por exemplo, numa carta que Rohde me escreveu. Juro que, se não fosse o acaso das relações amigáveis do passado, ele agora me condenaria da forma mais rude. Ontem interrompi também a correspondência com minha mãe. Não a suportava mais, e teria sido melhor se eu tivesse interrompido o contato já muito antes. Não sei em que medida os juízos hostis dos meus familiares já se propagaram e arruinaram a minha reputação – bem, prefiro sabê-lo do que sofrer com essa incerteza". E ele reclama ainda de outra coisa: "Se conseguisse dormir! – mas as maiores doses do meu sonífero me ajudam tão pouco quanto as minhas caminhadas de seis a oito horas de duração". Como sonífero, ele usava o hidrato de cloral, comum na época (desenvolvido em 1832 por Liebig), do qual ele consumiu 50 gramas durante os meses de dezembro de 1882 e janeiro de 1883, o que é considerado uma quantia justificável sem efeitos colaterais. "Nunca mais dormi sem este remédio. Mas dormi, agora 14 dias em seguida – ah, que bênção", ele escreve em 1º ou 2 de fevereiro a Overbeck. Na carta seguinte a Overbeck (9/10 de fevereiro de 1883[4]), ele revela a excitação que tentou abafar com o sonífero: "Sou obrigado a suportar um fardo múltiplo de lembranças terríveis e torturantes! Por exemplo, não consegui ainda esquecer nem mesmo por uma hora que minha mãe me chamou de desonra para o túmulo do meu pai. – Não quero nem falar de outros exemplos – mas o cano de uma pistola é agora para mim uma fonte de pensamentos relativamente agradáveis". E ainda um ano mais tarde, em 12 de fevereiro de 1884, ele escreve a Malwida von Meysenbug: "Não quero exagerar o fato de que, nos últimos anos, quase todos, inclusive minha mãe e minha irmã, lançaram punhados de sujeira sobre meu caráter; no entanto, não nego que, por tudo ter acontecido ao mesmo tempo, isso quase me roubou a sanidade mental".

Além de tudo isso, o inverno de 1882/1883 na Riviera trouxe muita neve e frio intenso, e, a despeito de seus grandes esforços, Nietzsche não conseguiu encontrar um aquecedor, estando assim totalmente exposto aos caprichos do tempo. No fim de fevereiro, pegou uma gripe (que, na época, era chamada de *influenza*) com febre e suor noturno. (Um ano mais tarde, em 1º de fevereiro de 1884, numa carta a Köselitz, ele fala de tifo, mas nenhuma declaração atual sustenta essa suspeita.) Apesar de encontrar em Gênova um médico simpático e dedicado na pessoa do Dr. med. Karl Breiting, que ele conhecia ainda de Basileia, a doença o importunou, a despeito do tratamento com quinina, "durante quase cinco semanas" (carta a Malwida von Meysenbug, 18 de abril ou depois) e enfraqueceu seu corpo, o que se manifestou em cansaço e perda de peso. Isso não incentivou qualquer reconciliação com seu ambiente. Pelo contrário, ele queima mais uma ponte. "Impedi que a obra principal de Rée, 'Geschichte des Gewissens' [História da consciência] fosse dedicada a mim – e encerrei assim um relacionamento que já gerou muitas confusões fatídicas", e Nietzsche chama isso de "libertação" (carta a Overbeck em março de 1883). Mesmo assim, ele continua tentando lembrar os aspectos interessantes e favoráveis de seu tempo com Lou e as características positivas de seu ser. Ele menciona também a opinião sincera de Köselitz e lhe escreve em 19 de fevereiro: "[...] neste caso, não se trata de ter ou não graciosidade, mas se um ser humano com grandes potenciais se destrói ou não". Ele continua querendo se encontrar com Lou. E também a Overbeck ele escreve em 22 de fevereiro: "Lou é, de longe, a pessoa mais inteligente que conheci. Mas etc. etc." Essa distinção se torna cada vez mais clara: um reconhecimento irrestrito de seu intelecto e uma rejeição total de seu caráter, expressada na formulação aguçada na carta a Ida Overbeck no início de agosto de 1883: "[...] ela permanece para mim um ser de primeira qualidade, cuja perda eu lamento eternamente. A julgar pela energia de sua vontade e pela originalidade de seu espírito, ela nasceu para algo grande; sua moralidade, porém, a condena à prisão ou ao manicômio. Ela me faz falta, mesmo com suas qualidades ruins; éramos tão diferentes que nossas conversas sempre rendiam algo útil; jamais encontrei alguém tão sem preconceitos, tão inteligente e tão preparada para o *meu* tipo de problemas".

O episódio Bungert

Nessas semanas de gripe, incendeia-se inesperadamente uma nova esperança e confiança, mas que se apaga rapidamente. Em 7 de março, ele escreve sobre isso a Köselitz: "Ontem me procurou um músico alemão, o Sr. Bungert [...]. Ele provém da Escola de Chopin no que diz respeito ao seu estilo de tocar o piano; [...] no tocante ao contraponto, Kiel foi seu professor. Ele também já foi mestre de capela durante um ano [...]. A primeira coisa que me contou foi que ele acaba de compor uma ópera, cujo texto ele mesmo escreveu: chama-se *Nausikaa* [...]. Outra obra sua, "Die Studenten von Salamanca" [Os estudantes de Salamanca], foi aceita por três palcos alemães e, por isso, terá que viajar para a Alemanha. [...] Muita coisa passou pela minha mente. Ele parece desejar o contato comigo, ele parece perceber que existem em mim esperanças gregas e, provavelmente, também goethianas. Mas ele não me agrada. Você já ouviu falar dele?" Uma semana depois, Nietzsche já superou sua ressalva: "O Sr. Bungert e eu, dois genoveses comportados – temos vivido agora três anos em vizinhança imediata [...] sem saber da existência um do outro. Ele leva meus escritos consigo e deixou muitas coisas para trás que nós também temos deixado para trás, por exemplo, Schopenhauer. Se não me engano, esse novo contato é um dos melhores que o acaso poderia me conceder [...]. 'Os estudantes de Salamanca' foram compostos num estilo novo: longas formas sinfônicas, encerradas em si. O que ouvi dele me passou a impressão de maturidade [...]. Não gosta da lenda germânica [...]. Compôs muitos cânticos italianos. Antigamente, era adepto do ultrarromantismo e do Beethoven tardio; mas viveu muito e se transformou muito. É da Renânia". Poucos dias depois, ele lhe envia um caderno com cânticos de Bungert e informa: "Ele vive daquilo que lhe pagam pela sua música (pagam-lhe *muito*). [...] Ele possui um piano de cauda maravilhoso, um *pianino* e dois quartos 'confortáveis' [...] também uma biblioteca boa – para a tragédia grega e muitas obras filológicas sobre Homero; muitos poetas líricos [...]. No que diz respeito aos poemas, sua cultura é surpreendente [...]. O 'efeito' de sua música sobre mim? Ah, amigo, sou lento em questões do amor, sinto demasiadamente o estranho, como o fazem todos os solitários; mas eu me esforço [...]. Seu afeto é impulsivo, e não há nada de artificial e forçado nele; odeia também todas as paixões 'histéricas' [...]. Anteontem ele me surpreendeu com a rapidez com que compôs um cântico que ele recebera da rainha da Romênia: chama-se 'Fogo dos Alpes' – após ouvi-lo cantar a música quatro vezes, pareceu-me um poema muito bom (a dama está sendo esperada em Pegli)".

Köselitz, que inicialmente se alegrara com o fato de Nietzsche ter encontrado uma pessoa tão inspiradora, que o tirava um pouco de sua solidão e de suas depressões, reconhece agora a mediocridade dos cânticos que Nietzsche lhe enviara: "Era meu maior desejo conhecer Bungert pessoalmente. Há algumas horas, porém, mudei de ideia, desde que conheci quatro de seus cânticos. Acredite, prezado senhor professor, que na Alemanha existem no momento pelo menos duas dúzias desse tipo de compositores. Esse tipo de cultura musical é, no momento, prática de todos os conservadores espertos [...]. Bungert ainda não encontrou a madeira dura do carvalho e do cedro – sua madeira é macia [...]. Não encontrei nos quatro cânticos de Bungert um único motivo que tivesse deixado sua marca no meu coração". Köselitz cita um motivo do *Trovatore* de Verdi e continua: "Aposto que ele fala com um sorriso altivo sobre Verdi; não adianta, precisamos dominar primeiro o que Verdi domina para então alcançar alturas maiores a partir daí! Não é muito difícil alcançar as alturas alemãs" (em 21 de março[13]). E de repente Köselitz pergunta: "Bebe-se cerveja em Gênova?", e Nietzsche responde em 24 de março: "[...] bebe-se cerveja em Gênova", ou seja, também aqui a cerveja seduz para o comodismo alemão, e: "Por fim, não queremos ser injustos com Bungert: o caderno de cânticos pertence ao tempo pré-genovês – ele escreveu centenas de cânticos e tem outras centenas não publicadas". Nessa carta, transparece o que interessava Nietzsche em Bungert: sua posição contra Wagner! "No tocante à cultura alemã atual e vindoura [...] Bungert me faz pensar. Veja bem, existe agora, além do wagnerianismo [...] um sentimento musical que tenta se apoderar, na figura de Bungert, do palco; seus representantes se consideram descendentes de Beethoven e Schumann e estão certos nisso [...]. Agora, parece-me muito interessante que este espírito lírico romântico, que agora é o defensor da sensualidade na Alemanha, acata os gregos e tenta levar ao palco o Homero pela primeira vez. Essa vivência geral da cultura alemã tem seus antecedentes nas vivências de Goethe. Se der certo, resultará algo bom disso tudo, como, por exemplo, 'Hermann e Dorothea' na música: não espero mais do que isso [...]. Faltará 'melodia', tanto cá quanto lá, refiro-me aos wagnerianos." Em 2 de abril, Nietzsche menciona Bungert mais uma vez em uma carta a Köselitz: "Creio que ele seja algo – ele é muito assíduo e desagradável" (o que hoje chamaríamos talvez de "não conformista"). Mas assim que Nietzsche reconhece que Bungert não conseguirá destronar Wagner, ele deixa de se interessar por ele e jamais volta a mencioná-lo.

Este August Bungert havia nascido em 14 de março de 1845 em Mülheim an der Ruhr – ou seja, era apenas cinco meses mais novo do que Nietzsche. Havia estudado música em Colônia (dois anos) e em Paris (seis anos), havia sido diretor musical durante dois anos em Kreuznach, estudou depois contraponto em Berlim durante dois anos, para então se dedicar à sua atividade de compositor. A partir de 1882, viveu muitos anos em Pegli, perto de Gênova. Em 1878, seu opus 18, um quarteto para piano, ganhou um prêmio em Florença; em 1884, Leipzig apresentou sua ópera cômica "Os estudantes de Salamanca". Ele compôs muitas peças para piano e muitos cânticos, alguns destes com os poemas de "Carmen Sylva", rainha da Romênia. A ópera "Nausikaa" foi a segunda da tetralogia "Homerische Welt" [Mundo homérico], com a qual ele tentou criar uma contraparte helênica ao *Anel* germânico de Wagner. Todo o ciclo repousava sobre a temática do poema marítimo "Odisseia" e abarcava as partes "Circe", "Nausikaa", "O retorno de Odisseu" e "A morte de Odisseu", que tiveram sua estreia entre 1896 e 1903 em Dresden, Berlim, Colônia e Hamburgo, mas que não tiveram um impacto maior na cena musical.

A Nietzsche interessava um único aspecto: estava aí um homem que ousava enfrentar o "mestre" de Bayreuth e criar uma obra contra o mitopoeta Wagner, no mesmo nível de Wagner, na música, e não, como Nietzsche, com um poema educativo.

Duvidando de si e da obra (Zaratustra I)

Em 14 de fevereiro, Nietzsche, com muita esperança e confiança, havia enviado esse produto de sua imaginação filosófica e poética, a primeira parte do "Zaratustra", e após uma semana já acreditava que o livro estivesse na gráfica (carta a Overbeck, 22 de fevereiro). Mas nada acontece. No início de abril, ainda está esperando pelas folhas de correção. Impaciência e dúvidas se apoderam dele. Em 24 de março, Overbeck recebe as linhas reveladoras: "Tenho [...] uma noção da imperfeição, dos erros e dos equívocos de todo o meu passado *espiritual* que supera qualquer noção. Não há como consertar isso; jamais farei algo bom. Para que ainda fazer algo! – Isso me lembra da minha última tolice, estou falando do 'Zaratustra' [...]. Estou curioso para saber se ele possui algum valor – eu mesmo sou incapaz de fazer qualquer avaliação neste inverno, e é possível que eu tenha me equivocado terrivelmente em relação ao seu valor". Ressurgem então também pensamentos de uma fuga para a completa solidão num país em que ninguém o conhece e ninguém o procura: a Espanha, a cidade de Barcelona, por fim Courmayeur ao sul do Mont Blanc – e finalmente também México, destino dos sonhos também de Köselitz. Estes são os lugares que agora passam pela cabeça de Nietzsche, como "últimos resultados de meus estudos climatológicos e quase a decisão de um homem desesperado" (carta a Köselitz, de 24 de março).

Nietzsche pretende "desaparecer", como se expressa em 13 de março em uma carta a Overbeck, e ele lhe cita também o exemplo que lhe serve como padrão. Trata-se mais uma vez – e não pela última vez – da casa Wagner, da qual ele não consegue se livrar: "Malwida acaba de me escrever também sobre a Sra. Wagner: 'Cosima quer se isolar do mundo, inclusive de nós, para jamais rever os amigos, jamais voltar a ler uma carta, viver como uma freira em memória dele e para os seus filhos'. – Pretendo fazer o mesmo, mas por motivos diferentes". Em sua dor inicial, Cosima havia realmente se isolado "do mundo", e ela só voltou quando os eventos no empreendimento de Bayreuth, os danos causados pelos funcionários e as consequências que estes tinham para a obra do mestre a obrigaram a intervir pessoalmente. Quando voltou, porém, o fez com uma energia e consequência férrea que – a despeito de todas as críticas justificadas – a revelaram como aquela mulher de estatura extraordinária que Nietzsche sempre admirara e pela qual ele se deixara encantar até os dias do início de sua loucura.

Overbeck sabia dos problemas em Bayreuth já antes da informação de Nietzsche. Em 2 de março, ele recebeu as seguintes palavras de Daniela von Bülow[188]: "Em nome de minha mãe agradeço-lhe pelas suas palavras de condolência e lhe comunico o desejo urgente de minha mãe: que seus amigos destruam todas as cartas que possuírem dela. Desde a morte de nosso pai, ela também se despediu do mundo e faz o sacrifício sagrado para nós, seus filhos, de continuar na vida; no entanto, deseja que nada dela permaneça no mundo. Caso o senhor tenha receios de queimar as cartas da mamãe, talvez o senhor as confiaria a mim, para que eu as guardasse para Siegfried".

É significativo que Cosima não responde à carta de condolência de Nietzsche, tampouco permitindo que outra pessoa o faça em seu nome, nem mesmo a sua filha, mas também não pede que Nietzsche devolva suas muitas cartas tão pessoais. Aqui, a única reação que lhe parecia adequada era o silêncio.

Para entendermos tudo isso, precisamos saber quantas vezes Wagner e Cosima expressaram seu desejo de morrerem juntos e que, por isso, construíram em sua casa "Wahnfried" também seu túmulo. Evidentemente, era impensável que Cosima se suicidasse para cumprir esse desejo. Por isso, restou-lhe apenas a possibilidade de, na forma de um isolamento completo, não viver mais "no mundo". Ela se orientou pelas palavras de Tristão e Isolda no final do segundo ato, após a catástrofe[259]:

> *Tristão*
>
> Para onde Tristão agora parte, queres tu, Isolda, seguir-lhe?
> A terra da qual fala Tristão, onde a luz do sol não brilha,
> é a terra da noite escura, da qual enviou-me a minha mãe...
> O reino das maravilhas da noite, do qual outrora despertei:
> Isto oferece-te Tristão, para lá ele vai:
> Se ela fiel o seguirá: Que Isolda o diga agora.
>
> *Isolda*
>
> Quando outrora o amigo a chamou para uma terra estranha [...]
> Isolda teve que seguir-lhe.
> Agora, tu a levas para a tua terra, para mostrar-lhe tua herança:
> Como fugirei da terra que abraça o mundo inteiro?
> Onde quer que sejam casa e lar de Tristão, para lá Isolda irá;
> mostra então para Isolda o caminho pelo qual ela fiel te seguirá.

Precisaríamos ouvir aqui também a música para entender o poder que essa visão de Wagner exercia sobre Cosima e que agora exercia também sobre Nietzsche.

Overbeck sabia disso, ele conhecia a queda de Nietzsche pelo "Tristão" de Wagner. Por isso, reconheceu imediatamente por trás das declarações e dos planos do amigo o perigo em que este se encontrava. Para protegê-lo da imitação insensata de seu ídolo, ele lhe sugeriu um plano para o futuro em pequenas doses (carta do Domingo de Páscoa, 25 de março de 1883): "Seu 'desaparecimento', se é que tivesse qualquer coisa em comum com a Sra. Wagner, certamente não lhe traria sorte alguma. Não vejo qualquer possibilidade de obter a tranquilidade, da qual você tanto precisa no momento, enquanto você não tiver metas mais sólidas para a sua vida futura. Para tanto, quero compartilhar com você um pensamento sobre o qual conversei recentemente com minha esposa e que não nos pareceu sem mérito. O que você acha de voltar a ser professor, não professor acadêmico, mas professor (p. ex., de alemão) num ginásio? [...] Um retorno por meio dos jovens seria mais fácil para você [...]. E a profissão de professor é uma dessas profissões, e talvez até única neste sentido, em relação à qual você não perdeu tempo durante os últimos anos, mas para a qual você até amadureceu. Por fim, esse tipo de atividade lhe ofereceria também pontos de contato com o mundo exterior. Pois tenho certeza de que aqui [...] você teria sucesso com isso. Se esse pensamento lhe agradar, tenho certeza de que você o executará da forma mais bela que posso imaginar". Nietzsche realmente chega a refletir sobre o assunto e responde a Overbeck no início de abril que essa sugestão "é, de longe, a sugestão mais aceitável" que alguém tenha feito nos últimos tempos (ou seja, melhor do que o convite de Malwida de ir para Roma!), mas com ressalvas: "[...] esperemos primeiro o Zaratustra: temo que, depois de sua publicação, nenhuma autoridade no mundo me aceitará como professor da juventude", preocupação esta que, poucos meses mais tarde, a Universidade de Leipzig confirmaria. Alguns dias mais tarde, em 6 de abril, Nietzsche pede ajuda a Köselitz. Ele chama a sugestão de Overbeck "boa e sensível, ela quase chegou a me *seduzir*: minhas objeções são de natureza climatológica etc. Overbeck acredita que existam 'pontos de contato', [...] lembram-se de mim de forma positiva, e, para ser franco, não fui o pior dos professores. Preciso levar em consideração os meus olhos e a pouca resistência da minha cabeça, e também a proximidade de Jacob Burckhardt, uma das poucas pessoas cuja proximidade me é agradável".

A proximidade de Jacob Burckhardt, não existiria motivo melhor para acatar a sugestão de Overbeck! No entanto, com o passar do tempo, prevalece o medo dos efeitos do clima sobre sua saúde, e aos poucos Nietzsche descarta a ideia. Em 17 de abril, escreve a Köselitz sobre esse assunto e informa também Overbeck sobre sua decisão: “Neste verão, nada me manteve vivo além do repentino retorno para a minha causa principal: *esta* é a minha obrigação, que exige o pior de mim, mas é nela que se encontra também a fonte da minha vida. [...] Mas existe algo *mais importante*, diante do qual a profissão de professor me servira apenas como alívio, como descanso. E apenas quando eu tiver cumprido a minha tarefa principal, encontrarei também a tranquilidade para esse tipo de existência. – Mas talvez eu já a cumpri? Entrementes, aos poucos e folha por folha, apareceu o Zaratustra”.

Nova autoconfiança

Com o Zaratustra, Nietzsche é tomado definitivamente pela mesma convicção missionária que Richard Wagner havia lhe demonstrado. Em suas “Lembranças de Richard Wagner”[225], Ludwig Schemann nos descreve de forma brilhante essa obsessão missionária de Wagner: “Para a caracterização e para a compreensão de Wagner como homem artístico, teremos feito um passo decisivo se mantivermos em mente sua convicção segundo a qual ele sempre se via como um príncipe na execução e representação de sua profissão artística. Nenhum Alexandre pode ter compreendido o dever sagrado de sua graça divina, nenhum Napoleão pode ter exercido o aspecto demoníaco de seu destino com maior poder do que Wagner o fez com a missão que o espírito do mundo lhe impusera [...]. Certa vez, ouvi Wagner resumir o papel terrível que o destino lhe atribuíra numa poderosa parábola: ‘Minha batuta será o cetro do futuro. Ele ensinará aos tempos o ritmo que devem seguir. No fim, o compasso determina tudo; ritmo, harmonia, beleza resultarão automaticamente’. – Os iniciados estremecerão hoje diante dessas palavras da mesma forma como eu estremeci quando as ouvi pela primeira vez”. Vemos aqui um Wagner claramente sob a impressão da filosofia hegeliana! Nietzsche também ouvira as palavras e também estremeceu, mas agora ele se pôs a assumir a herança de Wagner nessa área, como escreve a Köselitz em 19 de fevereiro: “No que diz respeito ao Wagner verdadeiro, pretendo tornar-me herdeiro de grande parte sua (como o disse muitas vezes a Malwida). No último verão, senti que ele havia tirado de mim todas as pessoas as quais precisam ser influenciadas na Alemanha, atraindo-as para a hostilidade confusa e feia de sua idade”.

A partir da publicação do “Zaratustra”, Nietzsche se encontra sob a influência de uma obsessão. Mas – aplicando as palavras de Schemann sobre Wagner: “Para a caracterização e para a compreensão de Nietzsche como filósofo, teremos feito um passo decisivo se mantivermos em mente sua convicção [...]. Nenhum Alexandre pode ter compreendido o dever sagrado de sua graça divina, nenhum Napoleão pode ter exercido o aspecto demoníaco de seu destino com maior poder do que Nietzsche o fez com a missão que o espírito do mundo lhe impusera na engrenagem inevitável do Eterno retorno". O paralelo é assustador (mesmo que não seja singular, reconhecemos traços semelhantes em Beethoven e Berlioz) e tem consequências. Se acreditarmos ter que reconhecer sinais de um abalo espiritual na convicção (ou obsessão) missionária de Nietzsche, somos obrigados a aplicar o mesmo método a Wagner para chegarmos a conclusões paralelas, algo que foi feito já em seu tempo*, no entanto, de um ângulo suspeito: por adversários que não compreendiam seu lado demoníaco, que não conseguiam entender a dimensão que ele abrira para a música como possibilidade de expressão. E Wagner não morreu num colapso espiritual, mas como criador vitorioso de uma vertente artística. Mas se virmos essa convicção missionária de Wagner não como sintoma de uma deformação espiritual (normalmente chamada de "megalomania"), somos obrigados a chegar a uma conclusão no caso de Nietzsche sem recurso à hipótese da doença e procurar suas bases em outro lugar. Já nos deparamos várias vezes com *uma* fonte: Nietzsche se orienta por Richard e Cosima Wagner, "de longe o homem mais pleno" e "a mulher mais venerada", que ele encontrou em sua vida. E exatamente como esse Wagner, ele se vê no mesmo nível de todas as grandes personalidades da história política e espiritual, de Alexandre, César, Napoleão, Shakespeare, Goethe – e também do próprio Wagner. Não podemos esquecer também o elemento religioso: ele proclama um dogma que pretende resolver os enigmas do mundo!

Se seguirmos as tentativas de explicação – as patografias – da psiquiatria[150], Wagner e Nietzsche se encontram em "boa companhia". A começar pela ira desmedida de Aquiles (a μῆνις), todas as figuras extraordinárias da nossa história ocidental, inclusive os fundadores de religiões desde a China até a Palestina, são "psicopatas". A deformação espiritual se mostra praticamente como *conditio sine qua non* do significativo!

Nietzsche havia sido seduzido pelo tipo do "criador", cujo exemplo lhe foi Wagner. Nem mesmo o abismo cada vez maior do gosto especificamente musical, que agora se manifestava não mais em composições próprias, mas em seu entusiasmo pela ópera "Carmen" de Georges Bizet, conseguia mudar isso. Essa ópera foi apresentada nesse inverno várias vezes em Gênova, e Nietzsche a ouviu novamente em 21 de março. "Bem, meu velho amigo, eu me senti novamente muito feliz, algo nessa música comove algum fundamento em mim, e sempre me proponho a suportá-la e a derramar minha extrema maldade do que encontrar minha ruína em

---

* Apresentado de forma mais aguda em 1873 pelo psiquiatra T. Puschmann.

mim mesmo. Durante o tempo todo, imaginei cânticos dionisíacos, nos quais eu me permito dizer de forma terrível o mais terrível: esta é a forma mais recente da minha loucura", ele escreve no dia seguinte numa carta a Köselitz. Nietzsche se encontra, portanto, numa fase extática, na qual ocorrem altos e baixos, característicos do artista romântico, ou seja, daquele tipo do qual ele mais se aproximou com o Zaratustra.

A depressão causada por uma doença aguda (gripe) passa com sua reconvalescência. A virada das dúvidas extremas em relação à obra, à arte da obra, para aquela esperança que alcança seu auge na convicção missionária inabalável, foi provocada por Köselitz, quando este recebeu as primeiras folhas de correção. Em 2 de abril, ele escreve: "Com cada livro novo, fica mais difícil concentrar-me exclusivamente na ordem das letras! A esplêndida virada de seu espírito, a força de sua linguagem, a abundância de invenção até nos mínimos detalhes, o calor e a majestade de seu sentimento me deixam maravilhado, me excitam e ainda vibram em mim. [...] Não existe nada igual, porque as metas que você informa jamais foram informadas à humanidade. [...] Desejo a este livro a difusão da Bíblia, sua importância canônica, a riqueza de seus comentaristas". E poucos dias mais tarde, em 6 de abril: "Qual a categoria à qual seu livro pertence? – Creio até: à categoria dos 'escritos sagrados'", e em 17 de abril: "É maravilhoso! dizem os discípulos sobre as palavras de Buda. 'É maravilhoso', exclamo eu muitas vezes e com razão maior do que aqueles quando o ouço como Zaratustra".

Reconciliação com a irmã

Com a autoconfiança recuperada, melhorou também o bem-estar geral de Nietzsche, ele se tornou "mais humano", como ele mesmo se expressa. Nessa felicidade generalizada, ele deixa se seduzir por uma carta reconciliante de sua irmã de 26 de abril e decide, de forma inesperada para seus amigos, viajar para Roma e fazer as pazes com seus familiares. Na noite de 3 de maio, ele se despede de Gênova, viaja para Roma e permanece ali durante cinco semanas, no máximo, porém, até 12 de junho, hospedando-se no endereço Piazza Barberini, 56, último piano. No entanto, os dias calmos, que passam com conversas superficiais, não deixam rastros. Em uma carta de 22 de maio de 1883 a Overbeck ele chega a escrever: "No tocante à recuperação da segurança física e espiritual, Roma foi certamente uma boa ideia e valeu a pena até agora"; no entanto, observa: "A sáude, porém, a saúde no sentido literal da palavra, não melhorou em Roma; na verdade, a cidade grande é diametralmente oposta às minhas necessidades". Uma coisa, porém, o deixa impressionado: "A antiga cabeça de Epicuro e a de Brutus me fizeram pensar, como também três paisagens de Claude Lorrain" (1600-1682). "Encontrei por toda parte, não só na minha irmã, o acolhimento mais perfeito – algo que eu precisava muito, mesmo que apenas como símbolo e prenúncio de algo que no futuro necessitarei muito", e também Malwida von Meysenbug "me trata com grande bondade maternal; ela deseja para mim o que eu mesmo desejo e conhece os caminhos para realizá-lo". Mesmo assim, lamenta: "No fundo, porém, não encontrei ainda algo no qual reconheceria um espírito que falasse comigo como um irmão e amigo". Alguns dias antes (10 de maio) ele escrevera a Köselitz: "Roma não é o lugar certo para mim – isso está certo. Considero este mês um *refresco humano* e descanso. [...] Tenho um projeto para o verão: encher um castelo bem equipado na floresta, instalado pelos beneditinos para o descanso, com pessoas amigas. Pretendo agora também procurar *novos* amigos. Permaneço, porém, fiel ao principal, acredito que me espera uma solidão profunda e rigorosa, mais profunda e rigorosa do que nunca". Trata-se da velha ideia do "monastério para espíritos livres", mas ele precisa de uma nova congregação para realizá-la. Como efeito do Zaratustra, porém, ele espera primeiro uma distância ainda maior em relação ao seu tempo e um esfriamento do âmbito humano. Ele tenta amenizar essa experiência amarga, antecipando-se a ela e refugiando-se na extrema solidão. Assim, prevalece nessas semanas o plano de "desaparecer" ainda neste verão na solidão, tentando fugir à superficialidade de seu ambiente atual, ao barulho da cidade grande e aos gestos pios da cidade santa ("ontem vi pessoas subirem de joelhos a escada sagrada!"). Agora, passa a pensar em Casamicciola em Ischia, procura um lugar nas montanhas volscas e nos Abruzos. Em 10 de junho, envia um cartão à irmã de Terni-Áquila, no qual escreve: "Fracasso total! O Scirocco castigou Áquila com sua espada ardente. A região é *nada* para mim [...]. Amanhã, parto em direção à Suíça. Ainda não sei informar detalhes".

Na primeira parte da viagem, a irmã ainda o acompanha; eles se separam em Milão. No dia 15, escreve de Bellaggio a Overbeck e à irmã. O tempo é ruim, chove sem parar, e apesar de o tempo não prometer ser melhor na Engadina e onde o tempo está frio, ele foge no dia 18 de junho para lá. Em 21 de junho, escreve à mãe e à irmã (que entrementes voltou para Naumburg após uma visita aos Overbeck em Basileia): "Tenho sofrido muito. Quando cheguei na Engadina, chovia e fazia frio: algumas horas depois, Sils-Maria estava coberta de neve. Permaneci até quarta-feira (20 de junho) no hotel, infelizmente acometido por fortes dores de cabeça [...]. A região e a natureza da Engadina me agradam muito, é a região que mais amo – mas preciso que o calor volte". Nietzsche se hospeda na casa da família Durisch, que, aparentemente, possui um pequeno mercado, pois aqui ele pode "comprar biscoitos ingleses, carne enlatada, chá, sabão e muitas outras coisas". "As pessoas são tão boas comigo e se alegram com meu retorno, principalmente a pequena Adrienne."

Zaratustra enfrenta dificuldades

A volta para a Engadina foi uma surpresa, pois o propósito da última viagem havia sido a procura por uma residência nova, ainda mais solitária em algum lugar no sul. Ainda em 28 de maio, Nietzsche – pela última vez (depois da publicação do Zaratustra, ela se calaria discretamente) – escreveu à sua amiga Marie Baumgartner em Lörrach, anunciando-lhe seu "filho Zaratustra", acrescentando: "Nesse contexto tomei também uma decisão que, há anos, vem e vai e volta para finalmente – agora – encontrar-me amadurecido e forte o bastante: a decisão de 'desaparecer' por uns anos. Mas talvez você ache, prezada amiga, que eu já havia 'desaparecido' o suficiente? – e sua última carta extremamente bondosa parece expressar o desejo de que eu emerja das águas escuras do isolamento! [...] Quero que as coisas sejam tão difíceis para mim: apenas sob essa pressão consigo adquirir a boa consciência de possuir algo que poucas pessoas possuem ou possuíram: *asas* – para usar uma parábola. Lembre-se de mim com afeto, mesmo quando eu tiver 'desaparecido'!"

Mas o Zaratustra gerou novos emaranhamentos com o "mundo", no início, de natureza bastante desagradável. A impressão do livro havia sido atrasada, porque a Gráfica Teubner estava sobrecarregada – ela precisava produzir 500 mil hinários até a Páscoa –, e agora a edição já pronta para ser distribuída permaneceu na editora, porque o editor Schmeitzner acreditava poder salvar sua editora por meio da publicação de escritos antissemitas. Com ironia amarga, Nietzsche informa seu amigo Köselitz em 1º de julho: "Acabo de saber sobre o Zaratustra, que ele ainda permanece em Leipzig: até mesmo as cópias do autor. A causa disso são as 'negociações muito importantes' e as viagens constantes do chefe da Alliance Antijuive, do Sr. Schmeitzner: em casos assim, 'a editora precisa esperar', escreve ele. É uma piada: primeiro o obstáculo cristão, os 500 mil hinários, e agora o obstáculo antissemita – experiências profundamente religiosas". E com isso começam as observações cada vez mais afiadas de Nietzsche contra um antissemitismo florescente, que, para a sua grande tristeza, foi incentivado e posto em prática por seu cunhado.

Posicionamento contra o antissemitismo político

Nisso, porém, uma diferenciação importante permanece indecidida: A condenação do antissemitismo por Nietzsche é de natureza fundamental, e vivencia ele os obstáculos relacionados a ele (como os atrasos na editora ou o rompimento definitivo com a irmã) de forma tão profunda, porque estão vinculados ao antissemitismo, que ele rejeitava já no passado, ou vê ele o antissemitismo de repente como interferência em seus interesses pessoais, tornando-se apenas assim, em decorrência de sua irritação sobre essa interferência, adversário desse movimento político? Suas declarações sobre esse assunto nunca são inequívocas, somos obrigados a deduzir uma resposta na base de indícios.

Se a segunda possibilidade for a verdadeira, precisamos levar em conta que a irritação de Nietzsche causada pelo movimento antissemita se estendeu rapidamente a questões fundamentais. E sua situação de vida atual favorece a primeira opção: a amizade de muitos anos com o judeu Paul Rée terminara com uma decepção terrível. Nietzsche teria tido motivos para culpar o elemento judaico pelo menos em parte e assim simpatizar com o antissemitismo. Mas o que acontece é justamente o oposto: ele faz de tudo para combater um impulso antissemita. Ele não permite nem mesmo que surja a suspeita de um consentimento tácito, viabilizado pela publicação de suas obras por um editor antissemita. Ele chega até a romper com o editor. E ele tenta proteger também a pessoa de Paul Rée, quando (em 21 de abril) escreve a Köselitz: "Rée sempre me tratou com uma modéstia comovente, quero confessar isso explicitamente".

A vida na Engadina e a continuação do Zaratustra

Apesar de a Engadina ter recebido Nietzsche com um verdadeiro clima de inverno, ele confessa seu amor por essa região em uma carta a Gersdorff (28 de junho): "Querido e velho amigo, estou de volta na Engadina, pela terceira vez, e sinto que esta é a minha verdadeira pátria [...]. Queria ter o dinheiro para construir aqui um tipo de casa de cachorro ideal: ou seja, uma casa de madeira com dois quartos numa península do Lago de Sils [...]. Pois é impossível ficar vivendo nessas casas de fazendeiro [...]. Os habitantes de Sils-Maria gostam de mim; e eu gosto deles. No Hotel Edelweiss [...] tomo minhas refeições, sozinho, evidentemente, e por um preço que não castiga excessivamente os meus poucos recursos. Trouxe para cá uma grande cesta de livros, e pretendo ficar novamente três meses. Aqui vivem minhas musas: já no 'Andarilho e sua sombra', eu disse que essa região é meu 'parente de sangue'".

O que o incomodava ainda mais do que o pé direito baixo das construções alpinas eram as paredes brancas; os olhos não suportavam a claridade. Então, seus anfitriões pintaram as paredes de verde. Após alguns dias de adaptação ao clima e ambiente, desperta, com a mesma força eruptiva de janeiro, sua produtividade. Em 1º de julho, ele ainda não menciona o assunto, mas em 13 de julho de 1883

Nietzsche relata a Köselitz: “Bem, acabo de escrever o segundo verso – e agora que terminei estremeço diante da dificuldade que consegui vencer sem ter pensado nela. Desde a minha última carta (1º de julho) tenho me sentido melhor e mais corajoso, e, de repente, veio-me a concepção para a segunda parte do Zaratustra – e após a concepção, também o nascimento: tudo com a maior veemência. (Passou-me pela cabeça que, algum dia, uma dessas explosões e expansões de emoções me matará. Diabos!) O manuscrito para a gráfica estará pronto depois de amanhã, faltam apenas os últimos cinco parágrafos; e meus olhos impõem limites ao meu ‘zelo’ [...]. A intenção era alcançar o segundo degrau, para, dali, escalar o terceiro (seu nome é ‘Meio-dia e eternidade’: isso eu já havia lhe dito uma vez! Mas imploro que fale sobre isso com ninguém! Pretendo desenvolver a terceira parte com menos pressa, talvez levarei anos para ela)”. Na verdade, não passariam anos, mas apenas seis meses.

Se, após a primeira parte do Zaratustra, uma sombra de dúvidas relacionadas à obra e à sua capacidade havia se deitado sobre Nietzsche, é agora a própria obra, que se ergue diante dele como um fantasma e o atormenta, que obscurece sua alma. E ninguém consegue livrá-lo dessa escuridão. Em 16 de agosto, confessa a Köselitz: “Para dizer a verdade, sinto-me esmagado”. Em 27 de julho, a Ida Overbeck: “Esse sentimento terrível de responsabilidade no cume do conhecimento”, e pouco tempo depois a Franz Overbeck: “Neste verão, cada um que tivesse visto e compreendido meu estado, poderia ter dito: ‘Por que não facilitar as coisas para si mesmo? Morra!’” No entanto, “o ‘tirano dentro de mim’, o implacável, exige que eu vença também desta vez [...]. E como são meu modo de pensar e minha última filosofia, preciso até de uma vitória absoluta [...]. Entrementes, porém, ainda estou numa luta de corpo a corpo”. Em agosto, finalmente, após receber todas as folhas de correção do segundo Zaratustra, ele fala em uma carta a Köselitz da “hostilidade mais terrível, que carrego em meu coração contra todo o Zaratustra”.

Dessa vez, a impressão avança rapidamente. A gráfica não é mais a de Teubner, mas a de C.G. Naumann, como revela Nietzsche na carta a Ida Overbeck no início de agosto[50; 124]: “[...] Teubner não libera a primeira parte, provavelmente porque Schmeitzner não consegue quitar suas dívidas”, o que resultaria ainda em um difícil processo jurídico entre Nietzsche e Schmeitzner. Já em 28 de julho, a primeira folha de correção deixa a gráfica em Leipzig; o revisor é, também dessa vez, Köselitz, em Veneza. Em agosto, as correções estão feitas, e em 5 de setembro Köselitz recebe o primeiro exemplar pronto. No mesmo dia, Nietzsche se despede da Engadina e viaja para Naumburg. Nesse ano, não aguentou ficar tanto tempo no hotel quanto pretendera.

Elisabeth lança um novo ataque contra Lou

Após a breve fase de êxtase, que permitiu a Nietzsche escrever a segunda parte do Zaratustra, ele caiu em uma profunda depressão. A reconciliação superficial com a irmã em Roma não havia trazido a tranquilidade tão necessária para a sua alma. *Ela* não havia desistido de seu plano de destruir a tão odiada Lou Salomé. Já no final de novembro, Nietzsche havia escrito a Malwida von Meysenbug[12]: "Minha irmã vê a Lou como verme venenoso, que precisa ser destruído a qualquer preço – e age de acordo". E Elisabeth nunca abandonou essa postura. Durante as cinco semanas em Roma, Nietzsche recebeu pequenas doses constantes desse veneno que Elisabeth espalhava para todos os lados. O trágico no caso de Nietzsche era que sua vacina não era forte o bastante para eliminar nele completamente essa "bactéria de Lou". Agora, as velhas paixões e as lembranças dos dias felizes com Lou o lançaram num conflito desgastante com os sentimentos de ódio incutidos pela irmã. O quão próximo ele se via de um colapso total já neste verão revela uma passagem (omitida por Köselitz) da carta de 26 de agosto de 1883 ao amigo: "O perigo curioso deste verão é para mim – para usar a palavra ruim – a loucura, e assim como, no inverno passado, fui acometido por uma longa febre nervosa (logo eu que jamais tive febre alguma!), é possível que me aconteça também aquilo que jamais considerei possível: que minha razão se confunda". Em sua situação desesperadora, ele já havia se confidenciado à esposa de seu amigo Franz Overbeck, escrevendo-lhe nos meados de julho: "Todas as cartas que escrevi nos últimos tempos pertencem à categoria: doença e melancolia [...]. Foi este meu inverno mais difícil e doente; e as experiências responsáveis por isso poderiam ter me transformado de um dia para o outro em um 'Timão de Atenas'. O que importa que nelas nada há do qual eu precisaria me envergonhar e algumas coisas que mereciam ter recebido o reconhecimento e a empatia de terceiros, sobretudo da minha família. [...] Assim, porém, tudo recaiu sobre mim como uma loucura. E nada pode me devolver o ano durante o qual minha imaginação teve que lutar contra a lama dessas experiências. Acredito já ter suportado mais, cinco vezes mais, do que aquilo que levaria uma pessoa normal ao suicídio: e ainda não acabou. [...] Agora, essas coisas começam todas de novo. Minha irmã quer se vingar de uma russa – tudo bem, mas até agora eu tenho sido a vítima de tudo que ela tem feito nesse sentido. Ela não percebe nada disso, não sabe que não falta nem mesmo uma polegada para um derramamento de sangue e as possibilidades mais brutais. – Sim, sem as metas do meu trabalho e a implacabilidade dessas metas, eu não viveria mais. Por isso, o salvador da minha vida se chama: Zaratustra, meu filho Zaratustra". No entanto, o abalo geral da alma de Nietzsche já havia chegado a um ponto em que ele perdia o controle com todas as pessoas de seu convívio mais íntimo – com a exceção dos Overbeck e de Köselitz – lançando ataques difamatórios e aleatórios para todos os lados.

O ataque mais violento se voltou agora contra Paul Rée em uma carta ao irmão deste. Segundo Elisabeth, os parentes de Rée teriam procurado Malwida von Meysenbug para que esta tentasse convencer Lou a voltar para a Rússia. Malwida, por sua vez, teria pedido ajuda a Elisabeth, enviando a carta para Sils, pois acreditava que ela se encontrava com seu irmão na Engadina. E assim Nietzsche teria recebido notícias de coisas que certamente o irritariam e que ela tentara manter em segredo.

A primeira coisa a se dizer é que Malwida certamente jamais supôs que Elisabeth se encontrasse em Sils, pois os irmãos haviam se separado já em Roma. O decurso real de todo esse caso se torna visível nas cartas de Nietzsche a Ida Overbeck de 27 de julho e do início de agosto de 1883[124]: "No ano passado, minha irmã me poupou demais; não é *maravilhoso* que eu tenho conhecimento dos fatos mais graves dessa história ruim apenas *há três semanas*! – ela os ocultou de mim em Tautenburg, e em Roma fui eu quem exigiu que o assunto não fosse mencionado. Apenas uma carta da minha irmã à Sra. Rée, [...] cuja cópia ela me enviou, me esclareceu, e como me esclareceu! De repente, o Dr. Rée passa a ocupar o primeiro plano; ter que reavaliar e reavaliar dessa forma uma pessoa com a qual eu me sentia unido em confiança e amor é muito terrível, e queria que pudesse sugar uma única gota de consolo dos meus dedos no meio deste deserto. – Talvez, o outono nos traga ainda um pequeno duelo com pistolas". E: "No que diz respeito à minha irmã, jamais deixei qualquer dúvida, nem no ano passado nem neste, em relação ao que *eu* queria [...] então, recebi de forma completamente inesperada sua carta à Sra. Rée, juntamente com alguns detalhes sobre toda a história, que me deixou tão escandalizado que escrevi uma carta fulminante ao irmão de meu ex-amigo. Este, então, ameaçou-me com um processo por injúria; e, então, eu o *ameacei com outra coisa*. Veremos como as coisas seguirão. – Minha irmã me escreveu ainda que ela havia ocultado aquelas coisas no ano passado para poupar-me. E realmente, talvez tenha sido necessário informar-me essa decepção aos poucos e em pequenas doses, caso contrário é provável que eu não estivesse mais vivo". E também à mãe de Lou, que já sofria o bastante com as extravagâncias de sua filha, ele escreveu[12]: "Minha irmã e eu – nós dois temos todas as razões para marcar no calendário com tinta negra o dia em que conhecemos sua filha".

Após lamentar a incompreensão de seus familiares na carta a Ida Overbeck, ele escreve no início de agosto de 1883 à irmã: "Nestes últimos dias, ressenti-me um pouco da Sra. Overbeck, que, certamente com a melhor das intenções, mas de forma descabida e excessivamente imodesta, me escreveu uma pequena carta moral [...] dizendo-me que 'apenas por meio de erros e fraquezas alcançamos nossas mais sublimes virtudes'. [...] Tomei conhecimento disso – mas respondi de modo *muito bem-educado*". Estranhamos também a seguinte passagem da carta à irmã de 29 de agosto: "No tocante a toda a direção da minha natureza: não tenho camaradas, nem mesmo o Köselitz. Ninguém sabe quando preciso de um consolo, de um encorajamento, de um aperto de mão". E nessa carta ele procura novamente amenizar os juízos duros sobre Rée e Lou e buscar um equilíbrio com sua irmã: "O que importam esses Rées e essas Lous! Como poderia *eu* ser seu inimigo! E caso tenham me prejudicado – eu tirei muito proveito deles, justamente no fato de eles serem tão diferentes de mim: nisso encontro uma rica compensação, sim, até um incentivo de agradecer aos dois. Ambos pareciam ser pessoas originais, e não cópias: por isso, eu consegui suportá-los, mesmo que a contragosto".

A sombra do Dr. Bernhard Förster

No entanto, existia ainda outra razão para buscar uma reconciliação com a irmã. Em uma carta a Elisabeth do início de agosto de 1883, Nietzsche menciona pela primeira vez o nome do Dr. Bernhard Förster, que viria a ser seu cunhado. Elisabeth deve ter conhecido esse homem já em 1882. Ele esteve em Bayreuth, e o ódio de Elisabeth contra Lou deve ter se alimentado também com o fato de esta tratar o Dr. Förster com bastante liberdade.

Förster era um antissemita famoso, até temido, um dos defensores mais fortes desse movimento político a partir de 1880. Recentemente, esse partido havia sofrido bastante com acontecimentos vergonhosos. O próprio Förster havia se envolvido numa pancadaria e foi obrigado a se demitir de seu emprego como professor ginasial em Berlim. A nobreza húngara, que simpatizava com o movimento antissemita alemão, teve até de passar por um processo de homicídio ritual. Havia brigas no partido, conflitos de natureza pessoal e fundamental, e Förster achou oportuno desaparecer por algum tempo. Em fevereiro de 1883, partiu para a América do Sul, para o Rio de la Plata, para procurar um local adequado para uma colônia alemã. Nietzsche acreditava que Förster havia se desligado completamente do partido antissemita e que agora, livre de qualquer ideologia, se empenhava num projeto puramente colonial. E assim escreve à irmã: "Parabenizo o Dr. Förster por ter deixado para trás no momento certo a Europa e a questão dos judeus. Pois ai do partido que, após tão pouco tempo, já é obrigado a incluir em seu currículo um processo desse tipo! Sim, quando a nobreza mais depravada do mundo, a nobreza húngara, se afilia a um partido, tudo está perdido". Aparentemente, Nietzsche acreditava ter afugentado definitivamente essa sombra e que sua irmã não corria mais o perigo de ser arrastada para dentro desse movimento tão odiado. Ele não podia prever a sombra que, em breve, voltaria a se deitar sobre sua vida.

Alegrias e paixões

Alguns dos poucos acontecimentos positivos desse verão na Engadina foram uma carta de seu velho amigo de escola Gustav Krug, uma breve visita de seu médico Dr. Breiting de Gênova nos meados de agosto e, por fim, os dias 22 a 25 de agosto com Overbeck em Schuls. O casal Overbeck estava passando o verão em Steinach, e assim os dois amigos se encontraram a meio-caminho. Mas a felicidade não durou muito. Após voltar para Sils, Nietzsche escreve ao amigo: "Quando me despedi de você, fui lançado na mais profunda melancolia, e durante toda a viagem de volta não consegui me livrar de sentimentos negros ruins; entre estes, um verdadeiro ódio contra minha irmã, que, durante um ano, com seu silêncio e discursos em momentos inoportunos, privou-me do sucesso da minha melhor autossuperação, de modo que me transformou em vítima de uma vingança inescrupulosa, justamente quando todo meu pensamento mais íntimo renegou qualquer vingança e castigo: aos poucos, *este* conflito me aproxima da loucura, percebo isto da maneira mais terrível – e não sei como uma viagem a Naumburg poderia diminuir este perigo. Ao contrário: poderiam surgir momentos dos mais assombrosos. [...] Tampouco acredito que seja aconselhável escrever cartas à irmã neste momento – a não ser cartas do tipo mais inofensivo (recentemente, enviei-lhe uma carta com versinhos engraçados). Talvez minha reconciliação com ela tenha sido o passo mais fatídico – vejo *agora* que assim ela veio a crer que tinha o direito de se vingar da Srta. Salomé". Mesmo assim, ele se despede de Sils poucos dias depois, em 5 de setembro, para viajar para Naumburg, onde permanece quatro semanas!

Os espíritos começam a se separar

Entrementes, outra decisão havia sido tomada. Várias vezes, Nietzsche havia pedido a seus amigos que encontrassem algo "distraidor" para ele, alguma atividade que, com suas obrigações, o afastasse de suas reflexões, de suas paixões autodestrutivas, das tensões familiares e do fardo de seus pensamentos filosóficos e que voltasse sua atenção para algo menos pesado em termos emocionais, para um programa científico. Ele havia entrado em contato com o amigo Heinze, professor de Filosofia em Leipzig, para realizar um seminário no semestre de inverno naquela universidade. Em 16 de agosto, ele compartilha seus planos com Köselitz: "Quando não estou doente ou meio louco, o que também acontece, desenvolvo uma palestra que pretendo fazer na Universidade de Leipzig, no outono: 'Os gregos como conhecedores do homem'. Pois tomei o primeiro passo para poder fazer preleções naquela universidade – a princípio, durante quatro semestres, uma apresentação da 'cultura grega' – para a qual estou desenvolvendo um esboço". Mas Leipzig não está interessado, a universidade considera o autor do "Zaratustra" e do "Anticristo" inadmissível. Quando voltou de Schuls para Sils, Nietzsche encontrou a carta sobre a qual escreveu a Köselitz ainda no mesmo dia (26 de agosto): "A ideia de uma preleção em Leipzig foi uma ideia nascida do desespero – eu queria uma distração por meio de um trabalho diário duro. Mas a ideia já foi descartada: e Heinze, o reitor da universidade, abriu o jogo e disse que minha candidatura fracassaria (como, provavelmente, em todas as universidades alemãs); a faculdade não ousaria sugerir meu nome ao ministério – por causa da minha postura em relação ao cristianismo e das minhas imagens de Deus. Ótimo! Este ponto de vista devolveu-me a minha coragem". Nietzsche recebe também a primeira resenha do "Zaratustra". A Overbeck (e com palavras semelhantes também a Köselitz) ele escreve em tom triunfal: "Que prazer eu tenho ao ver que já o primeiro leitor entende que este livro é, na verdade, o 'Anticristo' há muito prometido. Desde Voltaire não houve tamanho atentado ao cristianismo – e, para dizer a verdade, nem mesmo Voltaire sabia que este tipo de ataque fosse possível".

Para Naumburg, apesar de tudo

Em 5 de setembro, uma quarta-feira, Nietzsche se despede de Sils. Ele não pode ter chegado em Naumburg antes do dia 7. Aqui, ele passa exatamente quatro semanas até 5 de outubro. Além de uma carta de 18 de setembro ao editor Schmeitzner, nenhuma carta foi preservada desse período. Nietzsche se encontra sob o encanto da irmã, de forma que não escreve nem mesmo ao seu fiel amigo Köselitz. O convívio não é muito harmonioso, fato que até mesmo Elisabeth confessa em sua biografia[86]. Houve conflitos e discussões tensas por causa dos planos coloniais e do antissemitismo de Bernhard Förster. Nietzsche recebeu o apoio da mãe. Na verdade, porém, suas objeções não eram as mesmas. A mãe temia em primeira linha (e corretamente, como o futuro mostraria) que Elisabeth seguiria o Dr. Förster para sua colônia e a deixaria sozinha em Naumburg; Nietzsche, por sua vez, refutava o programa antissemita da colônia. Não podemos esquecer que Nietzsche havia vivido muitos momentos felizes com sua irmã e que, no fundo, os irmãos se amavam. Certamente, o abismo espiritual entre os dois foi se tornando cada vez maior com o passar do tempo, mas Nietzsche nunca se ressentiu por causa disso – ele simplesmente seguiu seu rumo em silêncio. Ele até já havia sentido orgulho dela – na época em que ela administrara a casa de Wagner durante uma turnê do mestre, e ele sofreu mais com o conflito causado pelo episódio Lou Salomé do que ela. Por isso, a ideia de perdê-la definitivamente, de sofrer uma ruptura definitiva por um motivo tão abominável era quase insuportável. Mas o vínculo da irmã com o antissemita Förster tornou essa ruptura inevitável.

Mas é difícil imaginar Nietzsche empenhado exclusivamente nesse tipo de discussões e filosoficamente inativo. Certamente continuou a trabalhar em seus projetos, que ele havia anunciado a Köselitz ainda em Sils (3 de setembro): "Preciso informá-lo, não sem certo pesar, que agora, com a terceira parte, o pobre Zaratustra realmente avança para a escuridão – e tamanha é esta escuridão que Schopenhauer e Leopardi parecerão meros principiantes na arte do 'pessimismo' [...]. Talvez eu desenvolva ainda algo teórico; deu aos meus esboços respectivos o título 'A inocência do devir'. Um guia para a redenção da moral".

E agora, pela primeira vez, aparece a expressão segundo a qual todos os valores precisariam ser redefinidos, e também a diferenciação fundamental entre "forte e fraco" no lugar de "bom e mal". "Diferencio sobretudo as pessoas fortes das pessoas fracas – aquelas chamadas para dominar daquelas chamadas para servir e obedecer, para a 'entrega'" (carta à irmã, novembro de 1883). No fundo, um ponto de vista antigo, aristotélico. Com isso, Nietzsche define os traços principais dos temas e a direção dos trabalhos filosóficos futuros. Além disso, Nietzsche toma algumas decisões também no nível dos relacionamentos humanos: "O que me tem feito bem até agora foi o convívio com pessoas de *vontade longa* [...] que são sinceras o bastante para acreditar em nada além de seu ego e de sua vontade e de impô-los aos outros para sempre, para sempre. Perdão! O que me atraía em Wagner era isso; Schopenhauer também vivia exclusivamente neste sentimento. E me perdoe mais uma vez, se eu acrescentar que eu acreditava ter encontrado um ser deste tipo no ano passado, a Srta. Salomé; eu a risquei quando descobri que ela nada mais queria do que se instalar de forma aconchegante e que a energia maravilhosa de sua energia visava exclusivamente a um propósito tão modesto – ou seja, que ela pertence ao gênero de Rée. (Quero acrescentar ainda que ela, como também Rée, possui uma qualidade que me atrai, ou seja, a mais perfeita falta de pudor quando se trata das motivações de seus atos. Sabe, em cada época vivem talvez cinco pessoas que possuem essa característica e que têm ao mesmo tempo o espírito para expressar isso: 'Uma delas era Napoleão'.)"[124] Muito, agora, já pertence ao "passado", a crise dos anos passados agora serve como virada para o futuro. Para obter uma visão mais clara desse futuro, Nietzsche volta para o sul.

Refúgio na Riviera

Com base no breve relato de viagem que ele envia de Basileia para Naumburg em 8 de outubro de 1883, é possível deduzir que ele partiu de Naumburg em 5 de outubro e viajou até Frankfurt, onde descobriu que o casal Overbeck (provavelmente retornando de uma visita aos parentes em Dresden) "havia se encontrado no mesmo trem". Mas já uma hora após essa surpresa agradável, Nietzsche sofre uma crise. Ele tenta seguir viagem no dia 6 de outubro, mas é obrigado a interrompê-la em Friburgo. "Lá, fiquei de cama. Uma noite de vômitos." Assim, precisa esperar até o dia seguinte para percorrer os últimos quilômetros até Basileia. "Lá, na casa de Overbeck, fiquei de cama durante todo o segundo dia com fortes dores de cabeça." Ele se recupera no dia 8 de outubro e parte de Basileia na noite do dia 9 para Gênova. Lá, porém, descobre que seu apartamento está alugado até o dia 15. Alguém o informa que Malwida von Meysenbug se encontra numa cidade bem próxima, em Spezia. Imediatamente, viaja até lá e a procura durante alguns dias – em vão. E também aqui houve uma despedida definitiva, sem que nenhum dos dois o soubesse. Após a despedida de Roma em junho, Nietzsche jamais voltaria a vê-la. A correspondência, porém, foi mantida com a cordialidade de sempre, até Nietzsche encerrar também este contato de forma extremamente rude no final de 1888, com um ataque que, no entanto, não conseguiu abalar a bondade de Malwida von Meysenbug: ela era uma pessoa equilibrada demais para permitir que esse tipo de capricho de seu velho amigo a afetasse.

Em 13 de outubro, Nietzsche decide voltar para Gênova. "Tenho usado os dias para estudar em Spezia, mas não encontrei o que preciso. A única coisa certa é que preciso viver próximo do mar. Não sei descrever o efeito redentor do mar sobre meu cérebro e meus olhos [...]. O norte e o nórdico me abalaram terrivelmente" (carta à irmã de 13 de outubro de 1883). De volta em Gênova, informa seu endereço (Salita della Battistine, 8) a Overbeck e Köselitz e também à mãe. Seu estado continua "ruim: abalo profundo, crise após crise"[124], ele estuda uma obra de Gustav Teichmüller, que Overbeck lhe enviara. Trata-se provavelmente da obra "Untersuchungen zur Metaphysik" [Investigações sobre a metafísica], publicada em 1882*. Nietzsche

---

* Teichmüller havia sido colega de Nietzsche em Basileia durante pouco tempo. Ele ocupava a segunda cátedra de filosofia. Quando partiu de Basileia em 1870, Nietzsche se candidatara como sucessor, tentando assim a mudança da filologia para a filosofia (cf. vol. I, p. 184-186).

a compara com seu Zaratustra e fica surpreso ao ver o quanto este πλατωνίζει ("platoniza").

O estado de saúde preocupante obriga Nietzsche a procurar o Dr. Breiting, após ter se "medicado" sozinho durante muito tempo, e ele se alegra como uma criança quando o médico lhe receita "para o meu triunfo, o fosfato de potássio, que eu já havia usado medicinalmente". "Entrementes, ele se convenceu perfeitamente de sua eficácia. Assim, sou inventor do meu próprio remédio [...] (disseram-me que eu havia aplicado inconscientemente o método que agora floresce na América)" (27 de outubro, carta a Overbeck). Ou seja, ele havia abandonado o hidrato de cloral usado ainda no último inverno. Mesmo assim, seu estado não melhora, e ele culpa o clima de Gênova. E quando fica sabendo que Nice goza de um número muito maior de dias ensolarados (220 dias por ano, segundo ele), ele se despede definitivamente de Gênova em 23 de novembro.

Trata-se de uma medida dietética no sentido mais amplo, dieta no sentido antigo da palavra. Ele passa mais ou menos uma semana em Villafranca, para então, em 2 de dezembro, chegar em Nice, passando a residir na Rue Ségurance, 38[II], fugindo assim pelo menos das sombras lançadas sobre sua alma pelas nuvens de Gênova, que – segundo ele – haviam causado tantos dias de doença.

V

"Meu filho Zaratustra"

No capítulo anterior, "Assim falou Zaratustra" foi chamado tanto de "poema" quanto de "poema didático". No entanto, isso diz respeito apenas a um aspecto parcial muito restrito, certamente não expressa a importância filosófica da obra. Mas como e em que contexto devemos avaliá-la formalmente, do ventre de que mãe saiu esse "filho" Zaratustra, já que Nietzsche se considera seu pai? Isso representava um mistério já para Nietzsche, e com sua pergunta e resposta retórica na carta a Köselitz de 2 de abril de 1883 ("A que categoria pertence esse Zaratustra? Creio quase que às 'sinfonias'") começa sua busca pela forma e pelo teor do poema, que tem levado a resultados bem distintos. A princípio, Köselitz responde à pergunta (após ter recebido a primeira prova para a correção) em 6 de abril de 1883: "A que categoria pertence seu novo livro? – Creio quase que às 'Escrituras sagradas'".

O Zaratustra é uma "sinfonia"?

No ano seguinte, em 1º de fevereiro de 1884, Nietzsche, após completar a terceira parte, escreve a Köselitz: "Quero também celebrar uma *festa a dois* com você, e tenho boas razões para isto, pois atraquei no porto! Quatorze dias atrás completei meu 'Zaratustra'". – Nietzsche comunica o mesmo em 6 de fevereiro de 1884 também a Overbeck e acrescenta: "[...] quando o *finale* lhe revelar o que toda essa sinfonia pretende dizer (– de forma muito artística e aos poucos, como quando se constrói uma torre) – também você [...] levará um tremendo susto".

Após a terceira parte, portanto, Nietzsche considera a obra "completa", com um *finale*. Um ano mais tarde, porém, em fevereiro de 1885, ele acrescenta uma quarta parte, a qual ele, em uma carta de 31 de julho de 1885 a Paul Heinrich Widemann, volta a descrever como *finale*, como "*finale* inpublicável e ousado da minha 'sinfonia', que precisa ser mantido em segredo"[7]. Ele tem planos para as partes V e VI, mas não chega a executá-los, pois planos e vias de pensamentos novos passam a exigir toda a atenção de Nietzsche, e estes já não se adequam mais ao vaso "muito artístico" e poético do Zaratustra.

Ou seja: A forma como o Zaratustra se apresenta hoje não foi planejada desde o início, antes cresceu passo a passo, "de forma muito artística, como quando se constrói uma torre". Aqui Nietzsche nos dá uma dica para como nos aproximar do desenvolvimento e do problema *formal* da obra. O que ele aplica aqui são categorias formais artísticas, e Nietzsche designa os gêneros de arte que lhe forneceram os paradigmas: trata-se da "construção de uma torre" e da "sinfonia" = arquitetura e música, o que surpreende em um aspecto, pois em nenhum outro momento encontramos sinais de uma afinidade de Nietzsche com a arquitetura. Por isso, a metáfora da construção da torre não rende muito. Pelo menos, encontramos também nessa arte exemplos significativos de obras que não foram planejadas desde o início na forma como se apresentam hoje. Existem catedrais famosas cujo fundamento romano sustenta uma estrutura gótica; outras, em que o tramo adjacente ao cruzeiro teve que ser encurtado ou estendido para garantir a ligação entre nave e transepto; em outras, constatamos uma divergência na disposição das torres: mesmo assim, a visão geral dessas construções nos impressiona mais como obra artística do que a mais perfeita construção neogótica, que se apresenta sem perturbações e irritações.

As obras da arte obedecem a leis, abrigam forças próprias e peculiares, que dominam até a imperfeição no detalhe. Retomando mais uma vez a referência de Nietzsche à construção da torre: Uma torre permite uma construção continuada, a altura pode ser estendida para além do plano original, contanto que o fundamento suporte a massa acumulada e não ultrapasse sua capacidade de apoio. Para que isso não aconteça, existem cálculos baseados em dados experienciais – ou a intuição artística; temos exemplos para ambos os tipos de procedimento.

A Antiguidade seguia leis de proporção que não haviam sido obtidas por meio da pesquisa de materiais, mas por meio da observação de proporções cósmicas ou de sua representação nas relações de comprimento das cordas e tom. O filólogo Nietzsche conhecia essas teorias de seus estudos sobre Platão.

Perguntamos então: A construção do Zaratustra *como um todo* corresponde a essas proporções, seu fundamento consegue suportar a obra executada? Em toda a crítica levantada contra a obra, jamais se manifestou qualquer objeção nesse sentido. Mas é possível que o fundamento não teria suportado uma quinta e sexta partes. Foi o artista Nietzsche que, após o acréscimo do Zaratustra IV monstruoso (que ele hesitou em publicar) à terceira parte, inicialmente chamada de *finale*, não quis ameaçar as proporções da construção como um todo. Ele percebeu a lei imanente à obra, que ele chama de "sinfonia". Ela é uma sinfonia?

Como o conceito de sinfonia de Nietzsche se relaciona aos padrões formais clássicos e contemporâneos, e o que rende uma análise musical formal de seu Zaratustra?

Novamente precisamos recorrer primeiramente aos fundamentos da Antiguidade. Os teóricos antigos de todas as escolas e vertentes filosóficas até o helenismo permaneceram fiéis ao exemplo do tetracorde musical como representação sensoriamente perceptível da Harmonia cósmica. A relação da frequência dos tons fundamentais é de 3:4, eles representam a "Harmonia", enquanto os tons intra-harmônicos apresentam intervalos livres. O primeiro e o quarto tons dessa construção de quarto partes representam o apoio que sustenta a sequência. Da mesma forma, nas sinfonias clássicas, ou seja, do Haydn e Mozart tardios e no Beethoven jovem, o primeiro e último movimentos representam o apoio sobre o qual descansa toda a sinfonia, são as torres que dominam a forma total. Eles determinam a tonalidade principal, em termos de volume são os mais significativos e apresentam a forma mais rígida. Os dois movimentos intermediários costumam ser mais breves e formalmente mais livres, sua posição é intercambiável. O compositor pode aplicar tipos formais de maior diversidade do que nos movimentos inicial e último. Essa lei começa a se dissolver com a 5ª e 6ª sinfonias de Beethoven (dó menor e "Pastorale"), e esse processo de dissolução continuará até as criações de Mahler, mas mesmo aqui o padrão formal clássico continua a transparecer de forma mais ou menos evidente. Na experiência musical da juventude de Nietzsche, Robert Schumann, as transições entre os movimentos são – como já na sinfonia em dó menor e na "Pastorale" de Beethoven – contínuas, e Hector Berlioz, também venerado por Nietzsche, abandona o padrão de quatro movimentos. A prática de inserir uma introdução antes do primeiro movimento já pode ser encontrada em Haydn e Mozart. Quem mais se distancia do padrão formal clássico é Franz Liszt com suas "poesias sinfônicas", enquanto os outros contemporâneos de Nietzsche – Johannes Brahms e Anton Bruckner – permanecem fiel à forma dos quatro movimentos, a despeito da grande liberdade que concedem à construção interna.

Visto de fora, o Zaratustra corresponde exatamente à estrutura clássica: Quatro movimentos principais com uma introdução. Mas, já *antes* de acrescentar a quarta parte, Nietzsche em sinfonia, e ele tampouco constrói um movimento inicial e final em uma "tonalidade principal" com movimentos intermediários contrastantes, mas sucintos. Se compararmos as relações de comprimento, expressadas aqui de acordo com a paginação da primeira edição, chegamos à seguinte imagem: Introdução – 26 páginas, parte I – 86 páginas, parte II – 102 páginas (+ 16), parte III – 118 páginas (+ 16), parte IV – 134 páginas (+ 16). Nietzsche obedece, portanto, à "lei dos membros crescentes", formulada em 1909 por Otto Behaghel* para a poesia desde Homero e para a prosa a partir de Heródoto[46, 47]. Já a Antiguidade tardia havia constatado esse fenômeno. Behaghel recorre ao Pseudo-Demétrio de Faleros**. Cícero (de orat. III, 186) e Quintiliano (9, 4, 23; 7, 1, 10) fazem a mesma observação. É possível que tudo isso remeta à escola peripatética. Nietzsche certamente conhecia esses textos. No semestre de inverno de 1870/1871, ele anunciou um seminário sobre Quintiliano, no semestre de verão de 1871 fez uma preleção de três horas semanais sobre Quintiliano. E agora – certamente de forma intuitiva como já os seus precursores – Nietzsche obedece a essa lei em seu Zaratustra com uma consequência surpreendente, acrescentando cada vez 16 páginas, ou seja, uma folha de impressão. Esse mesmo aumento externo pode ser constatado também nas seções individuais das partes. Na primeira parte, os "discursos" individuais apresentam um cumprimento mediano de três a quatro páginas; na segunda parte, quatro a cinco páginas; na terceira, cinco a sete páginas (aqui, a seção "Das antigas e das novas tábuas" com 27 páginas divididas em 30 parágrafos ocupa uma posição especial). A quarta parte, por fim, apresenta as maiores oscilações formais, mantendo-se em geral entre seis e nove páginas. Sabemos que Nietzsche fez esboços para livros[201] que apresentam apenas o número de páginas e de folhas de impressão. Isso é um fundamento téorico-musical, uma arquitetura musical. Já mostramos que o jovem Nietzsche estudou a teoria da música, também a teoria da forma musical segundo o Manual de Albrechtsberger (cf. vol. I, p. 82). Agora, a partir de 1883, Hugo Riemann publica seus estudos decisivos, e Carl Fuchs em Danzig os recomenda a Nietzsche, e estes lhe agradam muito. Encontramos esse mesmo "planejamento" também no jovem compositor Nietzsche. Um manuscrito para o oratório natalino contém uma sequência de números, um esboço com o número de compassos para a fantasia para piano "Schmerz ist der Grundton der Natur" [A dor é o tom fundamental da natureza] (1861).

Nietzsche compôs uma "poesia sinfônica", a "Sinfonia de Hermenarico", e outras formas sinfônicas como a "Meditação de Manfredo" e o "Hino à amizade". Certamente podemos recorrer a essas composições em nossa tentativa de reconstruir seu conceito de sinfonia. Vemos imediatamente que não se trata do conceito da sinfonia clássica – e Nietzsche o aplica não só às quatro partes do Zaratustra. Por isso, podemos considerar a quarta parte como "sobressalente", como adendo – talvez

*1854-1936; 1883-1888. Professor de Germanística em Basileia.

** περὶ ἑρμηνείας § 18; ἐν δὲ ταῖς συνθέτοις περιόδοις τὸ τελευταῖον κῶλον μακρότερον χρὴ εἶναι.

possamos fazer o mesmo também em relação ao conteúdo. Mesmo assim, as quatro partes do Zaratustra formam um todo, uma "sinfonia". Existem exemplos disso também na música. A ciência da música mais recente demonstrou[221] que a Missa em Si Menor de Johann Sebastian Bach deve esse nome a um equívoco, pois ela se fundamenta predominantemente em Dó Maior, e que as partes Missa (*Kyrie* e *Gloria*), *Symbolum Nicenum* (Credo), *Sanctus* e *Agnus dei* são composições individuais, inseridas por Bach apenas posteriormente, mas que apresentam diferenças tão grandes em sua construção (instrumentação e vocalização) que dificilmente podem ter resultado de um mesmo plano de obra, mesmo que o texto lhes confira uma unidade externa. Mesmo assim, essa Missa como um todo é uma das obras mais extraordinárias e homogêneas da nossa música, pois provém do mesmo espírito, permeado pela mesma lei interna. Podemos dizer o mesmo sobre todas as partes do "Zaratustra". Nietzsche manteve a mesma tensão criativa durante dois anos ou conseguiu evocá-la quatro vezes ao longo de dois anos e levá-la ao mesmo nível de intensidade. A unidade do conteúdo filosófico se revela como mais forte do que as tensões formais da obra*.

O conceito de sinfonia de Nietzsche, que se manifesta pela primeira vez no "Hermenarico", refere-se a uma grande obra de um único movimento, que consiste de muitas partes menores, a exemplo das poesias sinfônicas de Liszt. É por isso que Nietzsche pode falar de uma "sinfonia" já após terminar a primeira parte. À "Sinfonia de Hermenarico", escrita em 1861/1862, subjaz um programa, um enredo detalhado[4; 125]. Assim, a forma da composição é determinada por um pensamento, que domina toda a obra; interna e musicalmente, temos como suporte um tipo de *leitmotiv*, cuja fonte ou exemplo não é necessariamente Wagner, mesmo que essa técnica de unir uma obra internamente por meio de associações de materiais temáticos seja levada à perfeição por ele – mas ela pode ser encontrada já em Bach! O Zaratustra apresenta essa mesma unidade interna criada por meio de *leitmotivs*. Mas o conceito de sinfonia de Nietzsche não permaneceu limitado à "poesia sinfônica". O "Eco de uma noite de São Silvestre", criada dez anos após o "Hermenarico", reúne a estrutura bipartida com a tripartida: A uma ampla e extensa elegia segue uma alegre "dança camponesa" com nova temática. Uma terceira parte reúne as duas primeiras partes na forma de contrapontos. Temos então um arco aproximado ABA (+B). Um arco inequívoco de três partes na forma ABA surge um ano mais tarde na

---

* Lembramos aqui a "questão homérica", a pergunta referente às diferentes camadas nos epos homéricos, que, mesmo assim, representam uma unidade artística. E na literatura alemã clássica encontramos o "Fausto", de Goethe, como exemplo de uma obra não projetada desde o início nessas dimensões, que acabou crescendo "como uma torre".

"Meditação de Manfredo". A parte intermediária nada mais é do que a parte A abreviada do "Eco", reduzido principalmente ao segundo grupo de motivos. E a última composição de Nietzsche, o "Hino à amizade", volta a apresentar três partes, dessa vez, porém, na forma AAB (duas estâncias e um pós-canto), à qual se introduz a estrofe do hino como um elemento do rondó após cada parte. A estância designada de "Prelúdio" apresenta 63 compassos num movimento 12/8. A subsequente estrofe do hino apresenta 26 compassos em 4/4. A segunda estância (o primeiro interlúdio) segue o mesmo movimento 12/8 da primeira estância, é musicalmente relacionado a este, mas se estende por 97 compassos. A seguinte estrofe do hino também apresenta 26 compassos. O "segundo interlúdio" também volta a apresentar 97 compassos, mas a estrofe que encerra toda a obra é ampliada a 30 compassos. Constatamos, portanto, também aqui a lei dos membros crescentes. O importante, porém, é que esse "segundo interlúdio" repousa sobre uma nova estrutura musical: num compasso 4/4 a exemplo de uma marcha, ele varia e reflete a estrofe do hino. Mesmo assim, não se trata de um movimento clássico de variações, antes se aproxima da Passacaglia, usada por Brahms em 1885 para o *finale* de sua quarta sinfonia.

Podemos retraçar o desenvolvimento do conceito de sinfonia de Nietzsche da seguinte forma: Ele começa com a "poesia sinfônica" de um só movimento, unida por um *leitmotiv*, mas determinada por um "programa", depois adota o modelo das três partes, primeiro na forma de um arco, mais tarde na forma de duas estâncias e um pós-canto, como a que Nietzsche conhecia dos "Cantores mestres" de Wagner. O terceiro ato dessa obra de Wagner apresenta de forma vivaz a criação do hino de Walther após a apresentação do fundamento teórico no primeiro ato[259]:

> Uma lei consiste de duas estâncias,
> que devem ter a mesma melodia;
> a estância composta de vários versos,
> o verso apresenta sua rima no fim.
> Então segue o canto final,
> que também deve consistir de vários versos
> e ter sua própria melodia,
> que não deve ser a mesma das estâncias.

Será que podemos encontrar elementos formais parecidos no "Zaratustra"? Quais? Nós nos aproximamos mais da forma, se considerarmos as duas primeiras partes como "estâncias" e a terceira como "pós-canto", tipos formais que não se limitam à música. As duas estâncias apresentam um paralelismo nas 22 peças de cada uma, que todas elas apresentam "sua rima no fim" com a expressão "Assim falou Zaratustra". A primeira parte contém apenas "discursos", com títulos iniciados em “De... (da ou das)”; na segunda parte, sete títulos se afastam desse padrão, não, porém, os textos: estes continuam sendo “discursos”; as divergências, por sua vez, também seguem um padrão: são duas no início da parte (os números 1 e 2) e duas no final (os números 19 e 20) e os três cantos pouco antes da metade. As oito primeiras peças se orientam em direção a esses cantos, compondo com estes a primeira metade. As onze peças da segunda metade representam (sob o aspecto formal) o refrão e a coda, com peso igual da exposição e parte intermediária (= execução), ou seja, obedecendo novamente à lei dos membros crescentes em relação apenas à exposição. A estruturação interna das estâncias segue o padrão ABA. Mas existe mais um elemento que une as duas estâncias: respostas temáticas individuais. Podemos apontar como peças paralelas o número 4: “Dos que desprezam o corpo” (primeira parte) e “Dos sacerdotes” (segunda parte); o número 6: “Do pálido delinquente” (primeira parte) e “Dos poetas” (segunda parte). Outras respostas desse tipo precisariam ser reveladas por uma análise filosófica e não apenas formal.

A terceira parte apresenta o caráter de pós-canto em virtude de “sua própria melodia” e estrutura interna. Ela consiste de apenas 16 peças, das quais uma (“Das antigas e novas tábuas”) é mais longa do que todas as outras. “Semelhante à estância, porém, não igual, rico em tons e rimas próprias” – é assim que Hans Sachs apresenta o pós-canto no terceiro ato dos “Cantores Mestres”. Semelhança e diferença se revelam nos elementos externos e formais no fato de que tanto a segunda parte (segunda estância) quanto a terceira parte (pós-canto) não se encerram com a fórmula rígida do “Assim falou Zaratustra”, de que sete peças da segunda e da terceira partes não seguem o padrão dos títulos iniciados em “De...” No entanto, 15 peças da segunda parte e apenas 9 da terceira parte continuam seguindo esse padrão, de forma que o pós-canto se desvia apenas um pouco da construção da estância com suas relações de 7:15 e 7:9. Em ambas as partes, porém, são as peças no início e no fim que são determinadas de forma mais forte pelos elementos do enredo ou que desembocam em cantos.

Na quarta parte, as coisas se apresentam de forma completamente diferente. O padrão de títulos iniciados em “De...” ocorre apenas duas vezes no total de 20 peças. E também a fórmula de encerramento “Assim falou Zaratustra” passa para o segundo plano – aqui, ocorre apenas onze vezes. Nove peças não apresentam a fórmula evocativa, principalmente porque não se encerram do mesmo modo como os “discursos” anteriores, que representam ensaios encerrados em si (também tematicamente). Agora se entrelaçam em seus enredos e apresentam transições mais fluentes. De certa forma, a quarta parte se isola das outras e se aproxima novamente da “poesia sinfônica”.

Se assim – apesar de todas as ressalvas que devem ser observadas quando transpomos elementos formais de uma arte para outra – podemos identificar formas musicais como arco, estâncias, rondó, variação, *passacaglia* e *leitmotivs*, podemos apontar também portadores de atmosfera musical. Os "cantos" inseridos já apontam para a intenção de Nietzsche de escrever uma língua "que canta". Encontramos aqui um paralelismo com a língua dos poemas épicos de Spitteler, sobre a qual falaremos mais abaixo. Poderíamos falar também de uma "tonalidade" da língua de Nietzsche e introduzir categorias como maior e menor. Varia também a velocidade em que as diferentes sentenças devem ser lidas, mas isso vale para muitas outras áreas da literatura, principalmente para a poesia lírica ou textos dramáticos. Também o uso de onomatopeias, a criação de imagens sonoras a exemplo da música impressionista – para tudo isso poderíamos apontar muitos exemplos. E também aqui se revela a ruptura entre as três primeiras e a quarta partes. As primeiras partes permanecem numa tonalidade suave, apenas poucas vezes extática, mas a quarta parte "mais ousada" é estridente e bizarra, cujas paródias já antecipam o "Crepúsculo dos ídolos" e o "Caso Wagner". A música se torna dissonante.

Até mesmo as "imagens", os cenários descritos precisam ser analisados como portadores de atmosfera musical. Elas nunca atingem o grau de plasticidade que nos permitiria desenhá-los. As visões de palco de Wagner, irrealizáveis no palco, pelo menos chegaram a inspirar alguns pintores (p. ex., Lenbach). Não existem paisagens do Zaratustra. As paisagens e os cenários de Nietzsche são mais emocionais do que visuais.

Tudo isso nos permite aplicar o conceito de "sinfonia" ao Zaratustra, como o faz Nietzsche de forma tão direta? Acredito que sim, em certa medida, mas é preciso renunciar ao conceito formal da "sinfonia" e compreendê-lo como termo musical geral, como Nietzsche o fará mais tarde em seu "Ecce homo"[5]: "Se eu voltar alguns meses a partir deste dia (agosto de 1881), encontro, como augúrio, uma mudança repentina e profundamente decisiva do meu gosto, principalmente na música. Talvez seja possível atribuir todo o Zaratustra à música; – certamente foi possível *ouvir* um renascimento na arte, uma precondição para este". O conceito de sinfonia de Nietzsche não permanece restrito à música (hoje, falamos até de "sinfonia de cores") e se aproxima mais do conceito antigo da "Harmonia" ou do "cosmo", remetendo à ordem equilibrada de uma criação maior, uma obra dominada por sua lei interior, que transcende aquilo que se pode compreender racionalmente e que expressa o subconsciente. Isso parecia ser o domínio da arte, especialmente da sinfonia desde Beethoven. Mas a filosofia também já havia passado por essa ampliação no neoplatonismo. Para o neoplatonismo a filosofia é um caminho. Ele a leva até os limites de suas possibilidades (racionais), reservando então o último à "visão", à percepção intuitiva. Assim, oferecem-se dois acessos possíveis ao "indizível": a partir da arte e da filosofia. O Zaratustra é, então, "sinfonia" ou filosofia – ou uma síntese de ambas?

O Zaratustra é uma "escritura sagrada"?

Köselitz insere o livro ao grupo das "escrituras sagradas" (cf. acima, p. 156) e assim o destaca da arte e da filosofia. Para ele, as sentenças de Nietzsche já pertencem à categoria dos dogmas. E assim começa a catástrofe para a interpretação de Nietzsche, alimentada mais tarde também pelo arquivo Nietzsche.

E quais seriam essas escrituras sagradas às quais deveríamos atribuir o Zaratustra? Certamente não ao Novo Testamento, apesar de o Zaratustra, sobretudo a quarta parte, estabelecer um vínculo (negativo) com este por meio de suas paródias constrangedoras. Tampouco existe um paralelismo formal entre as quatro partes da obra e os quatro evangelhos, nem mesmo no que diz respeito ao enredo. Os quatro evangelhos contam, cada um a seu modo, quatro vezes a mesma história da salvação, enquanto as quatro partes do Zaratustra seguem uma única trama contínua. E também em seu conteúdo o Zaratustra não pode ser uma "Bíblia substituta" ou uma "Bíblia concorrente", tampouco o pretende ser; o Zaratustra não é um livro religioso, antes se limita à filosofia. A religião propaga conhecimentos espirituais como "verdades" e exige fé. A filosofia indaga, e ela questiona até mesmo em suas sentenças; ela não exige fé, mas convicção por meio da razão. O Zaratustra também questiona, e ele chega a advertir diretamente do perigo da fé, como, por exemplo, no fim da primeira parte: "Venerais-me, mas e se algum dia vossa veneração tombar? Cuidado para que não sejais esmagados por uma estátua! Dizeis que acrediteis em Zaratustra? Mas o que importa Zaratustra! Sois meus crentes; mas o que importam todos os crentes! – Ainda não havíeis procurado a vós mesmos: e me encontrastes. Assim o fazem todos os crentes; por isso vale tão pouco a sua fé".

Em seu cartão postal de 17 de abril de 1883, Köselitz nos dá uma dica referente às "escrituras sagradas" que ele poderia ter tido em mente. Ele encerra o cartão com as palavras: "Louvado seja aquele, o Santo, o plenamente Iluminado! – com esta apóstrofe budista, saúda-o, sem ser budista, com a devoção de um aluno – seu grato Köselitz". Aqui irrompe de forma inesperada a lembrança de seu semestre em Basileia no inverno de 1875/1876. Na época, Nietzsche fez uma preleção sobre "Antiguidades da cultura religiosa dos gregos". Como fundamento de suas "pesquisas", serviu-lhe a obra de Friedrich Creuzer "Symbolik und Mythologie der alten Völker" [Simbolismo e mitologia dos povos antigos][69], cuja terceira edição (1836-1843)

Nietzsche possuía[183]. Essa obra dedica espaço amplo a Zoroastro; teremos que voltar a falar sobre isso. No entanto, as partes sobre Buda no "Apêndice I" (p. 493ss.) e em maior detalhe no "Apêndice VI" (p. 552ss.) do primeiro volume parecem ter deixado uma impressão mais forte em Nietzsche e, sobretudo, em seu aluno Köselitz. Esse interesse foi alimentado por um livro presenteado por Gersdorff. Nietzsche agradece em 13 de dezembro de 1875: "Seus livros: há de preservar seu bom ânimo aquele que tem amigos tão participantes! Sim, admiro o belo instinto de sua amizade... Justamente você teve que ter a ideia de me enviar esses provérbios indianos, enquanto eu, com um tipo de sede cada vez maior, voltava meus olhos para a Índia nos dois últimos meses. Emprestei de [...] Hr. Widemann a tradução inglesa da Sutta Nipàta, algo dos livros sagrados dos budistas". Gersdorff havia lhe enviado os três volumes da obra de Otto Böthlingk, *Indische Sprüche. Sanskrit und Deutsch* [Provérbios indianos. Em sânscrito e alemão], publicada entre 1870 e 1873[183], e Nietzsche leu também textos do cânon páli. Estabelecer paralelos formais entre as três partes do cânon páli e as três primeiras partes do Zaratustra, semelhantes aos encontrados com o esquema formal musical, se torna irrelevante porque Köselitz faz a comparação já após a leitura da primeira parte do Zaratustra. Mas Köselitz reforça sua opinião (segundo a qual o Zaratustra pertenceria à categoria dos discursos de Buda) em sua "Introdução" à edição de 1910, onde ele escreve: "Também o Zaratustra provocará, igual aos outros livros sagrados e ao mais sagrado dos livros sagrados, uma enchente de glossários, exegeses, refutações, panfletos ao longo dos séculos", e: "Um comentário precisaria seguir à obra versículo após versículo e poderia [...] facilmente, a exemplo de alguns comentários indianos, encher uma biblioteca".

Um ponto de comparação externo e formal seria no máximo a organização da obra na forma de "discursos". Aqui os discursos de Zaratustra, lá os discursos de Gautama Buda. Mas podemos fazer também uma comparação funcional. De modo generalizado, podemos dizer que o budismo é filosofia transformada em religião. O budismo já foi descrito como religião ateísta. Nele não encontramos um deus ou uma grandeza revelatória que fale pela boca de um profeta, nenhum deus que o use como seu médium, nenhum fundador de religião que se submeta a uma potência do além. Buda alcança a iluminação, o conhecimento por meio da reflexão, por meio da força de seu espírito. E é essa a chance que Köselitz reconhece no Zaratustra, ele acredita que Nietzsche aponta nessa obra uma saída da situação espiritual estancada de seu tempo, do niilismo, que seu trabalho filosófico pode se transformar em religião, ou, no mínimo, em substituto de religião. Lou Salomé reflete essa mesma impressão em 1882, numa anotação[12]: "Ainda veremos como ele se apresentará como proclamador de uma nova religião".

O fato, porém, que Nietzsche escolheu como título de sua obra o nome do fundador religioso *persa*, que prega um dualismo opondo uma à outra duas potências metafísicas contrárias, representando assim a maior oposição possível à posição filosófica do próprio Nietzsche, não parece ter impressionado Köselitz. Ele via Buda e Zaratustra como a mesma coisa e considerava suficiente o fato de encontrar discursos tanto aqui quanto lá para estabelecer esse paralelismo, mas mesmo nisso ele cometeu um equívoco. Os títulos dos discursos se iniciam predominantemente com "De... (Da...)" a exemplo dos muitos títulos dos tratados da filosofia pós-socrática, que todos começam com: περὶ τοῦ. E a fórmula "Assim falou..." é a tradução de "τάδε" ou "ὧδε λέγει...", expressão com a qual os autores pré-socráticos iniciavam seus escritos. Com essa adoção, Nietzsche "arcaíza" seu texto, trata-se de uma simples técnica estilística. As biografias no Diógenes Laércio apresentam inúmeras listas desse tipo de escritos. Ou seja, se quisermos encontrar um ponto de referência, deveríamos procurá-lo na tradição filosófica – não só no que diz respeito aos títulos, mas também ao personagem principal. A figura que mais transparece aqui é o lendário médico, pregador itinerante e filósofo Empédocles. Grandes partes de um poema didático de Empédocles, escrito em hexâmetros, puderam ser preservadas. Mesmo que Empédocles não tenha emprestado seu nome ao título da obra de Nietzsche, essa figura pré-socrática e toda sua herança estão presentes nas impressões nietzscheanas: a mistura inseparável de ciência natural, filosofia natural iônica e misticismo pitagórico-eleático. O primeiro comentarista do Zaratustra, Gustav Naumann, já observou isso em 1899[173]. Ele reconhece no fragmento nietzscheano de Empédocles a forma preexistencial do Zaratustra. E isso insere a obra mais uma vez em outro contexto formal: na antiga tradição do poema didático. A única diferença é que Nietzsche não se atém à forma rígida da métrica do verso, do "poema" no sentido mais restrito. Ele se contenta em escrever uma prosa arcaizante mais erudita. Essa prática de arcaizar um texto era um tributo ao gosto de seu tempo. Esse gosto se manifesta de forma mais impressionante na arquitetura das construções neoclassicistas e principalmente neogóticas. Na literatura, Nietzsche foi apresentado a esse estilo por meio do recurso de Richard Wagner ao verso aliterativo. Essa tendência se estende até ao "Jedermann" (1911), de Hugo von Hofmannsthal, que evoca a Idade Média com suas criações verbais arcaicas.

O Zaratustra foi influenciado pelo "Prometeu" de Carl Spitteler?

Dificilmente conseguiremos dar uma resposta certa à pergunta se Nietzsche conheceu já agora, i.e., durante a concepção do Zaratustra, o "Prometeu" de Carl Spitteler, publicado no final de 1880 sob o pseudônimo Felix Tandem[224], no qual

Carl Spitteler também se aventura num estilo de prosa mais sofisticado. Muito, porém, indica que este não tenha sido o caso. O próprio Spitteler, por sua vez, parece ter acreditado nisso[224]: "[...] imediatamente após a publicação do livro, ou seja, em janeiro de 1881, alguns ex-alunos de Nietzsche se entusiasmaram com o livro. 'Precisamos enviá-lo para Nietzsche', diziam [...]. Eu o proibi veementemente [...]. Mas será que não o fizeram mesmo assim? Eu não sei, tampouco o sabem meus amigos. Mas se me perguntassem se a possibilidade existe [...], eu responderia: Creio ser não só possível, mas provável [...]. Seria um acaso curioso se Nietzsche não tivesse conhecido o livro já na época (em 1881 ou 1882). Fato é que, a despeito de ter sido ignorado pela imprensa, o 'Prometeu' provocou um interesse extraordinário nos círculos mais altos do mundo literário e acadêmico da Suíça. A notícia sobre um livro surpreendente e misterioso em estilo bíblico começou a se propagar a partir de fevereiro de 1881 entre os homens notáveis da Suíça de língua alemã. Todos os escritores importantes e também todos os diretores musicais mais respeitados de Berna, Zurique e Basileia possuíam uma cópia do livro. Keller possuía o livro, Meyer possuía o livro [...]. Todos o conheciam nas universidades da Suíça [...]. Eu mesmo o enviei para Jacob Burckhardt, professor em Basileia.

Como Nietzsche, professor em Basileia, em contato com todos os homens famosos da Suíça, não deveria ter ouvido falar no livro? Já mencionei que alguns dos primeiros leitores e admiradores do livro eram ex-alunos e discípulos fervorosos de Nietzsche; entre eles também alguns alunos de Basileia, que costumavam visitar seu amado mestre. O que, então, é mais provável? Que estes alunos de Nietzsche [...] se calaram, ou que um deles [...] trouxe o livro à atenção do professor? Além do mais, [...] quão provável é que nenhum dos livreiros de Basileia [...] tenha submetido o novo livro à avaliação do Sr. Prof.-Dr. Friedrich Nietzsche [...]? Ou imagino Jacob Burckhardt dizendo a Nietzsche numa conversa informal: 'Dê uma olhada nisso quando tiver tempo! Talvez você consiga entender algo; eu não consigo encontrar nada de útil nele.' Por fim: no outono de 1881, logo após a publicação da segunda parte, o Jornal "Bund", de Berna, publicou uma grande resenha do livro; o "Bund" era o jornal preferido de Nietzsche. No jornal mais lido de Basileia, o "Basler Nachrichten", o Prof. Stephan Born, ou seja, um colega de Nietzsche na Universidade de Basileia, elogiou o livro com palavras muito positivas. Por isso, mais uma vez: [...] seria altamente estranho se, na época, ele não tivesse [...] ouvido falar sobre o livro".

E: "Pelo que sei, Weingartner foi o primeiro que, de forma clara e firme e para a minha grande surpresa, expressou publicamente sua convicção de que o "Zaratustra" de Nietzsche apresenta rastros evidentes e inquestionáveis de uma grande influência por parte do "Prometeu", de Tandem". O músico Felix Weingartner (1863-

1942) se entusiasmara tanto com o poema de Spitteler que, em 1904, publicou um pequeno livro: "Carl Spitteler – Ein künstlerisches Erlebnis" [Carl Spitteler – Uma experiência artística][265]. Nesse livro, Weingartner escreve: "A forma do poema como um todo é épica, a linguagem é ritmicamente sofisticada, eu diria até que se trata de prosa bíblica. Uma única obra pode ser comparada com esta, 'Assim falou Zaratustra', de Nietzsche, sobretudo porque Nietzsche conhecia o 'Prometeu' de Spitteler, publicado em 1881, e [...] visivelmente foi influenciado por este. Isso se manifesta não só no fato de que, em ambas as obras, o herói é acompanhado por duas figuras animais – Prometeu por um leão e um cachorrinho; Zaratustra por uma águia e uma serpente – mas muitas vezes também na argumentação e nas imagens linguísticas. Apesar dessas semelhanças, que se devem a essa influência, existem entre as duas obras também diferenças das mais graves. Nietzsche procura revestir seus objetivos filosóficos de formas poéticas, mas seus personagens apresentam todos a mesma face, ou seja, a de seu criador, e em seus discursos patéticos ecoa sempre a mesma frase: 'Desvenda as minhas palavras'. Essas figuras não são seres vivos, mas conceitos sem corpo, aos quais foi conferida a aparência de personalidades. – O livro de Spitteler, por sua vez, é ilustrativo e concreto [...] e o poeta nos oferece cenas de extrema dramaticidade até mesmo quando sua imaginação se aventura nas regiões distantes da metafísica. – Nietzsche é poeta aparente, Spitteler é poeta verdadeiro".

Infelizmente, Weingartner não apresenta provas para sua alegação segundo a qual Nietzsche "conhecia o 'Prometeu' de Spitteler, publicado em 1881", quando concebeu seu Zaratustra. Weingartner não podia recorrer a Spitteler, pois suas declarações são explicitamente meras suposições – e estas, por sua vez, se apoiam em uma suposição equivocada, pois em 1881 Nietzsche já não era mais professor em Basileia, já não mantinha mais o mesmo contato com seus ex-alunos, não convivia mais com Jacob Burckhardt, e os livreiros de Basileia não lhe enviavam os lançamentos mais recentes e interessantes. Nietzsche não era mais professor havia dois anos e não vivia mais em Basileia. Ele não mantinha mais nenhum contato direto com seus ex-alunos, exceto com Köselitz (que não vivia mais em Basileia desde 1876) e o jurista Louis Kelterborn. Na correspondência com os dois não encontramos nenhuma referência a Spitteler no tempo da redação do Zaratustra. De vez em quando, Nietzsche e Jacob Burckhardt ainda se escreviam – mas os dois não voltaram a se encontrar pessoalmente. E quanto aos livreiros? Eles não tinham como saber onde ele se encontrava, pois nem mesmo a irmã sabia sempre onde ele se encontrava em determinado momento. E até mesmo a Overbeck Nietzsche informava apenas o endereço de uma caixa postal.

Quero lembrar rapidamente as circunstâncias externas desse tempo: Nietzsche passou o inverno de 1880/1881 em Gênova e estava ocupado com a finalização de "Aurora". Em 1º de maio, ele se muda para Recoaro, onde se encontra com Köselitz. Daqui, em 2 de julho, ele se muda diretamente para a Engadina. No início de 1881, ele já anota pela primeira vez a ideia e o plano para o Zaratustra. Em 1º de outubro, volta para Gênova, onde permanece até a viagem para Messina (29 de março a 1º de abril de 1882). Segue então o episódio "Lou". Nesse contexto, Nietzsche passa por Basileia em maio de 1882 pela primeira vez desde sua breve visita à cidade em 10 de outubro de 1880. Na época da publicação do 'Prometeu' de Spitteler, Nietzsche jamais esteve em Basileia!

Em suas leituras, o filósofo se concentra em escritos da ciência natural e da filosofia positivista: Robert Mayer, Dühring, Spir, Boscovich e o "Spinoza", de Kuno Fischer. Na área da literatura, lê "Grüner Heinrich", de Gottfried Keller. No campo da música, encanta-se com 'Carmen', e isso marca a transição para a fase aguda de seu distanciamento de Wagner.

Em tudo isso, não há espaço para o 'Prometeu' de Spitteler. Nietzsche não mantém quaisquer contatos com a vida literária e artística da Suíça – com a exceção de Keller, que ele já conhecia há algum tempo. E Nietzsche se torna leitor ávido do "Bund" apenas alguns anos mais tarde.

Possíveis influências externas

Weingartner, porém, dá ainda outra dica, que precisa ser investigada: o paralelismo dos animais acompanhantes: em Spitteler, leão e cachorrinho; em Nietzsche, águia e serpente. Se quisermos insistir numa influência externa, esta deve ser procurada em "The Revolt of Islam", de Shelley, onde a águia e a serpente ocorrem diretamente. Nietzsche conhecia a obra na tradução de J. Seybt[218]. Quando era aluno em Pforta, recebeu a obra no Natal de 1861. Na biblioteca do espólio de Nietzsche, encontra-se, porém, apenas o tomo "Poesias selecionadas de Shelley", organizado por Adolf Strodtmann, e este volume não contém a "Revolta do Islã", mas é evidente que o desejo de possuir a tradução desta obra em 1861 nasceu da leitura dos poemas de Shelley. O interesse por P.B. Shelley (1792-1822; "The Revolt of Islam", 1817), amigo de Byron, resultou de seu entusiasmo por Byron, que Nietzsche transmitira também a outros. Em cartas de Gersdorff (16 de setembro de 1877)[14] e Köselitz (13 de março de 1879), Shelley é mencionado como figura conhecida. Portanto, é possível que algumas imagens dessa poesia tenham se infiltrado no Zaratustra. Na introdução autobiográfica de Shelley, lemos: "O perigo que jaz à beira do abismo tem sido meu companheiro", e no primeiro canto (estrofe 1, versos 3ss.):

Despertei de um sonho pesado e escalei
uma montanha íngreme à beira do mar,
cuja base havia sido escavada pela queda das ondas,

e então Shelley descreve a luta da luz do sol contra a escuridão, a neblina e a tempestade, introduzindo na oitava estrofe (versos 3ss.)

e nos altos vislumbrei uma águia
cingida por uma serpente

os animais simbólicos, em cuja luta empatada se manifesta o antagonismo igualmente empatado entre o bem e o mal. A cena introdutória da primeira parte do Zaratustra pode remeter a tudo isso. E uma observação de Shelley em sua introdução sobre a origem da obra apresenta uma semelhança surpreendente com a descrição (posterior) de Nietzsche sobre a concepção do Zaratustra: "E mesmo que a composição tenha durado apenas seis meses, os pensamentos foram reunidos em número igual de anos".

De forma menos clara, mas inconfundível em seus traços individuais, o Zaratustra revela também referências a uma poesia contemporânea, que, alguns anos antes, Nietzsche havia superestimado da mesma forma como superestimara o gênio de seu amigo compositor Köselitz: "Der entfesselte Prometheu" [Prometeu desacorrentado], de Siegfried Lipiner[154].

Imagens como (p. 44):

Lá, na rocha solitária, um homem está sentado
aprofundado em suas reflexões, sustentando
com a mão a cabeça curvada em meditação.

Ou (p. 127):

Blasfemarás calmamente, sem êxtase,
com senso autoconfiante, olhares fixos
e sorriso – ah...

E no final da cena (p. 174):

Vós, aos que vale unicamente a minha palavra,
vós poucos, coragem!

E muitas outras sentenças parecem ter se gravado de forma muito mais profunda do que teriam merecido. Não é sem ironia que a famosa "besta loira" possa talvez ser remetida à imagem de Lipiner do herói que blasfema "calmamente" e com um "sorriso".

Mais significativa é outra fonte. Como já mencionamos acima, Nietzsche realizara, no semestre de inverno de 1875/1876, uma preleção sobre as antiguidades da cultura religiosa dos gregos, à qual ele deu continuação no semestre de inverno de 1877/1878, após seu ano de licença. Ele se preparou estudando, entre outras, a obra "Simbolismo", de Friedrich Creuzer. Ele havia usado os quatro volumes já em 1871 durante seu trabalho no 'Nascimento da tragédia', emprestando-os da biblioteca da Universidade de Basileia[183] e adquirindo mais tarde sua própria cópia. Encontramos aqui (na primeira parte, no segundo caderno, p. 179-351) uma representação extensa da "religião ariana", i.e., sobre Zenda-Avesta, com muitas referências a textos de autores gregos como Heródoto, Platão, Diógenes Laércio e Plutarco. Consequentemente, Creuzer usa na maioria das vezes a forma grega do nome do fundador da religião persa, "Zoroastro", mas conhece também as formas "Zeretochtro" e "Zeratucht", que ele traduz como "Estrela de ouro" e "Estrela do brilho" ou como "o brilhoso dourado", interpretações estas que estudos iranianos recentes têm questionado fortemente[162], mas que entusiasmaram Nietzsche. Aparentemente, ele soube desse significado apenas mais tarde, como escreve a Köselitz em 23 de abril de 1883: "Hoje aprendi, por acaso, *o que* 'Zaratustra' significa: 'Estrela de ouro'. Este acaso me deixou feliz. Poderíamos dizer que toda a concepção de meu livrinho tem suas raízes nessa etimologia: mas até hoje nada sabia disso". Pois já haviam se passado sete anos desde sua leitura da obra de Creuzer, portanto, é possível que ele não tenha se lembrado desse detalhe – mas a carta dá a entender que agora, durante seu trabalho no Zaratustra, ele volta a recorrer à obra de Creuzer, que lhe havia apresentado a figura e o ensinamento de Zaratustra de forma tão marcante.

Mas o que pode ter motivado Nietzsche a escolher justamente esse fundador de religião como porta-bandeira de sua obra, uma figura que em todo seu ser e formação lhe era tão distante?

Creio que essa pergunta jamais será respondida de forma completamente satisfatória. Cauteloso, Gustav Naumann nem sequer a levanta! (Ou será que ele não a reconheceu?)

Em primeiro lugar, constatamos, na época, um interesse crescente do mundo acadêmico europeu pelos sistemas religiosos orientais e asiáticos, interesse este que se manifesta também de forma popular, por exemplo, na figura do Sacerdote-rei Sarastro na ópera "A flauta mágica", de Schikaneder/Mozart, cujo enredo havia sido inspirado por novas traduções da obra "Ísis e Osíris", de Plutarco, e que revela como ele se desenvolveu sob a influência do culto (persa) de Mitra[169]. O fato de que, em 1798, Goethe começou a esboçar uma segunda parte para essa "flauta mágica" demonstra claramente o interesse da época por esses temas. Na filosofia, chama atenção o recurso de Arthur Schopenhauer ao budismo, ao pensamento que gira em torno do nirvana. É provável que daí também tenha partido um impulso para o pensamento de Nietzsche.

No entanto, isso certamente não seria o suficiente para Nietzsche. Em sua última retrospectiva, no capítulo "Por que sou um destino" do "Ecce homo", ele oferece uma explicação, mas esta também não é totalmente convincente, se levarmos em consideração o momento de sua redação e o lugar (o "Ecce homo") e o número de testemunhos incorretos e até mesmo enganosos desse tipo que Nietzsche nos deixou também em dias de saúde mental melhor: "Não me perguntaram, como deveriam ter perguntado, qual é justamente na minha boca, na boca do primeiro imoralista, o significado do nome Zaratustra: pois o que constitui a singularidade incrível daquele persa na história é precisamente o contrário disso. Zaratustra foi o primeiro a reconhecer na luta entre o bem e o mal o mecanismo genuíno na engrenagem das coisas – a tradução da moral para o metafísico, da moral como força, causa, fim em si, é a *sua* obra. Mas esta pergunta seria, no fundo, já a resposta. Zaratustra *criou* este equívoco tão fatal, a moral: por conseguinte, deve também ser o primeiro a *reconhecê-lo*". A ideia de que a capacidade de refutar seu próprio ensinamento seria um atributo de grandeza já se encontra na primeira parte do Zaratustra ("Da morte voluntária"): "Na verdade, morreu cedo demais aquele hebreu [...]. Acreditai em mim [...]; ele mesmo teria revogado a sua doutrina se tivesse chegado à minha idade! Era suficientemente nobre para abjurar!" A comparação entre o Zaratustra "histórico" e o Zaratustra de Nietzsche revela o abismo – não necessariamente ligado ao nome de Zaratustra –, o isolamento de Nietzsche de todas as outras religiões e filosofias desde a Antiguidade, provocado pelo desligamento da moral de qualquer fundamento metafísico, declarando-a superada, vencida por seu Zaratustra. Isso se evidencia no convívio pacífico de seus animais acompanhantes.

Zoroastro é (Creuzer I) profeta de Deus, ordenador da liturgia, com o objetivo de ser "mediador" entre Ormuz, princípio do bem vivenciado na luz do sol, cujo animal símbolo é a águia real, e Arimã, princípio do mal vivenciado na escuridão, cujo animal símbolo é a serpente. Nietzsche-Zaratustra conseguiu realizar a tarefa da religião persa de reconciliar os princípios conflitantes; *ele* se encontra além do bem e do mal. Em Shelley, esses animais simbólicos ainda lutam um contra o outro e tentam se destruir mutuamente, mas em Nietzsche esses mesmos animais cercam Zaratustra como animais acompanhantes pacíficos, ora contemplativos, ora curiosos; reconciliados, deitam-se aos pés do mestre.

Mas existem ainda outras imagens de Creuzer que podem ter exercido uma influência sobre a obra de Nietzsche. Creuzer escreve: "Zoroastro se refugia nas montanhas de Elbruz e lá se dedica completamente à contemplação e meditação". No proêmio de Nietzsche lemos: "[...] foi para as montanhas. Aqui, gozou de seu espírito e de sua solidão e não se cansou disso por dez anos". Nietzsche-Zaratustra emerge de sua caverna e invoca o sol. Zoroastro *é* adorador do sol e instala uma caverna como imagem do mundo, e em sua entrada realiza o sacrifício de um touro. Mas Creuzer fala também sobre um sacrifício de mel para Mitra. No fim de seu capítulo, Creuzer cita 44 invocações. A última destas é: "Zoroastro, puro, mestre da pureza".

Os dois temas do Zaratustra

Muito já foi dito pelos comentaristas sobre a genealogia dos dois pensamentos fundamentais encontrados no Zaratustra, o "Além do homem" e o "Retorno eterno do mesmo". Logo – já em 1895 – Rudolf Steiner declarou que a ideia do "retorno eterno" teria surgido como posição contrária à leitura do "Kursus der Philosophie" [Curso da filosofia], de Dühring, publicado em 1875[239].

Steiner recebera de Elisabeth Förster a tarefa de organizar a biblioteca de Nietzsche no recém-fundado Nietzsche-Archiv. Steiner percebeu que a obra de Dühring apresentava um desgaste incomum. Ao folhear o livro, ele encontrou na página 84 o pensamento do "retorno eterno" apresentado por Düring, juntamente com sua refutação científica. Nietzsche havia marcado essa passagem e feito observações na margem. Em 1899, Gustav Naumann[173] refutou veementemente a convicção de Steiner, segundo a qual Nietzsche teria se inspirado em Dühring. Segundo Naumann, Dühring era um pensador irrelevante demais para servir como inspiração a Nietzsche. Naumann remete a inspiradores de maior peso, a Hebbel e sua obra "Judith" ou aos "Nibelungos", aos quais Nietzsche havia assistido em Bonn durante seus estudos. No entanto, Naumann refuta também esses paralelos por falta de provas e reconhece apenas Hölderlin, o poeta preferido de Nietzsche, como influência sobre a obra de Nietzsche, e cita passagens específicas da obra "Hyperion" de Hölderlin.

Em um aspecto, porém, Steiner pode ter tido uma visão correta: "Posições contrárias" são comuns na obra de Nietzsche. Na verdade, todo o Zaratustra é uma posição contrária ao persa Zoroastro, como pretende demonstrar a passagem no "Ecce homo". Mas, nesse caso específico, precisamos perguntar se a relação de causa e efeito não seria justamente inversa àquela proposta por Steiner: Nietzsche fez observações contrárias a Dühring justamente porque, alimentando-se de outras fontes, já havia chegado à conclusão do retorno eterno. Infelizmente, Steiner não investigou *quando* Nietzsche fez suas observações no livro de Dühring.

E encontramos essas "outras fontes" novamente na Antiguidade. Trata-se de um pensamento pitagórico, contra o qual já polemizara Eudemo, discípulo de Aristóteles. Este cita* um pitagorista, que supostamente teria dito: "eu, segurando este cajado, voltarei a ensinar-vos, vós que estais sentados aqui", para combater essa doutrina. E também a física estoica se aproxima muito da Teoria do Retorno Eterno com sua doutrina dos incêndios e das restaurações mundiais periódicos. Apenas recentemente cogitou-se também uma possível influência por parte da Teoria do Carma, com a qual Nietzsche se familiarizou ao estudar os escritos indianos[184] – curiosamente, isso foi ignorado até mesmo por Rudolf Steiner, que integrou essa teoria à sua visão do mundo.

Desde Naumann, muitos outros observaram que a expressão "Além do homem" [Übermensch] ocorre também em Novalis, Heine e Goethe. Na verdade, o platonismo já contém os princípios desse pensamento. O próprio Nietzsche remete a essas fontes numa anotação da década de 1880[1; 6], onde ele reproduz uma passagem de Platão (Theages, 126a) de forma tendenciosamente abreviada: "Cada um de nós gostaria de ser senhor, e possivelmente deus, de todos os homens". Na formulação posterior de Plotino, segundo a qual a ambição e a tarefa do filósofo seria tornar-se "semelhante a Deus" (ϑεοειδής) ou "tornar-se – não: ser Deus" (ϑεὸν γενόμενον μᾶλλον δὲ ὄντα), esse pensamento é levado à última consequência.

A posição do Zaratustra na obra completa de Nietzsche

Tudo isso nos mostra pelo menos que o Zaratustra de Nietzsche não surgiu do nada, como acusam seus críticos e elogiam seus adeptos. Existem precondições e vínculos com o desenvolvimento de Nietzsche e com a literatura mundial. Podemos encontrar tantos rastros da formação de Nietzsche nessa obra que facilmente poderíamos realizar e justificar também uma contemplação biográfica e não filosófica da obra. As referências se encontram quase sempre na Antiguidade ou na literatura contemporânea. Evidencia-se também aqui que os estudos filosóficos de Nietzsche se encerram com Diógenes Laércio e são retomados com toda energia nos intérpretes e sucessores de Kant (Kuno Fischer, F.A. Lange) e definitivamente em Schopenhauer. Todo o período intermediário jamais se torna relevante para Nietzsche.

O trabalho intenso no Zaratustra se estendeu desde o verão de 1882 (primeiros esboços foram feitos já em agosto de 1881, e os dois pensamentos temáticos já se encontram nos dois últimos aforismos do quarto livro *Sanctus Januarius* da "Gaia

---

*κἀγὼ μυθολογήσω τὸ ἔχων ὑμῖν καθημένοις οὕτω; segundo Simplikios; Eudemos fr. 88 Wehrli[220].

ciência" de 1881!), o "verão de Tautenburg" com Lou Salomé, até maio de 1885, quando Nietzsche envia impressões privadas da quarta parte a amigos, abarcando assim um período de quase três anos. E esses três anos por volta do 40º ano de vida representam, na compreensão da Antiguidade, o auge da vida; no caso de Nietzsche, esses três anos coincidiram também com o centro do período que lhe foi dado como filósofo autônomo, entre sua despedida de Basileia e sua morte espiritual, e por isso, quando Nietzsche fala do "grande meio-dia", essa expressão assume um aspecto quase assombroso. No contexto de sua obra reunida, porém, esse Zaratustra mesmo assim se encontra em uma posição isolada; pois todas as outras obras se apresentam em pares: "O nascimento da tragédia" e o livro sobre os gregos (não completado); as Considerações extemporâneas "D.F. Strauss" e "Da utilidade e da desvantagem da história"; as Considerações extemporâneas "Schopenhauer como educador" e "Richard Wagner em Bayreuth"; as duas partes de "Humano, demasiado humano" (com o "Viajante e sua sombra"); "Aurora" e "Gaia ciência"; e depois do Zaratustra: "Além do bem e do mal" e "Genealogia da moral". Os escritos de 1888 permitem diferentes atribuições, dependendo do princípio ordenador que se escolhe (Nietzsche, p. ex., coloca o "Caso Wagner" ao lado de "Crepúsculo dos deuses", chamando ambos de suas "operetas"). Apenas o Zaratustra permanece sem companheiro, a não ser que essa formação de pares não seja limitada formalmente a escritos separados. No Zaratustra encontramos dois temas que formam um par. Num tratado filosófico sistemático, esses dois temas teriam sido tratados separadamente em duas obras individuais: o postulado do "Além do homem" e o dogma do "Retorno eterno". Mas é justamente devido à organização do Zaratustra que Nietzsche alcança uma densidade e unidade contrapontual inédita, tanto em termos formais quanto temáticos, da mesma forma como já tentara alcançá-la dez anos antes na área da música em seu "Eco de uma noite de São Silvestre".

Nietzsche concentra toda a sua experiência de vivência e conhecimento no Zaratustra. Com essa obra alcança também um novo nível, que lhe serve como ponto de partida para seu longo caminho até a "Reavaliação de todos os valores" – esta também é uma expressão derivada do grego: da biografia de Diógenes (apelidado de "o cão", κύων). Mas a ligação é mais profunda do que isso: Assim como Diógenes, o cínico, se opunha ao idealismo platônico, Nietzsche se vê agora como reavaliador não de todos os valores, mas dos valores cunhados pelo platonismo, conservados pelos dogmas cristãos e enaltecidos pelo idealismo alemão. Nos tempos de Nietzsche, já havia surgido uma forte oposição a esses valores na forma do materialismo e do positivismo, mas o Zaratustra de Nietzsche se distancia também destes. Estes extraem sua força das ciências naturais refortalecidas; Nietzsche, por sua vez, se nutre da experiência artística e da contemplação filosófico-religiosa e mística. Assim, remete aos livros de Creuzer e Welcker, ao modo de pesquisa de J.J. Bachofen – e à sua primeira grande obra, ao "Nascimento da tragédia".

Zaratustra: tentativa de superação de uma visão do mundo exclusivamente positivista?

Nietzsche se ocupou intensivamente com a filosofia positivista de seu tempo e também deixou se inspirar por ela, não podemos negar isso. Ele pretendia conhecer também os seus fundamentos, as ciências naturais, e estudá-los a fundo. No entanto, a filosofia era para ele em primeiro lugar não uma questão de conhecimento, mas de vivência, de sofrimento. E ele vivenciou e sofreu a filosofia positivista por meio do amigo Paul Rée e de Lou Salomé. Aqui, no convívio humano, ele experimentou na própria pele as diferenças fundamentais entre o seu mundo e a filosofia positivista por meio de sofrimentos e decepções e reconheceu seus limites e sua incapacidade de esclarecer a existência humana. A decepção pessoal provocou a execução – que há muito se anunciava em seu desenvolvimento espiritual – da obra. O Zaratustra significa para Nietzsche o abandono passional da vertente filosófica predominante de seu tempo – e não só de Dühring, como Rudolf Steiner reconheceu corretamente. No entanto, não basta compreender o Zaratustra como movimento contrário ao materialismo e positivismo contemporâneo. Nietzsche quer que sua obra seja vista como superação do idealismo, na verdade de toda a filosofia ocidental, como ataque, como "atentado", e acredita ter provocado uma virada na história do espírito. Se ele conseguiu realizar seu objetivo com essa obra, se seu postulado do "Além do homem" e o dogma do retorno eterno representam alternativas suficientes ou até mesmo as únicas alternativas imagináveis – isso é tema de disputas. Mas como movimento fundamental, o Zaratustra representa um "grande meio-dia" não só para Nietzsche, mas também para a filosofia contemporânea. Talvez não tenha causado uma revolta radical, mas certamente representa um ponto de virada significativo.

Desenvolvimentos paralelos na época

O aspecto histórico da época oferece de forma surpreendente a mesma imagem. Vejamos o ano de 1883, o ano central do Zaratustra (partes I e II): Em 14 de março, morre Karl Marx, que, com seu materialismo histórico, levou a filosofia materialista a um auge. Segundo ele, manifesta-se em todos os fenômenos, também nos eventos históricos, não o espírito humano ou uma entidade espiritual sobre-humana, mas é a partir do trabalho, da coerção para a atividade, por meio das condições econômicas por ela determinadas, que se forma o espírito no decurso dos eventos históricos. O espírito não é autor, mas produto. Nietzsche responde contrapondo a isso o postulado segundo o qual o ser humano, com o poder de seu espírito, deseja seu futuro, até mesmo seu futuro físico, não entregando-o ao acaso, como ensinava Darwin, que falecera no ano anterior em 19 de abril de 1882.

No mesmo ano, em 23 de fevereiro de 1883, nasce Karl Jaspers, que, vindo da ciência natural (medicina), encontra a filosofia e conquista para ela uma nova relação com a transcendência. Ele vê a existência humana como código da transcendência; e esta, como grandeza que abarca tudo, também o histórico.

A história da música apresenta, em parte, o desenvolvimento inverso. Em 13 de fevereiro de 1883 falece Richard Wagner, que alcançara sua perfeição em "Parsifal", sua obra símbolo, ignorando aos olhos de muitos as possibilidades do palco da ópera e provocando assim uma vertente contrária. Verdi, e mais tarde Puccini e outros representantes do "verismo", apontam outro caminho para o teatro musical. O mestre da musa descontraída, o zombador Jacques Offenbach, chamado por Nietzsche de *Santo Offenbach*, deixa como seu legado artístico em 1880 a ópera romântica e carregada de símbolos *Hoffmanns Erzählungen* [Os contos de Hoffmann]. A música sinfônica alemã, por sua vez, continua a representar conteúdos éticos e religiosos ideais. Em 1883, Anton Bruckner trabalha em sua 7ª sinfonia (apresentação de estreia em 1884). Dominado pelo pensamento da possível morte de Wagner, ele inicia o lento e comovente movimento intermediário em dó sustenido menor. Durante a composição, Wagner chega a morrer de fato, e assim o movimento culmina no doloroso lamento fúnebre.

Em 2 de dezembro de 1883, estreia a suave 3ª sinfonia de Johannes Brahms em fá maior.

Mas também na música os tempos se chocam violentamente uns contra os outros. Em 17 de junho de 1882 nasceu Igor Strawinsky, hoje considerado um "clássico da Modernidade", e em 3 de dezembro de 1883 nasce Anton von Webern, que, como aluno de Schönberg, se tornaria uma das figuras mais marcantes do dodecafonismo, que, na construção de sua música, já não partem mais primariamente do conteúdo, daquilo que deve ser expressado, mas da forma e do material sonoro, tomando como ponto de partida mais reflexões matemáticas do que o mundo emocional do inconsciente ou superconsciente. O quanto Nietzsche vivia no espírito da música sinfônica alemã de seu tempo se manifesta no fato de ele ter chamado o seu Zaratustra de "sua sinfonia", associando assim sua obra a Brahms e Bruckner.

As vertentes espirituais do seu tempo que lhe eram próximas transparecem nas muitas cartas nas quais ele confessa sua simpatia repetidas vezes pelos simbolistas franceses como Baudelaire, Verlaine e Mallarmé, nos quais já se anuncia a reação ao realismo. Reveladora é também uma anotação do tempo em que Nietzsche preparava a "Gaia ciência" e o "Zaratustra" em 1881/1882[1]: "E qual poeta a Alemanha poderia equiparar ao suíço Gottfried Keller? Ela possui um pintor igualmente perscrutador como Böcklin? Um sábio igual a Jacob Burckhardt? A grande fama do explorador natural Häckel de alguma forma diminui o mérito ainda maior de Rütimeyer?" Nietzsche não nega o realismo e a fundamentação científica do processo filosófico (não devemos esquecer que a "História do materialismo" de F.A. Lange representa um fundamento essencial de seu impulso filosófico). Todos os nomes citados, porém, têm em comum o fato de não se satisfazerem com uma argumentação exclusivamente racional. A hipótese de trabalho de Jacob Burckhardt em sua obra "Weltgeschichtliche Betrachtungen" [Contemplações histórico-mundiais] é que diferentes potências espirituais[65] (ele distingue essencialmente potências estáticas e dinâmicas) interagem constantemente, sendo que uma ou outra predomina temporariamente. Alegoria e simbolismo são meios para tornar palpável o indizível, e tanto Böcklin em suas pinturas quanto Gottfried Keller em seu *Sinngedicht* [Poema de sentido], de 1881, recorrem a eles. Já falamos acima sobre a posição significativa de Rütimeyer contra a teoria mecânica da descendência de Darwin (cf. vol. I, p. 258s.).

Essa mesma multiplicidade se revela também nos eventos públicos. Enquanto as grandes potências europeias cedem à sua ganância material e de poder, assaltando e explorando as colônias na África e na Ásia e deixando assim um legado difícil para o século XX, a vida espiritual começa a assegurar suas conquistas por meio da institucionalização. É nesse contexto que devemos avaliar a importância do Festival de Bayreuth, da fundação da orquestra filarmônica de Berlim em 1882 e da Metropolitan Opera de Nova York em 1883. E em 1885 o Goethe-Archiv abre suas portas em Weimar e permite a fundação de uma Sociedade Goethe alemã. No entanto, essas fundações também são filhas de seu tempo e, por isso, são também tanto representantes de uma dominação quanto símbolos espirituais, assim como o colonialismo se nutre também da convicção de levar bens espirituais (p. ex., o cristianismo) aos confins do mundo. Portanto, manifesta-se também aqui a mesma multiplicidade, e uma simplificação rigorosa demais não lhe faria jus.

Essa multiplicidade adere também ao Zaratustra – nisso é absolutamente um filho de seu tempo – e ela deve ser a principal responsável pelo fascínio por ele exercido e pela popularidade que o transformou em um dos livros mais conhecidos (pelo menos no que diz respeito ao título) da literatura filosófica, provocando assim um grande interesse pela filosofia. Não discutiremos aqui se isso foi para o bem do Zaratustra ou da filosofia; no entanto, é preciso reconhecer que foi graças ao Zaratustra de Nietzsche que a filosofia conseguiu se libertar da prisão da exclusividade acadêmica.

A questionabilidade dos dois temas

As múltiplas camadas dessa obra permitem muitas abordagens diferentes também para leitores não familiarizados com a filosofia, mas elas apresentam também muitos obstáculos para a compreensão e representam, portanto, também uma fonte de equívocos. O próprio Nietzsche reconheceu esse problema e – incapaz de solucioná-lo – ofereceu o "Zaratustra" ao público como um "livro para todos e ninguém".

Os dois pensamentos filosóficos fundamentais da obra abrem a porta para interpretações altamente discordantes. O "Além do homem" pode muito bem ser visto como um projeto de criação científica darwiniana, não, porém, segundo o princípio darwiniano da seleção mecanicista, mas segundo o pensamento híbrido de que o ser humano seria capaz de controlar seu futuro físico e de planejar a si mesmo – um pensamento ao qual a formulação de Jasper de que nós fomos presenteados a nós mesmos se opõe diametralmente. Entretanto – a antropologia aponta um desenvolvimento que se estende por milhões de anos até chegar ao nosso tipo humano atual –, não seria possível alcançarmos o próximo nível "superior" em 100 mil anos? Permanece, porém, a pergunta se isso depende de nossa vontade, se a decisão que tomamos hoje de buscar esse desenvolvimento superior pode exercer uma influência sobre períodos de tempo tão extensos.

O postulado da criação do "Além do homem" pode ser interpretado também exclusivamente no nível do espírito, com o objetivo de, com um esforço extremo de concentração, levar as forças e as possibilidades do Ocidente espiritual, que se fundamenta na filosofia grega e na essência grega em geral, para sua altura plena. Desde a "morte de Deus", o espaço para cima está livre, o ser humano passou a ser o ser supremo; e o filósofo, o legislador (já em Platão!), que cria as "novas tábuas" dos valores, que alcança o nível do ser mais alto. "Se existissem deuses, como eu suportaria não ser deus"*. Mas já que os deuses não existem, o ser humano precisa ocupar esse nível, como já diziam Platão e Plotino. Isso, porém, elimina a ideia puramente fisiológica de uma criação humana.

O dogma do retorno eterno pode ser igualmente compreendido como último resquício da Teoria Mecanicista do Átomo de Demócrito, como tentativa de com-

* "Zaratustra" II, "Nas ilhas bem-aventuradas".

pletar a constância da matéria e da energia constatada pela ciência natural com a sentença da constância das possíveis formas e processos de formação da matéria e energia. No entanto, o dogma remete também à fé no *logos* estoico, que controla os processos de criação do mundo e lhe impõe sempre de novo os mesmos processos, mesmo que em dimensões temporais tão infinitas que o ser humano já não consegue percebê-los. Assim, porém, perde-se a relevância ética, inerente, por exemplo, à noção do carma dos budistas, que confere a esse retorno um sentido para a vida humana, sem falar da objeção da impossibilidade matemática, citada por diversos autores (p. ex., por Georg Simmel[219]).

Essa ambiguidade temática corresponde à ambiguidade formal, esboçada acima, e também à posição biográfica da obra conjunta de Nietzsche e à sua importância para a história do espírito a partir do final do século XIX.

A origem irracional na experiência

O próprio Nietzsche descreveu numa passagem (muito citada) do "Ecce homo" a força com que o objetivo filosófico na concretização da obra foi dominado por processos de criação artística: "Alguém, no final do século XIX, tem algum conceito claro daquilo que os poetas de eras fortes chamavam de *inspiração*? [...] O conceito de revelação, no sentido de que subitamente, com uma segurança e uma delicadeza indizíveis, algo se torna *visível*, audível, algo que nos abala e nos transtorna no mais profundo, descreve apenas o fato. Ouve-se, não se busca; aceita-se, não se pergunta quem dá; como um relâmpago reluz um pensamento, com necessidade, na forma sem hesitações – jamais tive uma escolha. Um êxtase cuja tensão imensa se atenua numa torrente de lágrimas, em que o passo, involuntariamente, ora se torna tempestuoso, ora lento; um perfeito estar fora de si com a consciência mais distinta de um sem-número de finos tremores e exsudações até às pontas dos pés; um abismo de felicidade, em que o extremo de sofrimento e de melancolia não atua como oposição, mas como condicionado, como exigido, como uma cor *necessária* no meio de um tal excesso de luz; um instinto de relações rítmicas, que abrange amplos espaços de formas [...]. Esta é a *minha* experiência da inspiração; não duvido de que seja necessário recuar milênios para encontrar alguém que me possa dizer: 'É também a minha'".

Bem, não precisamos recuar tanto. Essa mesma coerção criativa nos descreve, apenas com palavras mais simples, Konstanze, a viúva de Wolfgang Amadeus Mozart, quando fala do modo de trabalho de seu marido genial (documentadas pelos diários de viagem de V. e M. Novello[179]): "[...] quando surgia alguma grande concepção em seu espírito, ele ficava como que completamente ausente, andava pelo apartamento sem perceber o que se passava em sua volta. Mas assim que tudo estava pronto em sua cabeça, ele não precisava de um piano, pegava papel e tinta e lhe dizia, enquanto escrevia: 'Bem, querida mulher, me faça o favor e me fale o que você dizia' e a conversa de forma alguma o perturbava". "Ela contou que, após o seu casamento, os dois fizeram uma visita a Salzburg, onde cantaram o quarteto 'Andro ramingo' (do 'Idomeneo'). Nessa ocasião, ele foi tomado por tamanha emoção que começou a chorar e teve que deixar o aposento, e ela precisou de muito tempo para acalmá-lo."

Quando comparamos esses dois testemunhos, torna-se visível a distância enorme entre as duas posições criativas. Aqui Mozart, firmemente fundamentado na tradição dos meios e do estilo clássicos e que não ultrapassa os limites de seu reino, onde reina incontestado, o reino da música – lá Nietzsche, que, em intuição artística e forma poética, tenta se apoderar e subjugar dos meios e do estilo, "meios artísticos novos e recém-adquiridos" (palavras aplicadas à introdução dos "Cantores mestres" de Wagner), para expressar conteúdos que se negam a esse revestimento, que mais são velados por ele do que explicados. Como autor que luta consigo mesmo para se apoderar desses conteúdos e de sua forma, ele se vê não como dominador ou criador de sua obra, mas como médium ("jamais tive uma escolha"), como quando, aos 18 anos de idade, ele compôs a sinfonia de "Hermenerico" e como Wagner, que acreditava que Tristão o havia usado como médium para entrar na realidade. A descrição exagerada de sua intuição mostra, porém, também o peso da responsabilidade que Nietzsche acredita ter que suportar, diante do qual ele se assusta e estremece. Com essa obra, ele ultrapassou os limites tradicionais da filosofia e, com seu canto por vezes melancólico, lhe abriu ou recuperou uma dimensão. Sua passionalidade deve ter provocado o orgulho híbrido, que lhe permitiu encobrir o medo diante de tal aventura.

Os apologetas e adversários de Nietzsche devem continuar discutindo ainda por muito tempo sobre a pergunta se Nietzsche percorreu ou pelo menos iluminou essa nova dimensão com esta ou com as obras posteriores. Não cabe à biografia se envolver nessa briga, tampouco lhe cabe apresentar um comentário filológico contínuo. Esses indícios – muito incompletos a despeito de seu grande número – precisam bastar para visualizar as mais importantes linhas pessoais e biográficas e da história do espírito, tanto aquelas que vinculam a obra ao passado quanto aquelas que se iniciam na obra, transformando esse Zaratustra tanto no contexto da obra geral de Nietzsche como também na história da filosofia mais recente em uma obra central, mesmo que não em uma obra principal como, por exemplo, as três "Críticas" de Kant ou "O mundo como vontade e representação", de Schopenhauer. Nietzsche não possui uma "obra principal"; seu modo de filosofar não permite a existência de uma obra na qual todo o pensamento do filósofo se organizaria de forma sistemática como a construção de um prédio. Para tanto, o Zaratustra apresenta, apesar de sua composição homogênea, uma heterogeneidade grande demais em seu conteúdo, apresenta demais o caráter de uma tentativa.

A parábola do pai e do filho

Uma última pergunta permanece em aberto, e tudo indica que ela tenha permanecido em aberto também para Nietzsche. Em suas cartas, ele fala repetidas vezes de seu "filho Zaratustra". Em vista da preferência de Nietzsche de se ver em grandes contextos, é permitido levantar aqui a famosa pergunta debatida desde a Igreja primitiva: Cristo é o Filho de Deus – ou seja, uma entidade separada deste – ou é Ele idêntico com Deus, ou seja, Deus em forma humana; ou segundo a formulação mais sucinta: Cristo é semelhante ou é idêntico a Deus. E aqui então a nossa pergunta: Zaratustra é o filho, i.e., a criatura espiritual de Nietzsche, diante da qual ele, como seu pai e autor, assume certa distância – ou seria Zaratustra o próprio Nietzsche? Köselitz documenta esta segunda opção em 17 de abril de 1883, quando escreve: "quando o ouço como Zaratustra" (cf. acima, p. 156), e Nietzsche não discorda.

Filosofia de um artista? / Filosofia para artistas?

Com sua invocação no início do proêmio, Nietzsche projeta sua problemática artística pessoal em proporções cósmicas: "Grande astro! O que seria da tua felicidade se te faltassem aqueles a quem iluminas? Vê: já estou tão cansado da minha sabedoria, como a abelha que acumulou um excesso de mel. Preciso das mãos que se estendem. Quero dar e repartir [...]. Abençoa-me, pois, olho afável, que consegue ver sem inveja até uma felicidade grande! Abençoa o copo que quer transbordar, para que dele fluam as águas douradas, levando a toda parte o reflexo do teu prazer! Olha! Esta taça quer de novo esvaziar-se, e Zaratustra quer voltar a ser homem".

Por trás da pergunta metafórica sobre o que o sol seria sem aqueles para os quais ele brilha e que reconhecem sua força e seu brilho, esconde-se o problema teológico sobre o que Deus seria sem um mundo por Ele criado, no qual ele se reflete e se reconhece como Criador, se Ele não tivesse criado criaturas que o reconhecem e o louvam.

Em termos humanos, trata-se do problema do artista: o que valeriam ele e sua arte sem recipientes, sem "público". Uma carta tardia lança uma luz curiosa sobre essa pergunta. Em 30 de janeiro de 1887, Nietzsche escreve à mãe[121]: "[...] assim entristece-me agora profundamente a situação irremediável do Sr. Köselitz. Ele já é velho demais para dizer-lhe que deva esperar. Em sua idade, um artista precisa ser famoso ou temido (como, p. ex., Wagner); o mesmo não vale para nós, os filósofos, que temem qualquer tipo de fama, atenção ou curiosidade: pois não sentimos o desejo de 'concordar' com qualquer pessoa. Um músico, porém, cuja música não agrada a ninguém e que permanece sentado em seu canto, é uma figura risível, igual a uma dançarina com a qual ninguém quer dançar, por mais que ela tenha se arrumado". Os filósofos podem esperar – por que então a impaciência de Zaratustra de, em seu 40º ano (Nietzsche tem agora 39 anos de idade), ir até as pessoas, de procurar amigos aos quais ele possa apresentar sua filosofia? Não é novamente o poeta, o músico da língua, o artista Nietzsche que projeta seu problema sobre a filosofia, elevando-o a um nível cósmico e ontológico? Que eleva para os céus uma situação de emergência pessoal?

O Zaratustra apresenta múltiplas camadas não só na forma e no conteúdo, mas também no efeito pretendido. Como uma obra tão contraditória, como o Zaratustra de Nietzsche conseguiu ter um efeito tão amplo? Justamente graças à essa multiplicidade, pois ela atrai tanto o leitor filosófico quanto o leitor artístico – cada um a seu modo.

Poderíamos dizer sobre o revestimento artístico do Zaratustra algo semelhante ao que Nietzsche diz sobre o prelúdio dos "Cantores mestres" de Wagner em "Além do bem e do mal" no aforismo 240: "É uma arte grandiosa, exagerada, pesada e tardia que, para ser compreendida, pressupõe a necessidade de dois séculos de música viva [...]. Quantos sucos, quantas forças, quantas estações e quantos horizontes misturam-se aqui! Por vezes isso nos parece antigo, por vezes estranho, acerbo e juvenil, ao mesmo tempo arbitrário e pomposamente tradicional, por vezes malicioso e mais frequentemente rude e grosseiro, tem fogo e coragem e ao mesmo tempo a pele acinzentada e descolorida das frutas amadurecidas além do tempo! Corre lenta e majestosamente; de repente, há uma hesitação inexplicável [...], mas eis que novamente a corrente se alarga reproduzindo aquela sensação de bem-estar [...] da antiga e nova felicidade que o artista experimenta em si mesmo, que não quer esconder, de uma consciência feliz da maestria dos meios por ele empregados, dos meios novamente encontrados e não completamente experimentados, como ele parece nos revelar".

VI

Um novo ambiente (Nice, Veneza, Zurique; dezembro de 1883 a julho de 1884)

Aquilo que vale para toda a obra de Nietzsche e que ele mesmo menciona repetidas vezes em suas cartas, se desdobra plenamente no "Zaratustra": a unidade de experiência e pensamento. E parte significativa dessa experiência é representada pela experiência do ambiente. A escolha do ambiente – país e pessoas – e a disposição de interagir de forma frutífera com esse ambiente fazem parte da dieta em seu sentido mais amplo – juntamente com as "pequenas" rotinas da vida – como hábitos alimentares, movimento físico e organização do dia. A natureza extremamente sensível de Nietzsche tenta sempre se adaptar ao *genius loci*, seja permitindo que este o fertilize e guie, seja encontrando-se na oposição a ele, como ocorre no caso de Naumburg.

Para Nietzsche, o *genius loci* de Gênova é representado pelo espírito de Colombo, que, com ousadia, se aventura pelos mares, à procura de margens e terras desconhecidas. Nietzsche se vê como seu descendente espiritual. No entanto, agora já não existem mais terras novas a serem descobertas, a Terra está cartografada, mas a onda tempestuosa da filosofia ainda pode levá-lo a novas praias do espírito. Nietzsche usa essa metáfora de forma exagerada, ele a *desgasta*, e ao mesmo tempo ele transforma também a sua paisagem e seu objetivo espiritual, toda a sua direção.

Nietzsche acreditava que, com seu Zaratustra, ele havia deixado para trás os fundamentos de sua origem da tradição cristã ocidental juntamente com o ataque materialista-positivista a esses fundamentos, que havia alcançado novas margens e conquistado a sua "América". Então surgiu diante dele a próxima tarefa, a de conquistar o "mundo antigo" no espírito novo. E para isso também encontraria logo uma metáfora geográfica: Assim como o genovês Colombo descobrira o Novo

Mundo, um descendente de Córsega, que durante muito tempo havia sido dominada por Gênova, veio a subjugar o mundo velho séculos mais tarde: Napoleão. A partir de agora, Napoleão passa a ocupar o lugar de Colombo como figura-guia, complementado por outros conquistadores de mundos antigos como Alexandre o Grande, ou César.

Inspirado pelo livro de Ferdinand Gregorovius (1821-1891) sobre a Córsega, Nietzsche pretende realmente passar algum tempo na Córsega, plano este que fracassa diante de sua incapacidade de tomar decisões. Nenhum fator externo o coage. Por outro lado, a despedida de Gênova – "da amada cidade de Colombo – para mim, ela sempre foi isso" (carta de 4 de dezembro de 1883 a Köselitz) – nada mais é do que a execução externa de uma mudança de posição interna – sim, em parte até a correção de uma residência escolhida de forma inadequada desde o início. Nietzsche se despede do solo italiano e se muda para a França. Jamais ouvimos dele que ele teria se sentido atraído pela literatura italiana antiga – e muito menos pela literatura contemporânea da Itália. A cultura italiana, dominada fortemente pelas artes visuais da arquitetura, escultura e pintura, jamais o interessou. Nem mesmo sua veneração por Jacob Burckhardt e seu "Cicerone" conseguiu motivá-lo a seguir os rastros de seu "venerado professor".

Seu relacionamento com a França é completamente diferente. Ele participa intensamente de sua intelectualidade em suas manifestações literárias e musicais. Berlioz e Bizet lhe valem mais do que qualquer compositor italiano. Ele já havia dedicado sua obra "Humano, demasiado humano" à memória de Voltaire. Stendhal, Mérimée, Baudelaire – para citar apenas alguns poucos nomes –, os moralistas e ensaístas são fonte de extrema alegria, o "Journal des Débats" de Paul Bourget é "seu" jornal.

Nos anos seguintes, ele visita uma única cidade italiana, onde passa apenas alguns dias ou semanas: Veneza, onde vive Heinrich Köselitz. Não se trata de uma simples visita pessoal. Veneza harmoniza com a nova música de sua alma: Seus navegadores não partiram para o além-mar em busca de terras conhecidas, mas reativaram uma antiga via de comércio com a China. "Não considero Veneza parte da Itália: alguma coisa do Oriente aderiu a ela" (carta de 5 de março de 1884 a Köselitz). Além disso, Veneza possuía uma rica biblioteca (também com textos alemães), que Köselitz usava como isca para atrair Nietzsche. E o espírito de Wagner? Este pesava sobre Nietzsche. "Uma separação capaz de destruir uma pessoa, a coisa mais difícil pela qual tive que passar", assim Nietzsche descreveu a experiência em 3 de janeiro de 1884 ao Dr. Josef Paneth em Nice[86].

Em 13 de fevereiro de 1883, Wagner havia falecido em Veneza. Será que Nietzsche ia para Veneza para, talvez inconscientemente, lembrar-se de seu amigo? Era este o *genius loci* que o chamava para Veneza a cada primavera a partir de 1884? Em vista do poder que as lembranças de Wagner continuavam a exercer sobre Nietzsche, isso é absolutamente possível. Enquanto Wagner ainda vivia e visitava a cidade com frequência, Nietzsche se manteve longe daquele lugar. Após a morte de Wagner, Nietzsche o visita regularmente, e a cidade se transforma em fonte de profunda melancolia, que, em seu colapso espiritual, alcança seu auge no "Gondellied", na "Canção da gôndola", que Nietzsche, já doente, cantarola durante sua viagem para casa em janeiro de 1889 e que tanto surpreende Overbeck.

Seria errado atribuir uma "ruptura" a essa mudança de Gênova para Nice e dizer que com isso se inicia um novo período na vida de Nietzsche. Mudanças externas e internas se condicionam reciprocamente e se desenvolvem de forma lenta e orgânica. A descoberta com o Zaratustra não se encerra repentinamente com a despedida do solo italiano, do Colombo de Gênova, e o solo francês, o antigo reino de Napoleão, tampouco inicia de forma igualmente repentina a "reavaliação de todos os valores", o estabelecimento de novas tábuas na antiga Europa conquistada e privada de todas as suas tradições. E os velhos relacionamentos pessoais também não são todos abortados, mas muitas novas amizades se juntam a esses, das quais, porém, apenas poucas se tornam importantes. Encontramos entre elas muitas "luas", que emergem da escuridão por pouco tempo apenas porque a luz de Nietzsche as toca de passagem.

O primeiro encontro desse tipo ocorre com o escritor

Paul Lanzky

Lanzky nasceu em 8 de agosto de 1852 em Weissagk de Forst, na região de Niederlausitz (era, portanto, dois anos mais velho do que Heinrich Köselitz). Ele frequentou a escola em Guben e, a partir de 1870, frequentou as universidades de Zurique, Pisa e Roma, dedicando-se aos estudos da literatura romana e da filosofia. Em 1873, passou a viver na Itália, a partir de 1879 na região de Florença – em Vallombrosa, onde era sócio de um hotel nessa cidade fundada em 1036 pela abadia beneditina. Até então, havia publicado suas pesquisas sobre a literatura romana em revistas alemãs e italianas ("Rivista Europea"; "Gazetta della Domenica"). Então, durante uma viagem, descobriu uma obra de Nietzsche, um acaso que viria a marcar todo o resto de sua longa vida. Apoiando-se em conversas e registros, Carmen Kahn-Wallerstein escreve sobre Lanzky[132]: "Ele tinha muitos interesses, entre outros também a astronomia, e o observatório próximo de Acetri, administrado pelo alemão Tempel, assistente de um famoso pesquisador de Marte, era um dos lugares favoritos desse homem curioso. Certo dia, enquanto Lanzky esperava pelo astrônomo, encontrou em sua escrivaninha um livro com o título 'Humano, demasiado humano', o qual começou a folhear. Quando o estudioso chegou, este contou a Lanzky que se tratava de um exemplar enviado por um livreiro e que agora o precisava adquirir, pois havia perdido o prazo de devolução. Lanzky, que se interessava pelo livro, comprou-o das mãos de Tempel e, durante a leitura, chegou a convicção de que esse livro havia sido escrito pelo pensador contemporâneo mais importante. Ele escreveu uma carta ao editor de Nietzsche e pediu o endereço do filósofo, autor de 'Humano, demasiado humano'. Assim, Lanzky soube que o autor vivia em Gênova, mas que este não permitia que seu endereço fosse revelado. Caso quisesse entrar em contato com Nietzsche, deveria mandar sua carta à caixa postal em Gênova. Lanzky seguiu as instruções e teve que esperar muito pela resposta. Entrementes, enquanto os hotéis estavam fechados em Vallombrosa, ele havia partido para uma viagem e informado Nietzsche sobre isso em uma carta enviada à caixa postal do filósofo. Finalmente recebeu deste uma resposta que se dirigia a Lanzky, dizendo: 'Meu querido desconhecido'. Para não ser perturbado durante o trabalho, Nietzsche havia adotado o costume de buscar sua correspondência apenas quando desejava recebê-la, deixando-a assim muitas vezes durante períodos extensos na agência dos correios. – Agora, porém, leu a carta do estranho à sua procura e, pouco tempo depois, o surpreendeu com uma visita em seu quarto de hotel. Lanzky havia viajado para Nice e alugado um quarto na 'Pension de Genève' e agora soube que o filósofo venerado se encontrava na mesma pensão". Isso foi em dezembro de 1883. Nietzsche precisara mudar de pensão. Por isso, escreveu a Overbeck no final de janeiro: "Também paguei um preço alto pelo meu desconhecimento do solo de Nice; tive até prejuízos financeiros consideráveis, pois eu havia pago meu quarto e minha comida em avanço, mas a minha anfitriã teve que desaparecer. Agora, refugiei-me no mundo confiável de uma pensão *suíça*".

Lanzky relata: "Se Nietzsche me impressionou quando o vi pela primeira vez? – Sim e não. – Ele não tinha a aparência de um homem grande e importante. A princípio, vi apenas um estudioso humilde, simples e amável muito animado. No início, não reconheci nele o filósofo, apenas uma pessoa culta. Apenas após conhecê-lo melhor e após conversar com ele sobre suas ideias, reconheci seu valor. Mas ele era muito nobre, esse Nietzsche. Quando falava com gente do nosso tipo, ele não ousava ser completamente Nietzsche, para que nós não nos sentíssemos completos idiotas, não nos sentíssemos inferiores. [...] Ele sempre me procurou, pois precisava de mim. Não me arrogo a acreditar que tenha sido por minha causa. Mas ele era quase cego, mal falava o francês e quase nada do italiano. Na época era comum que todos comessem sentados a uma grande mesa, e ele tinha dificuldades de participar da conversação sem ajuda, e igualmente difícil lhe era a leitura antes da chegada de Peter Gast. Por isso, durante seis anos passou muito tempo em minha presença. E compartilhávamos muito também em termos humanos. Ambos imaginávamos ter descendentes poloneses e não suportamos ficar na Alemanha após 1870, com o surgimento do 'superalemão' [*Überdeutschen*]". Precisamos corrigir nesse relato que "Peter Gast" já havia chegado e que o convívio pessoal com Lanzky jamais durou seis anos, pois já cinco anos depois do primeiro encontro ocorreu o colapso espiritual de Nietzsche. Fato é que a ruptura com Lanzky ocorreu já em 1887, por causa do "Crepúsculo" de Lanzky.

Uma carta a Overbeck no Natal de 1883 nos revela como Nietzsche vivenciou esse novo encontro: "Existe uma pessoa nova, que talvez me tenha sido dada na hora certa: ele se chama Paul Lanzky e é tão devoto a mim ao ponto de querer ligar seu destino ao meu assim que isso fosse possível. Independente e amigo da solidão e simplicidade, 31 anos de idade, de mente filosófica, mais pessimista ainda do que cético: o primeiro a se dirigir a mim em como 'venerado Mestre'! (o que provocou em mim sensações e lembranças das mais diversas). Ele é sócio do hotel (*foresteria*) em Vallombrosa – e, quem sabe, minha 'filosofia' ainda construirá 'um ninho' nesse cantinho antigo, bom e maravilhoso. – Creio que passarei parte do próximo ano naquele Paradisino, como eremita longe do hotel: Lanzky me *convidou*". Lanzky teve que ler muito para Nietzsche – três volumes de Stendhal, como relata Lanzky –, e é possível que isso tenha provocado muitas conversas. Experiências parecidas se revelaram no convívio amigável: Lanzky também guardava uma ferida na alma. Ele havia amado uma mulher que o abandonou. Durante muito tempo, não teve notícias dela, até encontrar seu túmulo em um cemitério italiano. – Será que o futuro traria algo semelhante para Nietzsche? Ele ainda temia pela saúde de Lou!

O encontro com Nietzsche deu uma nova orientação às atividades literárias de Lanzky. Nas duas décadas seguintes, ele publicou alguns livros em forma de aforismos e (principalmente) de poesias, dos quais alguns tiveram até uma segunda edição*.

---

* Paul Lanzky, obras publicadas: *Erlöst vom Leid* [novela pessimista]. Rostock, 1887. • *Abendröte* [contemplações psicológicas]. Berlim, 1887. • *Am Mittelmeer* [poemas]. Stuttgart, 1890. • *Herbstblätter* [poemas]. Leipzig, 1891. • *Neue Gedichte* [poemas]. Leipzig, 1893. • *Auf Dionysospfaden*. Dresden, 1900. • *Aphorismen eines Einsiedlers*. Leipzig, 1897. • *Sophrosyne* [poemas]. Dresden, 1897 [2. ed., 1900]. • *Apollinische Lieder*, 1901. • *Amor Fati* [novos poemas, dedicados ao homem Nietzsche], 1904[18].

Os títulos revelam sua dependência de Nietzsche, trata-se de uma literatura epigonal e sofreu o destino desta, ou seja, caiu em esquecimento. Lanzky deve ter percebido isso, pois após 1904 ele se cala.

Outro golpe do destino finalmente lhe impôs uma existência completamente reclusa e humilde. O antigo hóspede do Hotel Bellerive-Ziebert em Lugano-Paradiso[132], "Mussolini lhe tirou tudo por causa de suas convicções políticas [mais provavelmente por ter sido judeu] e o expulsou do país, quando foi acolhido pela dona do hotel, que já cedo se tornara viúva. Este homem idoso, magro e quieto tomava suas refeições numa pequena mesa no refeitório. [...] Ele fazia a contabilidade do hotel, era conselheiro, e os filhos viam nele um avô". Ele faleceu em 26 de abril de 1936 na Clínica St. Anna em Sorengo, perto de Lugano, esquecido pelo mundo literário. Nem mesmo o Nietzsche-Archiv em Weimar registrou sua existência. Por fim, o modesto espólio literário de Lanzky foi arquivado na biblioteca da Universidade de Basileia em 1947*.

A coleção de aforismos *Crepúsculo* [Abendröte] (1887) havia gerado um conflito e um distanciamento por parte de Nietzsche, que viu o título como afronta. Lanzky, porém, permaneceu fiel ao seu "venerado mestre" e continuou a se corresponder com Heinrich Köselitz mesmo após o colapso de Nietzsche e chegou a dedicar suas "Memórias" a Nietzsche.

No início, Nietzsche se agarrou a esse relacionamento humano, que lhe era oferecido com tanta veneração, pois após a perda de Lou e Paul Rée e a renovação das tensões com "Naumburg" ele sofria terrivelmente com seu isolamento. "A infelicidade mais peculiar dos dois últimos anos consistia, em seu sentido mais restrito, no fato de eu acreditar ter encontrado uma pessoa que compartilhava comigo a mesma tarefa. Sem essa convicção apressada, eu não teria sofrido nem sofreria tanto com o isolamento (desrespeito, desdém e tudo o mais relacionado a isso): pois eu estava preparado a completar esta viagem de descoberta *sozinho*. Mas uma vez que me entreguei ao sonho de não ficar sozinho, o perigo se tornou terrível. Ainda agora vivo momentos em que não sei como me suportar" (8 de dezembro de 1883 em carta a Overbeck). E sua saúde, sobre a qual escreve para casa no Natal de 1883 ("Tudo estava doente dentro de mim, só conseguia comer a cada dois ou três dias; então todos os tipos de resfriado. Vômitos eternos, insônia, pensamentos depressivos sobre as coisas antigas, um mal-estar geral na cabeça, dores agudas nos olhos"), só intensificou essa sensação de isolamento, apesar de acrescentar: "Agora estou refugiado

---

* Informação pessoal de Dr. Max Burckhardt.

num canto absolutamente calmo, a Sra. Henschel cozinha; um espanhol, com o qual me comunico em italiano e que é para mim 'come un fratello', toma as refeições comigo. Organizei também um pequeno aquecedor para o meu quarto – que me dá o prazer não do calor, mas pelo menos de muita fumaça".

Nietzsche teve um pouco de diversão quando certo Dr. Ziller de Naumburg, aparentemente um hóspede de sua mãe, lhe enviou sua dissertação. Em uma carta do início de dezembro, Nietzsche escreve: "Vocês devem estar bastante contentes, pois têm em sua casa música boa e uma pessoa tão boa e interessante".

Outro encontro pessoal interessante ocorreu em Nice:

Dr. Joseph Paneth

de Viena, um cientista natural, fisiólogo, que trabalhava temporariamente num laboratório em Villefranche, nas proximidades de Nice, e de lá fez algumas visitas a Nietzsche em Nice. Ou Nietzsche o visitava em Villefranche, e então os dois caminhavam juntos de volta para Nice.

As cartas de Paneth à sua noiva Sophie Schwab em Viena, publicadas pela irmã de Nietzsche[86], mostram que Nietzsche acreditava ter encontrado uma pessoa de confiança à qual ele podia se abrir sem censura. Os temas principais de suas conversas durante esses três meses de convívio pessoal foram: Schopenhauer, Wagner, espiritismo e antissemitismo, que havia se aproximado de Nietzsche de modo preocupante por meio de seu editor Schmeitzner e, principalmente, por meio de sua própria irmã, cujo noivo era o famigerado antissemita Dr. Bernhard Förster. A franqueza com que falavam sobre este tema surpreende, pois o próprio Paneth era judeu. Overbeck comentou isso em suas memórias de Nietzsche[185]: "Nosso desgosto [i.e., de Nietzsche e Overbeck] diante do antissemitismo se expressou de forma mais clara no fato de que nós, meio que por teimosia, conversamos sobre ele, mas jamais com paixão e sem lhe atribuir muita importância, vendo-o mais como moda do tema que não merecia nossa atenção". E sobre Paneth e a relação de Nietzsche com ele, Overbeck comenta: "Um judeu muito estranho, do tipo Spinoza, tinha sua natureza e apresentava um raríssimo grau de emancipação de qualquer tradição religiosa e nacional de sua tribo. Paneth se alienou completamente da sinagoga e do sionismo do nosso tempo [...]. Paneth demonstra nenhuma outra 'escola' senão a científica, pela qual passou no laboratório fisiológico do Prof. Brücke em Viena. Foi um judeu que Nietzsche certamente não ignorou. Ele pediu ajuda a Paneth quando este podia lhe servir em suas necessidades – não só em relação à sua reputação nos círculos judaicos de Viena, mas também como cientista natural e fisiólogo, disciplinas estas das quais Nietzsche esperava receber conselhos úteis".

Nas cartas de Paneth encontramos pela primeira vez uma caracterização da personalidade de Nietzsche no convívio, mais tarde confirmada e louvada por todos os seus conhecidos: uma postura conciliadora, muito tato sobretudo nas interações com as damas, uma apresentação calma e absolutamente despretensiosa, uma convicção firme de sua missão filosófica, apresentada sem qualquer arrogância ou megalomania, pelo contrário, uma natureza modesta e cativante.

É a manifestação de sua segurança interior recém-conquistada – baseada em fé. Nietzsche tinha certeza de ter desbravado novas terras com o Zaratustra, de agora se firmar em solo espiritual firme e de ter adquirido um novo conhecimento filosófico. E isso pode ter lhe dado aquele equilíbrio e aquela certeza na interação também com pessoas "de outra fé", a mesma postura que observamos em pessoas firmadas em uma fé sólida: sacerdotes ou hereges. Além disso, estava certo de dispor de duas outras mídias para a representação de seu mundo filosófico das quais nenhum outro filósofo dispunha na mesma medida. Em 3 de janeiro de 1884, Paneth anota: "Então falamos dos poetas, e ele disse que acreditava conter em si forças poéticas além de qualquer medida; que as recalcara durante tanto tempo que agora bastava abrir as represas". E: "Disse também que pretendia terminar algumas composições como adendo aos seus escritos, pois por meio da música conseguiria expressar coisas que, com palavras, eram indizíveis"[86].

É provável que esse encontro foi forçado pelo Dr. Paneth – que provinha do círculo fortemente judaico de adoradores de Nietzsche em Viena, ao qual pertencia também Lipiner –, provavelmente como já o fizera Paul Lanzky, com uma carta enviada à caixa postal. Então, em 15 de dezembro de 1883, Nietzsche o procurou em seu laboratório em Villefranche, onde não o encontrou e lhe deixou um cartão. Em 17 de dezembro, Paneth tentou uma visita em Nice. Apesar da espera no quarto extremamente simples de Nietzsche, essa tentativa também não foi bem-sucedida. Os dois precisaram combinar um encontro por escrito para finalmente se conhecerem em 26 de dezembro. Vemos, portanto, que Nietzsche também tinha um grande interesse por essa amizade, e ele a cultivou. No entanto, ela não resultou em uma correspondência como nos outros casos.

Paneth deve ter voltado para Viena em 26 de março, onde, em maio, se casou com Sophie Schwab. Em 31 de agosto de 1887, o casal comemorou o nascimento de um filho – Friedrich. Josef Paneth se tornou professor de Fisiologia na Universidade de Viena, mas faleceu já em 1890 em decorrência de uma tuberculose. Em seus poucos anos de atividade, ele descobriu as células histológicas de Paneth.

A amizade de Josef Paneth com Nietzsche se torna relevante para Sigmund Freud, pois Paneth pertencia ao círculo íntimo de Freud. Em 11 de maio de 1934, Freud escreveu a Arnold Zweig, contando-lhe que seu amigo Josef Paneth lhe transmitira as primeiras impressões de Nietzsche. Isso não é insignificante, pois Freud prezava Paneth ao ponto de descrevê-lo como "meu amigo Josef" em sua obra "Interpretação dos sonhos". Mais tarde, porém, a aluna e amiga de Freud Lou Salomé deve ter influenciado a opinião de Freud sobre Nietzsche de forma muito mais fundamental, mesmo que ela não tenha falado com Freud sobre sua experiência pessoal com Nietzsche[72; 127].

À sua noiva, Josef Paneth escreveu sobre sua impressão do primeiro encontro com Nietzsche[86]: "Ele foi extremamente amigável, não encontrei qualquer traço de *pathos* ou falso sacerdotismo nele, ao contrário do que temia após a leitura de sua última obra, antes ele me parece inofensivo e natural [...]. Então ele me contou sem qualquer artificialidade ou autoconsciência que sempre se vira como portador de uma missão e que agora, contanto que seus olhos lhe permitissem, pretendia desenvolver o que existia dentro dele [...]. Creio que você se surpreenderia com sua aparência tanto quanto eu me surpreendi, ela nada tem de afetado ou exagerado. Sua testa é extraordinariamente alta e lisa, cabelos castanhos simples, olhos profundos e velados em virtude de sua semicegueira, sobrancelhas fortes, um rosto bastante rechonchudo e um poderoso bigode, de resto sem barba".

No início de março, quando Paneth lhe apresentou sua ideia de escrever um ensaio sobre o Zaratustra, cujas três partes estavam completas agora, Nietzsche recusou a oferta: "Disse que concordaria, mas não me pareceu nada entusiasmado, de forma que agora não sei se devo fazê-lo, já que manifesta tamanho desagrado. Disse que jamais procurou tais vínculos e que vivia completamente isolado; disse também que possuía uma 'pequena e calada congregação, mas de eleitos'. Ele tem certeza absoluta de sua missão e de sua importância secular; ele é firme e grande nessa fé, que o eleva acima de qualquer infortúnio, de todos os seus sofrimentos físicos e de sua pobreza. Esse desprezo total de qualquer meio externo para o sucesso, tamanha liberdade de quaisquer instrumentos dos marqueteiros é impressionante [...]. Entendo cada vez mais que Nietzsche é essencialmente um ser emocional".

Paul Lanzky chegou à conclusão idêntica em suas memórias tardias compartilhadas com Carmen Kahn-Wallerstein[132].

Zaratustra, terceira parte

Em janeiro de 1884, neste ambiente e novamente em um tipo de erupção, Nietzsche escreveu num período de mais ou menos dez dias a terceira parte do

Zaratustra, que ele descreve como *finale*, como coroação. Os preparativos haviam sido iniciados meses atrás e podem ser constatados pelo menos a partir de novembro de 1883. Mas a forma final emerge do interior de Nietzsche num processo criativo denso e emocional. A obra se formou dentro dele, ele a carregou em seu peito durante alguns meses, ele vislumbrou sua forma em sua imaginação, ponderou as proporções e acertou os detalhes. Os "meios artísticos novos e recém-adquiridos" (cf. acima, p. 196) foram testados e aprovados nas partes I e II do Zaratustra. Com a segurança plena do mestre, que soberanamente dispõe de seus recursos, Nietzsche cria sentença após sentença, parágrafo após parágrafo, semelhante ao que observamos em compositores como Bach e Mozart – e ao contrário de Wagner, que muitas vezes teve que desenvolver suas construções sonoras nota por nota, porque o estilo do seu tempo não as conhecia.

É provável que uma carta de seu amigo Erwin Rohde tenha contribuído muito para essa segurança, carta esta que chegou às mãos do filósofo no Natal de 1883 (datada em 22 de dezembro de 1883), após uma interrupção de dezoito meses: "Seu Zaratustra me passou, em todos os sentidos, uma impressão muito mais bondosa do que muitos dos seus últimos escritos. Eu o parabenizo por essa forma mais livre da exposição de suas opiniões, que são novas não só no aspecto formal e que tanto se distinguem de suas sequências de sentenças mais antigas! Sei que o sábio persa é você, mas uma coisa é expressar opiniões altamente pessoais diretamente como tais, e outra completamente diferente é criar um ser ideal para que este as apresente como suas próprias. [...] Foi por isso que Platão criou seu Sócrates, e agora você cria o seu Zaratustra. Além do mais, aquilo que você reveste na forma de um poema didático goza agora também dos privilégios de um poema; não repreenda os poetas, eles têm o grande privilégio de apresentar os pensamentos e as intuições mais profundas e maravilhosas sem a obrigação de se submeterem à tortura da prova, que o 'filósofo' é obrigado a construir posteriormente com tanto esforço. Creio que, com essa nova forma – que permite muitas variações e metamorfoses –, você começou a encontrar sua forma verdadeira. E também a sua língua encontra agora seus tons mais ricos: O prefácio, mas também algumas das passagens posteriores, é insuperável nesse sentido". Rohde estava reagindo apenas à primeira parte do Zaratustra! Dois meses depois, em 22 de fevereiro de 1884, após a redação da terceira parte, Nietzsche responde: "Meu Zaratustra está pronto, em seus três atos. O primeiro você já tem, e espero poder enviar-lhe os dois outros em 4 a 6 semanas. É um tipo de abismo do futuro, algo assombroso, sobretudo em sua felicidade. Tudo nele é meu, sem modelo, sem comparação, sem precursor; quem teve o privilégio de viver nisso, volta ao mundo com um rosto transformado. Mas não falemos disso. Mas não privarei você, um *homo litteratus*, de uma confissão: – acredito que, com esse Zaratustra, eu tenha levado a língua alemã à consumação. Após Lutero e Goethe faltava ainda um terceiro passo; [...] leia Goethe depois de ler uma página do meu livro – e você perceberá que aquele aspecto 'ondulatório' que aderia a Goethe como desenhista não permaneceu estranho ao escultor linguístico. Eu me destaco dele com minha linha mais rígida, mais masculina, mas sem me rebaixar ao nível ranhento de Lutero. Meu estilo é uma dança, um jogo das simetrias de todo tipo e uma zombaria dessas simetrias. Isso se estende até à escolha das vogais. – Perdão! Terei o cuidado de não confessar isso a qualquer outra pessoa, mas você foi o único que expressou sua alegria diante da minha linguagem. – Permaneci poeta até cada limite desse conceito, após permitir que todos os opostos da poesia me tiranizassem". De resto, porém, essa carta exala "despedida": "Assim, amigo, acontece com todas as pessoas que me são queridas: tudo é fim, passado, reserva; ainda nos vemos, conversamos para não nos calarmos. A verdade, porém, se expressa no olhar: e este me diz (e eu o ouço nitidamente!): 'Amigo Nietzsche, agora você está *completamente sozinho*!'"

Publicação rápida

Em 18 de janeiro de 1884, Nietzsche finaliza o manuscrito do Zaratustra III e no mesmo dia escreve ao seu editor Schmeitzner. Imediatamente, começa a preparar o manuscrito para a impressão. Em 26 de janeiro, escreve a Overbeck: "Estou copiando. Tudo então se deu ao longo de um ano: mais precisamente, no decurso de 3 x 2 semanas. – As duas últimas semanas foram as mais felizes da minha vida; *nunca* atravessei um mar com velas desse tipo; e a extrema alegria de *toda* essa história de navegação, que já dura desde que você me conhece, 1870, atingiu seu auge". E em 8 de fevereiro: "O livro já está sendo impresso, se Schmeitzner cumpriu sua obrigação. – O Zaratustra *inteiro* é uma explosão de forças, que se acumularam ao longo de décadas: Nesse tipo de explosões, seu autor pode facilmente ir pelos ares. É assim que me sinto muitas vezes – não vou esconder isso de você". E essa expressão pictórica não é um acaso: seis meses antes, a ilha vulcânica de Cracatoa havia entrado em erupção e foi literalmente "pelos ares", um evento natural que comoveu as pessoas durante muito tempo.

Dessa vez, não existia meio milhão de hinários para atrasar a impressão da obra. Em 27 de fevereiro, Köselitz recebe a primeira, e em 28 de março, a última prova. Em 20 de março, Nietzsche também faz as últimas correções na prova, e em 10 de abril exclama: "Viva, meu velho e querido amigo Overbeck, aqui está o primeiro exemplar do último Zaratustra – este é seu por direito! Há nele um pensamento, um pensamento monstruoso, por causa dele terei que viver ainda muito tempo".

Trata-se do dogma do "retorno eterno do mesmo", e a partir de agora Nietzsche se sente coagido por ele, fundamentando nele o seu chamado. Ele quer, ele precisa exercer um efeito. Mas sobre quem?

Ressurge então o antigo plano de um convento de almas correligionárias. Várias linhas diferentes confluem para este ponto, no qual eventos externos convergem com a disposição interna. Já a "Germania", a associação fundada pelo aluno de 16 anos de idade, revela a necessidade autêntica que Nietzsche sente de se comunicar dentro de um pequeno círculo seleto. Como estudante em Bonn, ele tenta realizar esse desejo na associação estudantil – e sofre uma amarga decepção. Em Leipzig, ele consegue reunir seus colegas na associação filológica. Como jovem professor em Basileia, ele se alegra com o fato de pertencer ao círculo íntimo de Tribschen. Após a perda de Tribschen, ele se agarra às amizades com Ida e Franz Overbeck, com Heinrich Köselitz, com Paul Rée e à veneração por Jacob Burckhardt, com o qual tenta criar um novo "círculo íntimo". No fim, ele havia se sentado à mesa de Malwida von Meysenbug, onde esperava encontrar a felicidade num pequeno círculo com Paul Rée e Lou Salomé – mas a essa necessidade constante de relacionamentos próximos se juntou a paixão prepotente por Lou.

Ruptura com o antissemitismo

Todas essas tentativas fracassaram e terminaram em briga ou em cansaço. Elas se desgastaram, esgotaram. Um único relacionamento resistiu a todas as provações, o relacionamento com mãe e irmã. Mas agora este também começou a ruir. Talvez foram as amizades mais recentes com judeus que levaram sua irmã, em seu zelo missionário pela causa de seu noivo, a atacar o irmão com repreensões. Em 1º de fevereiro de 1884, Nietzsche escreve a Köselitz[124]: "Além de tudo isso, minha irmã me maltrata com cartas que podem ser subsumidas sob o conceito do 'antissemitismo'". Nietzsche interrompe completamente a correspondência com a irmã – por outro lado, suas cartas à mãe não alcançam seu destino, o que, no início de junho, o leva a pedir um favor ao amigo Overbeck: "Por favor, envie a carta anexa à minha mãe em Naumburg. Há mais ou menos dois meses não consigo fazer chegar em suas mãos uma carta minha; os correios não souberam me explicar o desaparecimento de cartas e cartões corretamente endereçados. Finalmente me veio uma suspeita que prefiro não expressar". Os comentários negativos sobre a irmã aumentam em número e apontam todos para a mesma suspeita. Em fevereiro (carta a Malwida von Meysenbug, cf. acima, p. 147), suas queixas ainda se deviam ao episódio com Lou Salomé, mas agora o foco passa a ser o antissemitismo. Em 2 de abril de 1884, Nietzsche escreve a Overbeck: "Esse maldito antissemitismo está estragando todas as minhas esperanças de uma independência financeira, alunos, amigos novos, influência, o antissemitismo transformou Wagner e eu em inimigos, ele é a causa de uma ruptura radical entre mim e minha irmã etc. etc. [...] Eu soube aqui o quanto Viena me acusa de ter esse tipo de editor". A fonte dessa informação deve ser Paneth. Em 2 de maio, Nietzsche descreve sua irmã numa carta a Overbeck como "pessoa maldosa" e, mais ou menos na mesma época em uma carta a Malwida von Meysenbug, como "vaca arrogante e perturbadora" e relata: "Entrementes a situação mudou no sentido de que rompi radicalmente com a minha irmã; pelo amor de Deus, nem pense em querer intermediar e reconciliar – não existe reconciliação entre mim e uma vaca antissemita vingativa". Elisabeth sentiu essa "inimizade" de forma dolorosa, pois em uma carta a Köselitz de 26 de abril de 1884[54], ela tenta, como sempre, minimizar o conflito: "Este inverno trouxe uma ruptura total entre mim e meu irmão. Eu sei que isso tinha que acontecer, e não vejo problema nisso, mas mesmo assim tem me causado a mais profunda dor. Quando penso o quanto o amei e venerei, e agora tudo acabou [...]. Naturalmente, não sinto qualquer ódio contra ele, de onde este viria? Vejo, porém, como a tendência trágica de meu irmão de afugentar todas as pessoas que mais o amam por meio de uma conduta incompreensível lhe prepara um destino terrível. Como sua idade será solitária! Pobre Fritz! [...] Mas, pelo amor de Deus, não diga a ninguém qual é a razão verdadeira da nossa alienação! Segundo Fritz, 'o meu antissemitismo é o culpado de tudo isso'. Pelo amor de Deus, até agora meu antissemitismo tem sido um pensamento tão manso, tão sociável, que todos os meus amigos se surpreenderão se souberem que ele é a causa da nossa separação". E também por parte de "Fritz" o amor fraternal celebrou um triunfo, pois, após suas palavras duras sobre a irmã, ele acrescenta: "De resto, aplico todo cuidado para proteger minha irmã, pois sei o que pode ser dito em defesa dela e qual é o contexto de seu comportamento tão indigno e detestável: o amor. É absolutamente necessário que ela parta para o Paraguai o mais rápido possível [...]. Por fim, resta-me a tarefa extraordinariamente desagradável de corrigir os males cometidos pela minha irmã contra o Dr. Rée e a Srta. Salomé. [...] Minha irmã reduz uma criatura tão rica e original a 'mentira e sensualidade' – ela vê nela e no Dr. Rée nada mais do que dois 'canalhas'. – *Contra isso* se revolta o meu senso de justiça, independentemente das razões que eu possa ter para me sentir profundamente magoado pelos dois".

Mas quando se trata do antissemitismo, sua sentença é dura, ainda mais quando parte de um judeu. Overbeck havia lido a obra *Herr Thaddaeus*, de Mickiewicz*,

*Adam Bernard Mickiewicz, 1798-1855. • "Pan Tadeusz", pós-1834.

na tradução de Lipiner – autor de "Prometeu desacorrentado", altamente venerado por Nietzsche – e elogiado o livro em 3 de abril de 1884. Imediatamente, Nietzsche o ataca: "Recentemente, ouvi algo muito específico sobre Lipiner: externamente, 'um homem bem-sucedido' – de resto, porém, a forma típica do 'obscurantismo', foi batizado, é antissemita, *pio* (há pouco, atacou Gottfried Keller com extrema hostilidade e o acusou dizendo 'que lhe faltam fé e cristianismo verdadeiros')... Um homem com muitas segundas intenções 'práticas', que sabe usar os 'sinais do tempo' a seu favor". A fonte dessa informação também era Paneth. Em 1881, Lipiner se tornou bibliotecário do *Reichstag* austríaco e chegou a ser conselheiro do governo em 1894. O batismo realmente valeu a pena!

A referência de Overbeck à sua leitura provoca Nietzsche a especular mais uma vez sobre seus supostos ancestrais poloneses: "Sua dica em relação a Mickiewicz veio na hora certa: envergonho-me de saber tão pouco sobre os poloneses (que, afinal de contas, são meus 'ancestrais'!) – como gostaria de encontrar um poeta que pertença a Chopin e que me faça tão bem quanto Chopin!" Pois Nietzsche precisa agora encontrar "solo", pois sua obra também está ameaçada pelas dificuldades que o editor Schmeitzner criou para sua editora com seus investimentos em literatura antissemita. "Prevejo a falência de Schmeitzner. O que acontecerá com nossos livros?", ele pergunta a Overbeck em 7 de abril. Mas por trás disso se esconde outra preocupação. Aparentemente, ele havia determinado que o pequeno lucro de seus livros fosse transferido para a sua mãe em Naumburg, "pois eu acreditava ver nisso uma boa oportunidade de prestar um serviço à minha mãe e assim melhorar as coisas entre nós: e aí esse antissemitismo volta a se meter em minha vida!"

Além disso, sua visão fraca volta a lhe causar problemas. "Viajar sozinho é, para mim, uma verdadeira tortura", ele se queixa em uma carta de 14 de fevereiro de 1884 a Overbeck, e em nenhum outro lugar seu desespero se expressa de forma mais ingênua do que numa exclamação dessa mesma carta: "Queria não ser tão pobre! Queria ter pelo menos um escravo, como o possuía até mesmo o mais pobre dos filósofos gregos. Sou cego demais para tantas coisas".

O velho desejo de fundar uma escola

Essa menção aos filósofos gregos não deve ter sido um acaso, mesmo que, em 22 de fevereiro de 1884, em sua resposta a Erwin Rohde ele refute a comparação de Rohde com Platão e Sócrates, feita por seu amigo em sua carta de Natal. Nietzsche escreve: "Tudo nele [i.e., no Zaratustra I] é meu, sem modelo, sem comparação, sem precursor". Mas isso trouxe à tona a antiga preferência e reativou a ideia de uma instituição de ensino a exemplo da academia de Platão, da escola peripatética de Aristóteles ou do jardim de Epicuro.

E mesmo que Nietzsche fale de uma associação de "almas correligionárias" e coisas semelhantes, referindo-se a uma postura filosófica comum, ele se vê como *primus inter pares*, talvez até como fundador e reitor da escola. Mas para isso sua personalidade certamente não servia, e sua filosofia não representava um fundamento adequado para isso, nem mesmo o seu Zaratustra, que ele mesmo (em carta do início de maio de 1884 a Malwida von Meysenbug[4]) descreve como "antessala da minha filosofia" e fala pela primeira vez da necessidade de "voltar ao trabalho e não desistir antes de completar a construção principal".

Aqui nasce o equívoco trágico ao qual sucumbiram os primeiros editores de Nietzsche – sobretudo sua irmã – e muitos admiradores de sua filosofia. Eles viram nele um profeta, um fundador de escola, e no fim se viram obrigados a declarar como obra principal sistemática uma coleção de aforismos soltos, submetidos posteriormente a uma organização artificial ("Vontade de poder"). No entanto, seu modo de filosofar não permite que sua filosofia se manifeste numa "obra principal", que então pudesse servir como fundamento para uma escola ou até mesmo instituições, como o fez um Rudolf Steiner com sua antroposofia após Nietzsche desbravar o caminho para ele. Nietzsche não constitui uma cosmologia, nenhuma visão geral do mundo, na qual ele pudesse integrar o ser humano e da qual resultaria uma prática de vida (como foi o caso do estoicismo helênico). Não é necessário concordar com todos os detalhes e nem mesmo com a visão geral das teses de Steiner – é possível até refutá-las como um todo –, uma coisa, porém, precisamos reconhecer: suas teorias oferecem uma cosmologia e prática de vida coerentes, que podem ser aplicadas e que são aplicadas já na terceira geração! E é justamente isso que falta em Nietzsche, também após a profissão do dogma do retorno eterno: ele não apresenta uma cosmologia encerrada e coerente em si mesma. A conquista enorme e ousada de Nietzsche no campo da filosofia é de outra natureza. Semelhantemente ao dinamarquês Kierkegaard (1813-1855), que Nietzsche não chegou a conhecer, ele arrasta o ser humano e a existência humana para o centro da filosofia, o que, até então, havia sido o domínio da arte, principalmente da arte dramática. E assim como Kierkegaard (em "Ou isso/ou aquilo") parte do teatro musical, do "Don Giovanni" de Mozart[119], ou seja, da obra em que Mozart abandona o campo do meramente humano, transcendendo-a e invadindo a dimensão do demoníaco, Nietzsche parte de Wagner ("Nascimento da tragédia"), que continua na trilha desbravada por Mozart para o drama musical e oferece uma cosmologia completa no "Anel dos Nibelungos" – uma cosmologia histórica do passado distante, por assim dizer –, mas tão forte que passa a ocupar o primeiro plano e a encobrir totalmente as pessoas e os deuses da trama dramática no palco. Assim, desenvolve-se uma interação entre a arte dramática e a filosofia: primeiro, a obra de arte do drama musical abandona o seu solo original, ou seja, a representação do ser humano interessante (na qual Giuseppe Verdi insiste teimosamente com o *seu* drama musical, as figuras de Verdi são movidas exclusivamente pelas suas paixões humanas), e se apodera de um dos grandes temas da filosofia, i.e., da cosmologia. Em Kierkegaard, por sua vez, anuncia-se o ser humano como objeto central da filosofia, que, em Nietzsche, passa a dominar completamente o palco: o ser humano em suas manifestações mais interessantes como César, Colombo, Napoleão e, por fim, como esboço, meta, como "Além do homem". Mas falta a elevação cosmológica, falta a pergunta por aquilo que tudo abarca. Sim, já no diálogo platônico, no socratismo, encontramos a educação do ser humano para a perfeição moral em posição de destaque, mas lá tudo é dominado pelas "ideias" metafísicas, das quais emana uma cosmologia, na qual o ser humano encontra seu valor. E também o conceito aristotélico do *telos* pertence a esse contexto, e o paralelo antigo mais próximo deve ser a sentença do *homo mensura* dos sofistas pré-socráticos, mas que nunca se apresenta com a mesma dureza e com as mesmas consequências que ela adquire em Nietzsche.

O passo de Nietzsche representa uma virada completa na temática e sistemática da filosofia, um passo ousado e corajoso, que abriu novas possibilidades e dimensões. Disso se nutrem todos que vieram depois, cada um ao seu modo. Mas fundar uma *escola*, isso não condiz à natureza de seu pensamento.

Ele mesmo, porém, parecia ter outra convicção, ele superestimava suas possibilidades e seus limites. No início de março de 1884, ele escreveu ao historiador da arte Ferdinand Laban (1856-1916), um conhecido do primeiro verão em Sils (1881) e amigo do círculo de Bayreuth: "Meu sonho é, num futuro não distante, viver em algum lugar no sul, no mar em uma ilha, cercado de amigos confiáveis e companheiros de trabalho: e nesse convento tranquilo imagino também a sua presença". E surpreendentemente ele inclui nesses "amigos confiáveis" também Paul Rée e Lou Salomé. Pelo menos é esta a imagem que ele esboça numa carta a Overbeck (7 de abril de 1884): "Tenho quase certeza no que diz respeito ao próximo inverno [...]. Talvez eu consiga fundar aqui uma companhia, na qual eu não seria totalmente o 'oculto' [...]. Lanzky [...] decidiu participar: espero poder convencer também Köselitz. Talvez até Dr. Rée e a Srta. Salomé, aos quais devo uma compensação pelos males causados pela minha irmã".

E ele acredita ter conquistado outros amigos, principalmente uma nova admiradora jovem. "Meu convívio neste inverno foi determinado pelos hóspedes da casa.

Um velho general da Prússia [a carta de 19 de setembro de 1884 à mãe o identifica como General Simon] com sua filha, [...] uma velha pastora norte-americana, que diariamente passou duas horas traduzindo para mim [Emerson, talvez também Galton]; recentemente, Albert Koechlin e a senhora (Lörrach) têm me tratado de forma muito amável. E, no momento, visita-me por mais ou menos dez dias uma estudante de Zurique, o que você achará engraçado – ela me faz bem e me tranquiliza um pouco após as grandes turbulências internas dos últimos meses [...]. E entre ela e a Srta. Salomé parece existir uma admiração mútua; ela é amiga íntima da condessa Dönhoff e de sua mãe, evidentemente também de Malwida, de forma que existem muitos pontos de contato. Ontem assistimos a uma tourada espanhola". Essa "estudante de Zurique" era a austríaca

Resa von Schirnhofer

Em 1889, Resa von Schirnhofer escreveu sua dissertação em Zurique sobre o tema "Comparação entre as teorias de Schelling e Spinoza". No *curriculum vitae* dessa dissertação, ela se apresenta da seguinte maneira: "Eu, Resa von Schirnhofer, nasci no ano de 1855 em Krems, na Baixa Áustria. Meus pais são o conselheiro real aposentado Wilhelm Ritter von Schirnhofer e Therese von Schirnhofer, nascida Scharinger. Após receber minha primeira formação nas escolas de Znaym, Mähren e Steyr, na Alta Áustria, e depois passar dois anos no internato real para meninas em Viena, eu me dediquei durante alguns anos a estudos teóricos e práticos na escola de arte do museu real em Viena. No outono de 1883, fiz o vestibular no ginásio estatal em Linz e passei então a estudar, com uma interrupção de um ano, que eu passei em Paris, na faculdade filosófica da Universidade de Zurique, que me conferiu o doutorado após um exame bem-sucedido em janeiro de 1889".

Na época, os pais viviam em Graz, onde, em 6 de março de 1893, a mãe e, pouco depois, em 29 de novembro do mesmo ano, o pai faleceram. Eles deixaram uma pequena fortuna para seus três filhos Theresia, Wilhelmine e Adolf, cuja venda rendeu posses substanciais aos três. Isso permitiu a Resa (Theresia) uma vida mais livre. Ela viajava muito, cultivava boas amizades e escolheu Brixen em 1909 com residência permanente. Após a Primeira Guerra Mundial, ela perdeu sua fortuna investida em títulos públicos e teve que dar aulas de piano e línguas para sobreviver. Em 1945 – aos 90 anos de idade – ela foi acolhida pelo lar de idosos "Hartmannsheim" em Brixen, onde morreu em 26 de outubro de 1948.

Ela nunca desenvolveu uma atividade literária significativa. Importante para nós é, porém, um pequeno estudo intitulado "Sobre o homem Nietzsche", escrito em 1937 e encontrado em seu espólio[155].

Os muitos escritos publicados sobre Nietzsche na época e o surgimento de uma imagem distorcida de Nietzsche, que ela ainda venerava, a incentivaram a escrever e documentar suas lembranças. Na introdução, ela observa: "Já que todos nós só conseguimos ver uns aos outros por meio da nossa própria personalidade espiritual, o que esboço aqui é *minha* imagem de Nietzsche, a forma como *eu* o via a partir do lado do conhecimento que ele me mostrou no jogo movimentado de efeito e contraefeito de duas individualidades. Representei essa imagem de Nietzsche no contexto de nossos encontros, que continuam vivos em minha memória, lembrando-me com profunda comoção dessa personalidade genial e cativante, que, já na época, sofria muito com seu destino, sofrimento este que não pode ser encoberto pelas grandes palavras triunfais e eufóricas, pelo voo 'com asas próprias para céus próprios', nem pela postura conscientemente heroica diante da vida".

Na descrição de seu primeiro encontro com Nietzsche, lemos: "Nas férias de Páscoa de 1884, no fim de meu primeiro semestre na Universidade de Zurique, viajei para Gênova com a intenção de me encontrar na Riviera Francesa com minha venerada amiga maternal Malwida von Meysenbug. Quando perguntei se ela viria para Cannes, ela me informou que, nessa primavera, permaneceria em Roma e sugeriu que eu fosse para Nice, onde eu encontraria Nietzsche, o qual já me conhecia de suas conversas com Malwida e que precisava de um refresco para descansar de seu trabalho intensivo em contemplação solitária".

Foi, então, mais uma vez o cuidado maternal de Malwida que assumiu o papel do "destino"! Resa von Schirnhofer, ainda em Gênova, anunciou sua visita, e Nietzsche lhe respondeu imediatamente em 31 de março: "Pode vir, venerada senhorita! E por que não se hospeda na casa em que eu resido – você verá que é uma casa suíça confiável e comportada. Ela está bastante vazia, os pássaros do inverno já partiram em suas migrações. No que diz respeito a mim mesmo, você me encontra num momento favorável. Ontem enviei as últimas correções para a última parte do meu 'Zaratustra' – agora, estou livre, mais livre do que jamais estive, e além disso pronto para qualquer *otium cum dignitate*.

Então – eu lhe mostrarei a cidade de Nice e também, na medida do possível, a mim mesmo, já que você tanto deseja 'conhecer' o velho eremita. Porém! Cada eremita possui uma caverna dentro de si, e, às vezes, por trás desta, outra caverna e mais uma – o que quero dizer: é difícil conhecer um eremita. Suponhemos que você parta de Gênova no dia 3 de abril com o trem da manhã [...]".

Resa von Schirnhofer seguiu as instruções de Nietzsche. Ela relata: "Na época, conhecia dos escritos de Nietzsche apenas as 'Considerações extemporâneas' e o 'Nascimento da tragédia', um livro que havia despertado ao máximo o meu entusiasmo juvenil. Eu sabia da mudança na posição de Nietzsche em relação a Wagner e também de uma – suposta – ruptura em sua linha de desenvolvimento, mas eu não conhecia seus escritos mais recentes. Graças aos relatos de Malwida em Roma e de suas irmãs, da Donna Laura Minghetti e outros membros de seu círculo, que todos conheciam Nietzsche pessoalmente, seus traços humanos não me eram totalmente estranhos. Eu havia aprendido muito também por meio das conversas com Lou Salomé em Bayreuth, onde eu me encontrei com Malwida von Meysenbug para as apresentações do 'Parsifal' em 1882 e por meio dela conheci também a Srta. Salomé, por isso conhecia também os problemas filosófico-morais com os quais Nietzsche se ocupava. A surpreendente virtuosidade dialética de Lou Salomé e seu intelecto levado às alturas da genialidade sofista me fascinaram. [...] Portanto, conhecia Nietzsche por intermédio das 'imagens refletidas' de terceiros, e agora estava ansiosa para criar minha própria imagem, por isso acatei a sugestão da Srta. Von Meysenbug. No primeiro encontro com Nietzsche, senti-me um pouco tensa. Mas seu jeito nobre e amigável, sua aparência professoral séria, nossa amiga maternal, invisivelmente presente como membro mediador, rapidamente me devolveram minha naturalidade. Durante os dez dias de minha estadia nessa encantadora Côte d'Azur, Nietzsche dedicou grande parte de seu tempo a mim. Ele me mostrou seus caminhos preferidos, fizemos caminhadas, pequenas excursões, aproveitamos a magia da natureza e do clima, ele me trouxe livros, outros que queria que eu lesse para ele, e por maior que tenha sido a distância entre pensador e estudante, este não se manifestou no relacionamento simplesmente humano. Para um pensador totalmente desenfreado, Nietzsche era uma pessoa de extrema sensibilidade, delicado e extremamente bem-educado em seu convívio com o sexo feminino [...]. Não havia nada em seu ser que me incomodasse. Não vivenciei Nietzsche como tipicamente alemão, nem em sua aparência nem em seu ser espiritual. Ele me contou com prazer visível que os poloneses costumavam tratá-lo como conterrâneo e que, segundo sua tradição familiar, a descendência polonesa era certa. Na época, isso era novidade para mim e me interessou, pois eu havia visto cabeças de forma semelhante numa pintura histórica de Jan Matjeko. Essa semelhança não era apenas superficial, não se limitava ao tipo de bigode. Quando eu lhe disse isso, ele pareceu muito feliz, pois tinha orgulho de sua fisionomia polonesa.

Eu pude conversar sobre tudo que, em meu entusiasmo ingênuo, me interessava [...] com o 'querido professor semicego' – como o chamavam alguns hóspedes da '*Pension de Genève*' –, sobre meus escritores latinos preferidos, sobre sonhos estranhos de conteúdo transcendental, sobre experiências da minha infância etc. Disso resultaram várias discussões, observações interessantes suas extraídas da abundância de seus pensamentos. Em uma conversa mais longa sobre preconceitos, ele ressaltou que era possível livrar-se de preconceitos, mas que isso costumava levar a outro preconceito; jamais conseguiríamos nos livrar de todos os preconceitos [...]. Certa vez, Nietzsche me deu o conselho de, à noite, manter sempre papel e lápis ao alcance da mão, como ele também costumava fazer, pois pensamentos curiosos costumam visitar-nos à noite, e estes precisam ser registrados imediatamente, pois de manhã não conseguimos reencontrá-los, porque eles se perdem facilmente na escuridão da noite.

Das nossas pequenas excursões [...] lembro-me com carinho especial de uma caminhada para o Mont Boron [...]. O Mistral descia pelas colinas [...]. Nietzsche, em humor ditirâmbico, o louvava como Redentor do peso da terra, ele sentia algo libertador nas oscilações, no sopro do vento. Em determinado momento [...] encontramos uma *osteria* simples. Sentamo-nos cercados por uma maravilhosa natureza montanhosa [...]. Aqui, provei pela primeira vez 'Vermouth di Torino', oferecido por Nietzsche, que, incitado pelo Mistral, se encontrava em estado de extrema excitação, cheio de gracejos e pensamentos. A 'montanha vigiada' (por tropas francesas) serviu como ponto de partida para uma série de versos que se atropelavam mutuamente [...]. Eram versos engraçados, que me revelaram um Nietzsche inesperado. (Apenas muitos anos depois, durante a leitura do 'Einsamer Nietzsche' [Nietzsche solitário, p. 228], eu soube que, durante uma longa viagem de trem com sua irmã, ele não se cansou de criar versos engraçados, 'algo que ele costumava fazer quando estava de bom humor'.)

Outra vez, Nietzsche me convidou para assistir à tourada de Nice, na qual, segundo decretos das autoridades, eram proibidos o uso de cavalos e o abate de touros, o que correspondia ao meu amor pelos animais. Rapidamente, porém, essa lutinha inofensiva nos pareceu uma caricatura da tourada e começou a provocar nossas risadas. O comportamento dos touros [...] parecia indicar que eles sabiam dos decretos das autoridades, e no fim, quando o touro saiu correndo pelos portões, isso nos pareceu especialmente cômico. Nós aplaudimos, esperando que ele voltasse como um ator para se curvar diante da plateia. Nessa tourada [...] a música de 'Carmen' antes do espetáculo e durante o intervalo me pareceu completamente inapropriada [...]. Essa música tinha um efeito eletrizante sobre Nietzsche, que ouvia como que extasiado e, com palavras passionais, chamava minha atenção para o ritmo pulsante, para o aspecto elementar e pitoresco da música [...]. Muito tempo depois, quando li em algum lugar que o entusiasmo de Nietzsche pela música de Bizet era forçado, artificial, uma mera reação contra Wagner, a minha lembrança de Nice se opôs a isso. Parece-me antes que Nietzsche vivenciou a excitação dessa música como uma corrente vivificante, que penetrava as profundezas de seu ser psicopático e preenchia todo o seu interior com um sentimento de felicidade semelhante ao efeito do Mistral. Creio que o amor por essa música tenha sido autêntico, mas a forma como ele a usa para elaborar sua sentença contra a música de Wagner me parece forçada.

Nietzsche me sugeriu ainda uma excursão para Monte Carlo e uma visita ao cassino, mas eu lhe expliquei imediatamente que não conseguiria respirar naquela atmosfera e que preferiria assistir novamente à tourada [...]. Às vezes, conversávamos também sobre nossos amigos comuns, e Nietzsche sempre falou com grande veneração sobre Malwida von Meysenbug, apesar de ridicularizar sua visão otimista do ser humano e seu costume de se expressar em superlativos. Falou com grande admiração sobre a argúcia extraordinária de Lou Salomé e sobre seu 'Hino à vida', que ele citou completamente. Certa vez, pediu que não me escandalizasse com a passagem do chicote no Zaratustra [...]. Ele não me explicou a origem desse 'conselho' de forma tão detalhada como o faria mais tarde o livro de Elisabeth, mas ele me disse diretamente a quem ele se referia [...].

Após uma longa caminhada matinal pela praia [...] e uma conversa sobre o Jugurta de Salústio, provocada pela preferência que eu tinha por esse autor [...], meu acompanhante começou a falar sobre Napoleão, a única figura histórica que parecia fasciná-lo e sobre a qual falava com muita admiração, como que sobre um tipo de transição para o 'Além do homem'. Ele me disse também que seu pulso era igualmente lento – 60 batidas por minuto. Mas o que Nietzsche não me revelou na época [...] foi sua grande proximidade com o grande córsico no que dizia respeito à força de vontade, a despeito da diferença entre as duas personalidades como um todo. Assim, conversando animadamente, alcançamos a Jetée e, apoiando-nos na muralha, ele apontou para o mar e me mostrou o ponto onde, às vezes, é possível reconhecer a Ilha da Córsega. Então mencionou seu plano de visitar a ilha e de atravessá-la, partindo de Bastia, passando pelas montanhas em direção a Ajaccio como destino". (Ou seja, nos rastros de Gregorovius, cujo livro sobre a Córsega Nietzsche conhecia.)

"Espontânea como sou, exclamei irrefletidamente: 'Que plano excitante e aventureiro!' Então Nietzsche perguntou se eu não queria acompanhá-lo e disse que já havia pensado muito sobre isso e que agora sabia 'como fazê-lo da forma mais correta' [...]. Nunca mais tocamos no tema.

Tanto em Nice como mais tarde também em Sils-Maria, Nietzsche conversou muito sobre Wagner. No início com cautela, mais tarde com uma língua cada fez mais afiada – desmembrando impiedosamente a personalidade e a música de Wagner e destacando com crítica fulminante seu aspecto artificial e teatral. Foi por meio dele que ouvi pela primeira vez que Geyer, o padrasto de Wagner, era, teria sido seu pai verdadeiro e que, por isso, tinha sangue judaico. Apesar de Nietzsche nunca ter falado de forma pejorativa sobre os judeus, nesse caso ele o faz com uma nuança de desdém. O tema Wagner exercia uma atração misteriosa sobre ele, e sem nenhum incentivo da minha parte ele sempre voltava a falar sobre ele. Ele começava com duros acordes em escala maior e terminava com comoventes notas em escala menor, principalmente quando se lembrava do tempo de Tribschen, quando ainda não existia o 'eremita em sua caverna'. Então irrompia em suas palavras um sofrimento que surgia das profundezas, e seus olhos se enchiam de lágrimas. [...] Quanto mais ele falava sobre isso, [...] mais clara se tornava a tragédia da perda dessa amizade – talvez irrefreada demais –, mais se mostrava o sangramento de uma ferida que se recusava a sarar...

Entre os livros que Nietzsche me emprestou, um dos primeiros foi a recém-publicada obra de Francis Galton* [1], fundador da eugenia: 'Inquiries into Human Faculty and its Development'. Enquanto eu folheava as páginas do livro [...], Nietzsche me explicou os fundamentos dos problemas ali tratados e os resultados conquistados na área da hereditariedade e do desenvolvimento na base de Darwin. Após essa interessantíssima lição particular sobre esse pesquisador inglês tão admirado por ele, Nietzsche pediu o livro de volta.

Muito ele me falou sobre Henri Beyle (pseudônimo: Stendhal) [...]. Pediu que eu lesse para ele trechos de *Poètes et Artistes d'Italie*, de Emilie Montégut** [2] e me emprestou *Les Allemands*, de Père Didon*** [3], pois considerava precisa sua

* [1] Sir Francis Galton, antropólogo e psicólogo inglês, 16 de fevereiro de 1822-17 de janeiro de 1911, primo de Charles Darwin, fundador da eugenia. Sua obra principal, "Hereditary Genius, its laws and consequences", de 1862, é a base de uma teoria da hereditariedade. Em "Inquiries into human faculty and its development", de 1883, ele se ocupa com a pergunta específica referente à procriação de pessoas talentosas. "Suas pesquisas se voltam para a questão prática da possibilidade de apoiar e modificar o processo da seleção natural para a criação de uma forma mais perfeita da humanidade."[248] (Aqui, Nietzsche encontrou um pesquisador científico que confirmava sua ideia da criação do "Além do homem").

** [2] Emile-Jean-Baptiste-Joseph Montégut, 1825 (Limoges)-1896 (Paris). A maior parte de seu trabalho se encontra em seus artigos publicados na revista filosófico-literária 'Revue des Deux Mondes"; elaborou também traduções do inglês: Emerson, Macaulay, Shakespeare. Sua obra "Poètes d'Italie" foi publicada em 1881.

*** [3] Henri Didon, 17 de março de 1840 (Touvet/Dauphiné)-13 de março de 1900 (Toulouse). Já muito cedo, tornou-se noviço dominicano e se tornou um pregador brilhante, mas também controverso. Ele se ocupou intensivamente com os problemas de seu tempo, também com problemas sociais, e assim entrou em conflito com sua ordem. O superior de sua ordem o mandou para Córsega. Mas Didon viajou pelo Oriente, visitou os locais da história sagrada, em 1882 visitou Berlim e Göttingen para conhecer a teologia alemã contemporânea. Fruto dessa viagem é o livro "Les caracterização do espírito alemão e francês e concordava com aquilo que Didon dizia sobre as instituições de ensino superior dos dois povos e sobre seu desenvolvimento histórico. [...] Livros recomendados por Nietzsche foram: 'Les Mémoires du Comte de Maurepas'* [4] e os livros de Madame de Rémusat** [5], 'L'Art Du XVIIIème siècle', dos irmãos de Goncourt*** [6], o livro de história de Saint-Simon**** [7] e 'Mémorial de Sainte-Hélène', de Las Cases***** [8], como livro mais estudado

---

Allemands" (Paris: Calmann-Levy, 1884 [tradução para o alemão de Stephan Born. Basileia: Bernheim, 1884]). Sua obra principal, porém, é uma "Vida de Jesus" (1890). Didon tinha contatos com a revista "Revue des Deux Mondes". Na introdução a "Les Allemands" ele esboça seu programa: "Em sua imprensa [...] e ainda mais em sua política externa, a Alemanha pouco faz para esconder sua inimizade irreconciliável com a França: mesmo assim falarei sobre a Alemanha sem difamá-la, sem ser injusto contra ela, da mesma forma como tento avaliar meu próprio país sem me iludir. Em virtude do meu amor passional pela França, pretendo servir-lhe com coração e olhos abertos [...]. O infortúnio da pátria, seus graves acidentes, seus erros não me levaram a duvidar dela. Meu patriotismo manteve sagrada a minha fé em sua vocação providencial e indestrutível".

* [4] Conde Jean-Fréderic-Phélipeaux Maurepas, 1701-1781. Na verdade, não era escritor, mas político na corte de Luís XV e Luís XVI. Em 1749, caiu em desgraça por causa de um epigrama sobre a Pompadour. Foi ministro da Marinha, ministro das Relações Externas, primeiro-ministro – mas sem *portefeuille* – e ministro das Finanças. Sem princípios sólidos, era corrupto e instável e não chegou a prestar quaisquer serviços valiosos. Suas memórias (publicadas em 1791 pelo Abbé Soulavie) são interessantes porque trazem muitas informações sobre a vida na corte daquele tempo.

** [5] Comtesse Claire-Elisabeth-Jeanne Rémusat. *Gravier des Vergennes*, 1781-1821. Filha de um deputado da Borgonha, guilhotinado em 1793. Seu marido se tornou diretor do teatro imperial sob Napoleão I, ela foi dama de companhia da Imperatriz Josephine. Suas *Memórias* falam da corte de Napoleão I, entre 1802-1808. Uma primeira versão (que Chateaubriand conhecera) ela queimou no dia em que soube que Napoleão havia retornado de Elba (1º de março de 1815) e reescreveu o livro durante seu "reino de cem dias" (20 de março-22 de junho de 1815). Essa segunda versão foi publicada em três volumes por seu neto Paul Rémusat em 1880.

*** [6] Irmãos Goncourt: Edmond, 1822 (Nancy)-1896 (Champrosay); Jules, 1830 (Paris)-1870 (Paris). Colecionadores de arte, historiadores de arte e cultura, romancistas inovadores, criadores do estilo impressionista-naturalista, transferindo o cuidadoso método de documentação de seus trabalhos históricos para o romance. Interessavam-se especialmente pelo século XVIII. "L'Art au XVIII siècle" foi publicado primeiro em 12 cadernos entre 1859 e 1875; em 1873/1874, em dois volumes; e em 1881-1884, em três tomos. As anotações de Resa von Schirnhofer não informam a edição usada por Nietzsche.

**** [7] Saint-Simon, provavelmente Louis Duc de Rouvroy, 16 de janeiro de 1675 (Versailles)-2 de março de 1755 (Paris). Em suas memórias, ele revela com argúcia crítico-psicológica os bastidores da vida na corte do último período de governo de Luís XIV. Redigida em 1762 e 1788, a primeira edição completa foi publicada postumamente entre 1829 e 1831 em 21 volumes. Grande influência sobre os românticos; a dica citada por Resa von Schirnhofer deve se referir a essa obra, no entanto, também é possível que se aplique a:

***** [8] Emmanuel-August-Dieudonné-Marius-Joseph Las Cases, "Comte de l'Empire" (pseudônimo A. Lesage), 1766 (Castelo Las Cases perto de Revel; Haute Garonne)-1842 (Passy-sur-Seine). Com 21 anos, tenente da Marinha, emigrou em 1790, voltou para a França sob o consulado e se tornou confidente íntimo de Napoleão ao longo do tempo. Compartilhou com Napoleão o exílio na Ilha de Santa Helena, escreveu aqui sob a supervisão de Napoleão: "Le récit de la campagne d'Italie", e anotava diariamente as palavras e atividades do preso. Ele viveu algum tempo em Frankfurt am Main e pôde voltar para a França após a morte de Napoleão. Seu livro "Mémorial de Sainte-Hélène" foi publicado pela primeira vez em 8 volumes em 1823; em 2 volumes em 1835, e mais tarde em Paris em 2 volumes.

pelos escritores franceses contemporâneos etc. Dos livros alemães, recomendou-me, além do livro de (Hermann) Grimm sobre Emerson, pelo qual nutria grande simpatia, apenas a obra do grande historiador católico Johannes Janssen* [9], que ele descreveu como 'obra mais importante sobre a Reforma, de imensa riqueza material', e 'Nachsommer', do poeta austríaco Adalbert Stifter, que ele chamou de 'livro impregnado de fragrância de rosas'. Em encontros posteriores, falou com frequência e respeito sobre a história da literatura do século XIX de Georg Brandes, particularmente sobre o volume dos franceses. Ele se ocupava muito com os escritores franceses contemporâneos [...] e só tinha palavras de admiração para a poesia teatral francesa do período clássico e para a arte do teatro francês. Ele caracterizava a cultura francesa dos séculos XVII e XVIII como perfeição na forma, postura de bom gosto, conduta requintada, que, emanando dos círculos da corte, expressava-se na vida social [...]. Nietzsche falou muito sobre Taine, com o qual correspondia e cuja obra 'Origines de la France contemporaine' ele me recomendou [...].

Na época, Nietzsche me presenteou com as três partes recém-publicadas de 'Assim falou Zaratustra', entregou-as com amável solenidade, escreveu na parte de cima: 'com carinho amigável'; e na parte de baixo: 'In nova fert animus'** [10]. Antes de me dar a oportunidade de folhear nos livros, ele abriu a segunda parte na página do 'Canto da noite' e pediu que o lesse. O início: 'É noite; agora falam em voz mais alta todas as fontes salteantes. E a minha alma também é uma fonte salteante', que eu começara a ler timidamente em voz baixa, evocava com sua beleza lírica uma sintonia em meu interior [...]. Em outro momento, pediu que eu lesse o 'Canto da dança' da segunda parte do Zaratustra [...]. Nietzsche permaneceu imóvel em postura cansada, como que cativado pela experiência de seu ato poético, esquecendo-se da minha presença, imerso em seu mundo, naquele 'desconhecido', 'insatisfeito', 'insaciável', que Zaratustra diz estar em sua volta e dentro dele.

Cada palavra teria sido inapropriado. Fiquei calada durante muito tempo e permiti que o eco interior de Nietzsche e minha própria emoção poética se dissipassem. Mais tarde, Nietzsche me disse que lhe fazia bem o fato de poder conversar, rir e também ficar em silêncio comigo – algo que, segundo ele, era raro em mulheres.

---

* [9] Johannes Janssen, 10 de abril de 1829 (Xanten)-24 de dezembro de 1891 (Frankfurt am Main). Historiador alemão, professor em Frankfurt. "Geschichte des deutschen Volkes seit dem Ausgang des Mittelalters" [História do povo alemão desde o fim da Idade Média], 1876ss. em 8 volumes.

** [10] Ovídio, "Metamorfoses" I, 1 (proêmio): O verso completo: *In nova fert animus mutatas dicere formas / corpora*:
"Louvar seres transformados em nova forma / ordena-me o coração" (trad. Rösch[189]). A citação, principalmente em sua forma abreviada, é – com referência ao Zaratustra – um anúncio e uma advertência séria à jovem leitora.

Outra vez, pediu que eu lesse para ele 'O outro canto da dança' da terceira parte do Zaratustra. Aparentemente, não li o final de forma suficientemente enigmática, pois Nietzsche repetiu com voz festiva as batidas de meia-noite do 'velho e pesado sino':

Um!

Ó, homem! Atenta!

Dois!

O que diz a profunda meia-noite?

Três!

Eu dormia, dormia –

Quatro!

Despertei de sonho profundo: –

Cinco!

O mundo é profundo

Seis!

E mais profundo do que o dia.

Sete!

Profunda é sua dor –

Oito!

Prazer – mais profundo ainda do que a dor do coração:

Nove!

Diz a dor: Perece!

Dez!

Mas todo prazer deseja eternidade –

Onze!

– Deseja profunda, profunda eternidade.

Então ele se levantou para se despedir, e, quando alcançamos a porta, seus traços mudaram. Com uma expressão fixa no rosto, lançando olhares esquivos para todos os lados, como que temendo um terrível perigo se alguém ouvisse suas palavras, ele levou sua mão à boca e sussurrou em meu ouvido o 'segredo' que Zaratustra confidencia à vida, ao que esta responde: 'Tu sabes disto, Zaratustra? Ninguém sabe disto'.

Havia algo de bizarro, de assombroso na forma como Nietzsche me confidenciou o 'retorno eterno do mesmo', a incrível extensão dessa ideia. O que me deixou constrangida foi muito mais a forma da comunicação do que seu conteúdo. Era outro Nietzsche que de repente eu via diante de mim, e ele me assustou.

Mas já que, sem desenvolver seu pensamento, retomou seu modo de falar natural e retornou para sua natureza comum e acrescentou calmamente que eu entenderia a grande importância da revelação apenas mais tarde em toda sua extensão, fiquei com a impressão de que Nietzsche, intencionalmente, havia se aproveitado da minha impressionabilidade para gravar em mim de forma inesquecível o tamanho dessa descoberta. Em Sils-Maria, outro evento me lembraria dessa cena curiosa".

Chamam atenção nesse encontro com Resa von Schirnhofer alguns momentos que lembram de forma surpreendente os dias de Nietzsche de seu primeiro convívio com Lou Salomé há quase exatos dois anos no Lago de Orta. Além do fato de ambos os encontros terem sido intermediados por Malwida von Meysenbug, as semelhanças decisivas se encontram em acontecimentos externos: as caminhadas compartilhadas, a experiência da natureza montanhosa – lá, nas proximidades de um lago, aqui, nas proximidades do mar; lá, o Monte sacro, aqui, o Mont Boron; lá, "o primeiro conhaque de sua vida" com Lou, aqui o primeiro "Vermouth di Torino" para Resa. Em ambos os encontros, a intimidade da comunicação de um "segredo", do dogma do "retorno eterno do mesmo", como que num ato de ordenação, numa iniciação nos mistérios de uma sociedade: Os versos iniciais das "Metamorfoses" de Ovídio como dedicatória não foram escolhidos por um capricho de um filólogo.

O que faltava dessa vez era um "Paul Rée", uma terceira pessoa. Mas Nietzsche pensava em remediar essa situação. Apesar de não falar mais com Resa von Schirnhofer sobre sua viagem a Córsega – como ela testifica –, ele ainda não desistira dela. Ainda em 25 de julho de 1884 ele escreve a Köselitz: "[...] creio que isso não passará de Sils e Nice, com exceção de algumas estadias mais breves (combinei uma excursão para Córsega na próxima primavera, comigo e com Resa von Schirnhofer – *vivat tertius!*)". Esse "tertius" deveria ser Köselitz, pois sem a construção de um triângulo relacional Nietzsche não ousaria fazer a viagem.

Em vista da intensidade da imaginação poética de Nietzsche, não podemos excluir a possibilidade de que, em seu convívio com Resa von Schirnhofer, ele reviveu a lembrança das horas mais felizes com Lou Salomé. No entanto, não há quaisquer indícios de que Nietzsche tenha tentado ou sequer pensado em transformar a amizade com Resa von Schirnhofer em um substituto para sua amizade com Lou. Resa von Schirnhofer exerceria outra função: a de mediadora de um dos encontros mais significativos, a amizade com Meta von Salis.

Durante os dez dias em Nice (3 a 13 de abril de 1884), Resa von Schirnhofer conheceu um Nietzsche alegre e saudável, pois nenhuma crise de seu sofrimento ocorreu durante esse período feliz. Uma semana após a partida de Resa, em 21 de abril, Nietzsche também se despediu de seu novo refúgio de inverno, no qual ele havia criado um novo círculo bastante internacional de conhecidos, viajando primeiramente para Veneza, onde chegou às 7 da noite, exausto da longa viagem e se hospedou na "San Canciano Calle Nuova, 5.256", onde ficou até o dia 12 de junho, para então, de repente, aparecer na casa da família Overbeck em Basileia.

Em Nice, o poeta Nietzsche havia vivido seus dias de glória. Agora, em Veneza, o músico Nietzsche exigia sua parte devida, e Nietzsche esperava que esta fosse providenciada em primeira linha por seu "Maestro Peter Gast", i.e., Heinrich Köselitz.

Diplomacia musical

Já em 1º de fevereiro, ele lhe escrevera: "Entrementes meu desejo de ouvir sua música tem crescido tanto que, muito provavelmente, aparecerei em Veneza de surpresa. É um desejo como que após uma longa doença: creio que você não encontrará ouvidos no mundo inteiro que tanto desejam ouvi-lo, querido amigo!" E em 25 de fevereiro: "[...] anseio literalmente pela sua música [...]. Música é, de longe, a melhor coisa; mais do que nunca, queria ser músico agora". Isso se repete em cada uma das cartas seguintes.

A razão era que Köselitz estava encerrando sua ópera "Il matrimonio segreto", com a qual finalmente esperava ter sucesso e ser reconhecido como compositor. E Nietzsche não só compartilhava essa esperança, ele tinha certeza do êxito. Assim, acompanhou todos os passos e todas as medidas de seu amigo com grande interesse. Cada progresso aparente, por menor que fosse, era celebrado com fanfarras em suas cartas. Nietzsche chegou até a estudar um ensaio de Eduard Hanslick sobre a ópera "Matrimonio segreto" de Cimarosa e observou, com uma agulhada inconfundível contra Wagner: "Hanslick parece saber muito bem o que falta a todos esses potentados musicais a partir de Schumann – a 'plena luz do sol' e o 'buffo' autêntico". Nietzsche acredita que Köselitz possua essas qualidades e se transformará em antiwagneriano. Nietzsche tinha apenas *uma* preocupação, e esta não era infundada: O texto não era novo e já era de conhecimento comum na ópera. O napolitano Domenico Cimarosa (1749-1801) havia composto essa ópera em 1792, no primeiro ano de sua atividade como mestre de capela da ópera da corte de Viena – como sucessor de Salieri. Ela não é só a única de suas obras que sobreviveu, mas também a única ópera italiana do século XVIII que conseguiu sobreviver até hoje ao lado das obras de mestre de Mozart. Com o passar do tempo, tornou-se por isso objeto de orgulho nacional dos italianos interessados em música. Então, aparece um compositor alemão sem nenhum histórico de obras bem-sucedidas para, servindo-se do mesmo libreto, desafiar o "seu" Cimarosa – isso representava um certo perigo "neste século da loucura das nacionalidades", que deveria ter sido levado em conta desde o início.

O obstáculo representado pelo nome "Köselitz" já havia sido afastado pelo pseudônimo "Peter Gast" ou "Pietro Gasti", mas este último não convencia como nome italiano. A primeira sugestão de Nietzsche, de "italianizar" seu nome para "Coselli" certamente teria sido melhor. Era preciso encontrar novos caminhos, e Nietzsche teve a ideia ousada de dedicar a ópera à rainha italiana Margherita! Köselitz não gostou muito. Em 25 de março ele respondeu: "Rainha Margherita – sim, se você acreditar que uma dedicatória a ela cativará os italianos, então, que seja [...]. De resto, porém, oponho-me fortemente a isso: Os príncipes se encontram na situação desagradável de sempre serem obrigados a demonstrar sua gratidão; no fim, acabariam me dando o título de cavalheiro – terrível! Não quero títulos grudados ao meu corpo! Isso distorce toda a contemplação do mundo! – E os compositores italianos são quase todos cavalheiros, porque se entendem tão bem com a casa real". Köselitz, por sua vez, vê dois caminhos: Primeiro estrear a peça, para então conquistar um editor que a publique – ou primeiro encontrar um editor que então faria de tudo para levá-la à apresentação.

Köselitz pretende tentar o primeiro caminho. Em 29 de fevereiro, apresenta seu plano a Nietzsche: "Pretendo oferecer-me ao *impresario* paduano, que muitas vezes já trabalhou no Teatro Fenice da nossa cidade, como mestre de capela para duas ou três óperas da seguinte série: *Wagner* Tannhäuser, *Mozart* Don Juan, *Rossini* Tell, *Spontini* Vestalin, *Auber* La Muette de Portici, *Herold* Zampa, *Flotow* Stradella, *Goldmark* Die Königin von Saba, *Bizet* Carmen e para o *Matrimonium segreto* como estreia para o carnaval (início no segundo feriado de Natal de 1884). Durante o carnaval, o humor do público é excelente, sobretudo no início, ou seja, no Natal e Ano-Novo. Além do mais, pretendo sugerir que quatro ou cinco concertos sejam realizados no teatro com os recursos musicais do teatro, onde eu apresentaria algumas coisas novas ou já queridas aos venezianos". Nietzsche responde imediatamente com entusiasmo: "Que ótima notícia, essa *determinação* [...]. Uma solução tão natural decorrente de sua longa estadia em Veneza! Percebo apenas agora o quanto me inquietou o fato de você não querer marchar à frente de suas tropas, ou seja, com a batuta na mão. Desejo, antes de mais nada, que esse contato com o *impresario* seja estabelecido imediatamente e que não deixe passar nem um dia a mais". Nietzsche (e aparentemente também Köselitz) não parece ter qualquer dúvida de que seu amigo é capaz de tudo isso. No entanto, Köselitz não tinha qualquer formação ou experiência como mestre de capela, nunca havia dirigido uma orquestra, muito menos no teatro!

Köselitz começa a negociar com as personalidades responsáveis em Veneza, também com o secretário do Teatro Fenice, que lhe diz: "A sociedade publica a concorrência, apenas depois disso entram os empresários. Sobre o próximo inverno ainda nada estaria determinado; isso seria decidido apenas no verão. E ele me aconselha fortemente a não entrar em contato diretamente com o *impresario*. Se quiser, eu poderia começar por aí; no entanto, o *impresario* não estaria interessado em minha ópera. Exigiria antes de qualquer coisa a garantia (6 a 8 mil francos).

Se, porém, eu quisesse procurar um editor milanês – ele me deu os nomes [...] de três empresas, sobretudo a Lucca [...], eu me pouparia de todos os problemas com o *impresario*, que sempre é um *briccone* [...]. A Lucca é muito rica, sustenta muitos compositores jovens na esperança de, algum dia, vê-los transformados na *gloria d'arte e d'Italia*. Se ela gostar de uma obra, ela libera grandes somas, contrata os melhores profissionais e arca com os custos do *impresario*"*.

As esperanças de Köselitz (e de Nietzsche) de ver sua obra apresentada em breve não se cumpriram. Köselitz teve que esperar até 1890. Carl Fuchs, fiel seguidor de Nietzsche, conseguiu que a obra fosse apresentada em Danzig (com o título *Der Löwe von Venedig* [O leão de Veneza]) – um ano após o colapso de Nietzsche. Nietzsche não teve mais o prazer de assistir à apresentação tão desejada.

O maestro de Veneza

Foi com essas expectativas que Nietzsche chegou em Veneza em 21 de abril. Elas representavam um contrapeso necessário para o sentimento que o esmagava, para o fardo quase que insuportável de suportar a responsabilidade por um dogma como o do retorno eterno do mesmo.

Ouvimos pouco sobre as sete semanas em Veneza (21 de abril a 12 de junho de 1884). A princípio, Nietzsche tem uma impressão favorável sobre o desenvolvimento musical de Köselitz. Em 2 de maio, ele escreve a Overbeck: "Aqui estou na casa de Köselitz, no silêncio de Veneza, e ouço música, que, em muitos aspectos, é ela mesma um tipo de Veneza ideal. Ele, porém, está fazendo progressos em direção a uma arte *mais masculina*: a nova abertura do *matrimonio* é clara, rígida e forte". No entanto, essa avaliação positiva não perduraria. Aparentemente, Nietzsche interferiu de forma enérgica na obra. E abandonou definitivamente a esperança de uma apresentação italiana e substituiu o título. Em 21 de maio, escreve a Overbeck: "Estava na hora de eu fazer uma visita a Veneza; pois o nosso maestro não sai do lugar e acredita que, escrevendo algumas partituras, todo o trabalho já estaria feito. Ele mal pensa na apresentação ou na possibilidade de uma apresen-

* Francesco Lucca, 1801 (Cremona)-1872 (Milão), foi primeiro funcionário da Editora Ricordi em Milão. Em 1825, fundou sua própria editora, publicando principalmente obras de compositores alemães. Foi também o editor de Wagner na Itália. Sua viúva, Giovanna Lucca-Strazza, continua administrando a empresa até vendê-la em 1888 para a Ricordi.

tação; e em retrospectiva reconheço agora como foi importante ter chamado ele para Leipzig no penúltimo outono – apesar de na época isso ter parecido em vão. Mas não foi em vão: caso contrário, teria perdido outros dois anos fazendo música impossível. Demonstrei-lhe imediatamente que seu 'plano' com a firma milanesa Lucca era tão impraticável quanto seu plano veneziano: por meio de um 'Não!' inequívoco dessa firma. Também que sua música representava uma impossibilidade para os italianos e que ela fere a piedade contra seu Cimarosa. Ou seja, houve uma revolução em todas as coisas imagináveis, inclusive no texto, no *finale* e em muitas questões formais, que dizem respeito ao efeito. Como resumo do resultado, veja esse bilhete do teatro:

***O leão de Veneza* – Ópera cômica em 5 atos de Peter Gast**

Provável estreia em Dresden no Natal. – Fiz um bom trabalho, não acha?

De resto, tudo vai bem, surpreendentemente bem: estou falando do desenvolvimento das forças de Köselitz; e se ele, a um passo de cada vez, se purificar do gosto mesquinho, da hipertrofia saxônio-chinesa, veremos ainda o surgimento de uma nova música clássica, que ousará invocar os espíritos dos heróis gregos [...]. Tenho aqui uma bela oportunidade de pregar a minha moral estética a ouvidos que não sejam surdos". (A menção dos "espíritos dos heróis gregos" se refere ao projeto de uma ópera intitulada de "Nausícaa".) E então Nietzsche acrescenta um pensamento inesperado: "É preciso desvincular a grande causa R. Wagner de suas falhas pessoais: nesse sentido, pretendo ainda me dedicar à sua obra e demonstrar posteriormente que não foi o 'acaso' que nos reuniu".

Quais são os pensamentos e planos que se escondem por trás dessa afirmação da importância de Wagner e de seu vínculo com ele? Será que vislumbrava uma tarefa semelhante àquela assumida muito mais tarde por Wieland, neto de Wagner? É possível que a oração final da carta revele algo sobre isso: "Acato com alegria sua palavra do 'separatista místico': recentemente, disse a Köselitz que não existe nem nunca existiu uma 'cultura alemã' – com exceção dos eremitas místicos, incluindo aqui expressamente Beethoven e Goethe!" Será que o outro par seria representado por Nietzsche e Wagner? Nietzsche vê seu Zaratustra no mesmo nível do Parsifal e muito acima da "descontração mediterrânea" de seu "aluno" Peter Gast. Sim, Gast pode até satisfazer exigências meramente estéticas, talvez até de forma melhor do que o poeta mitológico Wagner. Mas o Zaratustra não pretende satisfazer exigências meramente estéticas. "[...] e já começa a se revelar aquilo que, há muito, tenho profetizado, ou seja, que em muitas partes eu serei *herdeiro* de R. Wagner" (carta a Overbeck, em 7 de abril de 1884).

Aproximação de Heinrich von Stein

Parte dessa "herança" parece ser uma aproximação de Heinrich von Stein: Nietzsche sabia que ele estava firmemente fundamentado nas visões de Schopenhauer – e, sobretudo, que pertencia ao círculo de Bayreuth mais íntimo. No final do verão de 1883, Nietzsche lhe enviou as partes I e II (as duas até então publicadas) de seu Zaratustra e, em abril de 1884, a terceira parte. Heinrich von Stein agradece pelo presente, "pela verdade calorosa, cujo pulso ouço em suas páginas", e, em contrapartida, lhe envia "algo que caiu em minhas mãos, poesias traduzidas de Giordano Bruno", entre estas uma que, "na época, agradara muito a Wagner". Então acrescenta: "Queria muito que o senhor viesse a Bayreuth neste verão para assistir ao Parsifal [...]. Quando penso no Parsifal, imagino uma imagem de beleza pura – em uma experiência espiritual de natureza puramente humana [...]. Por isso, registro aqui o meu desejo – tímida e ousadamente ao mesmo tempo – não como wagneriano, mas porque desejo ao Parsifal este ouvinte, e a este ouvinte o Parsifal". E Nietzsche responde em 22 de maio (no aniversário de Wagner!): "Essas poesias de Giordano Bruno são um presente pelo qual lhe sou profundamente grato. 'Tomei-as' como gotas fortificantes. Ah, se o senhor soubesse quão raramente ainda me vem algo fortificante de fora! Dois anos atrás, falei com certa raiva sobre o fato de que um evento como o Parsifal teve que passar longe de mim, justamente de mim; e também agora, agora que tenho uma segunda razão para ir a Bayreuth – que é o senhor, meu querido senhor doutor, uma das minhas grandes 'esperanças' – ainda tenho minhas dúvidas se realmente *posso* ir. A lei que está acima de mim, minha *tarefa*, não me permite o tempo para isso. Meu filho Zaratustra deve ter lhe revelado o que se movimenta dentro de mim; e se eu conseguir alcançar tudo que desejo, eu morrerei sabendo que os milênios futuros me farão seus mais nobres elogios. – Perdão! – Existem coisas tão sérias que deveríamos pedir perdão antes de falar delas. –

Por fim, porém, gostaria de saber as datas das apresentações, quando o senhor estará pessoalmente em Bayreuth e se o senhor estaria disposto a me visitar na Alta Engadina (Sils-Maria)".

Nietzsche reage ao convite de ir a Bayreuth não com indignação, mas com profundo pesar, sim, até mesmo com raiva voltada contra si mesmo por perder tamanha oportunidade. E aqui ele revela de forma muito clara e quase ingênua a razão pela qual *teve* que se separar de Wagner: sua obra, sua tarefa, o demônio de sua filosofia o obrigou a seguir outro caminho, seu caminho próprio.

Em 28 de maio de 1884, Heinrich von Stein lhe informa as datas das apresentações (de 21 de julho a 8 de agosto, com dez apresentações, ou seja, uma a cada dois dias) e encerra: "Em todo caso continuo firme em meu plano de me encontrar com o senhor".

O peso do dogma

Nietzsche confidencia ao jovem admirador o mistério do dogma do retorno eterno e espera encontrar nele um "discípulo", que, um dia, poderia lhe servir como embaixador em Bayreuth. Ele confidencia seu peso espiritual também a Malwida von Meysenbug, outra pessoa leal a Bayreuth. Já em 12 de fevereiro, ele lhe escreve: "Tenho coisas em minha alma que pesam cem vezes mais do que *la bêtise humaine* [uma agulhada contra os ataques de seus familiares]. É possível que eu me transforme em um fado, no fado de todos os seres humanos vindouros – portanto, é absolutamente possível que algum dia me cale – por amor ao próximo!!!" E como já a Heinrich von Stein, escreve também a ela (e com palavras quase idênticas também a Overbeck) em 21 de maio de 1884: "Minha tarefa é monstruosa; minha determinação, porém, não é menor. Meu filho Zaratustra não lhe dirá o que eu *quero*, mas a encorajará a adivinhar; talvez seja possível adivinhar. Uma coisa, porém, é certa: Quero obrigar a humanidade a tomar decisões, que decidirão todo o futuro humano, e é possível que milênios inteiros façam juramentos em meu nome. – Um 'discípulo' seria para mim uma pessoa que me fizesse um juramento incondicional –, além disso, eu exigiria um longo noviciado e provas difíceis. De resto, suporto a solidão: todas as tentativas dos últimos anos de conviver com as pessoas me deixaram doente".

Hoje, precisamos nos perguntar como os destinatários puderam absorver esse tipo de afirmações de uma autoconsciência exaltada já agora, na primavera de 1884, sem qualquer suspeita de uma distorção doentia de sua consciência. Apenas de Bayreuth, de Cosima Wagner, haviam vindo alguns alertas nesse sentido, mas já desde 1878, desde "Humano, demasiado humano". Será que Cosima possuía uma intuição mais aguçada em virtude da proximidade amigável no passado, ou será que ela sabia algo mais, das fontes em Leipzig ou do Dr. Schrön em Nápoles? Todos os outros amigos e conhecidos, porém, aceitaram essas visões desmedidas de Nietzsche, que tanto contrastavam com o ser humano tão humilde que conheciam.

Precisaremos tentar compreender isso a partir da situação espiritual daquele tempo. Era uma "era de revoluções" (para usar uma expressão de Jacob Burckhardt; Burckhardt e Nietzsche compartilhavam de uma clara consciência de crise, que poucos possuíam na época). Transformações fundamentais nos âmbitos da existência espiritual e material se anunciavam e pareciam inevitáveis.

A filosofia materialista havia refutado o Deus-Criador, havia explicado o desenvolvimento do cosmo como evolução completamente autônoma a partir das leis naturais "eternas", e os cientistas naturais pareciam estar prestes a desvendá-las, a aplicá-las e a manipulá-las completamente. Nietzsche adota essa postura fundamental em suas formulações sobre o "Deus morto" no Zaratustra.

A partir de 1869 Júlio Verne (1828-1905) havia desdobrado as possibilidades aparentemente ilimitadas do conhecimento da ciência natural em seus romances utópicos. Thomas Edison (1847-1931) seguiu este caminho com suas invenções. Eletricidade e máquina a vapor ofereciam novas fontes de energia, que, por sua vez, abriam novas possibilidades. Em 1883, morreu Karl Marx, deixando a visão de uma reestruturação completa da sociedade humana.

Ao mesmo tempo, os estados europeus começavam a instaurar um domínio global em seus impérios coloniais, onde a cultura e o pensamento europeus podiam se propagar na forma de uma cultura global. No passado, o cristianismo havia se propagado da mesma forma no solo do Império Romano. E por que a superação do cristianismo não deveria seguir os mesmos caminhos? Transformações reais, visionárias e utópicas nos âmbitos da existência material e espiritual não eram algo extraordinário para a camada social à qual Nietzsche se dirigia. Nela, os inovadores autoconfiantes surgiam quase que diariamente. Isso se expressava também nas artes: as formas monumentais que levaram ao "Jugendstil" nas artes plásticas, na arquitetura, mas também na poesia (ciclos épicos) e na música (Berlioz, Wagner, Bruckner, Mahler).

Nas semanas que passou em Veneza, Nietzsche se dedicou muito à pergunta sobre a função da arte – em seu caso, arte significava música.

Deve ela desvelar o abismo da revolução ou deve ela encobri-lo com o véu de visões ideais diante do ser humano internamente abalado? São estes os problemas da "moral estética" (Nietzsche poderia dizer também: da moral da estética), que o ocupavam no contexto da ópera de Peter Gast. A passionalidade nua e impulsiva da "Carmen" e a descontração agradável do "Matrimonio" seriam alternativas válidas para as visões aterrorizantes do além no "Tristão", para o fracasso dos deuses no "Anel" em sua dedicação ao poder material e em sua desistência do amor – do amor ao ser humano – ou para a busca de uma existência humana superior no "Parsifal"?

Existiria aqui, de todo, uma alternativa, ou se trataria antes de uma combinação de tudo? Essas decisões ainda estão todas em aberto – também para Nietzsche. Apenas em uma única pergunta ele já se decidiu: sua vocação messiânica está intimamente ligada à sua "descoberta" filosófica, ao dogma do retorno eterno do mesmo. E realmente, se esse retorno com todas as suas consequências pudesse ser comprovado como fato – ou se a maioria da humanidade acreditasse nele –, isso provocaria uma transformação completa da existência espiritual. A vida atual definiria de forma inevitável e incorrigível e em seus mínimos detalhes todas as repetições futuras e impor-lhe-ia uma responsabilidade insuportável. Qualquer esperança, qualquer fé, sim, qualquer possibilidade de uma fuga da alma da existência terrena – e, portanto, de toda dor e miséria – para uma eternidade (ou seja, para uma existência extratemporal) estariam destruídas, anuladas, a "eternidade" estaria novamente sujeita às leis do tempo e do espaço, reduzida a uma sequência temporal infinita. Nietzsche sabia muito bem o que isso significaria para todo o desenvolvimento filosófico desde Platão até Kant, para o cristianismo, o islã e outras religiões, e ele tinha toda razão para estremecer diante disso. Como ele se sentia, revela uma curta carta de Köselitz a Cäcilie Gusselbauer de 5 de junho de 1884: "Nietzsche volta para casa e toca sua música pesada, que eu não suporto. Que o diabo leve essas notas assombrosas para o inferno".

Que contraste com o humor descontraído que ele havia trazido de Nice! Novamente evidencia-se a terrível ambiguidade de sua existência, sob a qual sofria pelo menos desde o início de sua atividade como professor em Basileia. Convicção e dúvida, orgulho de seu conhecimento filosófico e medo da responsabilidade e de suas consequências, necessidade de ouvir música animada e descontraída ("Carmen", de Bizet, e "Matrimonio", de Peter Gast) e um vínculo indissolúvel com o demônio de Wagner – Nietzsche vivencia tudo isso em Veneza, onde, um ano antes, falecera Wagner, iniciando dali sua marcha triunfal sombria, e onde agora Heinrich Köselitz lutava sem esperança e sem sucesso com uma ópera neoclassicista* – e Nietzsche tentou fugir de tudo isso com uma de suas viagens repentinas e surpreendentes.

Em Basileia

Em 27 de julho de 1884, Franz Overbeck relata a Erwin Rohde[50; 188]: "Em 15 de junho, Nietzsche apareceu de repente aqui [em Basileia] e permaneceu 14 dias, num estado de impotente desespero diante de sua terrível solidão, mas que se torna ainda mais terrível quando ele não se encontra na solidão e num clima que lhe seja favorável. Ele deposita enormes esperanças em seu Zaratustra, principalmente na doutrina ali revelada do retorno eterno e mecânico. No mundo de sua história, ele ainda consegue ser feliz de vez em quando, até perceber que é o único que nele vive. Se eu não soubesse o que ele já superou, seria incapaz de pensar nele com tanta tranquilidade em vista da condição em que se despediu de Basileia. [...] Compreendo o suficiente de seu 'filho Zaratustra' para entender quanta felicidade ele lhe dá; no entanto, não ouso decidir se o livro é realmente tão rico quanto ele acredita".

Nietzsche procurou entrar em contato com os círculos da Universidade de Basileia, sobretudo com Jacob Burckhardt. Mas ele já se alienara dos cidadãos de Basileia, e o clima da cidade, principalmente dessa estação, não lhe faz bem. Aqui, nessa

* Realizada, por fim, por Ermanno Wolf-Ferrari (1876-1948).

decepção, surge o plano de "se" explicar, de pedir compreensão por meio de uma carta pessoal "Aos meus amigos", como ele confidencia a Overbeck em 10 de julho de 1884. Podemos identificar nesse plano a semente de seu último escrito "Ecce homo", que seguirá apenas em quatro anos. Por ora, expressa apenas o pensamento: "Foi apenas uma inspiração do ar de Basileia, um pensamento de desencorajamento. Nenhuma palavra a mais! Já realizei essa ideia de 'me explicar', na última parte da 'Gaia ciência'. E também a ideia de fazer preleções em Nice nada mais é do que uma ideia nascida do desespero: pois – como é que eu ainda poderia fazer qualquer preleção?"

Na mesma carta, ele descreve sua estadia em Basileia: "Basileia, ou melhor: minha tentativa de conviver como antigamente com os cidadãos da cidade e com a universidade, me esgotou profundamente. Esse tipo de papel e disfarce exige demais do meu orgulho neste momento. Prefiro mil vezes a solidão! E, se for preciso, a morte em solidão!" E em 25 de julho de 1884 escreve a Köselitz: "Finalmente em Sils-Maria! Finalmente retorno – para a razão! Pois entrementes eu havia me cercado com um excesso de irracionalidade (estive como que entre vacas); mas o fato de eu me deter por tanto tempo nesses estábulos de vacas foi a maior irracionalidade. Quem precisar de distrações, de uma oportunidade para rir, do convívio com pessoas maliciosas e com livros – que vá para qualquer lugar, menos para Basileia *et hoc genus omne*. A coisa mais engraçada que vivenciei foi o constrangimento de Jacob Burckhardt diante de *sua obrigação de dizer algo* sobre o Zaratustra: E tudo que conseguiu dizer foi – 'se eu já tinha pensado em escrever algo na área dramática'".

Para Jacob Burckhardt foi difícil esconder sua decepção. Em seu livro *Weltgeschichtliche Betrachtungen* [Contemplações sobre a história do mundo] (título de sua preleção "Über Studium der Geschichte" [Sobre o estudo da história], realizada em 1870/1871), lemos[65]: "A Wöluspa, existente já no início do século VIII [...] é um documento magnífico do canto mitológico da Escandinávia; ela contém, além do mito, também o fim do mundo e o surgimento de uma nova terra".

Nietzsche havia assistido a essa preleção (cf. carta a Carl von Gersdorff, de 7 de novembro de 1870) e discutido alguns problemas específicos em particular com Burckhardt. Nessas conversas, ambos haviam declarado que esses mitos e teorias sobre um retorno da história representavam um pensamento absurdo. E agora? O que Burckhardt deveria pensar sobre seu ex-colega e ouvinte, que passara a defender justamente esse pensamento como descoberta central de seus esforços filosóficos – e tudo isso na forma poética de uma lenda? Sugerir o caminho da poesia, onde esse tipo de pensamentos pode suscitar algum interesse no reino infinito da imaginação, onde uma figura profética como tipo do ser humano, como produto artístico, consegue comover o leitor, era, provavelmente, a única reação possível para o historiador de arte.

Piora

Mais uma vez, Nietzsche se refugiou nas alturas dos Alpes, no Hotel Piora, às margens do Lago Ritom, mais ou menos a 1840m acima do nível do mar (ou seja, um pouco acima de Sils-Maria), 700m acima da estação ferroviária de Airolo, na entrada sul do Túnel de São Gotardo[146]. Não sabemos como ele descobriu esse vale isolado. É provável que algum conhecido de Basileia tenha sugerido o lugar, talvez o próprio Overbeck. Pois aqui encontrou a completa solidão que Nietzsche precisava, como Overbeck dissera em sua carta a Erwin Rohde. Mas, mais uma vez, foi uma escolha errada. Já uma semana mais tarde (em 12 de julho), Nietzsche se despede do lugar e viaja para Zurique. Antes de partir de Airolo, ele anuncia sua visita a Meta von Salis[213]: "Supondo que a senhora saiba quem eu sou, por favor, não se surpreenda diante do meu desejo de conhecê-la. Permanecerei alguns dias em Zurique, no Hotel Habis: peço que me informe o onde e o quando de um possível encontro". E ele assina: "Seu servo Prof.-Dr. Nietzsche".

Meta von Salis sabia muito bem quem estava anunciando sua visita. Certamente ela havia sido informada por sua amiga Resa von Schirnhofer, e por trás de tudo se escondia Malwida von Meysenbug, que se preocupava muito com o isolamento crescente de Nietzsche e cujo círculo de amigas incluía, além de Lou Salomé, Resa von Schirnhofer e Helene Druscowitz, também esta jovem estudante de Zurique.

O primeiro encontro ocorreu em 14 de julho de 1884 em Zurique, que, pelo menos para Meta von Salis, foi um dos eventos mais significativos de sua vida. Este primeiro contato foi, porém, breve. Quatro dias mais tarde (em 18 de julho), Nietzsche já se encontra em seu refúgio de verão Sils-Maria, ou seja, ele deve ter partido de Zurique no máximo no dia 17 de julho.

Em Sils, formou-se rapidamente – como já em Nice – um pequeno círculo de hóspedes em torno de Nietzsche, e ele parecia sentir-se bem quando estava cercado de mulheres cultas e já não tão jovens. Havia também visitantes que vieram por sua causa. Nietzsche chegou até a tornar-se uma "atração turística". Com uma leve nota de orgulho irônico, ele escreve a Köselitz em 2 de setembro de 1884: "Em Sils-Maria tudo é de primeira qualidade. A paisagem e – como soube recentemente – também o 'eremita de Sils-Maria'. Veja só, acabei de escrever uma 'imodéstia de primeira qualidade'".

VII

Admiradores
(Sils, verão de 1884)

Meta von Salis-Marschlins

O Cantão dos Grisões é uma região montanhosa selvagem e ramificada – com uma população tão diversa quanto sua natureza: metade dos habitantes fala alemão, nos vales domina a língua romanche em três dialetos claramente distintos, e nos três vales voltados para o sul a língua materna é o italiano. Esses três vales alimentam também o Rio Pó na planície da Lombardia, que corre para o Mar Adriático. As águas da Engadina confluem para o Rio Inn, afluente do Rio Danúbio, que corre para o Mar Negro. A maior parte da região, porém, alimenta o rio do destino da Europa, o Rio Reno. A partir da Guerra dos Trinta Anos, durante a Revolução Francesa e até a Restauração, o destino europeu afetou politicamente a região da nascente do Reno.

Duas das famílias que, durante esses anos decisivos, se envolveram nas confusões e nos conflitos, envolvendo assim também a sua pátria, foram as famílias Planta e Von Salis.

Os Von Salis tinham sua sede em Bergell. Eram senhores orgulhosos, detentores de privilégios significativos, que possuíam grandes terras nas regiões de Valtellina e de Chiavenna. Ao contrário da família Planta, que se orientava mais para a Áustria, os Von Salis apostavam suas esperanças na França. Os membros mais marcantes da família serviram à França como generais ou ministros.

Ulysses von Salis, o marechal de Luís XIII, adquiriu em 1633 o Castelo Marschlins, perto de Igis (ao norte de Chur, às margens do Rio Klus, que leva à região do Prättigau), como refúgio, ou seja, no local onde o Reno, unindo-se ao Rio Landquart, desemboca no amplo vale que o leva até o Lago de Constança. Marschlins é um castelo de água impressionante, ele possui quatro torres organizadas em torno de um pátio. É provável que o fosso não contenha água há muito tempo, tendo sido substituído por um lindo anel formado por árvores.

Um século mais tarde, outro Ulysses von Salis (o ministro; 1728-1800) instalou um internato no castelo. Ele havia se entusiasmado com os ideais de sua era pedagógica e mantinha contato com os defensores contemporâneos do Iluminismo e com os precursores do movimento "Sturm und Drang", primeiro em sua pátria suíça (Johann Jakob Bodmer, 1698-1783; Johann Casper Lavater, 1741-1801; Johann Heinrich Pestalozzi, 1746-1827) e no outono de 1774 com o pedagogo alemão Johann Heinrich Basedow (1723-1790), que ele visitou em Dessau. Na viagem de volta para casa, passou por Weimar, onde visitou Goethe, que menciona essa visita em *Poesia e verdade* [Dichtung und Wahrheit] no fim do livro XV, onde se lembra de Von Salis como homem sério e sensato[102].

Ulysses von Salis pretendia introduzir um "Philantropinum" em Marschlins, onde os jovens deveriam ser educados para a realização de uma humanidade superior. Na base desse propósito, supervisionou a restauração do antigo castelo. E foi nesse ambiente e nesse espírito que – um século mais tarde – cresceu Meta von Salis, que contribuiu com o reconhecimento essencialmente novo e, na época, revolucionário de que o sexo feminino não podia ser excluído dessa formação da humanidade, tendo direito às mesmas oportunidades de educação como os homens jovens. Com isso, inseriu-se no círculo de Malwida von Meysenbug e, por fim, também de Nietzsche, que, na época, se cercava com defensoras dos direitos da mulher. Ele as respeitava profundamente, e elas o veneravam. A realização de uma humanidade superior é também a sua preocupação principal, não só no "Zaratustra", mas em toda a sua filosofia. As opiniões podem ser diametralmente opostas quanto à pergunta se *seus* caminhos seriam os meios apropriados para alcançar essa meta, mas até mesmo seu adversário mais férreo precisa admitir que essa era a sua intenção.

Nessa mulher nobre, que se orgulhava de seus antecedentes, que, a despeito de suas reivindicações revolucionário-culturais, mostrou ser politicamente conservadora e aristocrata, Nietzsche encontrou uma personalidade na qual reconheceu imediatamente um pensamento semelhante ao seu. Por isso, logo após seu breve encontro em Zurique, criaram uma amizade ideal e surgiu um sentimento de parentesco que, para ambos, se tornaria significativo, para Meta von Salis talvez até decisivo.

Sobre o primeiro encontro pessoal em Zurique (o autor filosófico ela já conhecia há muito tempo), Meta von Salis nos conta em seu livro sobre Nietzsche "Philosoph und Edelmensch" [Filósofo e nobre][212]: "Qual foi a impressão que eu tive de Nietzsche em 14 de julho de 1884? – Ele mesmo, referindo-se a localidades, costumava dizer que existia um *optimum* para cada pessoa, que, no seu caso, seria Sils-Maria. Creio que cada um tem também seus *optima* em relação a experiências com seres humanos. No meu caso, Nietzsche encarnava esse *optimum* em um sentido, o que significa muito, pois tive o privilégio de conviver com homens e mulheres de diversos povos. Nietzsche se chamava de 'Alciônio' [Halkyonier], e os tempos de nosso convívio foram para mim dias alciônios, que estenderam um brilho dourado sobre o resto da minha vida. Já a primeira impressão era incomparável a qualquer anterior. Os traços estranhos, não alemães, de seu rosto correspondiam com sua aparência nada professoral. Uma autoconsciência forte dispensava qualquer pose. O homem, que reconhecia na vaidade um resíduo de escravidão, [...] não tinha nada do pedantismo afetado dos estudiosos. A voz baixa suave e melodiosa e sua fala muito tranquila surpreendiam num primeiro momento [...]. Quando um sorriso iluminava seu rosto queimado pelo sol do sul, ele adquiria uma expressão comovente, quase infantil. Seu olhar parecia voltado para dentro [...] ou, refugiado nas profundezas, à procura de algo que já não esperava mais encontrar, mas eram sempre os olhos de uma pessoa que sofrera muito e que, apesar de ter permanecido vitorioso, se ergue com melancolia sobre os abismos da vida. Olhos inesquecíveis, que brilhavam com a liberdade do vencedor, olhos acusadores e entristecidos com o fato de que o sentido e a beleza da terra haviam sido transformados em feiura e insensatez.

E sobre o que falamos? Sobre calor e um ar carregado de tempestades, sobre amigos comuns e lugares que ambos conhecíamos, ou seja, sobre coisas que costumam ser discutidas num primeiro encontro de pessoas que já se conhecem. [...] Mais tarde, deixamos de falar sobre o ordinário, i.e., Nietzsche falou sobre seus interesses espirituais, e eu o ouvi. Uma anotação daquele dia me lembra de que ele tocou um de seus pensamentos favoritos. O primeiro foi que o ser humano conhece apenas a menor parte de suas possibilidades, como diz o aforismo 336 na 'Aurora', que termina dizendo: 'O que sabemos nós sobre aquilo a que as circunstâncias *poderiam* nos levar!' e o aforismo 9 na 'Gaia ciência': 'Temos todos os jardins e plantações dentro de nós; e, recorrendo a outra comparação, somos todos vulcões em crescimento, que terão seu momento de erupção: no entanto, ninguém sabe quão próximo ou quão distante este momento está', e o aforismo 274 em 'Além do bem e do mal': 'São necessários acasos e vários elementos incalculáveis para que um homem superior, no qual a solução para um problema se encontra adormecido, chegue a agir na hora certa – para que ele 'irrompa', como poderíamos dizer. Normalmente, não acontece, e em todos os cantos do mundo encontram-se pessoas em aguardo, que mal sabem que esperam e que sabem ainda menos que esperam em vão'. – O segundo pensamento dizia respeito à música, que, em sua opinião, é tão determinada pelo caráter de uma era cultural quanto todas as outras artes e ciências. Toda uma série de aforismos comprova o quanto Nietzsche se ocupou com a demonstração disso. Nas conversas, Nietzsche gostava de se deter naquilo que o preocupava, e pude comprovar isso também mais tarde. Ele falava melhor e de forma mais cativante do que qualquer pessoa que conheci, mas não evitava os assuntos comuns, antes lhes conferia importância por meio de sua contemplação individual [...]".

Encontramos vários paralelos entre o início da biografia de Meta von Salis e a juventude de Nietzsche, que forneciam um fundamento, uma "harmonia" espiritual, para o entendimento mútuo. Nietzsche aparenta ter sentido isso fortemente, pois ele praticamente impôs a sua amizade. Quando chegou em Zurique, calculou que o anúncio de sua chegada já devia ter sido entregue a Meta von Salis. Por isso, a procurou já na mesma tarde. Naquele dia, porém, ela estava fazendo uma excursão. Quando voltou para casa à noite, encontrou lá uma carta e o cartão de visitas de Nietzsche. "Eu não sabia quanto tempo ele ficaria em Zurique e, não querendo perder a oportunidade de conhecê-lo pessoalmente, chamei uma carruagem, que me levou até o seu hotel. Na Bahnhofbrücke, reconheci a Srta. Von Schirnhofer, que conversava com um estranho, e ambos caminhavam lentamente em minha direção. Já que ela havia convivido muito com Nietzsche em Nice, pude supor que o homem com que passeava era ele. Desci da carruagem; fomos apresentados um ao outro e combinaram que [...] ele me visitaria na manhã seguinte.

Eram dias excepcionalmente quentes [...]. Meu apartamento em Fluntern [...] gozava de certo frescor e uma claridade mais amena pelo menos de manhã. Nietzsche, cujos olhos e nervos sofriam intensamente com calor e luz forte, achou isso agradável. Passamos mais ou menos duas horas conversando."

Quando Meta von Salis nasceu em 1º de março de 1855, seu pai Ulysses Adalbert já tinha 60 anos de idade; e a mãe Margarete Ursula – também da família Von Salis, 36 anos. A diferença entre as idades dos pais era ainda maior do que entre os pais de Nietzsche. Os pais de Meta von Salis haviam passado por muito. No Natal de 1849 haviam perdido duas filhas. Toda sua esperança repousava sobre o filho Ulysses, nascido em 1850 como único herdeiro do nome da família, pois depois dele nasceram duas meninas: Pauline e Meta. Mas em 1859 morreu também o filho. Isso foi um golpe duro para o pai já idoso e um evento sombrio, que marcou a garota Meta de 4 anos, semelhante à experiência de Nietzsche da morte do pai e do irmãozinho Joseph. Assim, a "pequena Meta se torna uma criança tímida, passional e introvertida. Seus olhos grandes e azuis observavam o mundo com uma expressão séria. São estes os olhos de Marschlins, os olhos azuis brilhantes, sobre os quais o povo diz que nenhuma inverdade consegue resistir a seu olhar claro. Não é fácil penetrar a alma dessa criança, que, temerosa, esconde sua receptibilidade, sua riqueza emocional, sendo ela aquela que mais sofre com essa timidez. Quando repreendida, reagia com teimosia ainda maior; mas um senso de honra e responsabilidade se desenvolveu desde cedo na criança [...]. Ela aprendia com facilidade"[230]. Como essa imagem se parece com o aluno sério da escola de Naumburg! E Meta von Salis confessa em sua retrospectiva autobiográfica: "Eu me desenvolvia de forma inconstante, aos saltos, influenciada mais por livros do que pela vida". Cedo – mais cedo ainda do que Nietzsche foi para Pforta –, em 1863, Meta, aos 8 anos de idade, é enviada ao internato "Paulinenstift" em Friedrichshafen, onde passa quatro anos de sua vida. No entanto, esse tempo deveria servir como preparação para a chamada profissão "feminina", a administração do lar; assim o queria seu pai conservador. Seguiu um ano de amadurecimento no silêncio do castelo sombrio e da ampla paisagem de seu lar; depois, Meta foi enviada a outro instituto: ao "Bäumlistorkel" em Rorschach. Meta chamava o instituto de "Instituição para a disciplinação da dona de casa", e desde então nutriu um profundo desdém contra a "profissão" de dona de casa. Ela imaginava para si mesma outra missão de vida: queria ser educadora, educadora num sentido grande. Primeiro, conseguiu se impor ao pai (como já Nietzsche se impusera à mãe quando abandonou os estudos de teologia) e conseguiu um emprego como governanta numa residência nas proximidades de Würzburg. Aqui, conheceu as "Memórias" de Malwida von Meysenbug e imediatamente entrou em contato com a autora. Após receber sua carta, Malwida a convidou para Roma. Meta von Salis passou o inverno de 1878/1879 com Malwida, invadindo assim pela primeira vez o campo magnético de Nietzsche. Em Roma, que se torna a segunda pátria de Meta, ela conheceu Donna Laura Minghetti e o escritor popular Richard Voss (1851-1918), depois Bernhard Förster – que se tornaria cunhado de Nietzsche –, a Baronesa Stein e Levin Schücking (1814-1883), o poeta realista da Westfália do círculo de Droste-Hülshoff, cuja filha Theo se tornaria uma amiga vitalícia de Meta von Salis.

Malwida intermediou um emprego como educadora da filha Diana na casa da baronesa russo-alemã Wöhrmann em Naumburg. Em maio de 1879, Meta von Salis chega a Naumburg, aproximando-se ainda mais de Nietzsche, pois a mãe e sua filha Elisabeth pertencem ao círculo mais íntimo da baronesa. E assim estabelece-se também o primeiro contato pessoal entre Meta von Salis e a família de Nietzsche, na época muito preocupada com o seu "Fritz", que acabara de se demitir da Universidade de Basileia.

Sobre a Baronesa Wöhrmann estende-se o encanto trágico de uma mulher marcada pela doença, o *tremendum*[150]. Meta a descreve: "Diante de mim estava uma mulher, da qual partia um efeito tão forte que brilho e beleza jamais bastariam para descrevê-la. Eu já havia encontrado várias aparências femininas que cegam o olho e exigem certo tipo de admiração. Mas esta se distinguia pela sua transparência espiritual: a testa translúcida, o olho azul brilhante, um traço de dor e bondade em torno da boca perfeitamente linda. Algo sobrenatural cercava e oscilava em ondas quase imperceptíveis em volta da figura alta e magra, cuja postura e movimento eram únicos em sua elegância". No outono de 1879, Nietzsche veio para passar o inverno em Naumburg. Assim, ele e Meta von Salis viveram durante algum tempo no mesmo lugar. "Naqueles meses de inverno, porém, Nietzsche estava tão doente que, a despeito do grande interesse que a Sra. Von Wöhrmann demonstrou por ele, ninguém da nossa casa chegou a vê-lo, com exceção do filho mais velho. A Baronesa Wöhrmann chegou a vê-lo e conversar com ele uma única vez, quando, no verão seguinte, ela viajou para o sul e Nietzsche veio para a estação ferroviária para saudá-la. Várias vezes ela se lembrou de seus olhos maravilhosos, [...] e de sua impressão de que ele tinha visto o fundo de sua alma." Nietzsche, que compartilhava do mesmo sofrimento, reconhecera o *tremendum* e hesitou diante dele. Na primavera de 1880, a Sra. Wöhrmann vai para Veneza por causa de sua doença (tuberculose), onde passa a residir no Palazzo Grimani. Meta precisa voltar para Marschlins, o pai exige que ela assuma a administração dos bens da família. Mas já no final de outubro, Meta volta para a Sra. Wöhrmann em Veneza, onde fica até 30 de junho de 1881. Novamente ocorrem situações em que Nietzsche e Meta von Salis se aproximam muito geograficamente, mesmo assim os dois não se encontram pessoalmente. A despeito da insistência da mãe de visitar a baronesa enferma, Nietzsche evita qualquer contato pessoal, pois a baronesa faz parte do círculo wagneriano, e Cosima a visita ainda em 26 de outubro de 1880 em Veneza[258].

A partida de Meta em 30 de junho de 1881 significa a última despedida. Em 1º de novembro, a Sra. Wöhrmann falece em Veneza.

Meta von Sales passa então vinte meses como educadora na Inglaterra, no início com experiências terríveis. Ela descreve a primeira família como "ratoeira" e foge de um internato para meninas após treze dias. Em outro instituto para meninas, ela encerra sua atividade após seis meses, por causa do esgotamento físico da administradora. E então a sorte volta. Na casa de certo Major Stuart na Irlanda, a dona de casa e mãe da filha Charlotte se torna sua amiga. Aqui, Meta passa um ano inteiro, até o verão de 1883. Em tudo isso transparece claramente o caminho de Malwida von Meysenbug, descrito em suas "Memórias". Meta von Salis reconhece – como já Malwida von Meysenbug – que a forma ideal do relacionamento humano é a *amizade*, e não o matrimônio. Isso a predestina para a amizade com Nietzsche, para o qual a amizade também representava o nível supremo de comunhão.

Na base dessas experiências, porém, Meta von Salis chega à conclusão de que assim não conseguirá obter os avanços na sua preocupação principal, a questão da mulher. Agora, já aos 28 anos, inicia um estudo acadêmico, tendo em vista uma graduação. E ela alcançará essa meta: em maio de 1887 – aos 32 anos de idade – ela completa seu doutorado na Faculdade Filosófica da Universidade de Zurique – *magna cum laude* – com um trabalho histórico, uma dissertação sobre Agnes de Poitou. Torna-se assim a primeira mulher do Cantão dos Grisões a receber um título de doutor. Mais tarde, explicaria a Nietzsche que "para ela mesma o título tinha pouca importância, no entanto, não queria se despedir da universidade sem ele para o bem da questão da mulher".

A partir do outono de 1883, ela estuda filosofia em Zurique – e, como antes dela já Lou Salomé, sem o vestibular, mas conseguindo se matricular em virtude de outros atestados escolares – com os professores Andreas Ludwig Kym e Richard Avenarius.

Avenarius (1843-1896) era professor de "Filosofia Indutiva" em Zurique desde 1877. Ele entrou na história da filosofia como fundador do empiriocriticismo[33; 247]. Ele procurava um conhecimento livre de metafísica e hipóteses, a descrição pura da realidade. Ao lado da frieza da lógica de Avenarius, que se cristalizava em signos e fórmulas matemáticas, a "paixão do conhecimento" de Nietzsche, sua filosofia, que girava em torno das perguntas últimas da humanidade e do fardo do retorno eterno, deve ter soado como o chamado de um mundo distante. E essa filosofia não era apenas um sistema logicamente elaborado, ela era sustentada por um homem que sofria com seus problemas e que estendia sua mão para pessoas capazes de sofrer com a mesma intensidade. Por isso, o que Meta von Salis descreve não é um mero gesto: "Quando nos despedimos, Nietzsche tomou minhas duas mãos e, segurando-as, disse que gostaria de me ver de novo".

Quem aproximou Meta von Salis um pouco mais ao conceito *Além do homem*, de Nietzsche, foi (a despeito das grandes diferenças) seu outro professor de Filosofia Andreas Ludwig Kym (1822-1900, professor em Zurique desde 1851). O aluno de Trendelenburg (1802-1872) defendia essencialmente uma visão orgânica e teleológica do mundo, o que não o impediu de "aderir, em determinados aspectos, ao adversário da teleologia, Spinoza [...]. Kym não abre mão do panteísmo de Spinoza, nem da suposição de um Deus pessoal"[33]. O que aproxima Kym de Nietzsche e da posição de Rütimeyer contra o materialismo de Darwin é sua convicção segundo a qual a alma humana possui um movimento próprio, uma realidade autônoma, formando seu corpo de acordo com os propósitos internos. Em termos conceituais, tem preferência sobre o corpo. O Zaratustra de Nietzsche vai além dessa formulação generalizada e identifica e até postula essa figura: "Vossa vontade diga: o *Além do homem* seja o sentido da terra" (*Zaratustra*, prefácio § 3).

Para Meta von Salis, o maior ganho das preleções do Prof. Kym foi, porém, uma colega, Hedwig, a filha de Kym*, que se tornaria sua amiga mais fiel.

Meta von Salis completou seus estudos em outra faculdade: adquiriu seus conhecimentos jurídicos imprescindíveis para sua luta pelos direitos da mulher sob a supervisão do jurista Aloys von Orelli (1827-1892), especialista em direito privado alemão e suíço e em direito de estado. Para aprofundar seus conhecimentos na área da ciência do espírito, ela trabalhou para o linguista e especialista em sânscrito Heinrich Schweizer-Siedler (1815-1894; docente particular desde 1841 e professor desde 1849 em Zurique) – cuja esposa havia sido uma das primeiras estudantes em Zurique – e aprendeu a língua grega. O foco principal de seus estudos era, porém, a história, principalmente a história da Suíça. Aqui, seu professor foi Gerold Meyer von Knonau (1843-1921), docente particular para toda a disciplina de História na Universidade de Zurique. Em vista da carreira acadêmica de Nietzsche, interessa-nos aqui um detalhe da biografia de Meyer von Knonau: em 1865, ele recebeu, aos 22 anos de idade, seu título de "Dr. Phil." *in absentia*, um procedimento comum na época. Meta von Salis assistiu às preleções sobre a história da arte de Friedrich Salomon Vögelin (1837-1888), ex-aluno de Jacob Burckhardt. Vögelin, que atuava também no palco político, era membro do congresso nacional –, havia sido teólogo, mas havia causado conflitos como pastor e pregador por causa de sua postura liberal, adotada de David Friedrich Strauss. Durante muito tempo, esteve filosófica e politicamente próximo de seu colega Friedrich Albert Lange e seguia tendências social-democráticas. É provável que Meta von Salis não tenha se identificado muito com isso, mas ela sabia que conquistaria a admiração de Nietzsche, vinculando-se a Jacob Burckhardt, e deve ter sido o elogio de Nietzsche a Burckhardt que despertou em Meta von Salis o desejo de se inscrever num curso de Burckhardt na Universidade de Basel na primavera de 1885. Mas a Universidade de Basileia ainda não admitia estudantes do sexo feminino. Dessa vez, Jacob Burckhardt defendeu a admissão e lamentou a decisão contrária do conselho em uma carta de 19 de março de 1885 ao colega Kym: "Infelizmente, preciso responder à sua carta de anteontem com tristeza, pois a petição da Srta. Von Salis foi negada pela maioria do conselho na reunião de hoje. Como imaginará, isso aconteceu por razões fundamentais e vale para todas as faculdades. Lamento isso ainda mais num caso tão promissor, ao qual eu tinha dado todo o meu apoio".

---

* Hedwig Kym dedicou à amiga um obituário comovente (Chur, 1929). Ela desenvolveu uma atividade própria como escritora: *Gedichte* [Poemas] (Munique 1887). • *Im Ring der Jahre* (Basileia 1935). • Tragédia dupla – Parte I: *Dar Farnesische Stier*. Parte II: *Der Niobiaden Untergang*. Basileia, 1935. • *Stunden des Tages und Stunden der Nacht* [poemas]. Basileia 1938.

Estranho e até constrangedor é como Nietzsche interpreta o caso, lançando uma luz fosca sobre a sinceridade de seu afeto espontâneo. Em 31 de março de 1885, ele escreve a Overbeck: "Tive que rir sobre a rejeição da Srta. Von Salis. Isso é uma das artimanhas do *agent provocateur*: ela quis exatamente o que obteve, para assim tirar proveito para a 'agitação'". Meta von Salis sempre negou qualquer segunda intenção desse tipo*.

Novamente em Sils

Quando Nietzsche, após sua despedida patética de Meta von Salis, que, com seu duplo aperto de mão significava também uma tomada de posse, retornou para o "seu" Sils em 18 de julho de 1884, ele pisou nesse solo familiar com um novo sentimento. A amizade tão rapidamente conquistada da aristocrata, que tinha suas raízes nesta região, conferia-lhe nessa terra tão amada um sentimento de pátria, ele acreditava que Meta von Salis "legitimava" sua presença aqui.

Nietzsche sempre teve grande respeito pela influência genealógica, ele via cada indivíduo – e principalmente personalidades extraordinárias – como produto de um desenvolvimento geracional, moldado também pelas circunstâncias da vida, entre as quais a "terra" também ocupava um lugar significativo. Ele não se esquece de mencionar que, também ele, é herdeiro de gerações de pastores protestantes. Em sua obra e nas anotações de seu espólio surgem com frequência declarações sobre o valor da soma geracional de qualidades aristocráticas, como, por exemplo, em "Humano, demasiado humano" I, § 456: "Tem-se todo o direito de orgulhar-se de toda uma linha ininterrupta de *bons* ancestrais até o pai – não, porém, da linha em si, pois esta todos possuem. A descendência de bons ancestrais é o que destaca

---

* Quando também Munique rejeitou a estudante, Meta von Salis foi para Berlim, onde passou um semestre. Lá, assistiu às aulas de Hirzel e Hilty e fez um estágio com Oncken. Passou os meses de verão em Munique estudando fontes históricas na biblioteca estatal. Depois voltou para a Universidade de Zurique. Em 14 de fevereiro de 1886, falece seu pai, vendo-se obrigada a lidar com a herança de Marschlins. Em 26 de maio de 1887, ela passa pelo exame de doutorado. Voltando para Marschlins, realiza viagens de estudo e palestras e inicia sua atividade como escritora em 1886 com "Die Zukunft der Frau" [O futuro da mulher] (2. ed., 1893). Em 1893, escreve seu livro sobre Nietzsche: "Philosoph und Edelmensch", cujo manuscrito ela envia à Editora Naumann em 21 de maio de 1893 "sem qualquer alegria". Durante o processo contra as ativistas feministas Dr. Med. Caroline Farner e Anna Prundler, ela insulta o Juiz Wittelsbach e, por isso, passa catorze dias na prisão. Quando retorna para Marschlins, o povo a recebe com uma marcha triunfal. Em 1904, ela se vê obrigada a vender seus bens em Marschlins aos primos da família Salis-Maienfeld. Ela adquire um terreno em Capri, onde constrói a "Villa Helios". No outono de 1928, ela doa essa casa às enfermeiras alemãs, às "Irmãs da Santa Elisabete". Em 15 de março de 1929, ela morre em Basileia, onde passara os últimos dezoito anos na casa de sua amiga Hedwig Kym (casada com o deputado nacional Dr. Ernst Feigenwinter desde 1910), no endereço: Oberer Heuberg, 12.

a nobreza de nascença." Mais tarde, ele desenvolve o pensamento[4]: "O fenômeno fundamental: o sacrifício de inúmeros indivíduos para o bem de poucos: como sua capacitação. – Não podemos nos iludir: é assim que ocorre com os povos e as raças: eles representam o 'corpo' para a geração de poucos indivíduos valiosos, que dão seguimento ao processo". E mais tarde, no capítulo "Devaneios de um extemporâneo" do "Crepúsculo dos ídolos", lemos no § 47: "Também a beleza de uma raça ou família, sua elegância e bondade em todos os gestos, é conquistada: ela é, igual ao gênio, o resultado final do trabalho acumulado de gerações [...]. As coisas boas são desmedidamente custosas: e sempre se aplica a lei segundo a qual aquele que as têm é outro do que aquele que as adquire. Todas as coisas boas são herança: aquilo que não foi herdado, é imperfeito, é início". Nietzsche confirma aqui apenas o que, desde a sua juventude, tem sido a sua convicção.

Meta von Salis era herdeira, a última herdeira da antiga linhagem desse ramo de sua família – com ela se encerra a linha de Marschlins da família Von Salis. Esse tipo de nobreza trazia necessariamente alguns privilégios aos olhos de Nietzsche. Com essas convicções, Nietzsche permanece fiel à sua origem prussiana e conserva o espírito de Pforta. Parte desses privilégios inclui a obrigação de compartilhá-los. Assim como ele havia aceito do rei o presente de uma bolsa integral para a escola de Pforta, assim aceitou agora também da nobre Von Salis um lugar em sua terra natal. Esse vale nos Alpes, nessa divisória de águas, no sótão da Europa, e no meio a cidadezinha de Sils – tudo isso se torna sua residência: aqui Nietzsche recebeu convidados, pessoas que peregrinavam até ele, daqui ele proclamou sua mensagem filosófica. Daqui, ele ousa se aventurar nas regiões mais frias e solitárias do espírito. Mas não existia por trás dessas metáforas também um Sils completamente diferente, do qual as expedições realmente partiam para as regiões de gelo?

O outro Sils

No tempo de Nietzsche vivia aqui um homem nascido em Sils, que realmente avançava para as regiões mais isoladas de sua terra natal, que escalava montanhas assustadoras e que conquistou para a sua cidade natal uma fama mundial ao lado dos famosos centros de montanhistas Grindelwald, Zermatt e Pontresina: Christian Klucker[138; 145], um dos guias de alta montanha mais marcantes e importantes. Nascido em 1853 (e falecido em 1928), ele levava os turistas a partir de 1873 primeiro para os cumes das montanhas próximas, mais tarde passou a fazer expedições cada vez mais distantes, e seu nome se tornou conhecido por toda parte. Por sua causa, os melhores alpinistas vinham para Sils, para percorrer com ele caminhos recém-desbravados ou até mesmo abrir novas rotas*. Com o passar do tempo, Klucker assumiu também um papel importante em seu município no conselho escolar e como presidente do conselho municipal. É absolutamente inimaginável que a pequena população de Sils, onde todos conheciam todos e todos mantinham algum laço de parentesco, e que Durisch, o dono da casa onde Nietzsche residia, não tivessem conversado sobre isso. Desde 1874, Klucker trabalhava com o Hotel "Alpenrose", onde Nietzsche costumava tomar suas refeições. É, portanto, bastante provável que este seja a fonte para as metáforas e referências às montanhas (especialmente no Zaratustra), que, a despeito de toda sua perfeição estilística, sempre permanecem irreais e nunca se apresentam como imagens concretas, justamente porque Nietzsche jamais as viu com seus olhos próprios, mas apenas as conheceu por meio dos relatos de terceiros.

Caminhos próprios

Os pensamentos, porém, que Nietzsche ilustra com essas formulações não são de terceiros. Aqui, ele mesmo avança em seu caminho, que o levará à superação do bem e do mal. A carta de 23 de julho de 1884 a Overbeck aponta para essa direção: "Estou imerso em meus problemas; minha teoria, segundo a qual o mundo do bem e do mal seria apenas um mundo ilusório e perspectívico, é uma inovação tão grande que, às vezes, temo perder os meus sentidos". Ao mesmo tempo, sofre com a solidão no mundo real e em seu mundo "perspectívico": "As noites que passo sozinho no quarto apertado são difíceis de engolir". Ele se sente como se estivesse perdendo o chão sob os pés, o contato com o tempo e o passado. Sua história já abarca 40 anos (Nietzsche completa 40 anos de idade em outubro) e relê seus livros já publicados. Ele procura se encontrar, busca as raízes de sua posição filosófica atual em seu próprio passado. Em 1º de agosto de 1884, ele escreve a Overbeck sobre a impressão que teve ao ler seus próprios textos: "Ao ler minha 'literatura' [...] constatei com prazer que ainda tenho todos os seus fortes impulsos de vontade dentro de mim e que não existe razão para perder a esperança. Na verdade, tenho vivido como o esbocei para mim (em 'Schopenhauer como educador') [...]. O erro [...] do texto mencionado é que, na verdade, ele não fala de Schopenhauer, mas apenas de mim – mas eu não me

* Em 1883, foi o professor de Química Dr. Theodor Curtius de Munique, que veio para Sils pela primeira vez, voltando sempre nos anos seguintes (com exceção de 1884), para fazer excursões com Klucker em toda a região dos Alpes, também no Cantão de Valais e no Oberland Bernês. Bastante recentes eram as primeiras escaladas do cume do Bernina por Hans Grass de Pontresina em 1878. Klucker escalou o Bernina pela primeira vez em 1882.

dei conta disso quando o produzi". Além disso, lê também "livros de impressão ruim (livros *alemães* sobre metafísica)" (em carta de 22 de dezembro de 1884 a Overbeck) e, sempre de novo, o *Nachsommer*, de Stifter. Em 19 de setembro, pede que sua mãe lhe envie uma obra em latim do padre da igreja, Arnóbio, da qual ele possui uma tradução alemã[183] e um volume de Montaigne. Köselitz havia lido a tradução do jesuíta barroco espanhol Balthasar Grazián (1601-1658) na tradução de Schopenhauer e escreve em 5 de setembro de 1884: "O melhor que fluiu da pena de Schopenhauer, três vezes melhor do que ele mesmo". Nietzsche responde: "No que diz respeito a B. Gracián, tenho o mesmo sentimento: A Europa jamais produziu algo mais refinado e complicado (em termos de moralização!). Comparado com meu 'Zaratustra', ele passa a impressão de rococó e de sublime ornato – ou qual seria a sua avaliação?"

Estes são os poucos interesses literários desse verão. Nietzsche estava imerso no amadurecimento de seus próprios pensamentos, encontrava-se sob o encanto de seus novos caminhos ousados. "Há momentos em que essa tarefa se apresenta de forma absolutamente clara, em que um incrível todo de toda a filosofia (que vai muito além de qualquer coisa que até então se chamou de filosofia) se desdobra diante dos meus olhos. Dessa vez, nessa mais perigosa e mais difícil 'gravidez', preciso recorrer a todas as circunstâncias favoráveis e fazer brilhar todos os sóis que conheci. E também estarei atento para não repetir tolices climáticas como os saltos Nice-Veneza-Basileia. Preciso me limitar a Nice e Sils" (em carta de 18 de agosto de 1884 a Overbeck). Ele acredita necessitar seis anos para o desenvolvimento desse "incrível todo": "Neste verão, consegui realizar a tarefa principal que eu havia definido para mim – os próximos seis anos serão dedicados à execução de um esquema que esbocei para a minha 'filosofia'. Tudo parece bem e estou esperançoso. Por ora, o Zaratustra se limita a ser meu 'livro de edificação e encorajamento' – para todos os outros, ele é escuro e oculto e risível" (carta de 2 de setembro de 1884 a Köselitz). Por isso, a figura de Zaratustra lhe servirá na quarta parte apenas para acertar as contas com os "homens superiores", com os melhores de seu tempo. No que diz respeito à exposição de seu sistema filosófico, ele usará os quatro anos de saúde mental, que ainda lhe restam, para tentar escrever sua "obra principal" sistemática, mas que ele jamais conseguirá realizar. Também nisso ele continuará sendo aquilo que era também como compositor musical: um improvisador fascinante, fascinante justamente em virtude da imediação inerente às improvisações.

Encontros ocasionais

Nietzsche encontrava um pouco de distração e descontração nas pessoas que encontrava à mesa. Nietzsche era uma pessoa sociável e agradável, e em suas interações com as mulheres ele se destacava com seus modos nobres e tímidos. Ele era um acompanhante bem-vindo nas pequenas excursões pela região de Sils e até as montanhas de Maloja e Surlej. Ele gostava sobretudo do Vale de Fex. Em 10 de agosto, ele escreve à mãe: "Não me faltam pessoas para conversar, com o casal Thurneysen-Merian, por exemplo, almocei todos os dias durante três semanas. Está aqui também uma inglesa, que já me havia escrito no passado. E há pouco, um funcionário prussiano do escritório de patentes (do Círculo de Bismarck) se despediu de mim – todo comovido [...]. Você pode ver, então, que o 'eremita de Sils-Maria' está melhor neste verão do que no passado, tampouco me faltam notícias boas, que demonstram um crescimento extraordinário da veneração e do respeito à minha pessoa". E em 2 de setembro: "Estou triste por causa da partida de minha companheira de mesa, a Srta. Von Mansuroff, *dame d'honneur* da imperatriz russa (aluna de Chopin)". Ele menciona a Família Thurneysen (conhecidos de Basileia) e o funcionário prussiano também em uma carta a Overbeck e acrescenta: "Sidney von Wöhrmann me visitou", o filho da Baronesa Von Wöhrmann, falecida há três anos (cf. acima, p. 238). E até mesmo quando se despede de Sils em 24 de setembro, ele pode contar com a companhia dos senhores Prof. Leskien e Dr. Brockhaus de Leipzig, que o acompanham até Zurique, "o que me tranquilizou muito, pois viajar sozinho é, para mim, um empreendimento perigoso e extremamente excitante. Os olhos escurecem cada vez mais", ele confidencia à mãe.

A inglesa mencionada na carta à mãe deve ter sido a Srta. Helen Zimmern, à qual ele recomendou as "Memórias" de Malwida von Meysenbug. Em 1º de setembro de 1884, ele relata a Malwida: "A Miss Helen Zimmern (trata-se da mesma que, com tanto sucesso, apresentou Schopenhauer aos ingleses) me escreve: 'Quero lembrar-lhe mais uma vez que peça à sua amiga, a autora de 'Memórias de uma idealista', que me envie suas obras completas. Eu gostaria muito de levá-las ao conhecimento do público inglês por meio de um ensaio [...]'. Eu tinha dado uma dica à Miss Zimmern sobre a sua pessoa durante uma conversa que tivemos aqui em Sils-Maria". Ou seja: A Srta. Zimmern já deve ter visitado Sils nesse verão de 1884, mesmo que apenas rapidamente, ao contrário da afirmação de Köselitz*.

Helen Zimmern nasceu em 25 de março de 1846 em Hamburgo, mas passou a viver na Inglaterra a partir de seus 4 anos de vida. Nietzsche havia conhecido essa

---

* Em suas observações para o quarto volume de cartas (p. 485), ele fala apenas de um contato indireto: "No verão de 84, a Mrs. Fynn havia chamado a atenção de Miss Helen Zimmern para Nietzsche (e também para M. v. Meysenbug) por meio de uma carta. Esta então escreveu de Londres em agosto de 84 a Nietzsche sobre uma resenha de seus escritos para uma revista inglesa".

"judia inteligente" – como ele a apresentaria mais tarde aos amigos – em 1876, por ocasião do Festival de Bayreuth, após ter lhe enviado sua primeira "Consideração extemporânea" (D.F. Strauss) a pedido de Wagner. "Possuo o livro com dedicatória ainda hoje e o mostro com orgulho aos meus visitantes", ela contou em 1925 a Oscar Levy[153], cuja (primeira) edição de Nietzsche em inglês incluía as traduções da Srta. Zimmern de "Além do bem e do mal" e de "Humano, demasiado humano I". Ela foi a primeira a publicar um livro sobre Schopenhauer na Inglaterra: "Schopenhauer – His Life and his Philosophy", que algum acaso levou à atenção de Wagner. Ele a parabenizou pelo trabalho corajoso e a convidou para o festival de 1876. Em virtude da confusão do festival e também do estado de saúde precário de Nietzsche, o encontro entre ela e Nietzsche foi superficial. Mas, aparentemente, isso bastou para motivá-la a fazer uma longa visita a Nietzsche em Sils no verão de 1886. No entanto, Oscar Levy exagera ao chamá-la de "amiga inglesa de Nietzsche" (título de suas conversas com Miss Zimmern[153]), mesmo que o convívio com ela deve ter sido um complemento agradável de seu círculo de senhoras, sobre o qual Resa von Schirnhofer relata[226]: "Centro deste círculo era uma inglesa idosa, deficiente e espirituosa, a Mrs. Fynn, católica destemida, pela qual Nietzsche nutria uma admiração sincera. Quando a conheci pessoalmente em Genebra, ela me contou como Nietzsche, os olhos cheios de lágrimas, lhe pedira a não ler seus livros, pois 'neles ela encontraria tanto que a magoaria profundamente'". É provável que Nietzsche negou seus pensamentos filosóficos também à filha de Mrs. Fynn e à velha Madame Mansuroff. Por isso, deve ter se alegrado ao encontrar em Miss Zimmern uma ouvinte paciente e compreensiva durante suas longas caminhadas*.

E também Malwida von Meysenbug pensou em seu amigo solitário: ela continua à procura de uma mulher para ele, e dessa vez acredita ter encontrado uma moça que, além de linda, é também rica! Em 8 de setembro, ela escreve a Elisabeth[54] que Resa von Schirnhofer "se comoveu com o ser, o espírito e o sofrimento de seu irmão. Mas ela segue seu próprio caminho. Seu irmão me escreveu lamentar o fato de ela ser tão feia, pois não suporta a feiura por muito tempo". Nietzsche escreveu a Malwida[124]: "Que pena que sua aparência é tão deselegante! Não suporto feiura perto de mim por muito tempo (creio que já tive que me superar no caso da Srta. Salomé neste sentido)".

---

* Miss Zimmern viveu em Londres até 1887, quando se mudou para Florença, onde morreu em 11 de janeiro de 1934. O catálogo de livros do British Museum menciona 39 livros publicados em seu nome e inúmeros artigos de revistas. Cf. *Who was Who*, 1929-1940[117].

Malwida chega à conclusão: "Ou seja, ela não serve [...]. Berta Rohr pretende vir a Roma, e cogito seriamente apresentá-la ao seu irmão [...]. Ela ainda é bonita, rica, totalmente livre [...] e [...] estou gostando deste plano". Berta Rohr permaneceu com ela em Roma até janeiro de 1885, mas Nietzsche se recusou a visitá-la. Ele não queria se expor novamente a ferimentos que ainda não haviam sarado completamente. Ainda não havia superado a experiência com Lou.

Aparentemente, Malwida acredita poder reativar uma antiga "paixão". Dez anos atrás (em 22 de julho de 1874), Nietzsche havia escrito à irmã que "recentemente estive quase decidido a casar-me com a Srta. Rohr; tanto gostei dela" (cf. vol. I, p. 461). Ele deve ter contado isso também a Malwida como "curiosidade", como se refere a isso em uma carta à irmã, acrescentando: "Suas objeções são também as minhas". Ou seja, as objeções vieram primeiramente de Elisabeth, o que não a impede de, mais tarde, em 13 de janeiro de 1911, escrever a Berta Rohr, que manteve um contato por correspondência com ela até 1933: "Saiba, minha querida, que meu irmão gostou tanto de você que estava prestes a se noivar com você, i.e., se você tivesse concordado! Você deve ter percebido o quanto eu apoiava esse plano. Curiosamente, meu irmão só não foi adiante porque achava que você levava a vida demasiadamente a sério e que você tendia à melancolia e ao pessimismo. Tratava-se de uma objeção à qual eu não podia me opor. Meu irmão sabia muito bem que teria que conviver com a resistência do mundo inteiro e que, por isso, sua mulher precisaria de um temperamento forte e alegre"[124].

Amigos de Basileia, que conviveram com Berta Rohr já em idade avançada – ela morreu em 30 de maio de 1940 aos 92 anos de idade – jamais perceberam qualquer tendência pessimista. Ela mesma, porém, sempre afirmava não desejar o matrimônio, atribuindo a um momento de extrema fraqueza seu casamento com o diplomata Prof. Agostino Stromboli em Florença, para onde se mudou. Aqui ela recebia suas amigas de Basileia, que a descreviam como personalidade cativante. Nietzsche deve ter percebido isso também naqueles anos.

Berta Rohr provinha de uma família burguesa e rica de comerciantes de Basileia. O pai era de Lenzburg (Cantão de Argóvia), mas se sentia mais à vontade em Basileia, onde Berta nasceu em 24 de janeiro de 1848. Ela recebeu a educação atenciosa de uma filha burguesa da época, era pintora e música talentosa, possuía uma linda voz e sabia tocar piano – algo muito importante para Nietzsche. Além disso, era de uma beleza incomum. Tudo isso explica a paixão repentina de Nietzsche em 1874. Mas agora, dez anos mais tarde e depois da experiência catastrofal com Lou, essas paixões estão definitivamente soterradas. Berta Rohr tornou-se uma grande admiradora de Jacob Burckhardt e tentou ainda em 1930 transferir seu túmulo do cemitério para a catedral, o que lhe foi negado pela administração da igreja, alegando que o claustro não servia como panteão. Ela preservou sua admiração por Nietzsche até a sua morte e lamentou seu destino trágico[192; 236; 238; 250].

Apesar de não existirem provas para a natureza melancólica ou pessimista de Berta Rohr, podemos certamente dizer que ela não era uma pessoa tão alegre quanto a austríaca Resa von Schirnhofer, cuja companhia Nietzsche prezava – a despeito de sua "falta de elegância". E ele precisava dessa distração, pois seus problemas de saúde vinham acompanhados de

Sinais ameaçadores

Uma carta à mãe de 10 de agosto de 1884 revela[124]: "Antigamente, conseguia andar diferente. Dor no local da coluna, onde sou torto". Será que Nietzsche sofria também de uma artrite ou será que seu acidente de cavalo durante seu serviço militar havia danificado sua coluna? Ele se queixa em tom generalizado: "A saúde me causa várias preocupações: tanto cansaço [...]. Há alguns dias, repentino escurecimento da visão, de forma que me vi obrigado a interromper todos os trabalhos". Ele escreve também a Overbeck em 18 de agosto: "A saúde não sai do lugar, ainda não consegui me livrar do grande e curioso cansaço. Deitar-me e ficar imóvel – isso tem substituído as longas caminhadas de antigamente". Mas ele relata também: "A Srta. Resa von Schirnhofer me visitou durante alguns dias [...] uma criatura amável, que me faz rir e se acostumou bem comigo". Justamente ela, porém, teve que testemunhar naqueles dias (anteriores ao 18 de agosto) um daqueles terríveis ataques que acompanhavam qualquer excitação – positiva ou desagradável – de Nietzsche. Muitos anos depois, ao documentar essas lembranças, ela estremece quando se lembra daquela imagem[226]: "Em Nice, eu havia conhecido um Nietzsche aparentemente saudável, mas essa imagem mudou durante minha curta estadia na Engadina, onde ele falou muito sobre seu sofrimento e quando sofreu um forte ataque [...]. Após ter permanecido invisível durante um dia e meio por causa de sua doença, a Srta. Willdenow* e eu o procuramos de manhã para sabermos como estava. Ele disse que estava se sentindo melhor e que queria conversar comigo. Enquanto minha acompanhante esperava na entrada da casinha construída ao pé de uma rocha, fui levada até um pequeno refeitório. Aqui esperei ao lado da mesa, quando a porta à direita se abriu e Nietzsche apareceu. Ele se apoiou na porta entreaberta, tinha uma expressão confusa no rosto pálido e logo começou a falar sobre seu sofrimento insuportável.

---

* Colega de Resa von Schirnhofer em Zurique, estudante de medicina.

Ele descreveu como, assim que fechava os olhos, via uma abundância de flores fantásticas, que, circundando-se e entretecendo-se em constante crescimento, brotavam em exuberância exótica uma da outra. 'Jamais tenho paz', lamentou – palavras que se gravaram em minha mente. Então, perguntou-me repentinamente, seus olhos grandes e assustados voltados para mim e com uma voz suave, mas preocupante: 'Você não acha que este estado seja sintoma do início de uma loucura? Meu pai morreu em decorrência de uma doença cerebral'. Profundamente inquietada por esta pergunta, vários pensamentos passaram por minha cabeça [...]. Não respondi imediatamente, e Nietzsche repetiu sua pergunta perturbadora, que parecia me revelar um estado de medo quase incontrolável. Eu não sabia o que dizer; senti, porém, que deveria dizer algo que o acalmasse, a despeito da minha percepção intuitiva dessa situação, e declarei algo como: Essas excitações dos nervos visuais de seus olhos fracos não devem ser prenúncios de uma doença mental etc., e me despedi, desejando-lhe uma rápida recuperação. Essa cena causou uma impressão profunda, principalmente em virtude do medo que se expressara em sua postura e em seus olhos, mais do que em suas palavras. Abalada, compartilhei a conversa com Clara Willdenow [...]. Passou-se muito tempo antes que nos acalmássemos diante desses temores sombrios e fortes estados de medo de Nietzsche. Como à luz de um relâmpago, vislumbrei pela segunda vez as profundezas de sua personalidade; durante um instante, outro Nietzsche havia se revelado a mim".

Aparentemente, Helen Zimmern teve mais sorte, pois à pergunta de Oscar Levy[153]: "A senhora, alguma vez, descobriu algum traço de megalomania em Nietzsche? A senhora sabe que, principalmente em países anglo-saxônicos, sua filosofia é vista como a de um louco", ela respondeu: "Sim, ouvi falar disso. No entanto, eu mesma jamais vi qualquer sinal que anunciasse a catástrofe. E não só não pude reconhecer qualquer sinal de loucura, ele nem era excêntrico, como tantos artistas e poetas. No entanto, evitava vir à *table d'hôte* – mas quem de nós 'normais' ama a *table d'hôte*? Tinha também o costume de comer uma maçã todos os dias [...]. Não, não: eu nego com certeza absoluta: Nietzsche não estava doente na época. Pelo contrário, passava a impressão de um homem muito saudável em sua melhor idade". Nietzsche possuía uma constituição muito robusta.

Outra pergunta delicada é a que diz respeito à sua conduta diante de mulheres, e recebemos sempre as mesmas respostas, surpreendentemente parecidas, como também Helen Zimmern a formula: "[...] que Nietzsche sempre demonstrava uma perfeita *gentilezza*. Aparentemente, existem homens que desenvolvem teorias sobre mulheres, mas raramente as transpõem para a vida prática. Devem existir também outros que conseguem justificar uma conduta brutal com as mais belas teorias. Nietzsche pertencia à primeira categoria".

A jornalista menos emocional e mais intelectualmente flexível pode não ter compreendido o alcance das declarações de Nietzsche em relação a localidades, mas sua descrição sóbria nos fornece uma confirmação certa das lembranças da outra visitante: Resa von Schirnhofer. Helen Zimmern narra: "Na época, eu me hospedei no Hotel des Alpes*, onde Nietzsche sempre almoçava. [...] Depois, sempre fazia um passeio comigo: ao longo do lago de Silvaplana até uma rocha que ele amava muito. Durante a caminhada, ele costumava falar sobre aquilo que escrevera durante a manhã. Entendi muito pouco daquilo tudo, mas senti que, para ele, era um alívio poder conversar com um ser humano. Este homem parecia tão solitário, tão terrivelmente solitário! Quando eu fazia uma das minhas raras objeções, ele costumava responder: 'Sim, mas assim diz Zaratustra' – e então citava alguma passagem de sua obra principal, cuja maior parte ele já havia escrito na época". Isso tem uma nota pitagórica: αὐτὸς ἔφα – "Assim diz o mestre" (apenas as partes I – III do "Zaratustra" haviam sido publicadas).

A descrição de Resa von Schirnhofer é mais profunda: "Também eu, como muitos outros visitantes, fui levada até a rocha à beira do Lago de Silvaplana, até a Pedra de Zaratustra, aquele lugar maravilhoso de sóbria beleza natural, onde o verde escuro do lago, a floresta próxima, montanhas altas tecem juntos o seu encanto festivo. Após pedir que me sentasse em sua 'pedra sagrada', Zaratustra começou a expressar a alta tensão de seu mundo espiritual e emocional e expôs uma abundância de pensamentos e imagens revestidas em palavras ditirâmbicas. Então contou-me a rapidez surpreendente com que cada parte de sua obra se desenvolveu, destacava o aspecto fenomenal dessa produção, dessa inspiração, que sua pena quase não conseguia acompanhar. Na forma como falou comigo sobre essas coisas, não reconheci qualquer traço de megalomania, nem de sua contraparte quase normal – que chamamos de ostentação –, nem na sua escolha de palavras nem em seu tom, que revelava mais um maravilhamento ingênuo sobre algo enigmático e que sujeitava todo o seu ser a uma inquietação oscilante. Esta visita à Pedra de Zaratustra permanece vívida em minha memória. O modo de produção poética de Nietzsche parecia-me na época um efeito de genialidade potencializada, jamais pensei em contemplá-la de forma crítica ou de interpretá-la sintomaticamente.

Quando continuamos nossa caminhada ao longo do lago, deixando para trás a zona de encanto de Zaratustra, dissiparam-se também as vibrações misteriosas no

---

* Nome correto: Hotel Alpenrose.

ser de Nietzsche e foram substituídas por um relaxamento natural, favorecido pelo frescor e pela pureza do ar desse dia de verão, sem qualquer 'nuvenzinha elétrica' no horizonte, tão temida por Nietzsche [...]. Lembro-me ainda de um passeio matinal ao longo do Lago de Sils até um ponto, do qual podíamos ver o grande hotel recém-construído de Maloja, 'destinado à aristocracia católica', como Nietzsche dizia. Depois voltamos e escalamos um pequeno promontório, onde, num gramado mesclado de rochas e cercado de mato, Nietzsche tinha seu esconderijo para dialogar consigo mesmo. Aqui, voltou a falar sobre seu tema preferido, dessa vez lamentando com lágrimas nos olhos a perda insubstituível de sua amizade com Wagner".

Foi a natureza agradável de Resa von Schirnhofer que deu a Nietzsche a liberdade de revelar-lhe seu sofrimento mais profundo, a ferida aberta de sua alma: seu sofrimento com Wagner. Ambas, porém – Helen Zimmern e Resa von Schirnhofer –, vivenciam Nietzsche também num momento de verdadeira *ekstasis*, como a que encontramos em relatos de místicos e mestres de ioga e que se manifesta em forma mais fraca ou mais intensa também nas pessoas de produção artística. O que chama a atenção é que, no caso de Nietzsche, o início (e o fim) dessa transposição de limites está ligado à atmosfera de determinadas localidades e que não ocorre sob o efeito de *narcoticis* – consumo de café, chá, álcool, nicotina ou drogas mais pesadas –, como no caso de muitos outros artistas. Nietzsche se distancia expressamente desse tipo de estimulantes: "Ah, quem nos contaria toda a história dos narcóticos! – é quase a história da 'educação', da chamada educação superior" ("Gaia ciência", aforismo 86).

Nisso, Nietzsche se parece com Wagner, cujo ambiente de trabalho incluía um interior luxuoso perfumado e ricamente adornado e até mesmo roupa fina. Ou seja, ele também dependia de um ambiente estimulante para intensificar sua imaginação artística, só que Nietzsche encontrava esse ambiente não no interior de uma sala, mas na paisagem.

Nenhuma das duas damas suspeitou que essas viradas espirituais súbitas de Nietzsche pudessem ser sintomas de uma doença, nem mesmo Resa von Schirnhofer, apesar "de jamais se esquecer daquela pergunta de Nietzsche [...] como revelação de um medo opressor e de um prenúncio". A visão do abismo desse medo existencial de Nietzsche foi também para ela um episódio isolado, pois o testemunho respectivo, a passagem da carta a Köselitz de 26 de agosto do ano anterior (1883), pôde ser suprimido até agora. Em 1897, quando Resa von Schirnhofer, por ocasião de uma visita a Weimar, conversou com Elisabeth Förster sobre essa declaração de Nietzsche, esta, "assustada, a rejeitou imediatamente e disse que eu tinha entendido errado essa declaração de seu irmão, feita ainda sob o efeito de um forte ataque. Era impossível que ele tenha dito que seu pai tivesse morrido por causa de uma doença cerebral, pois ele morrera em decorrência de um acidente grave".

Essa tese, porém, não convenceu Resa von Schirnhofer. Se a causa da morte do pai tivesse sido um acidente, Nietzsche teria dito isso. Ela reconheceu a razão do medo verdadeiro de Nietzsche de ser acometido por essa terrível doença, pela loucura, na lembrança indelével da experiência da morte precoce do pai causada pela doença cerebral, cuja hereditariedade Nietzsche temia (um acidente não é hereditário), acreditando que suas dores de cabeça eram um sintoma disso. Ele falou também sobre os métodos duvidosos que usou para combater os sintomas e o fez com uma franqueza maior do que com qualquer outra pessoa. Por isso, as anotações de Resa von Schirnhofer são tão valiosos: "Foi em Sils-Maria que Nietzsche me contou sobre seus ataques violentos de dor de cabeça e também sobre os diversos remédios que havia usado. Em Rapallo e em outros lugares da Riviera di Levante, onde ele viveu seus piores momentos, ele se prescreveu várias receitas, assinando-as como 'Dr. Nietzsche', e todas elas foram aceitas e preparadas sem perguntas ou suspeitas. Infelizmente, não anotei nada sobre isso. Lembro-me apenas do hidrato de cloral comum. Mas entre estes remédios havia também alguns perigosos, deduzo isso do fato de Nietzsche nunca ter sido perguntado se ele era médico e se ele tinha a autorização para receitar esse tipo de remédios. Ele me disse também que conhecia sua doença melhor do que qualquer médico e que sabia também que tipo de remédios ele precisava aplicar. Nietzsche nunca me disse que usou haxixe, mas que ele já tinha conhecimento dessa droga entorpecente no verão de 1884. Não há dúvida disso. Já na 'Gaia ciência' ele menciona o haxixe como costume oriental para se entorpecer". (Resa von Schirnhofer remete a uma passagem no § 86, que, longe de ser "oriental", diz: "Teatro e música são o haxixe e o bétele dos europeus!") [...]. "E assim como Nietzsche usou vários remédios contra seus ataques insuportáveis, experimentou também com várias dietas. Numa conversa sobre dietas, ele me recomendou o 'Manual da fisiologia', do fisiólogo inglês Foster*, que lhe ensinara muitas coisas. Na época, ouvi pela primeira vez falar em *stout and pale ale*. Não sei se Nietzsche, ao mencionar 'os bons efeitos do uso' dessas cervejas inglesas, falava de experiência própria, mas acredito que estas também fizeram parte de suas muitas tentativas dietéticas." É possível que Nietzsche tenha seguido os conselhos de suas amigas inglesas Zimmern e Fynn.

---

* Nietzsche possuía uma tradução de N. Kleinenberg. Heidelberg, 1883[183].

Nietzsche se abriu a essa jovem estudante de forma tão incomum e quase constrangedora, permitiu que ela visse seu interior como o fez apenas com Meta von Salis. Isso só foi possível porque seu relacionamento com essas duas mulheres não possuía a carga emocional de seus relacionamentos com Lou Salomé e Cosima Wagner. Mas Nietzsche sentia um forte vínculo com a jovem austríaca, e quando chegou a hora de sua partida, ele a acompanhou até a diligência e, ao despedir-se, disse "com lágrimas nos olhos: 'Eu esperava que ficasse mais tempo. Quando voltarei a ouvir seu riso refrescante?'"

Sim, Nietzsche precisava desse riso refrescante mais do que nunca. Sua filosofia o havia levado a regiões que não podiam mais ser compreendidas apenas racionalmente e só podiam ser vislumbradas no êxtase – ou seja, ele se encontrava num caminho que se abrira apenas para ele e no qual não podia contar com um companheiro. E sua alma sofria de duas feridas mortais: a perda de seu amigo paternal Wagner e a perda de seu pai biológico em decorrência de uma doença cuja semente hereditária ele podia estar carregando dentro de si. Essa ameaça fatal impregnava sua alma de medo.

Este é o resumo assustador do verão de 1884: o sofrimento incurável com Wagner e o medo da catástrofe na loucura!

Temporariamente, porém, Nietzsche conseguiu encontrar um descanso mais duradouro do que o riso refrescante de Resa von Schirnhofer. Tratava-se do auge humano desse verão em Sils: a visita do

Barão Heinrich von Stein, de 26 a 28 de agosto de 1884

Há muito, o jovem estudioso do círculo de Wagner e defensor de uma renovação cultural de cunho wagneriana havia chamado a atenção de Nietzsche. Já em janeiro de 1880, Paul Rée havia comunicado à mãe de Nietzsche que Heinrich von Stein trabalhava já há algum tempo (desde 20 de outubro de 1879) como educador do pequeno Siegfried Wagner em Bayreuth (cf. acima, p. 34). Ele havia conseguido esse emprego pela recomendação de Malwida von Meysenbug; no entanto, teve que desistir dele seis meses depois a pedido de seu pai, para se habilitar em filosofia em Halle. Ele escreveu sua habilitação sobre Giordano Bruno (1548-1600), o filósofo poeta italiano do final do Renascimento, que, após a derrubada copernicana da imagem medieval do mundo, fez da relatividade dos juízos humanos sobre "o mundo" o objeto central de sua filosofia – também "um revalorizador de todos os valores".

Em julho – agosto de 1882, Heinrich von Stein veio para Bayreuth para assistir à estreia do Parsifal e se hospedou na mesma casa em que residiam também Paul

Joukowsky, Malwida von Meysenbug e Lou Salomé. Foi através desta que Nietzsche voltou a ter notícias em Tautenburg sobre o jovem filósofo. E em outubro de 1882, quando Nietzsche esteve em Leipzig com Lou Salomé e Paul Rée, Heinrich von Stein tentou encontrá-lo. Ele chegou na cidade em 31 de outubro (cf. acima, p. 129s.), infelizmente no dia em que Nietzsche havia partido para Naumburg. No inverno seguinte, Heinrich von Stein ingressou no círculo berlinense mais íntimo de Lou Salomé e Paul Rée.

A próxima tentativa de aproximação partiu de Nietzsche. No final do verão de 1883, ele enviou a Heinrich von Stein as partes até então publicadas (I e II) do "Zaratustra"; e em abril de 1884, a terceira parte (cf. acima, p. 227). Heinrich von Stein agradeceu com um trabalho próprio, uma tradução de Giordano Bruno. E agora – após Heinrich von Stein sugerir um encontro em Bayreuth durante as apresentações do Parsifal em 1884 e após Nietzsche rejeitar a ideia – os dois combinaram que Heinrich von Stein visitasse Nietzsche em Sils.

"De estatura enorme e magra, ereto como um pinheiro, com rosto vivaz, cabelos loiros, olhos azuis e arregalados"[100], foi assim que, no dia 26 de agosto de 1884, o descendente de 27 anos de uma antiga família nobre da Francônia se apresentou ao mensageiro do "Além do homem". Um Siegfried ideal, mas sem sua ingenuidade juvenil e anárquica. Malwida von Meysenbug constatou nele uma "natureza um pouco rígida, reservada e de difícil leitura"[166].

Heinrich von Stein nasceu em 12 de fevereiro de 1857 em Coburg. Aos onze anos de vida, perdeu sua mãe, o que deixou marcas profundas em seu ser e pensamento. Extraordinariamente talentoso, ele encerrou sua formação escolar já em março de 1874, aos 17 anos de idade, com o *abitur*. Foi primeiro para Heidelberg para estudar teologia, mas a teologia dogmática o decepcionou. Em troca, encontrou em Kuno Fischer, o docente de filosofia (fonte de Nietzsche para Spinoza e Kant), o "seu" mestre. Fischer lhe recomendou a leitura de Schopenhauer e D.F. Strauss e o alertou sobre o livro "maluco" de Eduard von Hartmann.

Von Stein passou seu segundo semestre em Halle. Ele deu uma segunda chance à teologia, lecionada aqui por Willibald Beyschlag, e novamente sofreu uma decepção. Ele havia esperado que a teologia lhe ajudasse a purificar seu conceito de Deus, que ela lhe apoiasse em sua "luta por Deus", querendo dela uma resposta à pergunta: "Quem é bom, quem é mal?" Ele comparou a humanidade com uma corrente que parte de Deus e retorna para Deus, ou seja, ele a via como algo que transcende a mera existência humana. Mas quando um elo se rompe, rompe também a corrente. Disso deduziu uma responsabilidade de cada um pelo todo. O lema de Heinrich von Stein era por isso: "Seja firme em si mesmo, assim você serve ao todo".

Já que a teologia lhe negava as respostas e a ajuda desejadas, ele se voltou para a realidade, a princípio por meio do estudo filosófico de Darwin e Häckel. Mas isso também não o satisfez, havia nisso um excesso de "sistema". Por isso, foi para Berlim, onde se mudou para a Faculdade de Matemática e Física. Aqui, encontra a personalidade que exerceria uma influência duradoura: Eugen Dühring. O que fascinava Heinrich von Stein não era sua "filosofia", mas a seriedade heroica da personalidade. Em 1877, aos 20 anos de idade, escreveu, sob a supervisão de Dühring, sua dissertação "Sobre a percepção", ou seja, sobre a *aisthesis*, a estética no sentido grego.

O tema de seu primeiro livro demonstra que nem o materialismo nem a filosofia puderam satisfazer Heinrich von Stein: "Os ideais do materialismo. Uma filosofia lírica", publicado em 1878 sob o pseudônimo Armand Pensier.

Teologia dogmática, sistemática filosófica, racionalidade da ciência natural, tudo isso não o satisfaz. Por fim, encontra na arte o veículo que ele acredita poder lhe transmitir os conhecimentos desejados. Mas também aqui precisava de um "mestre", de uma personalidade, e, na época, o encontrou no representante mais vital da arte, em Richard Wagner. O ano que Heinrich von Stein passou na casa dos Wagner como "educador do príncipe" foi o episódio determinante de sua curta vida. Após fazer sua habilitação em Halle, ele fez preleções sobre Rousseau, sobre as relações entre arte e filosofia e também sobre os escritos teóricos de Richard Wagner ("Ópera e drama"). No semestre de inverno de 1882/1883, ele se ocupou intensivamente com Schopenhauer. Em 1882, escreveu o livro "Helden der Welt" [Heróis do mundo] (dedicado a Richard Wagner) com diálogos sobre Sólon, Alexandre o Grande, a Santa Catarina de Sena, Lutero, Giordano Bruno, Shakespeare e Cromwell. Escreveu também ensaios para os *Bayreuther Blätter* sobre "Shakespeare como poeta do Renascimento", "Os anos de aprendizado de Goethe", "Obras e efeitos de Rousseau", "Lutero e os camponeses", "Jean Paul" e sobre "O Renascimento", de Gobineau. Em 24 de julho de 1884 fez sua habilitação em Berlim com um trabalho sobre a relação entre Boileau (1636-1711) e Descartes (1596-1650). Recebeu a possibilidade de se firmar em Berlim graças à influência de Wilhelm Dilthey (1833-1911), que trabalhava em Berlim desde 1882 como sucessor de Lotze e que passou a ser o "mestre" de Heinrich von Stein. Tudo indica que essa tendência de se apoiar em um mestre era um traço da personalidade de Von Stein. Naqueles anos, Dilthey também se ocupou intensamente com o campo tensional da "Imaginação do poeta" (obra publicada em 1887) e com o processamento filosófico das emanações da arte.

Para Heinrich von Stein, o léxico sobre Wagner, incentivado por Cosima e elaborado com a ajuda do biógrafo de Wagner C.F. Glasenapp até 1883, foi mais do que um simples trabalho filológico. Sua última e principal obra foi uma história da evolução da estética recente, publicada em 1886. E finalmente Dilthey conseguiu que a Universidade de Berlim criasse para Von Stein uma cátedra para estética. Em 19 de junho de 1887, o senado aprovou o pedido e convocou Heinrich von Stein – e no dia seguinte (20 de junho), Heinrich von Stein, aos 30 anos de idade, morreu em decorrência de uma paralisia cardíaca.

Essa ocorrência, que surpreendeu a todos, foi um duro golpe para Nietzsche, pois ele havia depositado uma grande esperança nesse "discípulo". Entretanto, essa morte evitou um conflito, mascarou diferenças fundamentais e permitiu que Nietzsche preservasse a imagem de um Heinrich von Stein construída nos três dias do verão de 1884 em Sils. Naqueles dias, os dois homens descobriram muitas afinidades, que os aproximaram um do outro.

No caso de ambos, a morte havia lançado sua sombra sobre a infância – aqui, a morte da mãe; lá, a morte do pai. Desde cedo, ambos travaram uma luta contra a teologia dogmática cristã, e ambos a abandonaram decepcionados. Ambos nutriam uma aversão profunda por "sistemas" filosóficos, ambos se aventuraram no campo da ciência natural – Heinrich von Stein formalmente como estudante, Nietzsche por meio da leitura. Ambos haviam percorrido grande parte do mesmo caminho filosófico ao lado de Darwin e Schopenhauer, e para ambos a arte era mais do que um agrado secundário da vida, era, antes, no mínimo uma aliada da filosofia, fazendo dos problemas estéticos um tema central da filosofia. Ambos haviam se tornado docentes já muito cedo, aos 24 anos de idade, e ambos haviam sido iniciados no "mistério" Wagner. Heinrich von Stein, porém, nunca sofreu uma decepção ou uma ruptura com Wagner, pelo contrário. Heinrich von Stein ainda era considerado membro do círculo mais íntimo de Bayreuth, privilégio este do qual Nietzsche não gozava mais. É com um prazer palpável que Nietzsche relata em 14 de setembro a Overbeck sobre uma conversa com Heinrich von Stein: "Daniela von Bülow* o encarregou de me informar que ela desfez seu noivado e que agora, como fortalecimento, estaria lendo meu escrito 'Schopenhauer como educador'". No entanto, o círculo de Bayreuth sempre reconhecera o valor das "Considerações extemporâneas", e Cosima sempre se esforçou a preservar em sua memória o Nietzsche desses escritos como Nietzsche "autêntico".

Os ensaios de Heinrich von Stein revelam um homem seguindo basicamente os mesmos rastros seguidos também por Nietzsche. Para ele, o portador de uma

---

* A primeira das duas filhas de Cosima com Hans von Bülow. Nascida em 12 de outubro de 1860.

filosofia também era mais importante do que aquilo que este defendia. O ser humano precisava ser autêntico, mesmo que tudo que dissesse fosse refutado. Isso corresponde à representação de Nietzsche da filosofia pré-socrática. E encontramos em Heinrich von Stein também as grandes personalidades da história do espírito, às quais também Nietzsche se dedica. Uma comparação revela que, em Heinrich von Stein, falta apenas Napoleão; em Nietzsche, a Santa Catarina e Cromwell.

A despeito de todas essas semelhanças, seus caminhos logo se distanciam muito um do outro; não ainda nestes dias do verão de 1884, mas já poucos meses depois. Com a quarta parte do "Zaratustra", Nietzsche efetua a ruptura com o mundo que Heinrich von Stein defendia e que o próprio Nietzsche havia evocado nas três primeiras partes do "Zaratustra".

A intuição artística, a poesia como meio da persuasão filosófica, que ele mesmo havia experimentado e explorado mais uma vez nas primeiras partes do "Zaratustra", volta a ser negada por Nietzsche – como já havia feito uma vez em "Humano, demasiado humano". Ele negará à arte o direito (não a possibilidade) de representar uma visão do mundo, como formula Malwida von Meysenbug em seu diário[166]: "A arte não representa o sagrado, ela *é* sagrada, é isso que importa". E é exatamente isso que Heinrich von Stein, como seguidor de Wagner e em conformidade com a estética contemporânea, defende: Ou seja, a arte não tem apenas o direito, mas a obrigação de representar a visão do mundo. Esta é a sua natureza, pois apenas a arte é capaz de representá-la de forma que permita sua experiência imediata. Nietzsche, porém, desloca o interesse e o conceito do juízo estético do *objeto* apresentado pela arte para a *forma* como ela o apresenta, para a arte como faculdade, como τέχνη.

Heinrich von Stein poderia ter compreendido esse conceito de arte. Não que o tivesse adotado, mas ele já o conhecia de seus estudos sobre Boileau. Esse escritor satírico do Iluminismo e esteta do Classicismo francês ligado a Racine defendia uma posição semelhante. Mas Heinrich von Stein jamais teria acompanhado Nietzsche em seu caminho, e o ataque de Nietzsche à estética romântica jamais teria se limitado ao "Caso Wagner", mais cedo ou mais tarde teria se voltado também contra o funcionário fiel dos "Bayreuther Blätter".

No momento, porém, Nietzsche não via aquilo que os separava. Já que, até agora, Heinrich von Stein havia seguido um caminho tão semelhante ao seu próprio, ele acreditava que também o caminho futuro seria o mesmo e, nesse caso específico, acreditava ter encontrado um discípulo verdadeiro. Nietzsche comunica sua impressão a Overbeck em uma carta de 14 de setembro de 1884: "O auge deste verão foi a visita do barão Von Stein (ele veio diretamente da Alemanha [...] e voltou diretamente para a casa de seu pai – uma maneira de destacar uma visita que me impressionou). Uma pessoa e um homem maravilhoso, que, em virtude de sua postura heroica, me é profundamente compreensível e simpática. Finalmente uma pessoa nova que pertence a mim e que me respeita instintivamente! Por ora ainda demasiadamente *wagnetisé*, mas, em virtude da disciplina racional recebida por Dühring, muito bem preparado para mim! Em sua companhia, percebi nitidamente a tarefa prática da minha vida, mas preciso de um número suficiente de pessoas jovens de uma qualidade específica! [...] Sobre o Zaratustra, Stein confessou honestamente que ele havia entendido 'doze sentenças e não mais': o que me deixou muito orgulhoso, pois caracteriza a estranheza indizível de todos os meus problemas e de todas as minhas luzes [...]. Por outro lado, Stein é poeta o bastante para, por exemplo, comover-se profundamente com o 'outro canto de dança' (ele o decorou). [...] Stein me prometeu mudar-se para Nice assim que seu pai morrer".

Nietzsche realmente teve um forte impacto sobre Heinrich von Stein. Ainda durante sua viagem de volta para casa, ele escreveu a Daniela von Bülow durante uma escala em Zurique em 31 de agosto: "Encontrei na modesta salinha em Sils um homem, cuja primeira impressão evoca compaixão. Com sua comparação com Humperdinck, a senhora havia me preparado para a palidez de sua aparência. A senhora acreditaria se eu lhe dissesse que houve momentos nesses dias em que admirei este homem de todo coração? No entanto, ele não pode falar sobre si mesmo. Quando não o faz, eu mesmo penso em tudo aquilo que ele sofreu e como ele conseguiu resgatar disso um forte senso de vida. Presenciei um desses dias de sofrimento. Na noite seguinte, ele não dormiu. Mas agora nos saudava um dia ensolarado. Neste dia, caminhamos durante oito horas, conversando sempre sobre as coisas grandes da vida, sobre nossas lembranças compartilhadas, sobre coisas históricas e eternas. À noite, ainda estava revigorado e atento, como sempre o imaginei. – Os campos da Alta Engadina e os cumes cobertos de neve conferem a esses dias traços fortes, que jamais apagarão. [...] Trouxe de Sils o desejo profundo de fazer algo por Nietzsche [...]. Um destino paira sobre sua vida, e detectei nas observações até mais longínquas algo que dizia que jamais será feliz na vida. Não pretendo ser duro, apenas sincero. – Nietzsche pediu que lhe transmitisse uma saudação cordial; certamente esta lhe será bem-vinda. Ao me encarregar com esta saudação, Nietzsche parecia se sentir melhor".

Günther Wahnes[262], que nos cedeu esta carta até então inédita, acrescenta a observação segundo a qual nenhum dos "wagnerianos", aos quais Heinrich von Stein pertencia, voltou a escrever dessa forma. "O cavalheiro profundamente nobre Heinrich von Stein estava aberto para todos os grandes conhecimentos oferecidos por Nietzsche. E na época não existia ainda no círculo de Bayreuth a visão condenadora de que Nietzsche estaria, já agora, dez anos antes de seu colapso, doente e que condena obras como o "Zaratustra" como criações da loucura." Até então, conheciam apenas "Richard Wagner em Bayreuth", não, porém, o "Caso Wagner"!

E Heinrich von Stein confessa abertamente seu afeto por Nietzsche também a outros membros de Bayreuth, como, por exemplo, meses depois a Malwida von Meysenbug[262]: "Meu encontro com Nietzsche: este permanecerá um evento lindo e não insignificante para mim, espero que não só para mim [...]. Ele quer discípulos – compreendedores de um grande pensamento ainda não expressado. Só a energia mental contida no ato de cultivar um pensamento não expressado é como uma saudação fraternal no meio do caos do nosso tempo, que se orgulha tanto de sua não filosofia. Ocupo-me muito com esse pensamento não expressado, cujo eco creio ter ouvido em algum lugar". E a Hans von Wolzogen, redator dos "Bayreuther Blätter", Stein escreve em 1º de dezembro de 1884[262]: "Procurei e encontrei nele o autor do 'Nascimento da tragédia', que reconheço agora também no Zaratustra. Um destino difícil pesa sobre ele; com um forte desejo de comunhão viva e amigável, ele não a encontra mais desde que foi infiel uma vez a essa comunhão mais sublime. Nesse sentido, Nietzsche acertou ao comparar a atmosfera após o nosso encontro com o ato de Filoctetes. A soberana tranquilidade de um lindo dia lá nas alturas de Sils, na Alta Engadina, permitiu que respirássemos o sentimento mais profundo da tragédia do mundo: respirar à luz de Ésquilo, de Heráclito".

Aqui, Stein remete a uma carta que Nietzsche lhe escrevera pouco antes de sua partida como última saudação de Sils-Maria: "Sua visita é uma das três coisas boas pelas quais sou profundamente grato neste anos de Zaratustra. Talvez o senhor não teve tanta sorte? Talvez tenha encontrado Filoctetes em sua ilha e talvez até um pouco daquela fé de Filoctetes: 'sem as *minhas* flechas, Ílion não será conquistada!' Um encontro como o nosso sempre tem muitas consequências, muito destino. Mas certamente o senhor acreditará isto: a partir de agora, o senhor será um dos poucos cuja sorte no bem e no mal fará parte da minha sorte".

Com a parábola de Filoctetes, Nietzsche eleva o encontro com Heinrich von Stein a um nível semelhante de seu relacionamento com Cosima e Richard Wagner, o qual ele havia comparado à parábola de Ariadne. A paráfrase de Sófocles parece definir claramente as relações. No entanto, dois paralelos pessoais e um elemento da trama não são corretos. O Filoctetes de Sófocles[223] – em conformidade com a tradição das lendas gregas – foi banido pelos aqueus durante sua campanha contra Troia e deixado numa ilha por causa das feridas de mau cheiro causadas por uma mordida de cobra. Filoctetes/Nietzsche *não* foi expulso pelo círculo de Bayreuth, *ele* o abandonou. E apenas ele sabia que havia sido mordido por uma cobra, e apenas ele conhecia o efeito da ferida. Ele revela um pouco na primeira parte do Zaratustra, no capítulo "A picada da víbora". O paralelo implícito entre Aquiles e Wagner é absolutamente inapropriado. A única semelhança é que ambos já estavam mortos quando a trama se passava, presentes apenas em espírito. Ou será que Nietzsche pretendia estabelecer um paralelo entre Héracles e Wagner? Héracles, que em Sófocles aparece como *deus ex machina* e do qual Filoctetes recebe arco e flechas capazes de garantir a conquista de Ílion? Nesse caso, Nietzsche se via como herdeiro e administrador do arco e das flechas de Wagner.

E qual era a posição de Heinrich von Stein nesse drama? Em Sófocles, os aqueus enviam Odisseu, representado como particularmente enganoso e mentiroso, e o "tolo puro" Neoptólemo, para que estes consigam enganar Filoctetes e arrancar dele o arco e as flechas. É a partir deste ponto que Sófocles desenvolve seu drama comovente: Neoptólemo, comovido pelo sofrimento de Filoctetes, desiste da enganação e da mentira, colocando-se assim entre missão – lealdade – e sinceridade humana. É improvável que Nietzsche tenha visto Odisseu em Heinrich von Stein, podemos excluir essa possibilidade. Mas quanto a Neoptólemo/Stein? Aqui, o paralelo também não procede. Heinrich von Stein não procura Filoctetes/Nietzsche como enviado de Bayreuth com uma missão traiçoeira, mas voluntariamente procura como jovem filósofo um homem que ele respeita profundamente como mestre de sua disciplina. E é provável que ele o faça com o consentimento de seus amigos em Bayreuth, entre os quais Daniela von Bülow, que sempre manteve certa independência dentro de seu círculo, possa ter preservado certa esperança de uma reconciliação com o filósofo por ela venerada. Em um ponto, porém, o paralelo procede: Heinrich von Stein se mostrou tão comovido por Nietzsche como Neoptólemo por Filoctetes. No entanto, a Sra. Förster exagera ao afirmar em seu comentário às cartas de Nietzsche: "Ele havia sido enviado para Sils-Maria para reconquistar Nietzsche para a causa de Bayreuth, mas certamente não para que este lhe mostrasse novos e estranhos caminhos. Stein esqueceu-se disso um pouco na presença do meu irmão e também depois".

Nietzsche não conseguiu reconhecer com precisão os paralelos nas figuras secundárias, pois estava absorvido consigo mesmo. Conseguia ver apenas a si mesmo com nitidez e vinculava apenas a si mesmo diretamente com a parábola escolhida. Apenas a figura de Filoctetes se aplica com precisão à sua situação. Mas uma pergunta permanece em aberto: O que Nietzsche pretendia conquistar com as suas flechas? Com as "flechas", um título que ele estava cogitando para uma coleção de sentenças como publicação especial? Na lenda, trata-se da Troia do velho Príamo. Onde Nietzsche identificava essa Troia em seu tempo? Seu caderno de anotações poderia dar uma resposta[6]: "Sem as minhas flechas, a Troia do conhecimento não será conquistada – é assim que digo 'Filoctetes'".

Mesmo assim, tudo permanece ambíguo. A dica aparentemente simples de Nietzsche nos remete a um mar de perguntas não respondidas. Uma única coisa pode ser extraída como conhecimento biográfico essencial. Nos anos de 1883 e 1884, iniciam-se as autoidentificações de Nietzsche. Precisamos entender que a figura de Zaratustra não era uma simples licença poética ou um recurso formal (como, p. ex., em Kierkegaard ou E.T.A. Hoffmann), mas uma assemelhação total. Nietzsche se torna Zaratustra, ele é Zaratustra. Agora, transforma-se em Filoctetes por um período breve, e também, mesmo que não explicitamente, em Dioniso. A partir de agora, essas metamorfoses se intensificam até os primeiros dias de sua loucura, onde Nietzsche se identifica até mesmo com César e o "Crucificado", além de muitas outras identificações em rápida sequência. Nietzsche começa a se perder para reconstituir-se em figuras fictícias. Quando isso começou, quando, no fim do quarto livro da "Gaia ciência", Zaratustra se anunciou, ele escreveu – ainda completamente lúcido: *Incipit tragoedia*.

Na figura de Filoctetes, ele se vê como herói de uma tragédia de Sófocles, como vítima de um destino que o condena à solidão e ao isolamento. E essa resignação se apresenta ao lado de seu oposto, da esperança de, em breve, reunir em Nice um círculo de "pessoas superiores" ao seu redor.

Esse verão havia lhe trazido pessoas com as quais ele conseguia viver: Meta von Salis, Helen Zimmern, Resa von Schirnhofer e agora esse maravilhoso Heinrich von Stein. Paul Lanzky o esperava em Nice; Heinrich Köselitz, em Veneza; e em secreto ainda esperava poder contar com Lou Salomé e Paul Rée (no início de setembro ele escreve à mãe: "O Dr. Von Stein falou com o maior respeito sobre o caráter do Dr. Rée e sobre seu amor por mim – o que me fez muito bem"). Não surpreende, portanto, que isso ressuscita nele o pensamento de uma comunidade. Após ter as esperanças reanimadas pela confirmação de Von Stein, Nietzsche escreve uma carta animada a Köselitz em 2 de setembro: "Para o futuro tenho a esperança de criar em Nice uma pequena sociedade muito boa que acredite na *gaya scienza*: e em espírito já o ordenei primeiro cavaleiro desta nova ordem. Nela, jurarão e blasfemarão 'em nome de Mistral' – não terão outra obrigação, pois pessoas como nós farão tudo naturalmente".

Isso é o humor de um moribundo, pois ao mesmo tempo Nietzsche é consumido pela perda de outra comunhão, de um vínculo natural.

O conflito com a família

A mãe também sofre com o conflito entre os filhos e tenta iniciar uma correspondência com seu "Fritz" para convencê-lo a tentar outra reconciliação – dessa vez duradoura. Ela o convida para Naumburg, para um encontro a três. Aparentemente, acredita que sua presença bondosa consiga obter um resultado melhor do que a inteligente Malwida von Meysenbug em Roma um ano atrás. Ela ignora as diferenças e as mágoas profundas causadas na alma sensível de seu filho em decorrência dos ataques e da campanha de difamação de sua irmã contra Lou Salomé e Paul Rée. Ele recusa o convite e se mostra disposto a cooperar apenas se Elisabeth e seu Dr. Förster desaparecerem rapidamente da Europa, transformando esse encontro numa última reunião e despedida. "Evidentemente, para tanto estaria disposto a ignorar os perigos para a minha saúde (e ainda mais para o meu dinheiro)." Pois enquanto este antissemita Bernhard Förster estivesse na Europa, Nietzsche se sentiria traído e comprometido. Esse era o outro fator que sua mãe não queria levar em conta. O filho lhe dá uma resposta firme em 2 de setembro: "Temo agora as longas viagens [...] Sils e Nice, Nice e Sils – e entre as duas cidades uma parada de primavera: assim será o futuro". Mesmo assim, Nietzsche tenta manter um tom cordial em suas cartas à mãe, apenas a Overbeck ele confessa[124]: "Faz-me bem o fato de não receber cartas de Naumburg; mas o quão doente e abalado ainda estou nesse sentido se evidencia no fato de que, após cada carta que escrevi à minha mãe neste verão, eu adoeci seriamente por dois dias. Você pode imaginar como a contínua repetição desse processo acabou me impactando: jogando em meu rosto repetidas vezes, em meio a uma enorme tensão de um grande sentimento que se estende sobre a humanidade, uma mão cheia de sujeira (e isso em virtude de atos meus, diante dos quais – parece-me – todo ser com um sentimento mais sublime deveria ter uma única reação: veneração maravilhada!)".

Finalmente, porém, ele cede à pressão da mãe e sugere um compromisso: um encontro entre Naumburg e Nice, no trajeto de Sils a Nice – sem a mãe, cuja postura moralizante ele não suportaria neste momento e nesta situação. Em 19 de setembro ele lhe escreve:

"Minha decisão em relação a um encontro com minha irmã já deve estar em suas mãos. Levando em consideração o seu medo da cólera, não escolhi Lugano. [...] Zurique, pensão Neptun, uma casa boa e conhecida: já enviei uma mensagem anunciando nossa vinda. [...] Eu mesmo partirei daqui na manhã de 24 de setembro e estarei em Zurique na manhã do dia 25. [...] Que o encontro dê bons resultados e que não surjam dele novos infortúnios!"

A reconciliação com sua irmã não é, porém, o único motivo de sua viagem para Zurique. Está cedo demais para continuar diretamente para Nice, ele precisa de uma estadia intermediária para o outono, e em Zurique ele vê oportunidades que pretende aproveitar. Existe algo que ele pode fazer por seu maestro Gast. Friedrich Hegar, que ele conhecera em Tribschen, ocupa agora uma posição de diretor musical em Zurique. E para si mesmo espera poder organizar um encontro com Gottfried Keller, autor muito venerado por ele. Em 20 de setembro, ele anuncia formalmente sua visita ao poeta em Zurique, onde chega na manhã de 25 de setembro após ter se despedido de sua "residência Sils" na véspera, de onde ainda escreveu à mãe: "No momento, 'o eremita de Sils-Maria' está sendo tratado com muito respeito por todos. Vários hóspedes do hotel vieram se despedir oficialmente de mim".

VIII

Dias de férias (Zurique, 25 de setembro a 31 de outubro de 1884)

A reconciliação com a irmã em Zurique foi bem mais curta do que o encontro organizado por Malwida em maio e junho de 1883. Das cinco semanas que Nietzsche ficou em Zurique, Elisabeth passou apenas duas semanas com ele (a partir do fim de semana de 27 e 28 de setembro, e não já a partir do "início de setembro", como alega em sua biografia [II, p. 500]) até a terça-feira de 14 de outubro. Durante este breve período, ele conseguiu mais uma vez realizar a proeza de se apresentar como irmão amável e despreocupado. E aparentemente ele conseguiu enganar sua irmã, mostrando-se bastante satisfeito com isso. Já após poucos dias de convívio, ele escreve a Köselitz em 30 de setembro: "Melhor modo de se agradar, após tanto tempo de mágoas", e tranquiliza a mãe em 4 de outubro: "[...] entrementes você já deve ter ouvido que seus filhos voltaram a se comportar e estão bem em todos os sentidos. No entanto, não sei dizer até quando este convívio ainda durará". No mesmo dia, Nietzsche informa também Overbeck, mas bem mais cauteloso e distanciado: "[...] até agora, o sol brilha dentro e sobre nós", mas acrescenta aquilo que aparenta libertá-lo de uma ameaça desagradável: "Minha irmã é um animalzinho maravilhoso; creio que, no próximo ano, eu a perderei por muito tempo para o além-mar".

Ambos falam do sol que brilha sobre eles. O clima deve ter sido típico de um final de verão, com temperaturas suaves e a fragrância dos lagos e das montanhas. Nietzsche o chama de "lindo como Nice" (carta a Köselitz de 30 de setembro). Nessa atmosfera agradável, Elisabeth lhe confessara seu noivado com Bernhard Förster e seus planos de emigrar para o Paraguai após seu casamento no ano seguinte. Isso fazia parte do sol "dentro de nós". Duas semanas após a partida da irmã, Nietzsche relata sua impressão a Overbeck: "A maior felicidade deste outono foi a minha irmã, ela gravou profundamente em seu coração as experiências destes anos e tudo isso sem rancor. Eu não esperava reencontrar – e talvez nem tivesse merecido – essa antiga cordialidade incondicional". Elisabeth não partiu completamente despreocupada. Ela deve ter pressentido a catástrofe vindoura já após poucos dias, pois em 8 de outubro ela escreve à mãe[8]: "Fritz" precisa de cuidados e de descanso, caso contrário poderia "sofrer rapidamente uma paralisia cerebral ou um escurecimento da visão". O motivo para essa preocupação é "esta ocorrência estranha de um tipo de paralisia, que o acomete por pouco tempo".

Sempre devemos nos lembrar de que Elisabeth amava e venerava seu irmão de todo coração. Isso torna mais lamentável ainda o fato de ela ter distorcido sua imagem e de tê-lo transformado em um ídolo que ela pudesse venerar. Por isso, não teve a sensibilidade para perceber o medo e o sofrimento que atormentavam a alma do irmão. O fato de ele ter se mostrado disposto a se reconciliar com ela após meses de tensão e rejeição a alegrou e afastou qualquer preocupação. Por isso, ampliou em sua memória o período de duas semanas, falando em sua biografia de "maravilhosas semanas de setembro e outubro" e, apesar de terem se visto apenas uma vez depois disso (em setembro do ano seguinte), ela afirma: "Fritz mencionou esse tempo repetidas vezes, quando desfrutamos pela última vez o convívio fraternal com toda a descontração e despreocupação da nossa juventude". Ela revela também o motivo da "descontração": "[...] por exemplo, Freiligrath. Compramos em Zurique suas poesias. 'Este então é considerado poeta pelos alemães', disse Fritz com uma expressão cômica. E logo começamos a poetizar ao modo de Freiligrath e [...] a narrar histórias em seu estilo pomposo e oriental. [...] A quarta parte do Zaratustra contém uma prova deliciosa dessa atmosfera descontraída, pois o canto do andarilho e da sombra: 'Entre as filhas do deserto' foi escrito na época".

Trata-se de uma "poesia" constrangedora e artificial, e é justamente esta que Elisabeth considera engraçada, expressão de uma "atmosfera descontraída". Que insensibilidade assustadora se revela nessa avaliação! Mesmo sem nos aventurarmos no extremo oposto e reduzirmos a cena a uma mera "lembrança de prostíbulo", como o faz o psiquiatra Max Kesselring[134], o lema repetido no verso final proíbe uma interpretação simplista: "O deserto cresce, ai daquele que contém em si desertos". Nietzsche continha desertos em si, e eles lhe causavam grandes sofrimentos.

Mas existe outro motivo que nos leva a duvidar de que Freiligrath tenha sido objeto dessa zombaria descontraída. Certamente Nietzsche não simpatizava com o poeta político-radical Freiligrath (1810-1876), que, em 1848, havia sido redator do jornal "Freie Rheinische Zeitung" juntamente com Karl Marx em Colônia, que havia vivido como fugitivo na Inglaterra, Holanda e Suíça. Nietzsche não gostava dele nem como político nem como autor e poeta com suas "baladas político-patéticas" e temas grotescos. Mas Nietzsche veio a Zurique também com a intenção de se encontrar com o tão venerado

Gottfried Keller

e ele sabia que Keller era amigo de Freiligrath desde o tempo de seu exílio em Rapperswil e Hottingen em 1845. Apesar de menos extremo, Keller ainda compartilhava algumas opiniões liberais de velho amigo e o prezava como poeta. Ainda agora, oito anos após a morte de Freiligrath, Keller honrava sua memória e correspondia com sua viúva. Portanto, teria sido muito imprudente por parte de Nietzsche dificultar o acesso ao quase inacessível Gottfried Keller com manifestações de zombaria contra Freiligrath. Todas as medidas tomadas por Nietzsche revelam grande cautela.

No dia da chegada de Elisabeth em Zurique, ou já antes, veio o convite de Keller: "Supondo que o senhor já tenha chegado e se hospedado, tomo a liberdade de informar-lhe a minha residência. Espero poder esperar sua visita bem-vinda, para saudá-lo pessoalmente". Elisabeth escreve em seus comentários na edição das cartas de Nietzsche sobre a tentativa tímida e bem-sucedida de uma visita na casa de Keller[7]: "Quando entramos no jardim, uma voz feminina nos informou no dialeto de Zurique, que o senhor escrivão havia saído de casa. Após algumas negociações, apareceu na porta da casa uma pessoa que recebeu o cartão do meu irmão. Então, ouvimos mais uma vez a voz feminina, perguntando o que a 'senhorita' desejava. Estava se dirigindo a mim. Eu havia permanecido no portão do jardim, pois, caso meu irmão não fosse recebido, pretendia fazer um passeio com ele, como meu irmão explicou. Uma risada rouca, mas benevolente, foi a resposta, e a voz por trás da cortina perguntou se a 'senhorita' pretendia observar o senhor escrivão de longe, o que o meu irmão, em vista da fama de Keller, não podia negar, apesar de esta realmente não ter sido a minha intenção. Keller era tímido e não gostava de mulheres. No dia seguinte, aconteceu o inesperado: Ele fez uma visita 'ao Sr. Prof. Nietzsche e sua irmã na Pensão Segnes; portanto, estive presente nesta *entrevue*. Ambos se trataram com extremo respeito e disseram coisas lindas, e quando, por fim, Gottfried Keller dirigiu a palavra também a mim, e eu lhe disse alguma coisa que lhe agradou, ele sorriu, o que transformou seu rosto de forma muito amável. Jamais vi um rosto que se transformasse tanto com um sorriso. Normalmente, o rosto de Keller expressava rancor e indiferença, e era difícil acreditar que um autor de contos tão maravilhosos pudesse ter tal aparência. Mas assim que abria um sorriso, seus olhos brilhavam e todo o rosto assumia a expressão de esperteza espirituosa.

O encontro parecia agradar a ambos. Fizeram alguns passeios curtos, e Keller pediu a permissão do meu irmão para apresentá-lo ao círculo de leitura de Zurique".

A "pensão Segnes" deve ser um erro de memória da narradora. Nietzsche e sua irmã moravam na Pensão Neptun. Segnes era o nome do hotel em Flims, que visitaram em 1873. O encontro aconteceu no dia 30 de setembro de 1884, como Nietzsche relata a Köselitz.

É estranha a sucintez com que a Sra. Förster relata em sua biografia o episódio Keller e também a ausência de referências nas cartas de Nietzsche. Apenas em 8 de setembro de 1887 Nietzsche menciona em uma carta a Köselitz que Gottfried Keller havia falado com ele sobre o jovem poeta Ferdinand Avenarius (1856-1923, irmão do professor de Filosofia Richard Avenarius), e na suposta carta de 25 de janeiro de 1888 à irmã ocorre uma referência à irmã de Gottfried Keller como "resmungona".

As cartas de Keller não mencionam o encontro com Nietzsche, mas isso pode ser explicado com o fato de Keller ter escrito pouquíssimas cartas a poucas pessoas, como os Exner em Viena, que não devem ter se interessado por Nietzsche.

Nesse encontro, Nietzsche era a única parte interessada. Gottfried Keller, nascido em 1819, era apenas um ano mais novo do que Jacob Burckhardt, seis anos mais novo do que Richard Wagner e o pai de Nietzsche, 25 anos mais velho do que Nietzsche, ou seja, um representante da "geração dos pais", aspecto este que deve ter se expressado também na aparência de Keller.

A veneração de Nietzsche por Keller vinha de longa data, pois no tempo da "Caverna dos Baumann" (1873) em Basileia os três residentes Romundt, Overbeck e Nietzsche se chamavam de "Die drei gerechten Kammacher" [Os três aprendizes justos], título de uma novela de Keller. É possível que o interesse de Nietzsche por Keller tenha sido despertado por Adolf Exner, o jurista importante da Universidade de Viena, que trabalhou como docente na Universidade de Zurique entre 1869 e 1872, iniciando aqui uma amizade vitalícia com Gottfried Keller. Foi com o Prof. Exner que Nietzsche fizera sua excursão para a "Tellsplatte" em Pentecostes de 1869, durante a qual ele fez uma primeira visita a Tribschen. Existia uma relação de respeito também entre Jacob Burckhardt e Gottfried Keller – dizer que se tratava de uma "amizade" seria um exagero. Jacob Burckhardt havia sido professor na Universidade de Zurique de outono de 1855 à primavera de 1858.

Estas podem ter sido duas vias pessoais que aproximaram Nietzsche do escritor Keller; mais decisivo foi, porém, como Nietzsche se aproximou de Keller a partir de sua obra. Ele deve ter se identificado sobretudo com "O verde Henrique", pois havia vivido episódios semelhantes. Nietzsche leu a obra em 1881/1882, ou seja, a segunda versão, na qual algumas passagens revisadas revelam a aventura amorosa frustrada com Marie Exner[143]. Ambos, Keller e Nietzsche, são muitas vezes equivocadamente rotulados como "misóginos". A ambos, porém, o destino negou a sorte amorosa, a Keller talvez de forma ainda mais cruel do que a Nietzsche. Mas Keller teve a felicidade de transformar seu último grande amor pela jovem austríaca Marie Exner, que entrementes se casara com o Prof. Von Frisch e se tornara mãe, em uma amizade cordial, que subsistiu até o fim. Cartas alegres e bem-humoradas eram trocadas entre Zurique e Viena. As paixões de Nietzsche, porém, fracassaram todas e terminaram em ruptura e até inimizade.

Antes de "O verde Henrique", Nietzsche já havia lido "O povo de Seldwyla". Apenas um ano após seu encontro com Keller, Nietzsche pediu que sua mãe lesse para ele a coleção de contos "Sinngedicht", publicada em 1881. Assim encontramos ao longo dos anos em cartas e anotações algumas referências precisas e serenas à obra de Keller.

A primeira impressão que Keller teve do jovem Nietzsche não foi tão serena assim. Incentivado por algo ou alguém – mais provavelmente Adolf Exner, que mantinha vínculos com ambos – Keller chegou a ler "David Friedrich Strauss" de Nietzsche. Em uma carta de 18 de novembro de 1873 ao crítico literário e biógrafo de Hegel Emil Kuh, Keller ataca de forma rude "o panfleto infantil do Sr. Nietzsche" e o "estilo de briga monótono". Chamou-o de "filólogo obcecado por Wagner e Schopenhauer que cultiva um culto próprio com pessoas igualmente obcecadas". Ele xinga o autor de "garoto especulador", de "arquifilisteu", que, "com a brochura sobre Strauss, [...] pretende criar um escândalo para chamar atenção, já que a profissão serena de professor lhe é entediante e lenta demais". No que diz respeito à sua agulhada contra os wagnerianos, precisamos lembrar que Keller mantinha um vínculo com Brahms por meio de seus amigos de Viena. Na avaliação tardia de suas primeiras obras ("O nascimento da tragédia" e a primeira "Consideração extemporânea"), o próprio Nietzsche chega a reconhecer em uma carta de 25 de julho de 1888 a Carl Spitteler: "A primeira medida para chamar a atenção da 'sociedade' é, logo após a chegada, um *duelo* – afirma Stendhal. Eu não sabia disso, mas foi o que fiz"[124].

Felizmente, Nietzsche jamais soube dessa primeira avaliação de Keller. Assim, sentiu-se completamente livre para enviar ao poeta em setembro de 1882 a sua "Gaia ciência". Em junho de 1883, Nietzsche lhe envia também a primeira parte do Zaratustra. A Sra. Förster, como editora das cartas, supõe que Nietzsche se sentiu encorajado a fazer isso após receber uma resposta amigável em reação à "Gaia ciência" e lamenta a perda da carta. Gottfried Keller acrescenta ao convite para a visita: "Agradeço-lhe pelo Zaratustra nesta ocasião; pois eu não sabia para onde enviar meu agradecimento por esta e uma remessa anterior". Keller, porém, conhecia o endereço, e sua carta em reação à "Gaia ciência" não se perdeu, mas foi ocultada pela Sra. Förster, pois não era "amigável", mas irônica e distanciada. Em nenhum lugar lemos que Nietzsche lhe enviou também as outras partes do Zaratustra. Em 14 de outubro de 1886 lhe anuncia pela última vez a remessa de um livro, "Além do bem e do mal": "Entrementes permito-me cultivar um velho costume de enviar-lhe meu último livro; pelo menos foi a instrução que dei ao meu editor C.G. Naumann. Talvez este livro com seu conteúdo cheio de pontos de interrogação não corresponda ao seu gosto; mas talvez goste de sua *forma*".

Como os dois interagiram em seus passeios certamente não tão numerosos em outubro de 1884? A imagem deve ter sido curiosa. O Sr. escrivão Keller era baixo – mais ou menos 1 metro e meio de altura –, gordo, com passo lento e pesado. Nietzsche era pelo menos uma cabeça mais alto do que ele, tinha uma pele bronzeada pelo sol das montanhas e estava em boa forma graças às suas longas caminhadas diárias.

E sobre o que os dois podem ter conversado? Em sua juventude, Keller havia sido influenciado por um único filósofo, que Nietzsche também conhecia: Ludwig Feuerbach. Portanto, devem ter concordado em sua avaliação dos "padres e pastores". De resto, porém, as diferenças eram enormes! Keller era uma figura conhecida na cidade inteira, era venerado e amado (por ocasião de seu 50º aniversário, recebeu o título de *Doctor honoris causa* da Universidade de Zurique). A cidade se orgulhava desse poeta reconhecido em todas as regiões germanófonas, que havia servido à cidade como escrivão durante 15 anos. Nietzsche, por sua vez, era o "eremita de Sils", um *fugitivus errans*, venerado por poucos, odiado por muitos, sem contatos, sem comunhão verdadeira.

Maiores ainda eram as diferenças entre suas naturezas. Keller era um homem visual. Em sua juventude, a pintura ocupara a mesma posição como a música na vida de Nietzsche. Keller, porém, não apreciava a música erudita. As visões poéticas de Keller são, portanto, *visões* – como em Goethe –, suas imagens podem ser imaginadas visualmente, suas descrições de paisagens podem ser recriadas por um pintor – ou seja, justamente aquilo que faltava às visões de Nietzsche. Keller é um poeta realista, seus sentidos estão voltados para "este mundo", suas figuras são vivas, foram estudadas na vida. Nietzsche, por sua vez, se entrega – sobretudo no Zaratustra – a visões, fantasmas, ele constrói seres, modos de conduta e projeta sua própria problemática para além de seu mundo.

Mesmo assim, Gottfried Keller, o observador e conhecedor do ser humano, deve ter reconhecido o aspecto extraordinário em Nietzsche e certamente o tratou com respeito. Caso contrário, não o teria convidado para o círculo de leitura de Zurique, para uma associação literária exclusiva. Quando Joseph Victor Widmann lhe enviou o "Prometeu", de Spitteler, em 1881/1882, ele disse: "Preciso primeiro acostumar-me com esse canto misterioso e maravilhosamente ingênuo". Mas com o tempo se cansou do "caráter apocalíptico e um pouco sofista"[34]. Keller deve ter pensado o mesmo sobre Nietzsche. A veneração não era recíproca, mas subsistiu!

***Intermezzo* musical**

O outro objetivo de Nietzsche em Zurique era fazer algo pelo compositor Peter Gast, seu fiel amigo Köselitz, após este sair de seu ninho em Veneza.

Em 22 de junho, Köselitz viajou para Dresden para se encontrar com Ernst Schuch (1846-1914). Em 1871, Schuch havia sido mestre de capela em Basileia; é, portanto, possível, que Köselitz o escolheu em virtude de seu vínculo com Nietzsche. Em 1872, Schuch se mudou para a *Hofoper* em Dresden, onde permaneceu até sua morte. Em 1882, tornou-se diretor da ópera; em 1889, diretor musical geral. Mais tarde, tornou-se famoso com apresentações de estreia de obras de Straus (Feuersnot, Salome, Elektra, Rosenkavalier); em 1897 o imperador da Áustria o elevou ao estado de nobreza hereditária.

Köselitz já havia procurado Schuch em 1883, com a partitura de sua obra "Scherz, List und Rache" [Brincadeira, astúcia e vingança], e Schuch o recebera de forma amigável. Na época, a apresentação foi impedida pela opinião de Nikisch – Köselitz reconhece abertamente que esta foi justa, pois a instrumentação era pouco elegante, impossível e até mesmo inexecutável. Agora, no final de junho de 1884, Köselitz lhe apresentou a partitura de sua ópera "Matrimonio segreto". Schuch pediu um texto em alemão e uma redução para piano. Então, Köselitz voltou para a cidade paterna de Annaberg, onde passou a transpor o texto para o alemão. No final de agosto, ele retorna para Dresden e acredita que sua ópera seja aceita, agora intitulada de "Der Löwe von Venedig" [O leão de Veneza]. Mas ele sabe também das imperfeições de sua primeira ópera e aposta nos conhecimentos de Schuch. "Ele é um monstro do gênero [...] possui gosto, graça e fogo, e uma visão aguçada para piadas, efeitos e tudo que cativa [...]. Ele é o homem ideal para estreias. Ele reconhece imediatamente quando uma passagem precisa ser abreviada, o que precisa ser excluído etc." Mas essa tentativa também terminará com uma decepção.

Simultaneamente, Nietzsche começa a agir em prol de seu maestro Peter Gast. Ainda em Sils, ele lhe escreve em 20 de setembro: "Reativei o meu contato com o mestre de capela Hegar em Zurique e gostaria de convencê-lo de uma apresentação de 'Scherz, List und Rache' [...]. Trata-se de uma tentativa: caso não consiga nada, aprendemos o que já sabíamos – nada estaria arruinado, tudo permaneceria igual". O próprio Köselitz, porém, não acredita mais em "Scherz, List und Rache". Ele prefere o "Leão de Veneza", mas desconfia também dele. Por isso, lança a sorte, e esta responde com um "sim", e Köselitz lhe envia a partitura. Ela chega em Zurique em 29 de setembro, no dia 30 já está com Friedrich Hegar, como Nietzsche relata para Dresden: "Se existisse uma partitura para orquestra, eu poderia ouvi-la já nos próximos dias, pois Hegar transforma o outono em festa, quer apresentar a Arlésienne para mim e o que eu quiser, *privatissime*, na *Tonhalle*. Além disso, convenceu também o Sr. Freund, aluno de Liszt, um velho conhecido meu, a tocar algumas coisas para mim".

Nietzsche acreditava firmemente na qualidade da música de seu amigo e aparenta ter conseguido algum sucesso com o ímpeto típico de uma convicção desimpedida. Nietzsche encomendou a transcrição da abertura para orquestra, "que me custou não mais do que 21 francos. Estranho! Impossível investir melhor o seu dinheiro", ele confessa à irmã, e finalmente consegue uma apresentação particular na *Tonhalle* de Zurique em 18 de outubro de 1884, definindo assim a data da estreia. Nietzsche havia perdido o primeiro ensaio em 14 de outubro devido à partida da irmã.

Mas a fé de Nietzsche em "seu" maestro não conseguiu convencer a todos, nem mesmo seus seguidores mais fiéis. Resa von Schirnhofer relata um encontro ocorrido nesses dias: "Encontrei o Prof. Freund [...] em sua companhia, com o qual ele acabara de se reunir para tratar de uma apresentação do 'Leão de Veneza' de Gast. Já antes, mas nesta ocasião em especial, Nietzsche falou com o entusiasmo de sua alma musical sobre a criação de seu amigo, cuja graça e riqueza melódica ele elogiou sem fim. No entanto, não conseguiu despertar meu interesse, pois falou demais contra Wagner. O que, porém, me contou sobre Hugo Wolf – 'conterrâneo da senhorita', como ressaltou – me cativou, pois ele foi o primeiro que me falou desse gênio musical com admiração, ignorante do futuro e de como seus destinos se pareceriam".

Hegar também encontrou vários motivos para criticar a obra de Gast (Nietzsche havia apresentado Köselitz apenas com seu pseudônimo). Após o primeiro ensaio em 14 de outubro de 1884, Nietzsche relata a Köselitz[121]: "À tarde, estive com ele, e ele me disse o quanto desejava que você estivesse aqui! Falou com grande simpatia e benevolência sobre nós dois. 'Muito talento' – e outras coisas óbvias. Porém – pois existe um 'porém' – não se cansa de expressar a grande necessidade de você trabalhar com uma grande orquestra (ele encontra no quesito da instrumentação sempre a contradição entre a fineza das intenções e o 'equívoco dos meios', e o demonstra com exemplos. Falou sobre sua 'orquestra imaginária' e também sobre o fato de que você recorre excessivamente a determinados efeitos de tonalidade etc. etc. Isso me apertou o peito; disse que sua música soa totalmente diferente daquilo que você imagina e que você se surpreenderia se a ouvisse". E Köselitz responde: "A abertura foi escrita posteriormente e, como música puramente instrumental, é fortemente orquestrada: eu *quero* invadir a casa derrubando a porta. Nela ocorrem os maiores *forti* da obra".

Hegar, nascido em 1841 em Basileia, recebeu sua formação em Leipzig, entre 1857 e 1861, e se tornou primeiro-violino em Zurique. A partir de 1865, foi o principal músico de Zurique. Após as estreias dos prelúdios do "Tristão" (5 de março de 1867) e dos "Cantores mestres" (12 de janeiro de 1869) na Suíça[84], Wagner acreditava poder contá-lo como um dos seus. Ele o convidou para as noites de quarteto em Tribschen, onde Wagner ensaiava quartetos de Beethoven com músicos de Zurique. Nessas ocasiões, Hegar participou algumas vezes como primeiro-violino. E foi aqui que Nietzsche o conheceu (cf. vol. I, p. 315). Mais tarde, Hegar se distanciou cada vez mais de Wagner e criou amizade com Brahms.

Essa mudança não afetou seu relacionamento amigável com Nietzsche, nem mesmo quando este lhe mandou sua infeliz "Meditação de Manfredo" (cf. vol. I, p. 459). Assim, voltou a fazer-lhe um favor, ensaiando – a despeito de suas críticas – a abertura do "Leão" e oferecendo a Nietzsche alguns outros deleites musicais, como o *adagietto* em dó maior para cordas da Arlésienne, de Bizet*. Ambos nutriam uma simpatia um pelo outro e o respeito mútuo era grande. Isso explica como Hegar – a despeito de todas as ressalvas (justificadas) ao talento de Köselitz – pôde fazer uma oferta que Nietzsche encaminha para Köselitz em 22 de outubro: "Ontem, Hegar me [...] sugeriu que você passasse o outono aqui – ele lhe cederia de todos os seus ensaios meia hora, para que você dirigisse a orquestra e ensaiasse e apresentasse suas obras". Isso correspondia a um desejo profundo de Köselitz. Ele fez suas malas imediatamente e chegou em Zurique em 29 de outubro. Hegar permitiu que, em 7 de dezembro de 1884, em um concerto de sua associação de canto "Harmonie", Köselitz dirigisse a abertura de seu "Leão". Overbeck, que havia vindo para Zurique só por causa dessa apresentação, relata a Nietzsche em 21 de dezembro: "Finalmente cheguei a ouvir a abertura de Köselitz [...]. A música me parecia de uma ingenuida-

---

* Hegar dirigiu a orquestra da *Tonhalle* de Zurique até 1906, até 1914 atuou como diretor da escola de música de Zurique, fundada por ele em 1876. Faleceu em 2 de junho de 1927 em Zurique.

de muito rara e soava bem [...]. O público gostou da música, e eu tive a alegria de ver como meus aplausos se perderam entre os muitos outros. [...] Köselitz dirigiu a orquestra pessoalmente, mas me disse que sua peça teria ficado ainda melhor sob a direção de Weber ou Hegar. É possível que ele seja introvertido demais para ser um bom maestro. [...] Confirmo, porém, seu mérito de ter tirado Köselitz de Annaberg e tê-lo trazido para um ambiente mais favorável à sua arte. [...] Köselitz se mostrou muito satisfeito com seu convívio com os músicos de Zurique".

Nietzsche, porém, não ficou tão satisfeito com seu amigo Köselitz durante os poucos dias de convívio em Zurique. Em 30 de outubro ele confessa à mãe[121]: "Consegui hospedar Köselitz num lugar lindo (na mesma casa em que moram também Helene Druscowitz e sua mãe) e o convenci a almoçar com as senhoritas Willdenow, Blum e Correl e outras mulheres – para o seu bem – pois seus modos são excessivamente plebeus, e ninguém sabe quanto me custa conviver com esse corpo e espírito trôpego".

A maioria dessas damas era composta por estudantes de Zurique, provenientes do círculo de Meta von Salis e Resa von Schirnhofer. Nietzsche acreditava ter encontrado outra seguidora na Srta. Dra. Helene Druscowitz, as conversas com essa mulher com formação filológica eram interessantes. Em 22 de outubro de 1884, ele escreve à irmã: "À tarde, fiz um longo passeio com minha nova amiga Helene Druscowitz, que mora com sua mãe a poucas casas da Pensão Neptun: entre todas as mulheres que conheci, ela é aquela que se ocupou com meus livros com a maior seriedade. Sugiro que leia seus últimos escritos [...]. Acredito que seja uma criatura nobre e reta, que não faria mal algum à minha 'filosofia'. Leia também as novelas da minha admiradora berlinense, a Srta. Glogau: os críticos elogiam muito sua 'fineza psicológica'".

Essa Bertha Glogau – nascida em 22 de outubro de 1849 em Königsberg – havia sido criada e formada em Berlim e publicou já aos 23 anos de idade ensaios e novelas notáveis, mas, seguindo um conselho do pai, interrompeu suas atividades para retomá-las apenas após longas viagens ao exterior. Em 1880 e 1883 publicou suas novelas mais maduras[18]. Sua veneração, mencionada na carta de Nietzsche, parece ter sido algo passageiro, pois Bertha Glogau desaparece rapidamente do campo de visão de Nietzsche. No entanto, esse episódio demonstra o desejo tão profundo de Nietzsche de criar um círculo de seguidores que acredita ter conquistado uma "admiradora", chegando até a recomendar suas novelas – que ele não conhece –, obras estas que não deixaram marcas na história da literatura.

No caso de Helene Druscowitz, Nietzsche se enganou completamente, um ser estranho, que ainda lhe causaria muitas irritações. Ela nasceu em Viena, em 2 de maio de 1856[278]*, e já em 1873 encerrou sua formação escolar com o *abitur* e exames finais no conservatório de Viena. É provável que tenha sido esse forte componente musical em combinação com o jeito descontraído vienense que o atraiu. Em Zurique, ela estudou filosofia, filologia clássica, arqueologia, ciências orientais, germanística e línguas modernas. Já aos 22 anos de idade, em 1878, completou seu doutorado em Zurique. Helene Druscowitz era, como muitas estudantes daquela época, vinculada ao movimento feminista, fundou as revistas feministas "Der heilige Kampf" [A luta sagrada] e "Der Fehderuf" [O grito de guerra] (hoje, seus ataques desmedidos ao mundo masculino só podem ser lidos como textos cômicos), se ocupou com Kant e Schopenhauer, Herbert Spencer e também Paul Rée. Com preleções e palestras em Viena, Zurique e Basileia, em viagens pela França, Itália, Espanha e pelo norte da África, ela desenvolveu uma atividade frenética, autodenominando-se de "doutora da sabedoria mundial", publicou sob diversos pseudônimos (Adalbert Brunn, H. Foreign, E. René, H. Sackorausch), perdeu-se em problemas do misticismo e acabou morrendo em loucura, descrita por Meta von Salis já em 1897, em 31 de maio de 1918 em Mauer/Ohling (Baixa Áustria).

Quando Nietzsche conheceu Helene Druscowitz em 1884, ela já havia escrito a tragédia "Sultan und Prinz" [Sultão e príncipe] (1882) e ocupava-se atualmente com poetas ingleses, "entre eles a Eliot, que ela venera profundamente; e um livro sobre Shelley. Agora, está traduzindo [...] Swinburne", Nietzsche escreve em 22 de outubro de 1884 à irmã. Um tema muito atual para Nietzsche (já mencionamos os rastros de Shelley no Zaratustra)! "Ele [...] se expressou de forma favorável sobre sua ocupação com os poetas ingleses", lembra-se Meta von Salis[212]. E também suas problemáticas filosóficas devem ter fornecido temas para conversas interessantes: perguntas da metafísica e sobretudo do livre-arbítrio, que haviam ocupado uma posição de grande destaque nos primeiros escritos de Nietzsche. Os escritos posteriores de Helene Druscowitz também giram em torno desses temas: "Moderner Versuch eines Religionsersatzes" [Tentativa moderna de um substituto de religião] (1886) (o título visa ao Zaratustra de Nietzsche, e a tentativa é considerada fracassada), "Wie ist Verantwortung und Zurechnung ohne Annahme der Willensfreiheit möglich?" [Como falar de responsabilidade sem o pressuposto do livre-arbítrio?] (1887), "Zur neuen Lehre" [Sobre o novo ensino] (sobre a instauração de uma visão extrarreligiosa do mundo) (1888/1889), "Eugen Dühring" (publicado em 1889/1890), "Der freie Transzendentialismus oder Die Überwelt ohne Gott" [O transcendencialismo livre ou O além-mundo sem Deus] e "Ethischer Pessimismus" [Pessimismo ético] (1903).

---

* Não em 1858, como informam os léxicos.

Na discussão sobre o livre-arbítrio, Helene Druscowitz se opõe fortemente a Kant e Schopenhauer e parte de uma sentença de Paul Rée: "Posso fazer o que eu quiser"; ou seja, apenas aquilo que "quero", o que *posso* querer, levantando a pergunta sobre a origem desse poder. Aqui se encontra a ausência de liberdade. Helene Druscowitz, porém, não vê as *causae* éticas como arraigadas na transcendência, mas em um nível mais próximo, nas "potências da natureza", que ela pressupõe como *a priori*, sem origem causal. Disso resulta para ela um tipo de "ordem moral do mundo", um bem e um mal absolutos, que o ser humano pode conhecer e, de fato, conhece. Sua responsabilidade reside nesse conhecimento do bem e do mal. É impossível não reconhecer a pontada contra Nietzsche. Ela encerra suas reflexões com as palavras: "Mas quem acredita que precisamos nos contentar com a contemplação da atividade humana *sub specie necessitatis*, [...] (este não entende a voz da natureza), este não reconhece o propósito que a natureza tenta realizar com todas as suas forças, mesmo que, às vezes, escolhendo e aplicando os meios de forma inadequada".

Uma análise mais profunda e detalhada mostraria se a escolha de temas, de títulos e de posições filosóficas foi – ou não – influenciada consciente ou inconscientemente por um forte senso de concorrência no sentido de uma continuação do trabalho de Nietzsche ou de uma polarização em relação a este*. O que importa para nós é que Nietzsche, aparentemente, o interpretou dessa forma e se entristeceu com isso. No entanto, expressa sua irritação apenas uma única vez e apenas de forma bem sucinta numa carta a Carl Spitteler de 17 de setembro de 1887[121]: "A pequena vaca literária Druscowitz é tudo menos minha 'aluna'". Lembrando-se de suas conversas com Nietzsche, Meta von Salis descreve como ele reagia "quando uma pessoa que ele conhecia pessoalmente o julgava de forma indevida. Isso feria sua sensibilidade profundamente como forma negativa de um parasitismo espiritual. Esse caso ocorreu quando a Dra. Helene Druscowitz o atacou de forma superficial e sem quaisquer escrúpulos em sua 'Tentativa de um substituto de religião'". Nestes dias descontraídos de outubro, porém, nada disso interferiu. Graças a Hegar, Nietzsche fez outras amizades musicais: com o pianista húngaro Robert Freund (1852-1936), aluno de Moscheles, Tausig e Liszt, desde 1875 em Zurique, professor na escola de música; e Eugen d'Albert (1864-1932), que se destacava principalmente com suas interpretações de Beethoven**.

---

* Em vista da "importância" de Druscowitz, permanece em aberto a pergunta se isso valeria a pena.

** De suas muitas composições, a mais bem-sucedida foi a ópera "Tiefland".

Com tudo isso, a musa ofereceu a Nietzsche grandes alegrias, mas no fundo se manifesta também a mágoa da decepção: "Os pianos de Eugen d'Albert e Freund me mimaram tanto que já não consigo mais ouvir meu amigo Köselitz tocar", ele escreve em 30 de outubro de 1884 à mãe[121].

Além disso, durante os últimos dias em Zurique, surgem no horizonte as nuvens escuras de outro tipo:

Preocupações editoriais

que não se resolverão e que levarão Nietzsche a financiar a publicação de seus últimos escritos com seu próprio dinheiro.

As tensões vinham de ambos os lados, mas por razões completamente diferentes. A Editora Schmeitzner participava cada vez mais da agitação antissemita. Nietzsche viu isso como ameaça para si mesmo e sua obra, pois ele, como autor da editora, poderia facilmente ser identificado com a posição desta. Schmeitzner, por sua vez, enfrentava dificuldades financeiras e estava quase falido. Nessa situação, queria livrar-se de seu autor pouco rentável. Já em 4 de outubro, Nietzsche observa em uma carta a Overbeck: "Schmeitzner pretende vender-me por 20 mil marcos, mas não consegue encontrar ninguém corajoso o bastante para me assumir". E em 30 de outubro: "Entrementes, compreendi que preciso remir os meus escritos o mais rápido possível, i.e., Schmeitzner precisa ser obrigado a vendê-los agora. (Afinal de contas, preciso, ainda em vida, de discípulos: e se meus livros não servirem como anzóis, eles 'escolheram a profissão errada')". Deparamo-nos já aqui com a imagem do anzol do primeiro capítulo "A oferta do mel" na quarta parte do Zaratustra!

E também à mãe ele escreve nesse sentido no mesmo dia: "No que diz respeito ao [...] problema Schmeitzner, quero que meus escritos sejam retirados o mais rápido possível de suas mãos; e visto que um processo iniciado contra ele o obriga a vender os escritos, desejo que nosso tio* tome os passos necessários. Não pretendo responder à carta que acabo de receber de Schmeitzner: ele não fez nada daquilo que pedi e nem prestou contas, dizendo que faria isso no ano-novo. – Quero que Schmeitzner tente vender meus livros, por exemplo, ao editor Oppenheim (editor de Karl Hillebrand e da Srta. Druscowitz)". Nietzsche deseja se unir a Helene Druscowitz na mesma editora! O que isso significa pode ser visto se analisarmos o que significava essa simbiose editorial com Overbeck na editora de Schmeitzner ou com Wagner na editora de Fritzsch!

---

* Conselheiro Dächsel em Sangerhausen.

Desfecho

Na carta à mãe de 30 de outubro, o dia de sua partida, ele faz um resumo dessas cinco semanas positivas e favorecidas pelo clima ameno: "Agora, acabaram-se as minhas férias e creio ter reunido novas energias para voltar a me dedicar às minhas tarefas. Não sem temor e tremor – mas é *necessário*".

Sua tarefa o chama, sua filosofia, que, neste verão, ele vislumbrou como um "todo monstruoso". Ele vê como sua missão elaborá-la na forma de uma "obra principal". Por isso, despede-se de Zurique em 31 de outubro de 1884, da cidade que lhe oferecera tanto calor humano, e retorna para sua solidão gélida no sul. Isso também é um paradoxo verdadeiramente nietzscheano, que lança luz sobre a ambiguidade de sua existência.

IX

Zaratustra se esgota

(novembro de 1884 a junho de 1885)

Os dias de férias ensolarados de Zurique haviam sido uma tranquilidade traiçoeira. Em Nietzsche nascia uma nova obra. Os esboços e as anotações desse tempo, que finalmente viriam a se concretizar na quarta parte do Zaratustra, são muitas vezes mais volumosos do que a obra que resulta desse semestre de inverno. Foi uma sorte para Nietzsche que esse processo de criação tão difícil não foi afetado ou inibido por distrações externas. O decurso externo dos meses passados na residência de inverno na Riviera, do qual Nietzsche se despediu apenas em 9 de abril de 1885, apresenta poucas ocorrências e pode ser narrado rapidamente.

Mentone

O primeiro destino de sua viagem era Mentone. Próxima da fronteira italiana, ainda sob influência cultural italiana, mas já em solo francês, em proximidade imediata de Monte Carlo e Mônaco, a meros 25km de Nice, essa cidade rural oferecia a paisagem ideal para o Zaratustra: mar e montanhas. De acesso rápido e fácil, os promontórios dos Alpes ofereciam uma visão que, num dia ensolarado, se estendia até as praias da Córsega, a ilha dos sonhos de Nietzsche.

Após uma viagem complicada ("4 trocas de passagem, 3 trocas de trem, 2 passagens vergonhosas pela aduana"), Nietzsche chegou a Mentone no dia 2 de novembro de 1884 e pagou pelas excitações e dificuldades da viagem com um ataque, que durou três dias. Encontrou "um escritório lindo, semelhante ao de Zurique, voltado para o sol. Mas a casa está praticamente vazia e a alimentação é miserável (pequenos pedaços de carne, que não me fazem bem). Se isso não melhorar, voltarei para Nice, onde me dão a comida que peço, preparada com pouca gordura – aqui, porém, cozinham como se estivessem em Württemberg. [...] De resto, porém, no que diz respeito à paisagem, Mentone me é muito mais simpático do que Nice – mais calmo, mais grandioso, as montanhas e os campos estão mais próximos, de forma que não preciso fazer primeiro uma caminhada de 40 minutos como em Nice para alcançar o campo aberto. [...] Quanto aos efeitos do mar e do céu: Sinto-me como se, desde a minha partida de Nice na primavera, sempre tivesse estado doente, com exceção das semanas passadas em Zurique, onde o céu e os homens se uniram para me agradar" (14 de novembro de 1884 em uma carta à mãe). E apesar de escrever à irmã: "Mentone é maravilhoso comparado com Nice. Já descobri 8 passeios", ele se sente atraído pela Córsega tão próxima. Ele envia Paul Lanzky para fazer um reconhecimento, e o próprio Nietzsche entra em contato com a dona de uma pensão em Ajaccio e relata para casa (provavelmente em 19 ou 20 de novembro): "Ao mesmo tempo, escreveu-me a Sr. Dra. Müller, dona da 'pensão suíça' em Ajaccio, aceitando minhas sugestões. Também uma longa carta da Srta. Resa de Paris, que, creio eu, pretende me visitar na Córsega", e isso alegra Nietzsche, pois "preciso de pessoas descontraídas em minha volta. É uma pena eu não ter ido para Paris". Entrementes, a solidão e o isolamento de Mentone lhe causava mais sofrimento do que felicidade. Após três semanas, já pretende abandonar a cidade. "Não posso deixar escapar essa oportunidade extraordinária de visitar a Córsega. Pretendo primeiro voltar para Nice e ver se a cidade continua a ter o mesmo efeito curador. Assim que eu estiver recuperado, veremos".

Mas até mesmo a Ilha de Córsega passa a assombrá-lo, ele teme um novo isolamento na ilha inóspita. Em 28 de novembro, informa sua mãe sobre suas decisões definitivas: "Estou esgotado hoje – Córsega se resolveu: – O Sr. Lanzky voltará de lá e passará o inverno comigo em Nice, na mesma pensão. (Resultado de cartas e telegramas.) Quero e devo insistir em Nice, para o bem de minha futura 'colônia', que agora me parece possível (pessoas simpáticas, às quais posso apresentar a minha filosofia). Sozinho, como aqui ou na Engadina, eu adoeço o tempo todo. Entre Nice e Mentone existe uma diferença de umidade: sou um animal fino".

Nice, inverno de 1884-1885

Nos primeiros dias de dezembro, Nietzsche está de volta em sua Pension de Genève, petite rue St. Etienne, onde reencontra seus velhos conhecidos: em 5 de dezembro chega – chamado por telegrama – o fiel Paul Lanzky, e também o velho General Simon se hospedou na pensão. Mas Nietzsche não encontra a comunidade de "homens superiores", diante da qual ele poderia ter desdobrado a sua filosofia. Tampouco encontra a distração tão necessária em seu círculo mais próximo. Sobre

Paul Lanzky, ele se queixa já após três semanas (em 21 de dezembro numa carta à mãe e à irmã, repetindo a mesma queixa no início de janeiro: "[...] Uma pessoa atenciosa e muito leal – mas é a velha história: quando preciso alguém que me entretenha, eu acabo entretendo. Ele se cala, suspira, tem a aparência de um sapateiro e não sabe rir nem ser espirituoso. Insuportável com o passar do tempo". Ele repete essa queixa numa carta a Overbeck e acrescenta: "Prefiro outro bobo da corte"[121]. Nem mesmo a publicação de um ensaio sobre Nietzsche em alguma revista húngara obscura melhora a situação, pelo contrário. "Não tive outra opção senão tomar a mesma medida que já tomara com o Sr. Dr. Paneth no ano passado, também um grande admirador meu: ou seja, obrigá-lo a não escrever sobre mim. Não tenho qualquer intenção de criar outros Sousas e Silvas ao meu redor – e prefiro mil vezes a minha solidão ao convívio com espíritos medíocres".

Nietzsche não tinha mais um interlocutor à sua altura. Por isso, era grande o perigo de ser comercializado por marqueteiros. E já havia experimentado amargamente em 1876, em Bayreuth, como isso pode destruir uma grande ideia. O fato de Wagner ter se entregue a um Hans von Wolzogen, Nohl, Kohl e a outros Silvas e Sousas, que o "venderam" nas feiras do povo comum, foi um fator importante no distanciamento de Nietzsche.

Felizmente, ele não teve que vivenciar como ele mesmo cairia em mãos muito piores e como seus livros seriam usados como instrumentos de criminosos políticos. Suas conclusões – decorrentes da experiência de Wagner – expostas no capítulo "Das moscas do mercado", na primeira parte do Zaratustra, não conseguiram protegê-lo após a morte. "Onde termina a solidão, começa o mercado; e onde começa o mercado, começa também o barulho dos grandes atores e o zumbido das moscas venenosas [...]. Pouco entende o povo o grande, que é: aquilo que cria. Tem senso, porém, para todos os apresentadores e atores de coisas grandes [...]. Foge, meu amigo, para a tua solidão: Vejo-te picado por moscas venenosas. Foge para onde sopra o ar forte e rude!"

É exatamente aqui, porém, que começa o conflito irresolúvel de Nietzsche: ele não suportava a solidão, sempre voltava a procurar o compromisso da mediocridade. Assim, nos meados de janeiro de 1885, a despeito de todas as ressalvas, ele enviou Paul Lanzky para St. Raphael com a missão de explorar a possibilidade de uma estadia, com o mesmo "sucesso" de Córsega, ou seja, com a decisão de permanecer em Nice, por menos que simpatizasse com "a cidade barulhenta dos franceses" com a confusão de carruagens em suas avenidas. "No fundo, abomino a cidade de Nice, assumo uma postura defensiva e faço de conta como se não existisse: o que me importa são o ar e o céu de Nice", ele confessa a Overbeck já em 22 de dezembro. Mas o céu também não coopera muito dessa vez. O tempo é ruim, e a saúde de Nietzsche sofre. Em uma carta à mãe, provavelmente de 21 de janeiro, ele escreve: "Estou sempre doente. Esta noite entrei em desespero e não soube o que fazer. Inverno também aqui. Hoje está nevando – como já nevou ontem. Estamos dois graus abaixo de zero. O efeito de um céu nublado indescritível. A temperatura está 20 graus abaixo daquilo que me faz bem. Os médicos de Nice afirmam que, neste inverno, todos os pacientes com doenças crônicas sofrem mais do que em outros anos. [...] Eu gostaria de passar um verão em um lugar *vizinho* (a 1.000 ou 1.200m acima do mar), visto que nenhum lugar na Europa consegue concorrer com o céu da Provença nem mesmo no verão. Mas existem outras razões que me levam ao norte".

Os olhos estão num estado deplorável. "Manchas, visão fosca e também lágrimas. Não poderei voltar para Nice: o perigo de ser atropelado é grande demais. À mesa, precisam preparar meu prato, já prefiro não comer em companhia neste estado" (a Overbeck, em 31 de março de 1885).

Problemas financeiros

E surgiu outra preocupação bem diferente. Os seis anos desde sua desistência do emprego na Universidade de Basileia, para os quais as autoridades e instituições haviam concedido uma pensão, estavam chegando ao fim. Mas este problema estava sob os cuidados de Overbeck. O quanto ele contribuiu para uma resolução favorável desse problema, o amigo não revela. Sabemos apenas o que ele mesmo relatou a Nietzsche em 28 de março. Podemos supor que isso não se deu automaticamente, e certamente os cidadãos de Basileia, famosos por sua contabilidade e economia rígida em tempos econômicos difíceis, precisaram de algum incentivo para demonstrar sua generosidade. Tanto maior foi a surpresa de Nietzsche ao receber a notícia de Overbeck: "O conselho autorizou em sua última reunião os mil francos do fundo de Heusler para este ano e sem dúvida continuará a fazer o mesmo nos próximos anos. A sociedade acadêmica autorizou novamente para três anos mil francos. No que diz respeito à contribuição do Estado, a situação infelizmente permaneceu a mesma desde meu último relato. No próximo 1º de julho, porém, você receberá os 500 francos costumeiros".

O conflito com Schmeitzner, porém, se arrasta como uma doença. Ainda em 31 de março, Nietzsche constata em tom de resignação: "Não ouço novidades do processo contra Schmeitzner. Ele mesmo havia estabelecido o último 1º de janeiro como prazo, mas novamente deixou-o passar sem mexer um dedo. – O que mais quero é tirar de suas mãos e, assim, também da 'publicidade' as três primeiras partes do Zaratustra, talvez isso seja possível". No entanto, este é apenas um lado do problema com o editor, pois ele continua: "Evidentemente, não encontrei um editor para a quarta parte do Zaratustra. Bem, eu estou satisfeito e até vejo isso como nova fortuna. Quanta vergonha tive que superar com todas as minhas publicações! Quando um homem como eu faz o balanço de uma vida profunda e oculta, isso se destina apenas aos olhos e às consciências das pessoas mais seletas. Bem, tenho tempo. Meu desejo de encontrar alunos e herdeiros por vezes me deixa impaciente e, aparentemente, tem me levado a cometer algumas tolices nos últimos anos, que chegaram a ser perigosas. No fim, o incrível peso da minha tarefa me devolve o equilíbrio: e sei muito bem o que preciso fazer em primeiro lugar!" – "Uma luz me nasceu: não é ao povo que Zaratustra se dirige, mas aos companheiros! Zaratustra não deve se transformar em pastor e cachorro de um rebanho!

Vim para atrair muitos para longe do rebanho". (*Zaratustra*, prefácio, § 9.) O conflito com Schmeitzner – pouco mais do que uma disputa jurídica banal – e a vã tentativa de encontrar outro editor são coisas que podem acontecer com qualquer autor. No entanto, trazem à tona um conflito profundo em Nietzsche, uma crise de autoconfiança, de confiança em si e em sua obra.

Apenas ao amigo ele permite vislumbrar de relance esse problema que o corrói.

Preocupações com Heinrich Köselitz

O interesse de Nietzsche pela sorte de Köselitz permaneceu igualmente no campo de tensão entre esperança e decepção. Após o concerto bem-sucedido de 7 de dezembro em Zurique, Nietzsche acreditava que ele estava em boas mãos e de bom ânimo. Acreditava que Köselitz se firmaria em Zurique e que, partindo de lá, construiria sua carreira como compositor. Nietzsche se viu confirmado por meio de uma carta de 15 de fevereiro de 1885, na qual Köselitz lhe anuncia os planos para uma nova ópera: "Orpheus und Dionysos" [Orfeu e Dioniso], apresentando logo também um esboço detalhado da trama em três atos. Nietzsche espera um mês para responder. Em 21 de março, escreve: "Seu 'Orfeu' me deixou melancólico e ansioso. [...] Que invenção *maravilhosa*!" Essa "melancolia" transmite também uma leve decepção. Ainda de Mentone, em 22 de novembro, Nietzsche havia enviado a Köselitz o seu "Cântico de dança" ('Ao Mistral'), esperando inspirá-lo para uma composição orquestral orgiástica. "Algo que pertença a você, quando despertar aquela grande dança orquestral sublime e descontraída que ainda dorme em você – uma dança para a grande orquestra, que saiba rugir e soprar!" Mas nada veio, e em 15 de fevereiro Köselitz se vê obrigado a confessar: "O sul terá que me inspirar para o hino ao Mistral. Não gosto de nenhuma das ideias musicais que tive aqui (em Zurique)". Para Nietzsche, a decepção maior ocorreu quando, em meados de março, Köselitz voltou para seu velho esconderijo em Veneza, do qual Nietzsche acreditava ter libertado seu amigo, esperando poder visitá-lo em Zurique na primavera, para apoiá-lo moralmente em seus novos caminhos. Os amigos foram surpreendidos por essa virada inesperada. Overbeck escreve em 28 de março: "Você continua determinado a passar um tempo em Zurique, mesmo após o desaparecimento súbito de Köselitz? Confesso que o cartão que, 14 dias atrás, na véspera de sua partida, me informou sobre sua volta para Veneza me deixou consternado. Desde o Ano-Novo eu não havia recebido notícias dele e pretendia, logo após encerrar minhas preleções aqui [...] convidá-lo para passar alguns dias conosco. Essa recaída me parece muito perigosa, pelo menos para os planos teatrais de Köselitz. O cartão se calou sobre os motivos, e continuo tateando no escuro". Nietzsche lhe responde imediatamente: "Fiquei irritado com o desaparecimento súbito do nosso músico, que também me consternou com um cartão. Não adianta, novamente, como já no ano passado, terei que ir a Veneza para descobrir o que realmente aconteceu. E precisamos ser justos: há anos ele leva uma vida de cão como copista de partituras; portanto, não devemos ficar surpresos se, de vez em quando, ele perder os nervos. Copiar partituras imensas, escrever reduções para piano, e tudo isso nos anos mais produtivos de um homem produtivo – é lastimável. R. Wagner jamais passou por isso [...] falta-lhe dinheiro – *voilà tout*! E por isso o 'Leão de Veneza' *precisa* rugir publicamente. E eu farei o que estiver em meu poder".

Já antes, em 21 de março, Nietzsche havia escrito a Köselitz: "Quando recebi sua notícia, tive grande alegria durante uma hora, por você e por mim; pois prefiro você em Veneza do que em Zurique, e o mesmo vale para mim. Mais tarde, porém, quase me aborreci com você: parecia-me que, em vista de tudo aquilo que havíamos combinado na primavera passada (ou seja, que, para seu trabalho futuro, Veneza pertenceria ao passado) devia ter decidido ir para Gênova e me escrito algumas palavras um pouco antes [...]. Mas agora já é tarde demais, e já lhe perdoei. Digo até que sua Veneza é minha mais querida sedução, e em breve serei seduzido. Minha saúde está ruim [...] e muitas e curiosas melancolias atravessaram meu coração".

No mesmo dia, Nietzsche justifica a fuga de Köselitz para Veneza também diante de seus familiares: "O pobre Köselitz viveu em Zurique o mesmo que eu [...] vivera em Basileia: o clima destas cidades contradiz às nossas habilidades produtivas, e essa tortura constante nos adoece". Mas ele também justifica *sua* fuga: "Talvez nos vejamos este ano. Mas não em Naumburg: Vocês sabem, Naumburg não me faz bem, e o lugar nada possui em meu coração que fale a seu favor. Não 'nasci' e nunca me senti em casa ali". E então segue uma informação surpreendente: "Dores na coluna como sempre". E: "Neste inverno, Nice é menos clara e seca. Dificilmente, porém, poderei partir antes de março".

E no mesmo instante ele encarrega a Köselitz: "Não se esqueça durante seus passeios de procurar um quarto para mim – alto e calmo, cheio de móveis, antiquado e na casa de pessoas limpas e honestas".

Nietzsche permanece em Nice até a Páscoa (5 de abril) e se despede da cidade no dia 9 de abril. Ele faz uma parada em Gênova e chega em Veneza na noite do dia 10, onde se hospeda na calle del Ridetto, casa Fumagalli, onde ele não se sente muito à vontade, pois em 16 de abril ele escreve para Naumburg: "Não encontrei nenhum apartamento que correspondesse aos meus desejos". Köselitz não cumpriu bem a sua missão. Nietzsche está decepcionado com ele. Não com sua música, da qual ele sentiu falta e que, para ele, é "coisa de primeira categoria", "da qualidade e transcendência de um Mozart". É a pessoa Köselitz que o decepciona, e ele repete sua queixa: "Eu estaria melhor aqui em Veneza se meu prezado amigo Köselitz [...] não estivesse *aqui*. Ele é um desastrado e infeliz no convívio, preciso *superar demais* que me repugna" (7 de maio de 1885)[124].

Preocupações com Heinrich von Stein

Então aconteceu algo que Nietzsche não conseguiu compreender e que ofuscou sua imagem de Heinrich von Stein. Nietzsche havia lhe aberto seu coração, e Heinrich von Stein havia visto seu sofrimento e sua esperança. No final de novembro, ele lhe dedicou a poesia "O anseio do eremita – em memória de Sils-Maria":

Ó meio-dia da vida! Hora festiva!
Ó jardim de verão!
Felicidade inquieta na espera, à espreita!
Aguardo os amigos, dia e noite:
Onde estais, amigos? Vinde! Está na hora!

No mais sublime preparei-vos a minha mesa:
Quem reside próximo das estrelas, das luzes do abismo?
Meu reino – aqui no alto o conquistei –
E tudo isso meu – foi para vós que o preparei.

Agora vos ama e chama a geleira cinzenta
Com rosas jovens,

Procura-vos o riacho, ventos e nuvens se apertam,
Se acumulam no céu azul
Atentos à vossa chegada ---

Aí estais, amigos! – Mas, ai, não sou eu
Quem procurais!
Hesitais – ah, preferia vosso rancor!
Não me reconheceis! Troquei as mãos, os pés, o rosto?
E o que sou – para vós, amigos, não o sou?

Em outro me transformei e de mim mesmo me estranhei?
Nasci de mim mesmo?
Um lutador, vencido por si mesmo
Que enfrentou sua própria força
Ferido e detido por sua própria vitória?

Procurei onde o vento sopra com mais força,
Aprendi a viver
Onde ninguém vive, em zonas desertas do urso polar,
Desconheci homem e Deus, palavrão e oração,
Tornei-me fantasma que passeia pela geleira.

Tornei-me *caçador* malvado: Vede o meu arco!
Apenas o mais forte sentiu tamanha tensão –
Mas ai de mim! Uma criança pode agora nele colocar
A flecha: Para longe daqui! Para a vossa salvação!

Velhos amigos! Vede, sois pálidos,
Cheios de amor e de terror!
Não, ide! Aqui – não podeis morar!
Aqui entre gelo e rochas distantes –
É preciso ser caçador de camurça.

Vós vos afastais? – Ó coração, suportaste o bastante!
Forte permanece tua esperança!
Abre tuas portas para novos amigos,
Deixa os velhos! Abandona as lembranças!
Antes eras jovem, agora, és jovem melhor!

Não mais amigos – são, como costumo dizer?
Apenas amigos fantasmas!
À noite, ainda me assombram batendo no coração e na janela
Olham para mim e dizem: 'Fomos nós, ou não?'
– Ah, palavra murcha, que no passado cheirava como rosas.

E o que amarrava o laço dos nossos jovens desejos,
Quem lê os sinais,
Que o amor, no passado, gravou, ainda pálido?
Comparo-o com o pergaminho, que a mão
Hesita em tocar – com medo de se queimar!

Ó, anseio da juventude, malcompreendido!
Aqueles que desejei
Que acreditei semelhantes a mim –
Envelheceram, a idade os baniu:
Apenas quem se transforma, permanece meu parente!

Ó meio-dia da vida! Segunda juventude!
Ó jardim de verão!
Felicidade inquieta na espera, à espreita!
Aguardo os amigos, dia e noite:
Amigos *novos*! Vinde! Está na hora!

Heinrich von Stein reagiu a esse apelo de modo incompreensível. Profundamente entristecido, Nietzsche expressa sua decepção em uma anotação à carta do início de janeiro de 1885 à mãe e à irmã: "Que carta sombria é esta que o bom Stein me escreveu [...]. Ninguém sabe mais como se comportar". Se a impressão que Heinrich von Stein deixara em Nietzsche no verão não tivesse sido tão forte, é provável que isso teria terminado em uma nova decepção e ruptura, talvez até inimizade. Pois Stein lhe sugere a visão de um futuro num convento, onde seus discípulos se reúnem em torno de seu léxico de Wagner como regra de sua ordem, e convida Nietzsche a se integrar nessa comunidade! Stein já encontrou dois correligionários e escreve a Nietzsche: "Essas reuniões adotam um significado cada vez mais sublime e livre [...]. Pensei no senhor, acreditando que o senhor se alegraria com nossas conversas. [...] O senhor veria isso como primeiro degrau, como pré-escola do monastério ideal?" E então Stein recorre mais uma vez à parábola de Filoctetes: "Pois creio nisto: sem as flechas de Filoctetes, Troia não pode ser conquistada. Deixaria

Neoptólemo de acreditar que o *herói morto* tem uma parte maior na conquista de Troia? Essa convicção o impediria de compreender Filoctetes?"

Ou seja: Heinrich von Stein não acredita num futuro sem Wagner, o herói morto. Nietzsche não deveria ter descrito essa carta como "sombria", mas como terrivelmente esclarecedora!

Preocupações com a obra

Em todas essas ocorrências externas e no poema melancólico acima reproduzido, reflete-se a situação espiritual de Nietzsche, aquela oscilação entre medo e esperança, entre o êxtase da criação e dúvidas na viabilidade da obra, entre orgulho de seu chamado e maldição do isolamento.

Nietzsche está sujeito a esses extremos como que a uma lei natural, que pode ser constatada em quase todas as pessoas criativas. Trata-se de uma alternância entre alta tensão e imensa produtividade – e relaxamento até o esgotamento, acompanhado por fases de profunda depressão.

Podemos comparar essas fases alternantes com um pêndulo, que, no caso de Nietzsche, era impulsionado por uma força demoníaca, aumentando a frequência cada vez mais. Mas em 1885, Nietzsche ainda estava longe da catástrofe, pois agora o pêndulo estava se aproximando de um período de tranquilidade, o que se expressou também num intervalo produtivo.

Isso não significa que Nietzsche tenha cruzado os braços. Nesse período, ele escreve a quarta parte do Zaratustra, faz a revisão de obras anteriores, escreve a quinta parte da "Gaia ciência", novos prefácios, inúmeras anotações e pequenos ensaios para a sua "obra principal". Mas é apenas com "Além do bem e do mal" que ressurge o velho Nietzsche produtivo, que ele consegue avançar um passo decisivo em seu solo. A partir de então, ele força o pêndulo para o lado oposto, até o fim catastrófico.

As três primeiras partes do Zaratustra haviam sido escritas num período de alta tensão criativa. Nelas, Nietzsche avança passos decisivos em sua filosofia: Com o postulado do "Além do homem" ele tenta criar o modelo de um ser humano perfeito, que se destaca do animal e se torna semelhante a Deus – objeto das religiões e das filosofias desde os primórdios do tempo. Mas até então ninguém havia ousado elaborar um modelo na base dessas premissas. Com o dogma do retorno eterno, por outro lado, Nietzsche tenta escapar do perigo de se perder numa eternidade incompreensível e amorfa. Em seus cadernos de anotação, Nietzsche já toma o passo seguinte, a superação do bem e do mal como par oposto, cujas partes se excluem mutuamente – tentando deixar para trás o dualismo, que está presente na figura do diabo até mesmo no cristianismo monoteísta.

Desde a redação do Zaratustra III, já passou-se um ano. Neste ano, apagou-se o ímpeto eruptivo. A quarta parte do Zaratustra, escrita no inverno de 1884/1885, ainda se cobre com o manto de Zaratustra e apresenta todos os sinais do trabalho penoso, incluindo uma construção engenhosa e um estilo refletido. Mas ela não traz novos pensamentos, não representa um avanço filosófico. Nietzsche revela um senso de "desfecho" ao não liberar a obra para o público. Para qualquer outro autor isso seria paradoxal, mas Nietzsche se sente aliviado quando não consegue encontrar um editor para a sua obra. Ele pretende permitir a leitura apenas a poucos eleitos. Hoje em dia, Nietzsche poderia ter feito uma reprodução barata na forma de poucos exemplares xerocados, para então distribuí-los entre os amigos. Na época, porém, teve que produzir uma edição especial com tiragem limitada. O primeiro a ser notificado: Após uma interrupção de quase dois anos, Nietzsche escreve em 12 de fevereiro de 1885 a seu velho e "rico" amigo Carl von Gersdorff: "Hoje comunico-lhe, não sem algumas objeções, algo que inclui uma pergunta a você. Existe uma quarta (última) parte do Zaratustra, um tipo de final sublime, que não é destinada ao público (a palavra 'público' me soa, em relação a todo o meu Zaratustra, como 'prostíbulo' e 'garota pública' – perdão!). Mas esta parte deve e precisa ser impressa agora: em 20 exemplares para mim e meus amigos, em sigilo absoluto. Os custos dessa impressão não podem ser altos; no entanto, em virtude da desonestidade do meu editor, estou sem dinheiro [...]. Em outras palavras: aos quarenta anos de vida não ganhei ainda um único centavo com meus escritos – esta é a comédia (e também o orgulho) de tudo isso. Meu querido e velho amigo, dê-me uma resposta assim que possível". Nietzsche havia apresentado sua pergunta com delicadeza, mas também com clareza inconfundível. No entanto, Gersdorff não responde. Ele reage apenas em maio, após receber um exemplar da edição especial. Uma virada favorável no processo contra Schmeitzner havia fornecido os recursos necessários para a impressão.

Em 14 de fevereiro, Nietzsche anuncia a obra também a Köselitz: "Entre nós: existe um novo 'fruto' deste inverno, mas não tenho editor, nem tenho vontade de ver minhas coisas impressas. A imensa tolice de publicar algo como o meu Zaratustra sem necessidade me foi recompensada com tolices correspondentes.

***Meio-dia e eternidade*, de Friedrich Nietzsche – Primeira parte: A tentação de Zaratustra**

Talvez nem possa ser impresso: uma 'blasfêmia', escrita com o humor de um vagabundo. – Mas quem se comportar comigo e me mimar com música de Köselitz receberá o livro para a leitura *privatissime*". Assim que Köselitz retorna para Veneza, Nietzsche lhe envia as provas. A primeira folha alcança Köselitz em 22 de março de 1885, em 26 de março, as provas já totalizam quatro folhas. Na segunda-feira de Páscoa, em 6 de abril, Nietzsche informa o recebimento das folhas 5 e 6, corrigidas. As últimas correções das folhas 7, 8 e 9 foram feitas por Nietzsche e Köselitz em Veneza. Eles encerraram o trabalho no dia 13. A gráfica foi rápida (C.G. Naumann em Leipzig), pois já em 9 de maio Nietzsche escreve a Gersdorff: "[...] alguns dias atrás, enviei um exemplar do meu último Zaratustra para o seu endereço". Overbeck também recebeu uma cópia nos primeiros dias de maio. Os custos de impressão somam "284 marcos e 40 centavos", como Nietzsche informa à irmã. Ele lhe envia duas cópias, uma para o Sr. Dr. Förster, mas também aqui "com a instrução explícita de ocultar esta quarta parte, como se não existisse".

Mas por que toda essa cautela? No fundo, toda a trama do livro representa uma renúncia aos amigos e a todas as pessoas que, até então, Nietzsche havia respeitado. Sobre o Zaratustra IV se estende a mesma atmosfera que, no passado, ao falar sobre a "Meditação de Manfredo", Nietzsche havia caracterizado como *cannibalido* e sobre a qual acrescentara[8]: "Ao escrever essa música de Manfredo, tive uma sensação tão furibunda, tão ironicamente patética, diverti-me como que com uma ironia diabólica". E isso foi em outubro de 1872, em reação a Byron, para distanciar-se dele e do "saxão adocicado" Robert Schumann! Doze anos depois, no outono de 1884, essa alegria diabólica volta a irromper em uma obra. No verão, Nietzsche havia formulado suas "superações", sua distância dos grandes, que ainda o dominavam, da seguinte forma[6]: "Elevei-me para uma altura boa e clara: e muitos daqueles que, na minha juventude, brilhavam como uma estrela sobre minha cabeça, estão distantes agora – mas *abaixo* de mim, por exemplo, Schopenhauer, Wagner". Mas ao longo do outono de 1884, esse humor piora, sua distância perde a altura, se transforma em inferno e se torna diabólico.

Essa virada deve ter ocorrido de forma relativamente rápida, pois no mesmo caderno de anotações lemos mais adiante[6]: "Grito de socorro dos homens superiores? Sim, dos fracassados –". E isso se intensifica até a inclusão da nobreza de nascença alemã nessa desvalorização geral. Entre abril e junho de 1885, ele escreve uma caracterização dos alemães, nascidos das crises e confusões do século XVII como "raça", como resultado: "O pior era talvez o estado da nobreza alemã: esta estava profundamente danificada. Aqueles que ficaram em casa tornaram-se alcoólatras, aqueles que partiram e voltaram, trouxeram a sífilis. Até hoje, contribuiu pouco para questões espirituais"[6]. E um pouco antes lemos: "Onde está a família nobre em cujo sangue não há infecção venérea e ruína?"

O fato de Nietzsche não evitar a palavra "sífilis", este termo ominoso, permite várias explicações. Será que – pelo menos nessa época – não existia uma infecção luética em Nietzsche? Ou será que ele não sabia da existência dessa infecção? – Estava ele tentando calar possíveis críticos ou mostrar: Vejam, os "nobres" não estão numa situação melhor? Todas essas possibilidades podem ser justificadas "psicologicamente", mas elas não provam nada. E a pergunta permanece em aberto sempre que o tema ressurge.

O colapso dessa euforia após o verão de 1884 começa a se anunciar na

História da obra

As anotações e os esboços do verão e do início do outono de 1884 retomam um estilo e o conteúdo das obras anteriores ao Zaratustra, principalmente de "Humano, demasiado humano" e nos levam diretamente para as obras tardias, primeiro para "Além do bem e do mal" (1886). Esse título surge já agora várias vezes como esboço – ou digamos: como plano ou intenção. Os pensamentos e o estilo profético do Zaratustra parecem superados*.

Nietzsche realmente via diante de si sua futura tarefa filosófica, como afirma em várias cartas. Ele tinha diante de si todo o material a ser processado: um alpinista no cume de uma montanha com uma visão de toda a paisagem circundante, que permite reconhecer relações topográficas, transições e divisões. Trata-se do mesmo tipo de visão que Jacob Burckhardt adquirira na história.

Nietzsche escolheu um ponto de observação muito elevado, por isso, sua visão abarca uma região muito ampla daquilo que determina as condições existenciais do ser humano, de seus problemas gerados pela grande proximidade e pela falta de visão, de seus preconceitos e equívocos. Ele precisa fixar alguns "lugares espirituais", precisa gravar em sua mente alguns pontos de orientação. Ele o faz com numerosos esboços de títulos de livros, com disposições para livros. Seu talento musical o leva sempre de novo à forma sinfônica de quatro partes![201]

Percorrer e explorar essa região imensa – Nietzsche reconhece que não é capaz de fazê-lo sozinho. Ele precisa de colaboradores, copensadores. E é justamente por isso que ressurge agora a ideia da "ordem". Ele não oculta o modelo que lhe serve

---

*A seleção e a organização artificial dos volumes do espólio de Nietzsche na GOA, principalmente nos volumes 13 e 14, esse fato foi completamente obscurecido, e volta a se evidenciar apenas na nova GA (edição de obras completas), que reproduz fielmente os cadernos manuscritos.

como orientação e inspiração: "Pitágoras fundou uma ordem para nobres, um tipo de ordem dos senhores do templo"[1; 6]. E: "Pretendo criar um novo estamento: uma ordem de homens superiores, aos quais os espíritos e consciências assombradas podem recorrer quando precisarem de conselhos; homens que, como eu, são capazes de viver não só além dos ensinamentos políticos e religiosos, mas que superaram também a moral"[1; 6]. Nietzsche diz também em quais contextos ele mesmo se vê: "O mundo é um jogo divino e está além do bem e do mal – nisso tenho como precursores a filosofia vedanta e Heráclito"[1; 6]. Nietzsche ignora os paradigmas antigos mais evidentes: a Escola de Platão, a escola peripatética de Aristóteles, as escolas dos estoicos ou o jardim de Epicuro, e certamente o faz propositalmente: estas são "públicas" demais, facilmente acessíveis, insuficientemente "nobres". E toda a pós-Antiguidade é simplesmente desprezada. Num ritmo quase ininterrupto ele expressa de quem e de que ele se distancia: de Platão, Kant, Schopenhauer, Wagner – e do cristianismo, e, com frequência menor, mas com profundo desdém, de Dühring e Eduard von Hartmann. Tudo isso ele pretende desdobrar diante de "homens superiores". Ele acredita poder reuni-los em Nice e, por isso, se despede de Mentone, desiste de Córsega – para encontrar Paul Lanzky, o velho General Simon e a família Koechlin de Basileia! Heinrich von Stein lhe escreve uma carta "sombria", Köselitz só serve como músico, e todos os outros, como Rohde, se calam.

Então ele é tomado pela decepção, pelo nojo, e numa ironia diabólica ele adia todos os seus planos filosóficos, veste mais uma vez o manto de Zaratustra e zomba dos "homens superiores", cujo grito ele ouviu e cujo desejo pelo "Além do homem" ele alega querer satisfazer. Mas tudo que ele faz é reuni-los em sua caverna, onde os entrega a si mesmos, desesperadamente emaranhados em sua problemática, presos pela gravidade da terra, incapazes de segui-lo em seu voo pelas alturas. "À noite, tu me terás de volta; em tua própria caverna me sentarei, paciente e pesado como uma pedra – e te aguardarei", ameaça o vidente. Em uma carta, Nietzsche chama Köselitz de "pedra"!

Ele transforma todos aqueles sobre os quais se eleva em caricaturas. Certamente iríamos longe demais se identificássemos o "feiticeiro" (que nos esboços quase sempre é chamado de "encantador") diretamente com Wagner, ou o "papa aposentado" com Liszt, ou outras figuras com seus amigos científicos, como Overbeck ou o filólogo Rohde, mas é inegável que as figuras dos "homens superiores" de Nietzsche apresentam alguns traços destas pessoas.

O que chama a atenção é que esse círculo de figuras distintas não inclui uma única mulher. Não podemos esquecer que a pessoa que Nietzsche mais venerou foi uma mulher: Cosima Wagner. Dela ele não zomba. E por mais que tenha respeitado e admirado as outras mulheres cultas que conheceu, como Marie Baumgartner, Louise Ott ou as feministas Malwida von Meysenbug, Meta von Salis e Resa von Schirnhofer, para Nietzsche elas não alcançavam a classe das "pessoas superiores". Em Lou Salomé, Nietzsche viu pouco mais do que uma hetera. No Zaratustra IV, "a mulher" aparece apenas "entre as filhas do deserto", como as prostitutas Dudu e Suleica.

Tudo isso, porém, não condiz com os dois clichês comuns sobre o problema

"Nietzsche e a mulher"

A avaliação superficial é aquela que, inserindo Nietzsche na tradição schopenhaueriana, o classifica simplesmente como "desdenhador das mulheres", com referência ao dito da velhinha no primeiro Zaratustra: "Vais te encontrar com mulheres? Não te esqueças do chicote". Já suas admiradoras se escandalizaram com isso, o que, aparentemente, o divertia, pois no início de maio de 1885 Nietzsche escreve à irmã: "Todas aquelas que se entusiasmam com a 'emancipação das mulheres' descobriram aos poucos que eu sou seu 'animal malvado'. Em Zurique, entre as estudantes, grande raiva contra mim. Finalmente!" E no fim de maio, numa carta à mãe: "As damas jovens, tudo aquilo que nasce e cresce em torno de Malwida von Meysenbug, não agrada ao meu gosto; e perdi a vontade de me entreter com esse povo semilouco". Nietzsche, porém, não é o santo celibatário, como sua irmã o estiliza. Ele mesmo refuta essa imagem repetidas vezes e com veemência: "Se a castidade pesa a algum, é preciso afastá-lo dela, para que a castidade não chegue a ser o caminho do inferno, isto é, da lama e da fogueira da alma", lemos no Zaratustra I. E no Zaratustra IV ("Do homem superior"): "Não pretendeis ser mais virtuosos do que lhe permitem vossas forças! E nada queirais de vós contra a probabilidade! [...] Cujos pais se entregavam a mulheres e vinhos fortes e javalis: O que seria se este de si mesmo exigisse castidade? Seria uma tolice [...]. E mesmo se fundasse mosteiros e escrevesse sobre sua porta: 'caminho para a santidade' – eu mesmo assim diria: Para quê! Uma nova tolice! [...] não acredito nisso. Na solidão cresce o que se traz para ela, também o porco interior. Por isso, não se recomenda a muitos a solidão. Houve nesta terra coisa mais imunda do que santos do deserto? Em torno destes dançava não só o diabo, mas também o porco".

O passo daqui até Sigmund Freud não é grande.

A moral sexual de Nietzsche se afasta da moral contemporânea tanto quanto da moral do século XIX como um todo, cuja falsidade ele não se cansa de atacar. Precisamos ver também aqui quais são suas precondições.

Como filólogo clássico, Nietzsche parte dos textos e do código moral dos autores antigos, que tratam desses temas com uma franqueza surpreendente. Nietzsche conhece todas as formas de existência da mulher na Antiguidade, desde a hierodula até a Penélope. Ele conhece os estudos orientais de Heródoto, a rudeza da comédia de Aristófanes e as anedotas no Diógenes Laércio*.

Na base dessa formação, ele salta – como o faz em toda a sua filosofia – também como crítico moral diretamente da Antiguidade para o seu tempo, sem levar em consideração os muitos degraus intermediários. Por isso, escreve, com a plena liberdade do autor antigo, sentenças que nos constrangeriam se não soubéssemos desse fundamento. Mas foi justamente também em Pforta que ele adquiriu seus conhecimentos sobre a Antiguidade, e aparentemente ele absorveu mais do espírito da Antiguidade do que previa o programa filológico da escola. Alguns exemplos nos mostram os extremos aos quais ele levou essa liberdade: Zaratustra IV, "Da ciência": "Quase creio que vos pareceis com aqueles que, por muito tempo, assistem à dança de moças nuas". Será que Nietzsche assistiu a uma dessas danças em Nice, no inverno de 1884-1885, quando usou essa imagem? Ao mesmo tempo, zomba dos "ultraplatônicos" Hölderlin e Leopardi, dizendo que sua abstinência significou também a sua ruína[1; 6]: "Contradições com os fatos mais simples: por exemplo, com o fato de que, de vez em quando, um homem precisa de uma mulher, assim como, de vez em quando, precisa também de uma boa refeição". Ou[1]: "Pois não somos falastrões da castidade: Quando um homem precisa de uma mulher, ele consegue encontrar uma sem, por isso, cometer adultério ou fundar um matrimônio". E também, em anos posteriores, ressurge o mesmo pensamento[1]: "[...] como remédio para a prostituição (ou como seu enobrecimento): matrimônios com prazo limitado, legitimizados (por anos, meses), com garantias para os filhos".

Numa briga em Jena, em agosto de 1882, quando Lou Salomé alegou que "Fritz" havia lhe sugerido um relacionamento aberto e Elisabeth negou isso furiosamente, é provável que a irmã se equivocou. Ele não era o trovador medieval cristão, que conhece o amor sublime e inferior. Não era isso que determinava sua imagem da mulher: Nietzsche jamais superou o heterismo da Antiguidade. Mas ele conhecia também a antítese antiga da Afrodite "celestial" e da Afrodite "ordinária"**.

---

*A edição greco-inglesa do romance pastoral de Longo "Dafne e Cloé" é um exemplo maravilhoso para a castidade e para a distância da leveza moral dos originais gregos, também em tempos mais recentes. No meio da tradução inglesa, a parte mais delicada III, 14 de repente para a língua latina!

** Heródoto I, 105 menciona o templo da Afrodite celestial em Ascalão, na Síria, como santuário mais antigo dessa deusa. Em Platão (Symp. 180d e 181a), encontramos uma discussão ampla sobre por que é necessário supor dois deuses "EROS": porque existem também duas Afrodites e para ambos existem altares de sacrifícios: para a Afrodite celestial original e a Afrodite comum mais recente e vulgar. 185b e 187d aprofundam essa comparação, onde Afrodite é substituída por Eros. Xenofonte (Symp. VIII, 9) confirma que, na tradição e na linguagem popular, estes são sinônimos. E Nietzsche conhecia também o epigrama 13 de Teócrito.

Tudo isso influenciou seu *pensamento*, quando ele *escreve* sobre "a mulher". No convívio, porém, a pessoa concreta o obriga a assumir uma conduta adequada, e normalmente ele se comporta de forma respeitosa e tímida.

No Zaratustra IV, Nietzsche abandona essa timidez diante dos "homens superiores".

A posição especial da parte IV

Durante os primeiros esboços, Nietzsche não pensava em simplesmente aumentar o seu Zaratustra, antes pretendia escrever um livro novo, intimamente ligado ao Zaratustra, mas independente deste, assim como "O andarilho e sua sombra" se relacionara originalmente a "Humano, demasiado humano"; e a "Gaia ciência" à "Aurora", pretendendo criar assim outro par de obras. Em rápida sequência ele esboça títulos para este novo livro, como "Filosofia do retorno eterno; uma tentativa da revalorização de todos os valores" ou "Ao homem superior. Apelos de um eremita"[201], depois surpreendentemente "O retorno eterno. Uma profecia" e "Uma filosofia profecia", sendo que Nietzsche riscou o "filosofia" original, substituindo o termo por "profecia". Por fim, anota o título "Meio-dia e eternidade. Uma filosofia do retorno eterno".

Espalhados entre estes encontramos esboços de títulos como "Além do bem e do mal", "A hierarquia do homem", "Os bons europeus", "O que é nobre" e "Revalorização de todos os valores"[201].

Ele planeja uma obra nova encerrada em si mesma, que, partindo do retorno eterno, mencionado apenas de passagem no Zaratustra, como fundamento de uma nova metafísica, deveria levar para uma reavaliação de todos os valores e se estabelecer "Além do bem e do mal". Mas Nietzsche não tinha as forças necessárias para realizar essa tarefa, a tensão espiritual já havia cedido a um intervalo criativo. Nietzsche reduziu seus objetivos: Limitar-se-ia à renúncia e ao distanciamento.

Ele reveste essa transformação com uma fábula cativante: Em sua caverna (Sils?), ele ouve o grito de socorro das pessoas que precisam dele e das quais ele precisa. Ele vai ao seu encontro no vale e as reúne em sua caverna nas alturas. Mas a decepção é recíproca, como diz o poema dedicado a Heinrich von Stein: "Aqueles que desejei / Que acreditei semelhantes a mim – / Envelheceram, a idade os baniu: / Apenas quem se transforma, permanece meu parente!" E: "Mas, ai, não sou eu / Quem procurais! / Hesitais – ah, preferia vosso rancor! / Não me reconheceis! Troquei as mãos, os pés, o rosto? / E o que sou – para vós, amigos, não o sou?"

Em sua própria angústia, porém, que não lhe permite criar uma obra independente, ele se apoia na forma do Zaratustra, mais precisamente em seu "Prefácio", que, juntamente com a quarta parte, forma um tipo de parêntese. Assim, a obra recebe posteriormente um desfecho estrutural. Além disso, a quarta parte representa uma unidade encerrada em si mesma. A cena começa (em "A oferta do mel"): "Estando um dia sentado numa pedra diante da sua caverna, olhando para fora em silêncio – daquele ponto se vê o mar e abismos tortuosos –, os seus animais, pensativos, andavam em torno dele e acabaram postando-se em frente dele. 'Zaratustra', lhe disseram, 'procuras a tua felicidade com os olhos?' – 'Que importa a felicidade?', respondeu ele. 'Há muito tempo que não aspiro à felicidade; aspiro à minha obra'". O livro fecha com a mesma imagem, e na coda encontramos as mesmas palavras, o mesmo material temático: "Aspiro à minha obra".

Nietzsche também cogitou em permitir que Zaratustra morresse no fim, em dar-lhe um fim, um destino (um τέλος), semelhante talvez ao de Empédocles. Mas a quarta parte também não "fecha", permanece aberta em direção a um futuro incerto, irreconhecível, a vista da paisagem filosófica se funde com o horizonte. A contraluz de um sol, que supostamente nasce, cega o olho e confunde a percepção. O fato de ter ouvido o grito da angústia de "homens superiores", de ter abandonado sua obra e de ter descido para as regiões inferiores por compaixão com eles – Nietzsche chama isso de seu "último pecado". Com um gesto teatral, ele se esquiva do perigo da sedução e encerra a obra: "'Compadecer! Compadecer com o homem superior!' exclamou, e seu semblante fez-se mármore. 'Ora! Isso teve seu tempo! Que importam a minha paixão e a minha compaixão? Acaso aspiro à felicidade? Eu aspiro à minha obra! Chegou o leão, os meus filhos estão próximos; Zaratustra amadureceu; chegou a minha hora. Esta é a minha alvorada; começa o meu dia: sobe, pois, sobe, grande Meio-dia!' Assim falou Zaratustra e afastou-se da caverna, ardente e vigoroso, como um sol matinal que surge dos sombrios montes".

Na obra, porém, à qual aspira, o "Além do homem", o "Retorno eterno" e todo o mundo de Zaratustra não terão mais nenhuma relevância, eles se esgotaram como recipientes de conteúdos filosóficos; o que resta é o grande trabalho crítico sob os temas "Inocência do devir" e daquela pulsão primordial, à qual Nietzsche, seguindo a tradição de Schopenhauer, batizou de forma tão infeliz de "vontade" e "vontade de poder". Esse trabalho crítico volta no tempo e retoma o tema de "Humano, demasiado humano". Nietzsche desiste completamente da ideia de uma comunidade, de uma "ordem", a decepção é grande demais. O grito de desespero, o apelo de Nietzsche na poesia dedicada a Heinrich von Stein permaneceu "sem resposta"*. A

---

* Wagner, "Lohengrin"[259].

dor dessa experiência amarga transparece em muitas passagens do Zaratustra IV e reflete a tragédia do destino de Nietzsche como filósofo, algo que talvez explique o fascínio que a obra exerce sobre tantos leitores não filosóficos. A despeito de todas as objeções e ressalvas formais e temáticas, trata-se de uma obra de Nietzsche que nasceu de seu talento poético e "do espírito da música".

Mais uma vez, Nietzsche tentou, por meio dos recursos da arte, levar a filosofia para além dos limites impostos pela *ratio*: "O objetivo verdadeiro de todo filosofar: a *intuitio mystica*", ele anota nessa época[6]. Para ele, "o mundo é como uma escura floresta de animais [...] ainda mais um mar rico e abismal" ("A oferta do mel"). "O mundo dos homens, o mar dos homens: – é nele que lanço agora meu anzol dourado e digo: Abre-te, abismo dos homens".

O balanço do decepcionado

Mas aquilo que ele consegue fisgar, as pessoas cujo grito de angústia ele acreditava ter ouvido, não são as que ele esperava. Na "Saudação" ele lhes diz abertamente: "Podeis até ser homens superiores, [...] mas para mim não sois altos e fortes o bastante". Elogia, porém, seus animais, a águia e a serpente (em "O homem mais feio") com uma reminiscência de Shelley: "E fala logo e em primeiro lugar aos meus animais! O animal mais altivo e o animal mais esperto – sejam para nós dois os verdadeiros conselheiros!" E ele os contrapõe aos seus "homens superiores" ("O sinal"): "A minha águia está acordada e saúda o sol como eu. Com as suas garras apanha a nova luz. Vós sois os meus verdadeiros animais; eu vos amo. Faltam-me, porém, ainda os meus verdadeiros homens!"

Na "Conversação com os reis", Nietzsche recorre a versos drásticos para dizer que não os encontrou entre os primeiros e mais poderosos:

> Noutros tempos – creio que no ano um da salvação –
> disse ébria a Sibila (sem ter provado vinho):
> "Ai, agora vai dar errado!"
> "Decadência! Decadência! Nunca o mundo caiu tão baixo!"
> "Roma degenerou em prostituta e casa de prostitutas.
> O César de Roma degenerou em besta; e Deus – tornou-se judeu!"

Os ataques ao cristianismo e à imagem de Deus difundida na fé popular da época ocupam muito espaço. Em "Papa fora de serviço", Nietzsche acusa: "Era um Deus oculto, cheio de segredos. Conseguiu ter um filho apenas por caminhos sorrateiros. Às portas da sua crença encontra-se o adultério. [...] Quando jovem, esse Deus do Oriente era ríspido e estava sedento de vingança: criou um inferno para deleite dos seus prediletos". E ao § 132 da "Gaia ciência" ele acrescenta: "Era contrário ao gosto dos meus olhos e dos meus ouvidos, de coisa pior não quero acusá-lo". E ao lermos estas sentenças, lembramo-nos da inversão ousada de Carl Spitteler, que vê o mundo como queda de Deus: "Também era confuso. Quanto não se irritou com nossa má compreensão, esse colérico! Mas por que não falou ele com maior clareza? E se a culpa era de nossos ouvidos, para que nos deu ouvidos que o ouvissem mal? Se havia lama nos nossos ouvidos, pois bem! Quem a pôs lá? Saíram mal demasiadas coisas a esse oleiro que não concluiu a aprendizagem. Mas o fato de ter se vingado nas suas vasilhas e nas suas criações porque lhe tinham saído más foi um pecado contra o bom gosto. Também há um bom gosto na piedade; esse bom gosto acabou por dizer: 'Levai-nos tal deus! Vale mais não ter nenhum, vale cada um criar seu próprio destino, vale mais ser tolo, vale mais ser seu próprio deus!'" Essas últimas palavras voltarão à tona no momento do colapso! Ao lado dos ataques violentos e cínicos à ideia de Deus, a crítica ao fundador do cristianismo paulino parece até modesta ("O homem superior" V): "Sofrer pelos pecados dos homens podia ser bom para o tal pregador dos humildes. Eu, porém, regozijo com o grande pecado como minha maior consolação". Essa é uma das objeções fundamentais contra o ensinamento que mais se opõe ao seu "homem superior", i.e., o fato de ele se dirigir "às massas" e ir ao encontro dos pequenos e dos fracos.

Esse acerto de contas geral não podia ignorar Wagner. Nenhuma pessoa causou tanto sofrimento a Nietzsche quanto Wagner. O "Encantador" chega a dizer: "Zaratustra, cansei-me; sinto nojo das minhas artes. Eu não sou grande, para que fingir? Mas tu sabes: procurei grandeza! Queria apresentar-me como grande homem, e a muitos convenci: mas esta mentira foi superior às minhas forças. Ela é a minha ruína". Foi assim que Nietzsche sonhara a "conversão" de Wagner à sua filosofia e ao serviço no reino da arte em 1882. No "Parsifal", porém, os caminhos se separaram definitivamente, e as seguintes sentenças se dirigem a essa obra e ao seu criador ("Da ciência"): "Ai de todos os espíritos livres que não se previnam contra semelhantes feiticeiros! Foi-se a sua liberdade: tu ensinas e atrais de volta a prisões! O teu lamento, diabo melancólico, seduz: pareces-te com aqueles cujo elogio da castidade convida secretamente para prazeres carnais!" No capítulo final, "O canto embriagado", Nietzsche consegue finalmente encerrar seu acerto de contas e voltar-se para o pensamento principal que o domina naquele momento: para a profecia do retorno eterno, para então, no capítulo "O sinal", encerrar com uma apoteose. Ele parte da pergunta aos seus amigos discípulos de Schopenhauer e Wagner, que se renderam ao pessimismo: "O que pensais? Não quereis, igual a mim, dizer à morte: Foi isto – a vida? Pelo amor de Zaratustra, pois bem! Outra vez!" E pede: "Entoai agora o canto cujo título é ‘Outra vez’ e cujo sentido é ‘por toda a eternidade’. Entoai, homens superiores, entoai a ciranda de Zaratustra!

Homem, presta atenção!
Que diz a profunda meia-noite?
‘Dormi, dormi!
De um profundo sono despertei:
O mundo é profundo,
E mais profundo do que o dia.
Profunda é a sua dor
e o prazer – mais profundo que o sofrimento!
A dor diz: Passa!
Mas todo prazer quer eternidade,
quer profunda eternidade!”

Despedida do mundo de Zaratustra

Esse canto melancólico corresponde ao estado espiritual de Nietzsche, não, porém, à sua necessidade espiritual. Sua alma desejava música descontraída, que ele acreditava encontrar nas melodias de seu maestro veneziano. “Não me canso dessa música e de sua idealidade mozarteana; é, porém, possível que eu necessite desse tipo de música mais do que outros e que, por isso, seja menos capacitado a determinar seu valor” (carta a Overbeck de 4 de maio de 1885). É a única diversão e distração que Nietzsche experimenta durante as oito semanas de sua estadia em Veneza, antes de partir no dia 6 e chegar em Sils no dia 7 de junho.

Nietzsche permanece em silêncio em Veneza, também como escritor de cartas. Ele envia uma única carta a Overbeck, de resto, mantém contato apenas com a família em Naumburg. E isso tem um motivo muito especial, como escreve a Overbeck: “No dia 22 de maio é o casamento da minha irmã, você compreende a data*. Informaram-me o desejo (quando perguntei que tipo de ‘presente de casamento’ eu poderia fazer) de levar aquela folha de Dürer, ‘O Cavaleiro, a Morte e o Diabo’, que se encontra em suas mãos, como lembrança valiosa para seu novo lar no além-mar. Na verdade, dói-me tirá-la de suas mãos, pois você precisa de seu consolo tanto quanto quaisquer emigrantes, você que também é um tipo navegante e solitário. Talvez, porém, a folha seja sombria demais para seu gosto: neste caso, envie-a para a minha irmã”.

---

* Aniversário de Wagner.

O que teria sido o presente mais valioso para a irmã, a presença do querido irmão no casamento, nem mesmo vem a ser mencionado. Nietzsche nem pode recorrer a uma desculpa financeira. Pois ele também revela a Overbeck: "O pai de Schmeitzner se ofereceu como fiador, e em junho deverão ser pagos os 5.600 marcos. Pagarei primeiro a impressão do meu quarto Zaratustra". E a mesma carta nos conta mais uma vez, como Nietzsche se despede de Zaratustra. "Escrevi essa parte como *finale*: Leia o prefácio à primeira parte [...]. Que seja dito explicitamente: Não enviei uma cópia nem a Burckhardt nem a qualquer outra pessoa em Basileia – por favor, ocultemos o fato da existência de uma quarta parte". Nietzsche está em dúvida, e ao amigo ele revela a razão no início da carta: "Por vezes, suspeitei que você pudesse achar que o autor do Zaratustra tivesse enlouquecido. Meu perigo é realmente muito grande, mas o perigo não é desse tipo: por vezes, não sei mais se sou a esfinge, que interroga, ou aquele famoso Édipo, o interrogado – de forma que corro perigo de cair em dois abismos". E nas anotações da época encontramos[6]: "Sobre saúde e doença, gênio, neurose, dionisíaco".

Zaratustra com sua linguagem hínica e profética já ficou para trás. No silêncio de Veneza, no convívio pacato com Köselitz, Nietzsche se desprende e parte para o isolamento, dramaticamente representado no Zaratustra IV por imagens maiores do que a vida e em tom sóbrio. E, nesse contexto, Nietzsche também não se esquece de Lou Salomé. "Ainda não vi nem quero ver ainda seu livro recém-publicado 'Kampf um Gott' [Luta por Deus]. [...] Se sua querida esposa quiser lhe conceder uma avaliação um pouco mais favorável na base desse tipo de memórias e semirromance, que seja. Ultimamente, a Srta. Salomé vem executando exatamente o que eu pedira dela em Tautenburg. De resto, que vá para o inferno!", ele responde a uma pergunta de Overbeck. Nietzsche quer se livrar também dessa lembrança.

As confissões mais profundas, porém, se encontram em suas cartas à mãe e à irmã: "Seu filho serve pouco para o casamento; meu desejo é ser independente até a última fronteira [...]. Uma velha ou ainda mais um servo assíduo me seria talvez mais útil [...]. Além disso, minhas opiniões são de uma ousadia horrível e impossível, quero dizer, de uma ousadia impossível para os padrões alemães e para amigos e vizinhos bons e comportados. Mas já não me agrada mais bancar o comediante o tempo todo, como ainda o faço muito". E, de repente, transparece também mais uma vez a ideia do suicídio: "[...] que talvez todas as preocupações com o meu futuro pudessem ser resolvidas de uma só vez. De manhã, ainda suporto a vida; mas à tarde e à noite, não mais. E parece-me até que já fiz o bastante para, sob as condições mais desfavoráveis, poder fugir de tudo de forma honrável!" Irrompe também a dor pela perda de Wagner: "Comove-me o fato de vocês terem escolhido o dia 22 de maio como dia de casamento: sinto-me como se você, em todos os aspectos possíveis, tivesse se assentado no pedacinho de terra onde eu me sentara no passado [...]. Eu mesmo, eu fugi para muito longe, e já não resta ninguém a quem pudesse contar para onde". Sóbrio é o tom da carta que ele escreve à irmã para o seu casamento: "No dia que decide sobre o seu destino [...] preciso fazer um balanço da minha vida. A partir de agora, sua cabeça e seu coração não se preocuparão mais em primeiro lugar com as coisas do seu irmão [...] e a natureza fará com que você compartilhe cada vez mais os pensamentos de seu marido, que de forma alguma são os meus, por mais que eu os considere honráveis e louváveis. Mas para que você saiba o quanto cuidado seu irmão precisará no futuro, escrevo-lhe hoje [...] a dificuldade e gravidade da minha situação. Até agora, e desde a infância, *jamais* encontrei alguém que compartilhasse a mesma angústia de coração e consciência. Isso me obriga ainda hoje a [...] me [...] apresentar sob o disfarce de algum dos tipos humanos permitidos. No entanto, creio que só podemos florescer entre pessoas de mesma convicção e vontade [...]; meu azar é que não tenho pessoas desse tipo. Minha existência universitária foi a longa tentativa de uma adaptação a um meio errado; minha aproximação de Wagner foi o mesmo, só que na direção oposta [...]. Tenho sido risivelmente feliz quando acreditava compartilhar um lugarzinho com uma pessoa [...]. No entanto, não podemos nos comunicar, por mais comunicáveis que sejamos, antes é preciso encontrar aquele que permita essa comunicação. A sensação de que haja em mim algo distante e estranho [...] é ainda o grau mais elevado de 'compreensão' que encontrei até agora. Tudo que escrevi até agora é superfície; para mim, tudo começa apenas após os travessões".

E depois da festa ele escreve à mãe: "No dia do casamento, tive a sorte de ser convidado por uma família de Basileia [...] para uma excursão; a obrigação de conversar com pessoas bondosas, mas estranhas foi um verdadeiro alívio. Talvez tudo esteja em ordem da forma como veio a acontecer; e até agora nós dois (i.e., o Dr. Förster e eu) nos comportamos direito e com boa vontade [...] para o meu gosto pessoal, o convívio mais íntimo com um agitador desse tipo é impossível [...]. Ainda não sei o que será de mim neste verão. Provavelmente, Sils-Maria, mesmo que tenha lembranças assombrosas de todas as minhas estadias. Sempre esteve doente, não tinha comida, tédio terrível por falta de visão e pessoas – e sempre alcançava o mês de setembro em algum tipo de desespero".

Mesmo assim, não quer parecer misantropo. Com palavras semelhantes às que Beethoven usa para iniciar seu "Testamento de Heiligenstadt" (cf. vol. I, p. 411), Nietzsche desculpa sua ausência no casamento: "Não me considero por isso uma pessoa secreta ou furtiva ou desconfiada; pelo contrário! Se o fosse, não sofreria tanto! [...] Não me considere por isso, meu querido lhama, louco nem especialmente vil e perdoe-me sobretudo por não estar presente em sua festa: um filósofo tão 'doentio' seria um péssimo pai da noiva!"

Era aparentemente o estresse psicológico que ele precisava evitar, como confessa à mãe: "Senti-me esse tempo todo como você; essa coisa toda me agitou profundamente. E já que seu filho tem uma saúde fraca, esteve doente o tempo todo; esta primavera é uma das primaveras mais melancólicas da minha vida". E ele fecha a carta: "Aborreço-me sempre com o fato de minha saúde tola e sua Naumburg e casa não serem compatíveis. Eu me sentiria muito melhor se você pudesse estar comigo".

Logo, em apenas quatro anos, o presságio de que Naumburg, a casa de sua mãe, seria seu último e mais seguro refúgio se confirmaria.

"Aspiro à minha obra"

(verão e outono de 1885)

Com o *intermezzo* veneziano – sobre o qual escreve a Overbeck em 4 de julho de 1885: "Veneza foi uma tortura para mim; resultado: muita melancolia e desconfiança contra todos os empreendimentos" – termina o "intervalo criativo", e Nietzsche se levanta para representar a imagem da filosofia, da paisagem espiritual contida em sua alma. Esta filosofia não pode ser reduzida a um ἓν, a um "fundamento primordial", a um "princípio" ou a uma essência de uma filosofia sistemática. Na música existe a possibilidade da variação regressiva, do desvelamento gradual do tema: de toda uma série de variações emerge no fim o tema. Assim, as milhares de variações e avaliações que Nietzsche confidencia aos seus cadernos de anotações deveria, por fim, resultar sua "filosofia". Nietzsche tentou obter esse resultado compondo "obras", "livros" na base de suas inúmeras anotações, que assim passam a apresentar uma unidade exterior, mas internamente representam apenas estações de um diálogo ininterrupto com seus problemas. Nesse aspecto, os editores posteriores seguiram seu método ao publicarem a coleção de aforismos sob o título "A vontade de poder" – um dos muitos títulos preferidos de Nietzsche daquela época. Mas eles também não conseguem estabelecer aquilo que o próprio Nietzsche não conseguiu produzir dessa forma: uma "obra principal" sistemática que expusesse o tema despido de todos os detalhes, adornos e balanços. Nietzsche fala sobre essa dificuldade na carta de 2 de julho de 1885 a Overbeck: "Mas a minha 'filosofia', se é que tenho o direito de chamar assim aquilo que me maltrata até as raízes do meu ser, já é incomunicável, pelo menos na forma impressa. Por vezes, sinto o desejo de realizar uma conferência secreta com você e Jacob Burckhardt, não para contar novidades, mas para perguntar como vocês lidam com essa dificuldade". Mesmo assim ousa uma tentativa.

Em seu esforço de representar a imagem geral de sua filosofia, Nietzsche tenta incluir também suas obras anteriores – ignorando o "Zaratustra", como se essa obra nem existisse. Em junho de 1885, ele começa em Sils a fazer uma revisão de "Humano, demasiado humano", preparando a obra para uma segunda edição, mesmo que esta não seja necessária do ponto de vista editorial, pois a primeira edição não foi um sucesso de vendas. Trata-se de uma necessidade pessoal de Nietzsche, iniciar essa nova tentativa na base de seus primeiros escritos. Ele sabe que esse esforço gigantesco rapidamente o levará aos limites de suas forças, por isso, aceita a oferta de ajuda, apesar de já ter vivido várias decepções com esse tipo de ajuda – e que voltará a decepcioná-lo também dessa vez.

No inverno de 1884/1885, Köselitz conheceu em Zurique também uma senhora alemã de Karlsruhe ou Meiningen, que vivia na Suíça, em Arbon, às margens do Lago de Constança: Louise Röder-Wiederhold. Algum evento fatídico deve tê-la levado a abandonar sua pátria. Aparentemente, ela se interessou muito pelo destino infeliz do compositor Köselitz, possivelmente até gostava de sua música, pois ela intercedeu por ele em Zurique. Mas enquanto Nietzsche a chama sempre de "Sra. Röder", ela aparece nas cartas de Köselitz apenas como "a Wiederhold". Por meio de Köselitz ela deve ter ouvido das necessidades de Nietzsche. E Köselitz deve ter informado seu amigo sobre o interesse da Sra. Röder. Nietzsche lhe escreve e a convida para Sils, onde ela chega em 8 de junho. Ela permanece em Sils até 6 de julho e lhe ajuda "muito lendo para mim e passando a limpo as minhas anotações", como ele informa Overbeck em 2 de julho. Ela passa várias horas por dia trabalhando com ele, mas ainda em junho ele escreve a Resa von Schirnhofer[226]: "Por enquanto, tenho comigo a extraordinária Sra. Röder-Wiederhold; ela suporta com uma paciência 'angelical' o meu terrível 'antidemocracismo' – pois dito a ela diariamente durante várias horas os meus pensamentos sobre os europeus de hoje e – de *amanhã*; no fim, porém, temo que ela perderá os nervos e fugirá de Sils-Maria, pois foi batizada com o espírito de 1848. – Terríveis são também minhas opiniões sobre 'a mulher'. Enfim, suspeito que ninguém consegue me aguentar por muito tempo. Apesar de existirem muitas razões para desejar-me uma 'boa companhia'. Ah, quem *conhece* minhas 'sete solidões'!" E em 23 de julho ele se queixa com Köselitz[124]: "Mas cá entre nós, ela não me serve. Não desejo repetições. Tudo que lhe ditei não tem valor; também chorou mais do que me agradou. Ela não tem fundamento; nenhuma mulher entende que uma catástrofe pessoal não é argumento, que esta não pode fornecer a base para uma visão filosófica geral de todas as coisas. O pior, porém, é: ela não possui modos e não para de balançar as pernas. Mesmo assim: ela me ajudou a sobreviver um mês difícil, com a melhor das intenções". E foi isso que importou a Nietzsche e bastou para manter uma correspondência amigável com ela durante os próximos anos.

Adolf Ruthardt

Naquele verão, Nietzsche conheceu duas pessoas novas em Sils: "Um músico e compositor maravilhoso nos visitou, Prof. Ruthardt* de Genebra, professor de minha velha Mansuroff. Ele se apegou muito a mim; certamente voltarei a encontrá-lo" (carta à irmã de 21 de agosto de 1885). Em 1921, Ruthardt escreveu sobre esse encontro[208]. Ele havia vindo para Sils em 1º de agosto a convite de sua aluna Srta. Von Mansuroff e ficou três semanas**.

Já no primeiro dia, a Srta. Von Mansuroff apresentou Ruthardt a Nietzsche, levando o professor para um passeio às margens do Lago de Silvaplana, "e de repente, numa curva da trilha da floresta, deparamo-nos com Nietzsche.

A aparência de Nietzsche me passou uma impressão altamente simpática. Altura mediana, magro, postura reta, mas não rígida, o cabelo quase preto, o bigode denso, seu terno claro de corte perfeito – tudo isso o destacava do tipo comum do estudioso alemão, assemelhando-o mais de um nobre do sul da França ou de um oficial italiano ou espanhol em trajes civis. Em seu rosto saudável e bronzeado e em seus grandes olhos escuros havia uma expressão de seriedade profunda, mas de forma alguma aquela expressão sombria e demoníaca que lhe foi atribuída em imagens e bustos. Trocamos algumas gentilezas, e então ele nos acompanhou até a porta do 'Alpenrose', sempre cavalheiro e procurando entreter a Srta. Von Mansuroff. [...] Despediu-se oferecendo-me sua mão, mas a Srta. Von Mansuroff o deteve: 'Querido senhor professor, quero convidá-lo a honrar-nos com sua visita hoje à noite aqui no quarto n. 4, que reservei como sala de música para mim. O Sr. Ruthardt tocará Bach,

---

* Adolf Ruthardt, nascido em 9 de fevereiro de 1849 em Stuttgart, trabalhou em Genebra como professor de Piano a partir de 1868. Em 1886 ele se mudou para Leipzig, onde trabalhou no conservatório até 1914. Morreu em Leipzig em 12 de setembro de 1934. Foi editor de obras de piano importantes e adquiriu fama com seu "Guia pela literatura de piano" [Wegweiser durch die Klavierliteratur] (10. ed., 1925).

** Ruthardt escreve sobre o relacionamento com sua aluna: "A Srta. Von Mansuroff era uma dama que pertencia à mais alta nobreza russa, tia do embaixador Orlow em Paris e depois em Berlim. Residia em Genebra [...] e se dedicou em minhas aulas, juntamente com Friedrich Klose [1862-1942, mais tarde aluno de Anton Bruckner] e com Houston Stewart Chamberlain [1855-1927; casou-se em 1908 com a filha de Wagner Eva e passou a viver em Bayreuth], aos estudos do contraponto com tanto sucesso que conseguiu compor um caderno inteiro de fugas notáveis. Ela dominava, além de sua língua materna, também o alemão, o francês, o inglês e o italiano e estudava ainda o espanhol. E essa dama curiosa deveria ter, segundo meus cálculos, 60 anos de idade, pois em sua juventude tivera a felicidade de estudar com Chopin. A despeito de sua idade avançada, ela se dedicava tanto ao aprendizado que continuou seus estudos comigo durante sua estadia em Sils-Maria por meio de cartas. Mas quando nós dois reconhecemos que este método era impraticável, eu aceitei seu convite de continuar nossos estudos pessoalmente e sob condições mais agradáveis em Sils-Maria".

Chopin e Schumann para nós...' Com certo constrangimento e com uma expressão quase sofrida, Nietzsche colocou a mão em sua testa e lamentou: 'Ah, a música! – A música não me faz bem em meu estado!' [...] Naquela noite eu havia acabado de começar a tocar o prelúdio da fuga em lá menor de Bach, quando Nietzsche apareceu e assistiu atentamente à minha apresentação. Toquei também a pequena *Nocturne* em fá sustenido maior de Chopin e, por fim, a 'Kreisleriana' de Schumann. Entre as peças ocorreram conversas interessantes. Admirei muito as observações pertinentes de Nietzsche. Porém, nada disse sobre a 'Kreisleriana' e permitiu que a dama expressasse seu entusiasmo.

Na tarde seguinte, Nietzsche me convidou para um passeio até o Vale de Fex. [...] Nietzsche [...] falou sobre a noite anterior. 'Por favor, explique-me a preferência curiosa que a Srta. Mansuroff tem por Schumann, sobretudo pela 'Kreisleriana'. Eu, por minha parte, só consigo explicar isso com uma sensibilidade difusa, já que, ao contrário de seu grande talento musical e linguístico, parece não se interessar pela literatura, talvez nem tenha lido E.T.A. Hoffmann, e portanto nem sabe do que trata essa música programática infeliz.' Responde: 'A sensibilidade musical dessa russa é profundamente alemã –.' 'Alemã', interrompeu-me Nietzsche, 'essa música é alemã no sentido de um emocionalismo introvertido e de um sentimentalismo pegajoso e burguês, que simplesmente não afeta a humanidade. Schumann foi, certamente, um homem honesto e um grande talento, mas não foi uma bênção para a arte da música em geral, muito menos para a música alemã em especial. Essa introversão recôndita é até perigosa, tão perigosa quanto a extroversão teatral de Richard Wagner'". Ruthardt então defendeu Schumann e lamentou não ter sido possível conquistar Wagner para Schumann e que a rejeição de Schumann era cultivada também pelos wagnerianos. Nietzsche respondeu surpreso: "O senhor *ainda* me considera um wagneriano?" Os amigos mais íntimos sabiam há anos de seu distanciamento de Wagner. Carl von Gersdorff, por exemplo, escreveu a Köselitz em 1º de fevereiro de 1882: "Aqui em Leipzig apresentaram ontem o Tristão. Nietzsche está certo: 100 a 200 compassos devem ser cortados. Ainda me tornarei completamente antiwagneriano se continuar a ouvir essa música", aludindo com isso ao aforismo 167 da "Aurora". Ruthardt, porém, "ignorava o abandono de Wagner por Nietzsche", como ele confessa e conta: "Ah! Não fui poupado de tomar conhecimento desse abandono por meio do próprio Nietzsche e de me sentir verdadeiramente abalado. Pois até então os ataques de Nietzsche contra Wagner haviam sido moderados, mas agora se intensificaram a cada dia, e minhas últimas conversas com ele me deixaram [...] triste. Tentei de tudo para contrariá-lo, refutá-lo e convencê-lo. Em vão! – A imagem brilhante e harmoniosa de sua personalidade maravilhosa teria sofrido um ofuscamento e uma distorção indelével, se, pouco antes de nossa despedida, eu não tivesse entendido tudo". Infelizmente, Ruthardt não nos diz o que ele veio a entender, mas provavelmente foi algo relacionado à saúde de Nietzsche.

As memórias de Ruthardt são valiosas também graças à sua observação sobre como as conversas influíam sobre as obras de Nietzsche. Ele cita como exemplo o aforismo 245 de "Além do bem e do mal", que, no que diz respeito a Schumann, reproduz suas conversas literalmente, por exemplo, quando Ruthardt tentou defender a "música de Manfredo" de Schumann, "que parecia provocar o nojo de Nietzsche em medida especial. Ele provocou uma gargalhada minha quando, com toda seriedade, me perguntou se eu conseguia imaginar o caçador de camurças, Astarte, a fada dos Alpes na Saxônia". Em "Além do bem e do mal", Nietzsche escreve: "Schumann, refugiando-se na 'Saxônia' de sua alma dotada de um espírito composto de elementos de Werther e de Jean Paul, mas certamente não de Beethoven e muito menos de Byron – sua música de Manfred é um fracasso e equívoco ao ponto de um delito – [...] este Schumann já era apenas um evento alemão na música, não mais um evento europeu, como ainda Beethoven ou, em maior grau, Mozart – com ele a música alemã foi ameaçada pelo maior dos perigos, o de perder a voz da alma europeia e de tornar-se uma mera fantasia nacionalista".

É inconfundível aqui como Nietzsche se via como europeu e como queria ser visto como evento europeu, pois sem essa compreensão própria ele jamais poderia ter ousado aplicar um padrão tão alto a Schumann. Como "europeus" ele identifica Beethoven e Mozart – Wagner ele ignora. Este também foi um evento europeu, mas Nietzsche não consegue reconhecer isso.

O homem com a droga asiática

Além de Ruthardt, Nietzsche menciona em sua carta de 21 de agosto de 1885 à irmã: "Convivo agora também com um holandês, que me conta muito sobre a China (seu orgulho frio e rude escandalizou todo o hotel – mas assim que me vê, desenvolve uma conversa muito educada e altamente informativa)". Nietzsche conhecera esse "holandês", certo Sr. Van Hasselt, já na Pension de Genève em Nice, fato que ele oculta agora.

Van Hasselt trabalhava como engenheiro no Extremo Oriente (entre outros lugares também em Java) e foi gravemente ferido durante a erupção de Krakatoa em 1883, que afetou sua visão. Nietzsche falou com ele sobre sua insônia. Van Hasselt teve compaixão com Nietzsche e lhe deu como sonífero alguns centímetros cúbicos de um pó branco com a advertência de usar apenas doses pequenas.

Nietzsche parece ter seguido a instrução, pois Lanzky menciona esse pó em posse de Nietzsche ainda em 1886*.

Além dessas duas novas amizades, Nietzsche convive com seu velho círculo de Sils: a Madame Mansuroff, as senhoras Fynn – mãe e filha – e o General Simon e filha. Em agosto, juntam-se ao grupo "duas jovens e belas condessas" (a Srta. Von Rantzau e a Srta. Von Alten de Munique), "ou um velho porteiro de escola, que está aqui com sua irmã, ou o Prof. Leskien e o Dr. Brockhaus de Leipzig", como escreve à mãe. Em uma glosa, ele apresenta o porteiro: "Dr. Fritzsch de Hamburgo, um dos poucos que me ouvia quando eu improvisava ao piano em Pforta". No entanto, ele teria preferido uma companhia mais jovem. "Talvez as moças de Zurique [...] visitem o eremita, i.e., as senhoritas Willdenow e Blum". Em 1º de agosto, ele envia o Zaratustra IV a Helene Druscowitz, que logo devolve o livro ao endereço de Köselitz, gesto este que deixa Nietzsche e Köselitz aliviados, pois reconhecem que essa remessa havia sido uma "tolice".

Livros

Assim, a vida em Sils transcorre com aquela tranquilidade que Nietzsche precisa para dedicar-se com aquela paixão irrestrita à sua obra. O que também faz parte dessa alta tensão criativa: Nietzsche volta a ler muito. Sua filosofia é diálogo, confronto, ele precisa de um adversário, mesmo que este seja um livro, pois por trás do livro se esconde um autor, com o qual ele entra em um contato pessoal por meio da leitura do livro. O problema existencial que tortura Nietzsche é seu "isolamento". Com referências a Dante e Spinoza, confessa a Overbeck em 2 de julho de 1885: "Para todos aqueles que tinham algum 'Deus' como companhia, não existia aquilo que eu conheço como 'solidão'. Minha vida agora consiste do desejo de que todas as coisas possam ser diferentes de como eu as compreendo; e que alguém me faça duvidar das minhas 'verdades'". São o extremo foco em sua atividade e seu ponto de vista que o conscientizam de sua solidão.

Tanto em Nice quanto em Sils ele guarda uma caixa de livros, para não ter que levá-los em suas viagens. Ambas as coleções contêm também alguns livros emprestados por Overbeck, aos quais Nietzsche se dedica agora. Em 2 de julho ele escreve a Overbeck: "Quando cheguei aqui em Sils, uma das primeiras coisas que fiz foi procurar o seu 'Teichmüller'; infelizmente, ele revelou estar ausente – disso segue

---

* Depois do Natal de 1885, numa carta a Elisabeth e ao Dr. Förster, observação na segunda página da carta: "Aprendi a dormir de novo (sem sonífero)".

que ele se encontra na biblioteca de Nice [...]. Em compensação tenho aqui o seu Mainländer". Teichmüller significa retorno aos inícios de seu tempo em Basileia. De Teichmüller, Nietzsche adota conceitos como "perspectivismo" e "o mundo real e o mundo aparente" como expressão linguística e posição intelectual. A leitura de Mainländer o remete mais uma vez à sua fase schopenhaueriana. Philipp Mainländer, nascido em 1841 em Offenbach a. M., levou Schopenhauer, a negação da vontade de viver, à última consequência: suicidou-se em 1876 – aos 35 anos de idade.

E também formalmente Nietzsche recorre ao passado. Ele escreve a Overbeck que aquilo que ele dita à Sra. Röder "poderia ser chamado de uma quinta Consideração extemporânea. No entanto, fiz isso apenas para criar um pouco de espaço para mim". E sobre o conteúdo ele diz: "A reflexão sobre os problemas principais [...] sempre me leva de volta [...] para as mesmas decisões: elas já se encontram, por mais veladas e ocultas que sejam, em meu 'Nascimento da tragédia', e tudo que tenho aprendido desde então tornou-se parte disso".

Em 28 de julho, Nietzsche recebe – provavelmente por sugestão de Köselitz – o livro "Erkennen und sein" [Conhecer e ser], de Heinrich Widemann. Nietzsche escreve a Köselitz sobre o livro de Widemann em 1º de agosto[124]: "do ponto de vista pessoal, talvez seja uma pequena desgraça para mim (falando em Dühring e a pregação sobre a física e os fatos de consciência de Mengel), mais haverá outros *quidproquos* e piores!" No dia anterior, ele havia escrito uma carta a Widemann, agradecendo-lhe pelo livro com toda educação: "Por meio de sua carta [...] e da remessa de sua obra, o senhor me prestou uma grande honra – sem falar da última página, onde o senhor faz a primeira resenha pública do meu filho Zaratustra. Jamais me esquecerei disso!"

Widemann se ocupava com Dühring, o que levou Nietzsche de volta ao "Curso da filosofia" de Dühring. Nesse contexto, ele se interessou também por uma passagem do livro "Die Frau in der Vergangenheit, Gegenwart und Zukunft" [A mulher no passado, no presente e no futuro] de August Bebel, publicado em 1883. Aparentemente, Köselitz possuía esse livro, e podemos supor que os dois leram a obra em maio, em Veneza, ou que pelo menos a discutiram a fundo. Só assim podemos explicar que Nietzsche se lembrava com tanta precisão de uma passagem específica. No entanto, ele parece se confundir um pouco, pois ele pergunta por uma passagem em que Bebel cita a escritora inglesa Elisabeth Blackwell*. Köselitz copia duas

* Elisabeth Blackwell, nascida em 3 de fevereiro de 1821 em Counterslip, Bristol, falecida em 31 de maio de 1910 em Hastings. Ela foi a primeira mulher a receber o título de Dr. med. Em 1857, fundou em Nova York um hospital para mulheres, mas retornou para a Inglaterra já em 1869. Suas "Autobiographical Sketches" (1895) são consideradas uma *pioneer work*.

citações para ele, mas supõe – corretamente – que Nietzsche esteja se referindo a uma passagem do próprio Bebel, mas não cita a passagem correta (como podemos deduzir da resposta de Nietzsche a Köselitz em 22 de setembro). Evidentemente, Nietzsche não se interessa pelo sociólogo marxista Bebel, mas pelas exposições psicológicas sobre "a mulher", ou seja, por um tema que o ocupa e preocupa desde a primavera. Acreditando que esta seja a passagem procurada por Nietzsche, ele cita o seguinte trecho: "[...] porque a mulher enfrenta os maiores impedimentos de satisfazer de forma natural suas pulsões naturais mais violentas. Essa contradição entre necessidade natural e pressão social leva à desnatureza, a vícios e desvios secretos". Ao escolher esse texto, Köselitz revela o quanto os pensamentos de Nietzsche já se aproximaram da visão de Sigmund Freud.

Um projeto de ópera

Outra leitura traz distração e impulsos inesperados: "Korsika", de Ferdinand Gregorovius, obra publicada em 1854[103]. O segundo volume relata o episódio de Marianna Pozzo di Borgo do ano de 1794: Em meio ao carnaval de Appietto, seu filho Felix é assassinado a tiros por Andrea Romanetti. Marianna di Borgo veste roupas masculinas, e armada persegue e caça o assassino de seu filho, liderando uma tropa formada por membros de seu clã. Romanetti, encurralado e sem munição, se entrega à inimiga, mas pede permissão para se confessar mais uma vez. Marianna o leva até o Padre Saverius Casalonga em Teppa. Durante a confissão, Marianna também reza – pela salvação da alma de seu inimigo. Quando o clã leva o condenado à morte para sua execução, Marianna se coloca na frente dele: ela o perdoa em nome de Deus e o coloca sob a proteção de seu clã.

E o que é que Nietzsche faz com esse esboço? No início de agosto, ele escreve a Köselitz: "Hurra! Desde ontem, acredito que algo caiu do céu – especificamente para você... Um tema maravilhoso para uma ópera. Leia no livro a história na p. 196 e faça as correções necessárias (p. ex., Marianna deve ser a irmã, não a mãe do assassinado, e na p. 198 é o *amor* repentino que salva Romanetti, apaga o ódio e encerra a *vendetta* da família). Esse tema tem tudo que você precisa. Primeiro ato: festa no sul, carnaval, interrupção sanguenta. Segundo ato: grande lamento fúnebre córsico, juramento de vingança ao lado do morto, solos e coros. Terceiro ato: expressar a solidão perigosa de um homem perseguido até a morte. Montanhas, floresta, cavernas, esconderijos, traição. Quarto ato: catástrofe com terrível tensão, no fim os juramentos de reconciliação das duas famílias inimigas. Tudo é *masculino*, o elemento histérico wagneriano está a cem milhas de distância; muitos tiros; o amor (que precisa ser representado em seus inícios no primeiro ato) é, dessa vez, amor da *ação* e não da expansão lírica: mas no auge do quarto ato você poderia incluir um dueto de amor de grande efeito... Os efeitos furiosos da vingança no segundo ato jamais foram representados por um músico. Tudo tem lógica, a lógica de uma extrema paixão... Marianna, a mulher guerreira, que, no segundo ato, deve se apresentar como uma Erínia, é um papel muito bom: Romanetti também, que, ao contrário dela, fechado, nobre e sombrio, deve ter todos os traços de um homem profundo, que zomba de seus inimigos e da própria morte".

"Montanhas, floresta, cavernas, esconderijos" e "solidão perigosa", um herói, que zomba de seus inimigos e da morte: tudo isso são metáforas para a sua filosofia. Nietzsche se reconhece na figura de Romanetti – e talvez ele também esteja esperando pelo quarto ato, pela libertação de sua existência ameaçada por meio do amor da ação. Mas nem a ópera nem o amor se realizaram. Köselitz não era o homem, não era o músico para a realização dessa tarefa.

Na discussão sobre o abandono de Wagner por Nietzsche surge, por vezes, o argumento segundo o qual o motivo teria sido uma decepção de Nietzsche ou uma vingança porque Wagner não teria acatado um projeto de ópera de Nietzsche. O projeto "Marianna" não pode ter sido a causa desse argumento, pois Wagner já estava morto havia dois anos, e Nietzsche esboçou a trama explicitamente para seu "maestro Peter Gast".

O Processo Schmeitzner

As dificuldades e os conflitos com o editor Schmeitzner, que haviam se anunciado já em outubro do ano passado, se aproximavam agora de uma decisão. Nietzsche confidencia a situação em 21 de agosto de 1885 a Köselitz[124]: "Nas últimas semanas houve relâmpagos e trovoadas no Caso Schmeitzner. Mas agora tudo parece estar indo na direção certa, de forma que agora realmente devo receber o meu dinheiro (7 mil francos) em 1º de outubro. Tentaram poupar-me ao máximo com essa questão, mas quando se tornaram necessárias as medidas decisivas, todos me atacaram: os advogados, meus familiares, o próprio Schmeitzner, até o Sr. Widemann, inúmeras cartas e telegramas, e – a responsabilidade era minha! Que cômodo! Graças a uma medida enérgica e repentina (penhora da editora em meu nome, de forma que Schmeitzner, ao voltar de uma viagem, encontrou tudo lacrado e se viu impedido de entrar na editora), que surpreendeu a todos, conseguimos gerar uma pressão forte. Eu havia instruído meus advogados a leiloar rapidamente toda a editora (e já estava à procura de meios para adquirir todos os meus livros).

Esse leilão assustou Schmeitzner: evidentemente, tudo teria sido vendido a preço de papel de rascunho (dessa forma, eu não teria recebido meu dinheiro, mas a 'minha literatura' sim! Logo após o leilão, eu teria entrado com um processo contra o pai de Schmeitzner, cuja fiança está nas mãos de meus advogados – ou seja, eu estava prevenido). Tudo indica que agora Schmeitzner não poderá descumprir sua promessa uma quarta vez – ele precisa pagar! O dinheiro virá da venda de toda a editora ao Sr. Erlecke em Chemnitz (firma em Leipzig) por 14 mil marcos, a serem pagos em 1º de outubro. Tenho em mãos o contrato de venda. Pagamento a mim, assim que o dinheiro entrar".

Bem, o leilão não aconteceu, pois Schmeitzner conseguiu evitá-lo por meio de uma promessa, como Nietzsche relata ainda no mesmo dia à irmã (21 de agosto): "A pressão teve o efeito desejado. Schmeitzner pagará em 1º de outubro e entregará o dinheiro ao advogado Kaufmann; este foi instruído a repassar o dinheiro para você [...]. A execução do leilão não teria sido fácil [...]. Portanto, escaparam de mim os meus livros!" Mas o dinheiro não chegou na data estabelecida. Após o 1º de outubro, Nietzsche relata a Overbeck, que devia estar a par dos acontecimentos[124]: "A causa Schmeitzner está em primeiro plano. Em dois anos, quebrou sua palavra quatro vezes – ou melhor: eu, tolo, dei-lhe minha confiança quatro vezes, e isso mesmo após tantas experiências ruins". A última "experiência" seguiria imediatamente. Em 7 de outubro, Nietzsche informa Overbeck: "Notícias que acabo de receber sobre o Caso Schmeitzner (notícias ruins que tornam difícil evitar um sentimento de amargura) deixam claro que não devo ter esperanças de receber dinheiro deste lado: e contei tanto com esse dinheiro (pagamento da impressão do Zaratustra IV [...], uma conta com o livreiro Lorentz e, por fim, toda essa viagem nórdica!). Para este 1º de outubro havia sido planejada também a venda da editora Schmeitzner a Erlecke. Mas agora fico sabendo que isso não acontecerá! O pai de Widemann é o advogado de Schmeitzner". Mas Nietzsche não desiste. Em 17 de outubro ele informa a Overbeck: "Entrementes, a história com Schmeitzner continuou e continuou – não posso dizer que 'progrediu'. [...] O leilão está previsto, toda a sua editora está penhorada desde junho. Dado que o leilão ocorra, tentaremos adquirir toda a minha literatura, para então transferi-la para um novo editor mais digno (provavelmente Veit u. Comp., i.e., Sr. Credner em Leipzig)".

Finalmente, em 23 de outubro, ele pode relatar à mãe: "Tenho o dinheiro de Schmeitzner em mãos"[124]. Ele espera até o dia 12 de novembro para informar também Overbeck: "*Schmeitzner pagou*" (grifo de Nietzsche).

As cartas a Overbeck desse tempo falam muito sobre a situação econômica de Nietzsche. Um terço da pensão de Basileia já não está mais garantida; na época

(1879), as autoridades haviam autorizado os subsídios apenas para seis anos. Graças à intercessão de Overbeck, porém, as quantias continuam a ser pagas. Neste tempo de insegurança financeira e de dúvidas em relação ao futuro, surpreende uma decisão que ele comunica a Overbeck em 9 de janeiro de 1886: "Como primeira medida, usei o dinheiro de Schmeitzner para cobrir o túmulo do meu pai com uma grande placa de mármore. (Segundo a vontade de minha mãe, será também o túmulo dela.)"

Na verdade, não foi "a primeira medida", pois Nietzsche tinha uma dívida alta com o livreiro Lorentz em Leipzig e com Naumann pela impressão do Zaratustra IV. Ele quita essas dívidas já em 29 de outubro.

Mas o que significa esse gasto grande com a grande placa de mármore para o túmulo do pai naquele cemitério simples de Röcken? Será que o filho estaria pagando por ter se afastado tanto do pai considerado tão idôneo, ou estaria ele cumprindo apenas seu dever como filho? Ou será que Nietzsche estaria tentando reatar com o pai biológico após perder seu pai substituto, Richard Wagner? Ou teria o desejo de sua mãe de ser sepultada no mesmo túmulo levado Nietzsche a tomar essa decisão?

Essa carta é a única informação que temos. Mas a placa de mármore é certamente mais do que um simples gesto. Visto que Nietzsche costumava encobrir e ocultar as comoções mais íntimas e delicadas com seu silêncio, podemos supor um ato simbólico por trás desse gesto simples e sua menção sucinta.

Viagem de outono

Por volta de 15 de setembro de 1885, Nietzsche se despediu de Sils após um verão de muito trabalho e viajou primeiro para Naumburg, de onde escreve a Köselitz já após uma semana: "Não pude evitar uma viagem para o norte. Por muito tempo, será a última viagem nessa direção errada, e tudo que tenho a criticar sobretudo em relação às condições climáticas de Naumburg se confirma agora de forma inequívoca, de forma que já penso em partir daqui, temendo os efeitos prejudiciais desta estadia. De resto, porém, o convívio com meus familiares me faz bem: o 'dinamite', na forma do Dr. Förster, em breve colocará entre nós a distância de todo o planeta". Em 5 de outubro, Nietzsche viaja para Leipzig, onde fica até 1º de novembro, para então voltar para o sul.

A viagem para o norte – a despeito da pergunta dirigida a Heinrich von Stein em 30 de agosto "se eu posso me expor à Alemanha – clima alemão em todos os sentidos, tanto físico quanto espiritual" – não tinha motivos apenas comerciais, como o processo Schmeitzner e a procura de um novo editor. Nietzsche cedeu também a uma coerção interior. Ele precisava, para poder trabalhar em sua obra filosófica, de paz e tranquilidade com seu ambiente humano, precisava do apoio da família e dos amigos para compensar sua alienação espiritual. Ele formula isso claramente em sua carta a Overbeck de 17 de outubro de 1885, após voltar mais uma vez para Naumburg por ocasião de seu 41º aniversário: Ele "se concede o direito de reconhecer o sentido da vida no conhecimento. Disso faz parte a alienação, o distanciamento, talvez também o esfriamento. Você deve ter percebido como os 'sentimentos gélidos' se transformaram em minha especialidade: isso é o resultado de uma vida 'nas alturas', 'na montanha' ou 'no ar'. Tornei-me sensível ao mais leve toque de calor, e torno-me cada vez mais sensível – ah, *agradeço* cada vez mais pela amizade".

Um último encontro

Quem lhe oferece esse tipo de encontro amigável e caloroso é Heinrich von Stein. Ainda em Sils, Nietzsche lhe escreveu: "Gostaria muito de cumprir o seu desejo [...] também em termos espaciais, e não só com o coração e 'a boa vontade' [...]. É muito provável que eu vá a Naumburg no outono". No final de setembro, Heinrich von Stein se encontra em Bad Kösen, e Nietzsche aproveita a oportunidade para fazer uma caminhada até lá. O caminho passa pela escola de Pforta, e ele tem lembranças boas também de Kösen. Lá, ele havia tocado piano com Anna Redtel[125].

No mesmo dia, Heinrich von Stein partiu em direção a Naumburg – e assim os dois se encontraram no meio do caminho. Esse encontro surpreendeu a ambos, e talvez por isso o encontro tenha sido um tanto gélido, e os dois se estranharam sem entenderem por quê. Mais tarde, tanto Heinrich von Stein quanto Nietzsche em sua resposta tentam reestabelecer a velha cordialidade em suas cartas. No entanto, esse encontro criou uma distância que os dois não conseguiram mais vencer por completo. Este encontro foi o último, pois Heinrich von Stein faleceu inesperadamente em 20 de junho de 1887*.

---

* Heinrich von Stein em uma carta a Nietzsche de 7 de outubro de 1885: "Confesso-o abertamente: fiquei decepcionado com o fato de, após procurá-lo em toda a Alemanha e Suíça e após encontrá-lo por acaso, tudo ter acabado. Um convívio próximo teria sido possível [...] nos caminhos Naumburg-Kösen. Sinto que isto não se repetirá desta forma, porque nosso encontro foi planejado por um destino bondoso [...]. Uma experiência curiosa foi para mim a liberdade interior que senti imediatamente no diálogo com o senhor. Creio que isto seja algo que o senhor dá àqueles que interagem com o senhor". Nietzsche respondeu em 15 de outubro: "Sua carta, que encontrei ontem em minha correspondência, me comoveu: O senhor está certo – e o que ajudaria se eu provasse que, pelo menos da minha parte, não foi cometida qualquer injustiça contra o senhor?"

O cunhado

Nietzsche precisava ainda resolver um problema com um membro da família: seu relacionamento com seu cunhado Bernhard Förster. Nietzsche tentou fazê-lo com educação. Em 15 de outubro de 1885, em sua festa de aniversário em Naumburg, ocorre o único encontro entre os dois homens, antípodas em tantos aspectos. Nietzsche relata sua impressão imediatamente após sua volta a Leipzig em 17 de outubro a Overbeck: "O Dr. Förster é uma pessoa simpática, ele tem um ser cordial e nobre e parece ser um homem de ação. Fiquei surpreso ao ver quantas coisas ele resolvia o tempo todo e com que facilidade ele o fazia; nisto eu sou diferente. Suas preferências não correspondem ao meu gosto, tudo se resolve rápido demais – você e eu, nós consideramos esse tipo de espíritos como precipitado". Nietzsche evita outro encontro. Em 27 de outubro, ele volta mais uma vez para Naumburg, mas evita a casa da mãe e a convida mais tarde para visitá-lo em Leipzig em 1º de novembro para despedir-se dela, pois no mesmo dia ele parte para o sul, primeiro para Munique*.

A mãe sabia de sua solidão e dos perigos, conhecia também o risco real de um acidente em decorrência de sua visão fraca. Suas intenções eram boas ao sugerir-lhe um plano sobre o qual Nietzsche escreve a Overbeck, invertendo a situação: "A nova solidão da minha mãe me preocupa. Talvez ela passará pelo menos parte do ano comigo, possivelmente em Veneza. Isso será muito bom para mim, pois em meu estado físico e minha cegueira preciso cada vez mais de alguém que cuide de mim". E às margens da carta ele acrescenta: "Você pode imaginar que minha mãe pretende encontrar uma esposa para mim. Ela quer casar-me com a filha de meu antigo chefe militar, o General Von Jagemann".

Encontro melancólico com dois livros

Um encontro completamente diferente evoca lembranças e emoções profundamente ambíguas. Nietzsche escreve sobre isso primeiro a Heinrich von Stein em 15 de outubro de 1885: "Ontem vi o livro de Rée sobre a consciência** – que livro vazio, entediante, falso! Um homem só deveria falar de coisas que ele mesmo experimentou. O sentimento foi completamente diferente que o romance de sua *insépa-*

---

* Nietzsche lhe escreve em 30 de outubro[121]: "Por favor, venha me visitar no domingo, 1º de novembro; à tarde, por volta das seis, partirei daqui, poderemos passar um tempo lindo juntos, dado que você esteja disposta a chegar às 10h56min da manhã. Evidentemente, estarei na estação de trem. – Imagine só, na última terça-feira estive em Naumburg, enquanto os Försters estavam em sua casa. No entanto, aproveitei bem o tempo até às 8 da noite e fiz algumas visitas".

** "Die Entstehung des Gewissens" [A evolução da consciência], Berlim 1885.

rable soeur Salomé provocou em mim e que curiosamente caiu em minhas mãos ao mesmo tempo. Toda sua forma é feminina e sua pretensão de ter um homem como narrador é verdadeiramente cômica. [...]

Esqueci de dizer o quanto eu aprecio a forma simples, clara e quase antiga do livro de Rée. Este é o '*habitus* filosófico' – que pena que esse hábito não contém mais 'conteúdo'! No entanto, não há como elogiar o bastante quando alguém, como Rée sempre o fez, renuncia ao diabo verdadeiramente alemão, ao gênio ou demônio da ambiguidade. – Os alemães se acham profundos".

E dois dias depois ele se manifesta de modo muito parecido em uma carta a Overbeck*.

A comparação das duas cartas nos revela uma peculiaridade do escritor de cartas Nietzsche: Quando escreve várias cartas no mesmo dia ou dentro de um intervalo curto a pessoas diferentes, elas costumam conter as mesmas formulações, e as diferenças são tão sutis que uma leitura rápida as ignora. Isso mostra como Nietzsche remói um pensamento, como o formula, para então se render a ele.

Rumo ao sul

A viagem o levou primeiro para Munique, onde Nietzsche se hospedou na casa do Freiherr von Seydlitz, presidente da associação wagneriana local. Nietzsche conseguia distinguir e avaliar muito bem as qualidades pessoais dos "wagnerianos". O núcleo formado em torno dos "Bayreuther Blätter" lhe era suspeito ou risível. Nietzsche leu, ainda em Leipzig, o livro "Beiträge zur Einsicht in das Wesen der Wagnerschen Kunst" [Contribuições para o conhecimento da natureza da arte de Wagner], de Edmund von Hagen, nascido em 1850, e sobre o qual ele escreve à mãe, acrescentando: "Agora mesmo revi, mais surpreso do que alegrado [...], as 'sentenças da imprensa' sobre Edmund von Hagen [...]. Nesta questão de gosto os wagnerianos (p. ex., os "Bayreuther Blätter") estão terrivelmente comprometidos"**.

---

* "Ontem encontrei a 'Evolução da consciência' de Rée e, após uma leitura rápida, agradeci ao meu destino por ter proibido que ele dedicasse esta obra a mim. Pobre, incompreensivelmente 'senil'. – Ao mesmo tempo, numa ironia do acaso, recebi também o livro da Srta. Salomé, que me comoveu. Que contraste entre a forma feminina e sentimental e o conteúdo de vontade e conhecimento fortes! [...] Cem referências às nossas conversas de Tautenberg".

** Cosima Wagner se lembra de E. von Hagen (Diários I, 560) em 12 de agosto de 1872: "As pessoas me contam que certo Sr. Von Hagen estivera aqui com sua mãe, que ele se apresentara como admirador entusiástico e que desejara ver apenas a sala de trabalho". E em 13 de agosto de 1872: "À tarde, visita da família Von Hagen, o filho, estudante da filosofia, desejara como presente de aniversário uma viagem a Bayreuth".

Apesar de sua revolta contra Wagner, que começa a ferver dentro dele e que, por vezes, já chega a irromper – como, por exemplo, diante de Ruthardt –, Nietzsche preza e cultiva o contato com as personalidades importantes do círculo wagneriano, assim também com o artista culto Freiherr von Seydlitz e sobretudo com sua jovem e vigorosa esposa Irene, uma húngara, que aparentemente lhe agradou bastante, pois após essa visita ele confessa que sua parceira deveria ter exatamente sua aparência e natureza: "[...] divertida, linda, ainda muito jovem e de resto um pequeno ser corajoso à la Irene Seydlitz", ele escreve no início de 1886 em uma carta à mãe.

Após poucos dias (sete, de acordo com Nietzsche), "equipado pela Sra. Von Seydlitz com bifes à la Wiel e uma garrafa de chá", ele viaja para Florença, de onde escreve para casa em 7 de novembro que ainda não chegou "no lugar", pois "Florença não me agrada, é uma cidade barulhenta, os paralelepípedos das ruas são irregulares; e os carros, muito perigosos".

No final de novembro, já em Nice, Nietzsche agradece à Sra. Von Seydlitz pela provisão de viagem e lhe conta um episódio, ao qual acrescenta alguns pensamentos que chamam nossa atenção, pois revelam mais uma vez suas dúvidas constantes em relação a si mesmo – em relação ao seu mundo de pensamentos, às suas obras e sua capacitação para esta obra: "Em Florença surpreendi o astrônomo em seu observatório [...]*. Em sua escrivaninha encontrei os escritos de seu amigo, e ele, um homem velho e branco como a neve, recitava com entusiasmo passagens de 'Humano, demasiado humano'!** – A imagem deste eremita nobre e perfeito foi o presente mais valioso que levei de Florença – ao mesmo tempo, porém, foi também a mordida mais dolorosa, uma mordida da consciência. Pois evidentemente este pesquisador solitário havia alcançado uma sabedoria da vida maior do que o

---

* Sobre a pessoa do astrônomo, os editores das obras completas (Ges. Br. I)[7]: "seu nome não pôde ser identificado". Leopold Zahn[274] o identifica em sua biografia (p. 273) como "o famoso astrônomo Leberecht Tempel". Creio que tenha se tratado de Ernst Wilhelm Tempel, nascido em 1821 em Nieder-Kunersdorf (Saxônia) e falecido em 1889 em Florença. Tempel havia sido litógrafo, mas em Veneza, em 1859, descobriu como astrônomo amador um cometa e a nebulosa de Mérope. Entre 1860 e 1870, descobriu como assistente do observatório de Marseille vários planetas menores e numerosos cometas. Em 1871, quando foi expulso da França por causa de sua nacionalidade alemã, ele foi para Milão e ali descobriu, novamente como assistente, outros quatro cometas. Em 1874 foi chamado para Florença-Arcetri, e lá fez outras descobertas como diretor do observatório. Tempel descreveu essas descobertas em inúmeras publicações, p. ex., em "Über Nebelflecken. Nach Beobachtungen angestellt in den Jahren 1876-1879 mit dem Refraktor von Amici auf der Kgl. Sternwarte zu Arcetri bei Florenz (mit 2 Tafeln)" [Sobre nebulosos. Segundo observações realizadas nos anos 1876-1879 com o telescópio refrator de Amici no observatório real de Arcetri/ Florença (com dois painéis)], Praga 1885.[174]

** Lanzky havia sido apontado para Nietzsche por Tempel! (Cf. acima, p. 199.)

seu amigo. Ele era também *saudável*: e quando um filósofo está doente, isso já é quase um *argumento contra* a sua filosofia. Entrementes, eu poderia alegar que me recupero rapidamente e me torno cada vez mais saudável, desde que tenho a minha filosofia e não sirvo mais a 'falsos deuses'". Evidentemente, os "falsos deuses" são Schopenhauer e, principalmente, Wagner. Mesmo assim, essa afirmação sobre sua recuperação não convence. E por que ele precisou afirmá-la com tanta ênfase?

Durante a viagem, Nietzsche, o homem com deficiência visual, cuidou "de uma velha viúva muito ingênua, que, sem conhecimentos de dinheiro, terra e povo havia partido 'rumo ao sul' para encontrar sua filha". Ele relata esse episódio à mãe de forma muito pessoal, pois como queria tê-la ao seu lado para cuidar dela e dar-lhe todo seu amor de filho! Ele lhe relata também que, no dia seguinte (8 de novembro), ele estará com o Sr. Lanzky em seu refúgio em Vallombrosa e elogia as vantagens deste lugar. Mesmo assim, a viagem termina

Novamente em Nice

De lá, ele escreve em 11 de novembro: "Não fiquem surpresos, [...] se hoje a toupeira de Hamlet enviar notícias de Nice e não de Vallombrosa ('Vale das sombras'). Sempre prezei muito poder respirar quase ao mesmo tempo o ar de Leipzig, Munique, Florença, Gênova e Nice. Vocês não acreditarão se eu lhes disser o quanto Nice triunfou nessa competição. Minha residência continua a ser a Pension de Genève, petite rue S. Etienne; entrementes, uma revisão e a renovação completa de tecidos e cores a tornou muito apetitosa. Meu vizinho de mesa é um bispo, um *monsignore*, que domina o alemão". E também a Overbeck ele confessa em 12 de novembro de 1885: "Nos dois últimos meses, fiz uma viagem respeitável em ziguezague, e minha esperança de encontrar algo novo, um lugar ou uma pessoa, não se cumpriu. Cabeça e saúde fizeram suas reivindicações: Parece-me que Nice e Sils-Maria são insuperáveis e também insubstituíveis". Nice, porém, aparenta não oferecer a solução geográfica. No início de dezembro, ele escreve a Overbeck: "Voltei a experimentar com apartamentos etc.; fiquei apenas três dias na pensão suíça, mas acabo sempre voltando para ela [...]. Preciso encontrar algo independente e apropriado para mim, mas duvido cada vez mais que o encontre. Por isso, preciso de pessoas que cuidem de mim. Minha natureza pouco prática, minha semicegueira, por outro lado meu medo, minha impotência, minha falta de coragem, consequências da minha saúde, prendem-me a situações que quase me matam.

Quase sete anos de solidão e, em grande parte, uma vida de cão, porque tudo me faltava! Agradeço aos céus que ninguém teve que vivenciar isso de perto!" Como novo endereço ele informa a "Rue St. François de Paule 26 (2me étage à gauche)". Entusiasmado, ele descreve em uma carta de 24 de novembro a Köselitz a vista que seu novo quarto lhe oferece: "E quando eu lhe disser como se chama a praça sob minha janela (árvores maravilhosas, grandes prédios vermelhos a distância, o mar e a linda Baie des Anges), ou seja, 'Square des Phocéens', creio que rirá comigo sobre o incrível cosmopolitismo dessa criação linguística – os focídios realmente viveram aqui no passado – mas ouço neste nome algo vitorioso e europeu, algo muito consolador, que me diz: 'aqui você está em seu lugar'".

O filólogo clássico e o "europeu" em Nietzsche se alegram igualmente. Mas a solidão, além do convívio restrito da pensão, pesa duplamente Nietzsche deseja desesperadamente a proximidade de uma alma amiga. Implorando, ele se dirige a Köselitz e tenta atraí-lo com uma descrição sedutora de Nice. Quer que ele se mude para a sua cidade, não para a sua pensão e muito menos para um apartamento comum, pois Nietzsche não suporta o convívio diário com Köselitz. Quando pensou em passar algum tempo em Veneza, ele observou em uma carta a Overbeck (outubro de 1885): "[...] o que se tornará possível após a partida de Köselitz para Viena". Agora, porém, em sua cela solitária em Nice, ele deseja sua presença: "O ar é incomparável, sua força revigorante (e a abundância de luz) é única em toda a Europa. Menciono por fim que a vida aqui é barata, muito barata, e a cidade é grande o bastante para permitir qualquer grau de privacidade eremita. As coisas seletas da natureza, como as trilhas nas florestas das montanhas próximas, a Península de Saint-Jean foram feitas para nós; e a avenida na praia com a maré forte é frequentada durante poucas horas do dia [...]. Nós, como animais solitários e trabalhadores, poderemos nos evitar perfeitamente, mas de vez em quando organizaremos uma pequena festa de encontro. Sou um dos maiores amantes de sua música – na última parte da minha vida, faltar-me-ia algo insubstituível, se eu perdesse você e sua arte [...]. Se não gostar daqui, um navio poderá levá-lo aos sábados à noite para Ajaccio [...]. Não é apenas a curiosidade que me leva a perguntar qual seria o efeito deste clima sobre você; tampouco é apenas o desejo de ter o amigo por perto. Aqui podemos ser tão 'extra-alemães' – não consigo enfatizar isto o bastante". Aqui transparece mais uma vez a necessidade de ultrapassar as fronteiras nacionais e conquistar a liberdade de uma "Europa" mais ampla.

A invasão de um mundo estranho

Tudo isso, até mesmo o mais insignificante detalhe biográfico, serve à obra. Protegida de excitações pequenas e mesquinhas resultantes das tensões com a família ou amigos, de interesses particulares (e também "nacionais"), Nietzsche espera que ela prospere. Nietzsche quer finalmente se dedicar àquilo que ele alegara como sua vocação mais íntima já em 1871 para justificar sua candidatura à docência em Basileia: "Desenvolver filosoficamente algo homogêneo e permanecer em longos pensamentos e sem perturbações num único problema". Isto lhe havia sido negado durante os últimos quinze anos, também pela sua inquietação interior, sua paixão pelo conhecimento e sua consciência de crise. E também agora a tranquilidade tão desejada foi destruída. Com seu ponto de vista europeu ele já se encontrava à frente de seu tempo e, por isso, se sentia isolado e solitário. E agora Nietzsche se viu confrontado com os nacionalismos excessivos em decorrência dos esforços de seu cunhado Dr. Bernhard Förster. No outono de 1885, Förster havia publicado seu livro "Deutsche Kolonien in dem oberen Laplata-Gebiete mit besonderer Berücksichtigung von Paraguay"[91] [Colônias alemãs na região superior do Laplata com atenção especial para o Paraguai], e Nietzsche leu o livro em novembro, em Nice.

O europeísmo de Nietzsche não tinha motivações políticas, portanto, também não previa qualquer tipo de "internacionalismo". Para Nietzsche, a Europa era um grande espaço cultural, unido espiritualmente pela tradição da Antiguidade, onde as fronteiras nacionais e estatais ocupavam um papel secundário. Aqui Nietzsche revela suas origens: os ensinamentos cristãos, que cunharam o Ocidente e que foram proclamados com orgulho por gerações de proclamadores de sua família; e seus estudos da Antiguidade e do humanismo. "O Ocidente" significava para ele uma unidade espiritual e uma realidade. E é nesse espaço que ele deseja que sua obra seja inserida como evento espiritual europeu. Como europeu, distanciou-se claramente do Oriente e da América do Norte. E criticou até mesmo – além dos elementos adotados do platonismo – as origens orientais do cristianismo. Por isso, as ideias de seu cunhado necessariamente o decepcionaram e repugnaram, pois este não via o todo de uma possível cultura europeia, mas buscava introduzir uma cultura nacionalmente limitada e definida especificamente como "alemã" em um estado sul-americano e "germanizar" culturalmente o continente a partir desse núcleo. Com isso Förster se aventurou num caminho próprio na euforia colonial de seu tempo. As conquistas e ocupações em solo americano feitas nos séculos anteriores haviam sido perdidas há muito tempo, quando, no século XIX, os Estados Unidos – depois da Revolução Francesa e do período de dominação napoleônico – e os territórios espanhóis e portugueses se separaram de suas dinastias conquistadoras. Os estados do mundo velho, porém, precisavam urgentemente de matéria-prima e alimentos baratos para sustentar sua indústria hipertrofiada, para poder manter baixos os salários de seu proletariado. As novas colônias serviam também para absorver excessos populacionais. Sem quaisquer escrúpulos, os colonizadores usaram Bíblia, cachaça e granadas para ocupar territórios imensos na África e na Ásia. Sobretudo a Inglaterra e a França já haviam assegurado territórios grandes e lucrativos, e também Portugal e a Bélgica participavam desses esforços, e a Itália começava a restituir seu reino mediterrâneo clássico, enquanto a França se firmava em Túnis; e os ingleses, no Egito. Então o pensamento colonial surgiu também na Alemanha, e em 1884 Carl Peters (1856-1918) fundou a "Deutsch-Ostafrikanische Gesellschaft" [Companhia Alemã da África Oriental] e sua colônia.

Nietzsche não parece ter visto esse desenvolvimento político tão significativo e decisivo para o futuro da Europa, suas ondas não alcançavam Sils com seu círculo de damas nobres nem a Pension de Genève em Nice. Tampouco teve uma influência sobre "Bayreuth" nem sobre as problemáticas de Nietzsche. Um único lado dos empreendimentos coloniais da Alemanha o irritava, e este era defendido com veemência justamente pelo seu cunhado. Desde o início, a colonização se viu minada por ideologias racistas, e um de seus representantes mais notáveis era Bernhard Förster. Esses homens não estavam interessados em explorar novas terras como, por exemplo, a África Central, e ocupá-las politicamente, pretendiam antes assentar em estados já constituídos minorias alemãs, fermentar esses estados com o espírito alemão e formar classes de elite alemã. Em algumas regiões, isso parecia possível, por exemplo, no Oriente europeu, mas também na América do Sul com sua população pobre de índios e crioulos "domesticados". O que preocupava Nietzsche era a pretensão de levar a cultura "europeia" – ou até mesmo alemã – para o mundo, pois em decorrência de sua consciência crítico-cultural ele sofria com o fato de que essa suposta cultura europeia estava passando por um período de fraqueza em sua própria pátria e que precisa urgentemente passar por um processo de purificação e fortalecimento. Förster reconhecia que a pergunta pelo futuro assumia uma urgência especial diante de seu modelo de colonização, mas ele não era capaz de entender sua extensão para os colonizadores e os estados infiltrados. No caso da Europa Oriental, esses "pioneiros" nos legaram os problemas das minorias, que se evidenciaram na Segunda Guerra Mundial. A colônia de Förster no Paraguai, por sua vez, foi extinta. Em seu livro[91], ele trata disso apenas com poucas palavras (p. 8): "Parecia-me completamente irrelevante se nesses países as colônias eram estabelecidas em dependência direta do Reich alemão ou sob a soberania de um estado estrangeiro: uma colônia desenvolvida vigorosamente saberá proteger seus direitos nacionais e econômicos também sob um poder estrangeiro, e uma colônia politicamente independente de sua pátria conseguirá em todos os casos desligar-se e tornar-se independente", constatação esta que a história já havia comprovado, mas na época ninguém teve a força para enxergar os efeitos evidentes desse desenvolvimento.

Förster tinha uma visão clara desse lado, mas diante das consequências de sua política colonial ele simplesmente fechou os olhos, o que surpreende, pois em seu livro cativante e cientificamente preciso ele avalia suas observações com sobriedade: "Agora que a fundação de colônias alemãs finalmente tem sido reconhecida como parte da grande tarefa social e econômica do nosso povo, vale elevar essa questão para um nível de clareza e seriedade" (V), para "oferecer aos filhos sem terra da nossa pátria destinos promissores". Confrontado com a pergunta para onde ele enviaria os emigrantes alemães, ele exclui a Europa Oriental (7): "Paul de Lagarde [...] entre outros [...] demonstrou claramente que o sul da Rússia, as regiões inferiores do Danúbio, a Península Balcânica são a região mais natural para uma colonização alemã. Mas em vista do estado terrível do reino russo, onde os judeus e os niilistas trabalham sistematicamente e com sucesso na destruição do existente, em vista da dissolução evidente do duplo estado austríaco e da decomposição estatal dos países balcânicos, dificilmente podemos recomendar a emigração para estas regiões". Dois amigos não identificados o apontam para a América do Sul, especialmente para o Paraguai, e para responder à pergunta: "Quais as perspectivas que esperam o alemão no Paraguai que lá pretende se estabelecer?" ele embarca em Hamburgo em 2 de fevereiro de 1883 e, após desembarcar em Montevidéu em 2 de março, viaja pelo país durante dois anos, trabalha como fazendeiro em uma colônia já existente para analisar a fertilidade do solo, desenvolve amizades com a população, e assim, baseando-se em observações pessoais, consegue descrever a terra e o povo, as possibilidades econômicas, o clima etc., o que ele faz num estilo agradável e legível. A única coisa constrangedora, que irrita também o leitor Nietzsche, é o *basso ostinato* de sua ideologia racista-ariana, que o leva várias vezes a conclusões totalmente equivocadas. Ele não consegue aceitar que, numa população liderada primeiro por jesuítas espanhóis e depois por franciscanos italianos, um grupo de colonizadores "alemães" sempre seria um corpo estranho. E o que Förster mais repugna é a possibilidade de uma assimilação dos colonizadores à população indígena. Por isso, ele alerta contra uma emigração para os Estados Unidos (6): "[...] o rico fluxo de pessoas alemãs [...] simplesmente desaparecerá no americanismo. Podemos dizê-lo abertamente: Sempre que um alemão se transforma em um ianque, a humanidade sofre uma perda", pois "não podemos encorajar aquele que preza sua origem alemã como bem precioso e que pretende preservá-la não só para si mesmo, mas também para os seus filhos". Ele vê a América do Sul numa luz mais favorável (7): "Aqueles países que hoje já formam uma unidade geográfica e no futuro formarão talvez também uma unidade política receberiam ao longo do tempo uma qualidade não só germânica, mas especificamente alemã, se os emigrantes alemães se dirigissem até eles em grande número e com força moral, para lá cultivar sua língua e seu espírito". Förster acredita que esses povos precisam ser libertados da influência dos colonizadores antigos, sobre os quais ele julga duramente (16): "Nos eventos terríveis da inquisição espanhola reconhecemos a influência que o judaísmo espanhol exerceu sobre a constituição moral desse povo. Os portugueses parecem misturar-se ainda mais com os judeus, sua conduta no Novo Mundo foi, portanto, muito pior do que a atividade dos castelhanos". E Förster acrescenta: "Todos nos países da região do Laplata sabem perfeitamente que um avanço enérgico na educação e moral popular ocorreria se houvesse um fluxo forte de raças europeias melhores para esta região e que, sob esse ponto de vista, os alemães são melhores do que qualquer outro povo europeu e devem ser privilegiados". Förster demonstra a necessidade desse "sangue novo" com a descrição vívida da indolência da população indígena e crioula (74): "O estado paradisíaco de viver sem trabalho duro, tão idealizado pelo judeu preguiçoso, é quase [...] possível naquelas zonas tropicais: os lenguas e gaynguas existem sem trabalhar – evidentemente levam uma existência pobre e insuportável para um ariano [...]. No entanto, graças ao acréscimo de um sangue ariano superior, graças também ao exemplo que os brancos têm dado aos índios durante séculos, evidencia-se na maioria dos lugares um aumento no trabalho [...]. Isso ocorre sobretudo nas regiões em que houve uma mistura maior do sangue ariano com a população indígena" (79). "A população rural não vive em comunidades fechadas [...] como tem sido uma característica ariana antes de o contato com o semitismo estragar a raça ariana". Após repetidos excessos desse tipo, Förster conclui (194): "Colonização significa para nós: Transferência da nossa própria cultura para um solo novo e favorável e, como devemos acrescentar como idealistas, sob a exclusão de todos acasos, artificialidades e falsidades e sob a ênfase consciente e firme do verdadeiro, eterno e precioso dos nossos costumes". E o Paraguai oferece esse solo (203): "O governo [...] sabe perfeitamente que não existe remédio melhor para o país pobre do que a imigração em massa de colonos europeus com as características de uma raça melhor". E Förster revela o objetivo desse trabalho colonial "eticamente" justificado (204): "Com alguma paciência e dedicação, seria possível transformar os paraguaios, homens e mulheres, em uma população de trabalhadores; já agora eles estão disponíveis [...] por pouco dinheiro e em quantidades ilimitadas". Os imigrantes se transformarão em classe de dominadores!

No fim, Förster se apresenta aos leitores ainda como colaborador dos "Bayreuther Blätter", mencionando trabalhos antigos: "Parsifal-Nachklänge" [Ecos ao Parsifal] e “Ein Deutschland der Zukunft” [Uma Alemanha do futuro] (“Bayreuther Blätter”, 1883). Nietzsche havia se distanciado claramente dessa revista desde sua primeira publicação, e agora ele descobre que seu cunhado é um colaborador! Förster escreve: “Na época (em 22 de março de 1884) completavam-se exatamente 52 anos desde o dia em que os alemães perderam aquele homem que, mais do que qualquer outro, desenvolveu o pensamento de uma cultura baseada puramente na educação nacional. Se eu tiver a sorte de aproximar de sua realização aquela suprema ideia social que Goethe expressou em seu Wilhelm Meister meu trabalho não terá sido em vão”. Förster não conseguiu realizar esse objetivo, mas em virtude de seus vínculos familiares ele obrigou Nietzsche a se ocupar com as vertentes políticas da época. Encontramos suas respostas a cada passo em suas anotações daquele tempo e em “Além do bem e do mal”. A discussão curiosamente intensiva sobre a pergunta “o que é alemão”, suas sentenças sobre o espírito alemão, sobre questões raciais, sobre o europeísmo só fazem sentido em vista desse contexto.

Na Europa ainda existiam fronteiras nacionais e “pátrias”, e Nietzsche foi lembrado disso também de outra forma. Quando saiu da pensão e ocupou um apartamento próprio, ele deixou de ser “turista” e passou a ser residente. Portanto, teve que se registrar oficialmente, e para tanto precisava de um documento válido. Mais uma vez, ele recorre a seu antigo passaporte de Basileia – emitido em 29 de setembro de 1876 com validade de um ano. A validade havia sido estendida pela última vez em 14 de abril de 1883 por mais um ano pelo consulado suíço em Gênova. Agora, ele procura o cônsul suíço em Nice. Este lhe concede o registro: “Vu du Consulat Suisse à Nice pour inscription au Registre d’Immatriculation” e “Bon pour six mois. Nice 11. Décb. 1885”[112], o que lhe custou 2 francos e meio.

A vingança de Schmeitzner

Nietzsche havia processado seu editor Schmeitzner com o objetivo de recuperar os direitos editorais de suas obras publicadas para assim ter a liberdade de redigi-las e inseri-las organicamente em sua obra completa. Com seus passos radicais, a penhora e lacração da editora, ele havia transformado Schmeitzner em seu inimigo. Este, como homem de negócios mais esperto e experiente, soube se precaver e até mesmo se vingar com medidas e reivindicações friamente calculadas.

As cartas a Köselitz (6 de dezembro de 1885), a Overbeck (por volta de 6 de dezembro de 1885), e à família em Naumburg (toda sua correspondência se limita a esses três recipientes desde a primavera, com exceção de uma carta às damas Seydlitz, Fynn e Schirnhofer e duas cartas aos senhores Von Stein e Widemann) nos informam o fracasso definitivo desse objetivo principal: o de aproveitar o fim da editora de Schmeitzner para libertar os seus livros e os de Overbeck das garras da editora e assim afastá-los da vizinhança comprometedora da propaganda antissemita de Schmeitzner. Mas Schmeitzner conseguiu salvar sua editora, permanecendo assim o detentor dos direitos editorais – e ele usou isso contra Nietzsche com a mesma obstinação com que Nietzsche o atacara. "Infelizmente [...] não pudemos realizar o leilão; os seus [de Overbeck] e os meus escritos se encontram totalmente soterrados e irresgatáveis neste buraco antissemita [...]. Minha 'literatura' não existe mais –, com essa sentença despeço-me da Alemanha. Ninguém na Alemanha sabe (nem mesmo onde acreditam conhecer-me bem) o que quero de mim, ou que quero algo; muito menos que já alcancei boa parte disso sob as circunstâncias mais difíceis. – Eu já havia combinado com Credner uma segunda edição de 'Humano, demasiado humano', para a qual eu já havia preparado tudo – investi nisso o trabalho de um verão inteiro! Schmeitzner impediu isso, exigindo a quantia de 2.500 marcos para a destruição dos exemplares restantes da primeira edição. Com isso, e eu entendi isso, as segundas edições se tornaram impossíveis [...]. Por toda parte, meus livros são considerados 'literatura antissemita', como confirma um livreiro de Leipzig – e agora o bom Widemann me desfere o golpe de me elogiar juntamente com o abominável anarquista Eugen Dühring!" Schmeitzner havia feito "sugestões imorais" de como Nietzsche poderia vender mais de seus livros, "gerando barulho em torno de sua pessoa". "Infelizmente, ele me referiu ao Sr. Widemann, que me passaria mais informações sobre os métodos de barulho: Isso basta para não me encontrar com o Sr. Widemann e considerá-lo inexistente. Sua proximidade com Schmeitzner é um infortúnio [...]. O antissemitismo destrói qualquer gosto mais refinado". Mas: "O melhor é que, de resto, tudo está em perfeita ordem [...], que meus familiares me amam mais do que nunca [...], que minha irmã está tão ocupada com coisas que não me afetam, que Nice e Sils-Maria foram descobertas e que, no momento, me encontro num estado alciônico, que é favorável à realização de uma filosofia".

Esse estado "alciônico", porém, também apresentava um lado negativo. "Sete anos de solidão chegam agora ao fim, no fundo, não sou feito para a solidão, e agora que não vejo como me livrar dela sinto todas as semanas tamanho e repentino cansaço da vida, que isso me deixa doente", ele escreve à mãe em 20 de dezembro de 1885. "É Natal novamente, e é lamentável pensar que eu estou [...] condenado a viver para sempre como um homem banido ou como um desprezador cínico dos homens. Agora, ninguém mais se importa com uma melhora da minha existência. [...] Todas as amizades antigas se tornaram velhas e rígidas – quando penso com o que sempre me contentei, eu me assusto [...] diante da probabilidade do tipo de pessoas com que me contentarei ainda".

No dia de Natal ele recebe um presente de Naumburg, que ele, entusiasmado, abre ainda na rua – e deixa cair, então "fui até minha Península St. Jean, percorri toda a costa e finalmente me juntei a um grupo de jovens soldados [...]. Lá, bebi *três* copos enormes de vinho doce e fiquei um pouco bêbado [...]. Depois voltei para Nice e jantei em minha pensão como um príncipe; havia lá também uma grande árvore de Natal". Esta foi a primeira e única vez em que Nietzsche se misturou tão desinibidamente com o povo, nesse caso, um grupo de soldados. Desde a escola de Pforta, ele sempre só convivera com pessoas finas e cultas: acadêmicos, patrícios, membros da baixa nobreza (quase todos mulheres) e figuras da música contemporânea.

A Festa de Natal evocou belas lembranças da infância e o lembrou também da perda da fé paterna. Talvez tenha sido essa a origem do desejo de comprar a placa de mármore para o túmulo do pai (decisão esta que ele comunicou a Overbeck em 9 de janeiro, cf. acima, p. 312). Mas novamente a excitação foi tamanha que ele ficou de cama durante vários dias, como sempre acontecia após o Natal e o Ano-Novo.

Impedimentos e avanços na obra

Assim, esse ano de esperanças e de partida para uma nova obra terminou com fracassos, sentimentos de impotência e dias de doença. No entanto, os cadernos de anotação daquele tempo dão testemunho daquilo que ele, apesar de tudo, conseguiu trabalhar durante esses meses e o quanto seus pensamentos amadureceram. Eles transmitem uma impressão da flexibilidade incrível de seus pensamentos, que o fizeram percorrer toda a paisagem de sua filosofia. Entre um pensamento e outro, porém, ele também se dedica com toda a sua paixão a perguntas vindas de fora – e permite que sua atenção seja desviada de sua tarefa central: criar a obra sistemático-filosófica que representaria os fundamentos de sua filosofia e não apenas a aplicação a questões individuais. No entanto, ele preserva nisso tudo outra qualidade especificamente sua: a atualidade fascinante.

No entanto, o que se manifesta aqui não são apenas as distrações de seu mundo, mas também a inquietação interior e a pressão demoníaca do pensador Nietzsche, que impedem qualquer tentativa de um trabalho sistemático. As anotações nos cadernos são inúmeras. E se tentarmos catalogizar tematicamente esses registros, poucas páginas já nos renderiam dezenas de verbetes. Apesar de seus pensamentos girarem sempre em torno das mesmas perguntas centrais e apresentarem um campo de interesse bem restrito, ele não consegue se concentrar no mesmo tema por mais de duas ou três anotações.

Essa inquietação intelectual não é consequência de uma eventual falta de concentração, antes se deve ao próprio objeto de seus pensamentos: o excesso de visão, sua perspectiva que abarca simultaneamente sua filosofia e suas consequências, dificilmente poderia ser captada adequadamente numa representação sucessiva.

E por onde começar? Esta é a pergunta que ele faz a Overbeck e Burckhardt? Como eles conseguem lidar com esse dilema? (cf. acima, p. 302.). Repetidas vezes e em sequência cada vez mais rápida, as anotações temáticas são interrompidas por esboços de títulos, com ou sem divisões em capítulos, que, na maioria das vezes, se organizam em quatro partes. Nietzsche faz também listas de verbetes dos temas a serem tratados. Entre as dezenas de títulos desses meses, três começam a se destacar: 1) Sobre a hierarquia entre os homens (em diversas formulações); 2) “Além do bem e do mal”; e 3) “A vontade de poder”. Durante um período determinado, Nietzsche se concentra também no esboço “O espelho” como “oportunidade de autorreflexão para os europeus”. Passam para o segundo plano cada vez mais os títulos que ainda dominavam em maio e junho de 1885, que remetem ao Zaratustra e ao retorno eterno, como “Meio-dia e eternidade” e outros títulos semelhantes. E quase sempre esses títulos recebem um subtítulo, que limita a obra a um “Prelúdio” ou a uma “Tentativa de uma filosofia do futuro” ou que se dirige a um leitor ainda inexistente. Isso também reflete uma aporia real em que Nietzsche se encontra após duvidar de todo do “conhecimento” como possibilidade. Nietzsche confere uma direção completamente nova à crítica do conhecimento e questiona primeiramente a sua própria atividade. Ele contesta a possibilidade da dedução lógica – mas trabalha com ela ininterruptamente! Nietzsche refuta a causalidade. Para ele, não existem “razões” e “causas” com efeitos inevitáveis. Aquilo que nós identificamos como razões e causas já seriam resultados tardios e compostos de impulsos e movimentos muito anteriores, e os efeitos nada mais seriam do que dados de experiência, constatações de decursos frequentes, mas que nada “explicariam”. “O que pode ser *conhecimento*? – ‘Interpretação’, *não* ‘explicação’”[6]. “Conceitos” são apenas signos muito abreviados para multiplicidades inexplicáveis. E também o “átomo” já é uma multiplicidade, e seu sinônimo latino, que aplicamos ao ser humano, o “indivíduo”, é um rótulo inapropriado para uma figura complicada. Um “conceito” nada explica, apenas designa de forma imprecisa, simplificada, abreviada, e é apenas esse procedimento que permite identificar casos ou fenômenos aparentemente idênticos, que permitem uma dedução “lógica”. Mas tudo isso se baseia num equívoco, numa “mentira” no sentido extramoral – e aqui Nietzsche recorre ao seu primeiro escrito filosófico não publicado do ano de 1873: “Sobre a verdade e a mentira no sentido extramoral”, retornando assim às suas origens filosóficas.

No fundo de todos os fenômenos e de todas as experiências, Nietzsche acredita reconhecer a ação de uma energia, de uma força que ele chama de "vontade de poder". Tudo que existe procura se impor, adquirir "poder". Depara-se então com vizinhos impulsionados pela mesma ambição. O mais poderoso se impõe, forças equivalentes mantêm um equilíbrio instável. Esse confronto incessante resulta no movimento cuja expressão é o resultado "mundo", o único a possuir realidade e por trás do qual não existe "outro" mundo ou mundo "superior", nenhum "ser eterno", nem "ideias" (Platão), nenhuma "coisa em si" (Kant).

Nietzsche anula também a separação entre sujeito e objeto. Não existe para ele um sujeito cognoscente que compreenda um objeto "objetivo". Ele trata explicitamente da pergunta clássica se o igual só pode ser reconhecido pelo igual ou também pelo desigual, e ele resolve o problema dizendo que considera a pergunta impossível, pois o igual não existe e tampouco pode ser "reconhecido". E também nós, como supostas partes "cognoscentes", somos parte do cosmo e podemos apenas experimentar e designá-lo, ele é para nós apenas uma certeza estética.

Exteriormente, Nietzsche reluta com o problema formal, que se expressa nos inúmeros esboços da obra, e ele chega a considerar seriamente a possibilidade de iniciar uma nova série de "Considerações extemporâneas". *Interiormente*, ele luta contra a impossibilidade da justificação. Sua filosofia é vivência, sua visão se desenvolveu dentro dele, e para entendê-lo ou até mesmo para concordar com ele, ele precisaria encontrar alguém que tivesse a mesma vivência, a mesma experiência estética fundamental do cosmo – e este ele procura em vão, pois não existem (segundo Nietzsche) casos idênticos! É nesse ponto que ele se sente tão terrivelmente solitário, incompreendido, desacompanhado. Desesperado, ele confidencia ao seu caderno de anotações algo que lança também uma luz fria sobre sua amabilidade no convívio com as pessoas[6]: "*Inter pares*: uma palavra que embevece – tanta felicidade e tanta infelicidade ela contém para aquele que passou toda a vida sozinho; que jamais encontrou alguém que pertencesse a ele, apesar de ter procurado por todos os caminhos; que, no convívio, sempre teve que ser o homem da dissimulação benigna e descontraída, da assimilação artificial, que conhece de própria experiência aquele jogo chamado 'sociabilidade' – por vezes, porém, também aquelas perigosas erupções de toda infelicidade ocultada, de todos os desejos não sufocados, de todas as correntezas represadas e selvagens do amor – a repentina loucura daquela hora em que o solitário abraça qualquer um e o trata como amigo e presente do céu e dádiva mais preciosa, para então se afastar dele com nojo uma hora mais tarde –, com nojo agora também de si mesmo, como que manchado, humilhado, alienado de si mesmo, cansado de sua própria companhia". O que lhe resta como possibilidade para a obra é a representação das consequências de sua visão do mundo. Ele tenta fazer isso no exemplo da "moral". Mas também aqui ele questiona resignado[6]: "Além do bem e do mal: isso custa esforço. Traduzo como que para uma língua estrangeira, nem sempre tenho certeza de ter encontrado o sentido. Tudo é um pouco bruto demais para me agradar".

E também o conceito da verdade é relativado. Algo só pode ser considerado verdadeiro de determinado ponto de vista, de determinada perspectiva – mas não pode ser demonstrado. Com a atribuição de valores de verdade estabelecemos com os conceitos também valores que, dependendo do ponto de vista, da perspectiva, adquirem um peso diferente. Uma mudança de perspectiva provoca por isso inevitavelmente uma "revalorização de todos os valores". E é esta a tarefa que Nietzsche vê diante de si.

Se não existir uma verdade a ser conhecida, se não existir um sujeito capaz de conhecer a verdade, se não existir causalidade, se os conceitos jamais conseguirem representar perfeitamente o objeto designado, como então pode existir uma "obra principal" sistemática e filosófica? Certamente não na base *dessa* filosofia, isso seria, como tentativa de demonstrar a impossibilidade da verdade como verdadeira, uma *contradictio in adjecto*.

E, por isso, a pretendida "revalorização de todos os valores" só pode ser uma aplicação parcial de sua filosofia, não a filosofia em si. Quando os editores reuniram pensamentos e formulações parecidas sob títulos generalizados, eles apagaram e estragaram características essenciais do espólio de Nietzsche e tornaram a filosofia de Nietzsche incompreensível[1]. Perdeu-se completamente a tentativa tateante de dizer o indizível, de captá-lo em formulações, de expressá-lo mais pela melodia da língua do que pela lógica (questionada) da sentença; o que resta são amontoados de alegações repetidas, que, dessa forma, transmitem muitas vezes uma arrogância constrangedora. Perdeu-se também o tremor, o medo das consequências, que transparece nas interrupções abruptas e em interlúdios surpreendentes quando lemos os cadernos de anotações originais. Nietzsche tentou sempre de novo desviar sua atenção de seus problemas gélidos, de reatar o vínculo com seu ambiente. Os cadernos de anotações falam também disso, mostram como esse vínculo com o mundo começa a derreter nesses meses e como no fim lhe restam apenas pouquíssimos pontos de contato doloroso. E a lacuna entre as anotações epistemológicas é preenchida agora numa sequência cada vez mais densa pelos esboços de títulos, até dez de uma só vez (primavera de 1886)! Nietzsche anota[6]: "De forma alguma estou sendo altruísta quando prefiro refletir sobre a causalidade do que sobre o processo contra meu editor; meu proveito e meu prazer se encontram nos conhecimentos, minha tensão, inquietação, paixão sempre estiveram ativos neste ponto" e ele lamenta[6]: "Não consegui trabalhar nem mesmo uma hora, em cada atividade o verme secreto: 'tens outras coisas a fazer', torturado por crianças, gansos e anões, pesadelos..."

Quando alguém se dedica à crítica epistemológica, é imprescindível o recurso a Kant. Nietzsche também se vê obrigado a fazer isso, por menos que goste de Kant – e ele o faz o mínimo possível, e quando o faz, o faz sem a seriedade necessária, mas em tom levemente irônico, justamente porque Kant lhe é tão distante. No início desse período (abril-junho de 1885), as referências ainda são relativamente numerosas, no outono elas se perdem, o nome de Kant desaparece. O mesmo acontece com Descartes, Leibniz, Hegel e Schopenhauer, apesar de sua relação direta com ele, que ainda transparece. Nietzsche faz observações também sobre Platão e o problema de Sócrates. Aparentemente, ele recorre intensivamente a Teichmüller e novamente a Spir, ao qual Nietzsche se refere indicando as páginas citadas. Suas obras, portanto, fazem parte de sua biblioteca em Sils. E também nesse tempo em Sils surge várias vezes o nome de Abbé Galiani, cujas cartas à Madame d'Epinay Nietzsche lera com grande prazer na primavera. Suas muitas referências aos autores franceses costumam incluir altos elogios a Montaigne, Baudelaire, Stendhal, Mérimée e sobretudo Pascal, enquanto Victor Hugo é duramente criticado: "Gosto de povão". As críticas mais duras são dirigidas contra Eugen Dühring, que Nietzsche chama de "idiota alemão" e "bicho dos pântanos". Ele reconhece seu zelo científico, mas despeja sobre ele baldes cheios de desdém contra tudo relacionado a "antissemitismo", arianismo e "patriotismo" e "espírito alemão". Já agora, essas manifestações de desprezo vêm acompanhadas de ataques contra Bismarck, contra o parlamentarismo e a democracia como dominação dos números no lugar do espírito.

Muitas vezes, Nietzsche se entrega a ataques rudes contra "os alemães" de seu tempo, pelos quais ele não tem muito respeito. "O *Reich* alemão me é distante, e não vejo razão para ser amigo ou inimigo de algo que me é tão distante"[6]. Nietzsche se distancia claramente: "Parece-me cada vez mais que não somos superficiais e ingênuos o bastante para contribuir para esse patriotismo e entoar em seu cântico raivoso 'Alemanha, Alemanha acima de tudo'"[6]. Por outro lado, ele não duvidava de seu futuro, ele acreditava em suas possibilidades quando pensava em suas grandes figuras. "Os alemães dos quais falo aqui são algo jovem e em processo de devir." Os homens que ele mais preza são Goethe, Heinrich Heine e Händel, "nosso tipo mais belo de *homem* no reino da arte", além destes também Beethoven, Mozart, "a flor do barroco alemão" – e Richard Wagner.

Nenhum nome ocorre com tanta frequência nessas anotações, e nenhum homem ocupa tanto espaço em seus cadernos quanto Richard Wagner e a tragédia relacionada a este nome, e isso nos contextos mais inesperados.

A despeito de toda polêmica *contra* Wagner, Nietzsche tenta repetidas vezes preservar uma imagem melhor deste homem que, no fundo, ele venera. "Aquele Richard Wagner, que hoje se venera na Alemanha com toda aquela pompa do pior espírito alemão: este Richard Wagner eu não conheço – sim, ouso dizer que ele nunca existiu: este Richard Wagner é um fantasma"[6]. Durante e depois das conversas com Adolf Ruthardt, os ataques se tornam mais duros e raivosos: "[...] precisaríamos descer até o último Wagner e seus "Bayreuther Blätter" para encontrar um pântano semelhante de arrogância, confusão e espírito alemão como o que encontramos nos Discursos à nação alemã" (Fichte ou Bismarck?)[6]. Já nesse tempo aparecem formulações que serão usadas no "Caso Wagner".

Mas existe uma segunda decepção relacionada a Wagner que atormenta a alma de Nietzsche: "Os velhos românticos caem e, algum dia, ninguém sabe como, veem-se prostrados ao pé da cruz: isso aconteceu também com Richard Wagner. Assistir à depravação deste homem foi uma das coisas mais dolorosas que vivi"[6]. Nietzsche jamais perdoou a Wagner (sobre o qual ele chegou a escrever: "Eu o amei como jamais amei outra pessoa. Ele era um homem segundo o meu coração, tão imoral, ateísta, antinomista, que caminhava solitário...") que ele se ajoelhou diante da cruz, não diante da cruz de Lutero, mas diante da cruz católica de Cosima. Essa é a impressão que Nietzsche teve do "Parsifal". E ele nem estava tão errado com isso. O próprio Wagner provocava Cosima por causa de seu "olho católico", como Cosima confessa abertamente em seus diários. No outono, Nietzsche repete a confissão que fizera no início do verão de 1885[6]: "Eu amei e venerei Richard Wagner mais do que qualquer outra pessoa; e se no fim ele não tivesse tido a postura ruim – ou a triste obrigação – de compactuar com 'espíritos' de péssima qualidade, com seus seguidores, os wagnerianos, eu não teria tido qualquer razão de me despedir dele ainda em vida: dele, o mais profundo e mais ousado. O encontro com ele foi o que mais avançou o meu conhecimento. [...] Precisei do contato com aquele homem para conscientizar-me do problema extraordinário do ator [...]. O avanço do teatro pouco me diz respeito; menos ainda sua aproximação da Igreja; a verdadeira música wagneriana não me pertence de verdade [...]. O que mais estranhei nele foi o espírito alemão e sua semiafinidade com a Igreja dos últimos anos". Por fim, Nietzsche pergunta: "O que vale Richard Wagner para os leigos: talvez sua música provoque neles sentimentos românticos e todos os assombros e excitações do infinito e do misticismo romântico – nós, os músicos, somos extasiados e seduzidos". "Nós, os músicos!" Nietzsche se inclui nesse grupo, e isso revela seu vínculo profundo com a música, que sempre o ocupa tanto que ele dedica várias observações não só a ela, mas também a músicos como Mendelssohn e Brahms. E no meio disso tudo ouvimos o suspiro: "Richard Wagner e nenhum fim; esta é, hoje, a solução"[6]. Mas ouvimos também o lamento: "Entrementes, adivinhei demais da terrível e dolorosa tragédia que se esconde por trás da vida de um homem como o foi R.W"[6]. O que Nietzsche não sabia era que o próprio Wagner sofria com as insuficiências dos *Bayreuther Blätter*. Ele só continuou a publicá-los para oferecer uma existência a H. von Wolzogen e sua família.

E sobre tudo isso se eleva a tragédia de *sua* vida. Repentina e inesperadamente aparece o nome

Ariadne

certa vez, até como título de um escrito ou de um livro[6]. Já antes, após uma das exposições mais minuciosas de sua posição filosófica sob o título "Moral e fisiologia"[6], onde ele afirma ser "antecipado", "ter sido considerada justamente a consciência humana durante tanto tempo o nível mais alto do desenvolvimento orgânico e a coisa terrena mais surpreendente, sim, até mesmo seu auge e destino. O mais surpreendente é o *corpo*: não podemos admirar o bastante como o corpo humano se tornou possível". De repente, essa contemplação muda de direção, no decurso da qual "pensar, sentir, querer" são relativados em sua relevância, e ele passa a descrever uma experiência pessoal: "Destarte falando, entreguei-me à minha pulsão educadora, pois estava feliz por ter alguém que aguentava me ouvir. Mas foi justamente neste momento que a Ariadne não aguentou mais – pois a história ocorreu durante minha primeira estadia em Naxos: 'mas, senhor, ela disse, o senhor está falando o alemão de porcos!' – 'Alemão', eu respondi bem-humorado, 'apenas alemão! Deixe os porcos fora disso, minha deusa! Você está subestimando a dificuldade de dizer coisas finas em alemão!' – 'Coisas finas!' Ariadne gritou escandalizada. 'Mas isso foi apenas positivismo! Filosofia de focinho! Um lamaçal e lixo de conceitos de cem filosofias! Onde isso terminará?' e brincava impacientemente com o famoso fio que outrora havia guiado Teseu em seu labirinto. Assim, evidenciou-se que a Ariadne estava dois milênios atrasada em sua formação filosófica".

Quem é Ariadne nesse texto? Sabemos que, nos dias de seu colapso – segundo as palavras do próprio Nietzsche – Ariadne corresponde a Cosima Wagner. Nesse caso, "Naxos" corresponderia aqui a Tribschen, e a conversa teria ocorrido uns quinze anos atrás. Será que Nietzsche poderia ter expressado já na época as teses aqui expostas? Os “Cinco prefácios”, que ele dedicou a Cosima na época, também o escrito “Sobre a verdade e a mentira no sentido extramoral”, permitem essa possibilidade, pois partem de formulações muito semelhantes.

Se pudermos supor já agora, em 1885, a identificação de Ariadne com Cosima, essa passagem poderia remeter a algo bem diferente: Nietzsche desenvolve diálogos imaginários com Cosima, ele recorre ao fantasma de Cosima para ter alguém com quem conversar.

É difícil entender a extensão, o fato trágico relacionado a esse vínculo fatídico. E podemos apenas imaginar por que Nietzsche sofria tanto com seu relacionamento com o casal Wagner. Os dias na “Ilha dos bem-aventurados” – Tribschen – foram para ele os dias mais felizes de sua vida – o período de uma felicidade perdida.

XI

Primeira colheita
("Além do bem e do mal", janeiro a agosto de 1886)

"Aspiro à minha obra." Com essas palavras Zaratustra havia se despedido. Os primeiros esforços no ano de 1885 não haviam sido bem-sucedidos. Nietzsche não conseguiu fazer a revisão de suas obras anteriores nem iniciar uma obra nova. Além disso, estava sem editor. Interiormente, porém, ele havia amadurecido, sua visão estava mais aguçada e ele reconhecia *sua* filosofia agora com uma nitidez que lhe permitiu criar todo o grupo de obras desde "Além do bem e do mal" até "Ecce homo" sem grandes interrupções.

Nietzsche tinha agora 41 anos de idade. Profundamente arraigado no pensamento antigo, surgiu nele a convicção de que ele havia alcançado ou até mesmo ultrapassado o auge de sua vida. Por isso, passa a usar agora expressões como "o grande meio-dia", que se aproxima do outono, em cartas ele fala de seus "últimos anos", descreve-se como "velho filósofo" e assina suas cartas à mãe como "Sua velha criatura".

Para uma pessoa que já se vê assim nos "últimos dias", para esta chegou o tempo de garantir a colheita, ainda mais quando está tão madura quanto era o caso de Nietzsche após o trabalho dos últimos meses.

Nietzsche trabalha intensivamente durante todo o inverno, imperturbado de eventos externos. A tranquilidade é tamanha que ele volta a desejar uma pequena "congregação". Ele se anima muito quando o Prof. Heinze de Leipzig e sua esposa anunciam sua visita para a Páscoa. "O Sr. Lanzky me prometeu o mesmo em Vallombrosa (tenho todos os motivos para ser grato por ter encontrado um homem como Lanzky, um caráter estranhamente nobre e fino, apesar de não ser 'espírito': é provável que ele se torne algo como minha 'razão prática', como economista, conselheiro médico e coisas assim)", Nietzsche o elogia numa carta a Overbeck de 9 de janeiro de 1886. Paul Widemann expressou (por intermédio da mãe de Nietzsche) o desejo de viver alguns anos na proximidade de Nietzsche, ao que este, a despeito de algumas ressalvas, responde: "[...] que talvez existam boas razões para me animar em relação a isso". E então confessa ainda a Overbeck: "Por fim, agarro-me ainda à esperança de que minhas três damas, que se preocupam tanto comigo, *mes dames Fynn et Mansuroff*, também venham para Nice. Na verdade, a opção de se abandonar nem existe, uma vez que você se encontrou: encontramos raramente estas almas nobres e delicadas, com as quais conseguimos conviver sem se render às pressões sociais. No momento, elas estão na Inglaterra". Ele relata também uma experiência musical agradável: "Diga à sua esposa querida que eu ouvi uma das primeiras obras de Bizet, a suíte 'Roma' para orquestra. (Infelizmente, o pobre Bizet não chegou a ouvi-la!) Atraente – ingênua e engenhosa ao mesmo tempo, como tudo que conhecemos deste último mestre da música francesa"*.

Em 8 de janeiro de 1886, Nietzsche recebe uma boa notícia da mãe: Erwin Rohde aceitou um chamado para Leipzig. Ela expressa sua esperança de que, agora, seu filho a visite mais. "Realmente, Leipzig, que se tornou como que uma segunda pátria para mim, me é querida como lugar de encontro com todos os meus amigos e camaradas de antigamente", Nietzsche confessa em uma carta a Overbeck.

E Nietzsche poderá voltar a Leipzig e Naumburg com maior tranquilidade, pois no início de fevereiro Bernhard Förster e sua esposa partem definitivamente para o Paraguai. Mas para Nietzsche isso não é apenas um alívio. O estado de saúde da mãe é motivo de grande preocupação, que sofre muito com a partida da filha e agora enfrenta a solidão. Em 2 de fevereiro, no aniversário da mãe, ele lhe escreve: "Entristece-me muito o fato de eu não poder estar presente em seu aniversário: pois em vista dos muitos sentimentos pesados, que este dia traz, seria talvez um alívio ter pelo menos um dos seus filhos por perto [...]. Bem, quem sabe quanto tempo ainda levará para que eu, cansado de Nice, volte para o norte".

Por volta do Natal e Ano-Novo, o casal Förster havia lhe enviado muitos presentes, pelos quais ele agradece cordialmente no início de janeiro. Nessa mesma carta que transborda de alegria, Nietzsche fala do clima maravilhoso de Nice com seus 220 dias de céu azul por ano: "O ar perfeito, as cores delicadas de todo tipo, o sol indescritível – tudo isso me deixa entusiasmado. Aqui, minha cabeça vale dez vezes mais do que em Zurique ou Leipzig, aqui, onde o clima é 'congeninal', para me expressar de forma culta. Não há dúvida de que minha saúde melhora a cada ano

---

* A suíte "Roma", escrita em 1866/1868 deu início – juntamente com a suíte da Arlésienne e a "Petite suite d'orchestra" – aos primeiros sucessos de Bizet. Suas primeira óperas e outras obras para orquestra até 1872 não haviam sido bem recebidas.

(a cada inverno, não, porém, nas outras estações!), i.e., a saúde da minha cabeça, não a dos meus olhos", que parecem piorar. Em 25 de fevereiro, ele acrescenta em uma carta à mãe: "Recebi dos nossos emigrantes ainda um lindo anel de ouro com a gravura: 'Pense com amor em B. e E.' – e farei isso de todo coração, mesmo que eu confesse que essa ligação 'B. e E.' ainda causa algumas dificuldades aos meus sentimentos. Não combino muito bem com o jeito de Förster, sem falar de suas tendências. Creio que você esteja certa ao dizer que foi uma sorte ele ter partido no último momento". Essa observação final se refere ao fato de que Förster voltara a se envolver fortemente com o movimento antissemita, como Elisabeth escreveria mais tarde em sua edição das cartas.

Um pedido traz à tona toda a problemática com Wagner. Em 6 de janeiro de 1886, Nietzsche responde à mãe[121]: "O Sr. Z. [...] deseja adquirir a redução para piano da marcha imperial [de Wagner] por menos de 22 marcos? Mas uma cópia nova não chega a custar nem 22 centavos: deve haver algum equívoco. E pretendo ficar com ela, trata-se de uma música que ainda amo muito. – A partitura da marcha imperial em minha posse não está à venda! Ela é 1) um presente de Wagner; 2) Wagner usou esta partitura para dirigir a estreia da obra (em Leipzig); e 3) ela contém mudanças manuscritas, que conferem a este exemplar um valor único".

O outro problema relacionado à música também o preocupa: Köselitz. Nos meados de janeiro, Nietzsche escreve a Felix Mottl em Karlsruhe sobre a ópera de Köselitz. Mottl responde em fevereiro[124]: "[...] que ele respeita muito a minha recomendação, 'a recomendação de um homem entusiasticamente por mim venerado'". Mesmo assim, Köselitz recebe uma resposta negativa em 29 de março[13]. Um golpe duro do destino para Nietzsche é a morte do Prof. Wilhelm Vischer-Heusler em Basileia, filho de seu tutor Wilhelm Vischer-Bilfinger, que falece em 30 de março de 1886 na idade de apenas 52 anos. Como em outros casos semelhantes, Nietzsche precisa de muito tempo, quatro semanas, para se recompor e conseguir uma carta de condolência. Revela-se aqui a razão mais profunda de sua luta contra a compaixão: suas forças não bastam para isso, a situação o agita demais, como a música de Wagner, que ele evita mais do que rejeita.

O problema da editora

O que o impede de encontrar a tranquilidade para enfrentar sua dor e a perda e escrever uma carta aos familiares é o trabalho intenso em seu novo livro e a procura por um editor novo. "Tenho um editor [...]. Pois, à noite, quando estava pronto para me deitar, encontrei por acaso ainda uma carta que haviam passado por baixo da porta [...]. Eu a li, era de Credner – e sua declaração me alegrou tanto que não pude evitar de fazer uma pequena dança na camisola. Apesar do frio, pois ainda não comecei a aquecer o quarto. Eu havia lhe oferecido o segundo volume da 'Aurora' [...]. Ele o aceitou com prazer e deseja explicitamente que eu o considere um admirador, exige que algo aconteça que dissolva meus vínculos com Schmeitzner e dá a entender que deseja adquirir de Schmeitzner o restante de 'Humano, demasiado humano', ou seja, ele age como o editor tão desejado para o futuro" (carta à mãe de 30 de janeiro de 1886). Esse segundo volume da "Aurora" era exatamente aquilo que ele havia anunciado como continuação das "Considerações extemporâneas" e que finalmente foi publicado sob o título de "Além do bem e do mal". A questão do título se resolveu logo, já nas próximas semanas. Em 10 de março, em uma carta a Overbeck, ele chega a dizer mais uma vez que Credner estaria disposto a "publicar um segundo volume da 'Aurora'" e que desejaria ser "considerado um admirador meu", o que o diverte visivelmente em vista de seu "cunhado antissemita": "Até hoje, não encontrei tamanha fé em Israel", o que não é verdade, pois é justamente nos círculos judeus – por exemplo, em Viena – que ele tem seus maiores admiradores e seguidores. Nietzsche acrescenta no final da carta: "Trabalhando muito. E não se preocupe. Não haverá um segundo volume da 'Aurora'".

Duas semanas mais tarde, em 27 de março, ele informa Köselitz: "Aproveitei este inverno para escrever algo que transborda de dificuldades, de modo que minha coragem de publicá-lo vacila e treme. Chama-se:

Além do bem e do mal – Prelúdio a uma filosofia do futuro

Logo, porém, surgem novamente dificuldades com o editor. Ao cunhado ele escreve em 11 de abril de 1886: "Dificuldades incessantes com Schmeitzner e Credner", e as compara com as dificuldades enfrentadas por seu maestro veneziano, ao qual escreve em 21 de abril: "E insisto também que *eu* estou certo no que diz respeito à sua música, e não o Sr. Mottl – cuja decisão eu consigo justificar psicologicamente, mas jamais acatar! Por enquanto, são os wagnerianos que obstruem o seu caminho [...]. Precisamos pensar em meios e maneiras de nos defender e impedir que nos calem. Perdão por 'me' incluir nisso: mas as cartas negativas dos editores alemães me passam a impressão de que agora me encontro na mesma situação como você, querem que guardemos as nossas 'partituras' no armário. – [...] No que diz respeito ao meu manuscrito: estou negociando ainda com o editor C. Heymons de Berlim (i.e., a editora de Carl Dunckers). Dado que isso também dê em nada, bem, isso teria um lado positivo para mim. Pois é um livro terrível que dessa vez fluiu da minha alma – negro, quase um polvo. Sinto-me como se tivesse desenterrado algo". E à mãe ele escreve em 28 de abril[124]: "Os últimos tempos têm sido muito duros e ruins para mim [...]. Acima de tudo problemas com meus editores: Credner não deu em nada (mesmo assim, fiz uma última tentativa indireta ainda hoje por intermédio de uma carta a Heinze), e os outros editores também não deram resultado. [...] Isso é grave em vários sentidos; uma das consequências [...] é que não poderei contar com a quantia esperada para este ano – foi em vista *desta* que planejei a minha viagem para Naumburg!" E ele informa também a Overbeck em 1º de maio: "Todas as minhas negociações com os editores fracassaram até agora, sob circunstâncias um tanto interessantes; Heinze fará uma última tentativa – mas creio que a situação é a mesma como no caso da resposta negativa de Mottl: todos estes senhores até *querem*, mas não *podem*. (A opinião pública como consciência –)". Nietzsche revela aqui um bom instinto para as razões determinantes, mas se esquece de fazer *uma* diferenciação importante: A sentença dos "círculos determinantes" sobre Köselitz como compositor já havia sido definida em 1882 (cf. acima, p. 132), a opinião sobre Nietzsche estava apenas no início de ser formada. É provável que Nietzsche tenha conversado sobre a intermediação de Heinze quando este esteve em Nice com sua esposa. Eles haviam chegado em 4 de abril e permaneceram até a Páscoa (25 de abril).

O convívio em Nice

Apesar de se distrair de vez em quando, Nietzsche não aguenta mais ficar em Nice, também por causa do calor cada vez maior. Suas damas Fynn e Mansuroff não haviam chegado, mas no final de janeiro veio o velho holandês, que ele conhecera no último verão em Sils, "alegre por me rever [...]. O mesmo holandês, que trabalhara no ministério, mas que fora forçado a desistir de seu cargo em virtude de sua visão, costuma vir a Nice porque aqui seus olhos sofrem menos do que em outros lugares [...]", ele relata à mãe em 30 de janeiro e acrescenta uma saudação da velha viúva do Pastor Hamann. Numa carta à irmã, ele fala em tom alegre sobre uma família Koechlin de Basileia e relata noivados e mortes que ocorreram em famílias de Basileia e também sobre novos professores na Universidade de Basileia. E Nietzsche acredita ter encontrado um novo médico: o Prof. Dr. Schweninger de Heidelberg, o médico de Bismarck "que acredita poder me ajudar (ele se apegou a mim, não sei por quê; durante algum tempo almoçamos juntos no 'Kopf'*). Este Schweninger está reformando o grande hotel em Heidelberg como sanatório". As

* Restaurante em Basileia.

cartas de Nietzsche não permitem deduzir se ele o conheceu pessoalmente em Nice ou apenas por meio de cartas. O nome e a pessoa do médico desaparecem tão rápido de sua vida quanto surgiram.

Em 1869/1870, época em que teriam compartilhado a mesa no "Kopf", Nietzsche nunca o menciona. Schweninger também não era docente da Universidade de Basileia.

Nietzsche assiste a um concerto em Monte Carlo, mas sua impressão não é boa, como ele relata a Köselitz em 27 de março de 1886: "[...] ouvi com grande curiosidade as obras antigas de Rameau (de 1736) sob a direção de um austríaco; depois coisas modernas de Massenet, terrivelmente orquestradas. Eu não sabia que era possível prostituir-se com a orquestração. O último evento musical foi o 'coro russo', que viajou por toda a Europa e fez muito sucesso aqui em Nice, onde vivem muitos russos. Mas não comigo: merecem grande elogio os *pianissimi*, as acelerações rítmicas e certa sonoridade feminina. Mas as peças em si não eram russas o bastante [...], eram russas, mas apenas segundo o instinto do homem comum (com uma melancolia de súdito); faltava-lhe completamente a nota masculina, a expressão dos estamentos dominantes e de seu orgulho".

Por volta da Páscoa, o manuscrito de "Além do bem e do mal" parece estar pronto, os amigos partiram de Nice ou estão se despedindo. Os feriados trazem certa paz à terra e ao povo, que se estende também a Nietzsche. Finalmente, ele encontra a tranquilidade para escrever uma carta de condolência à Sra. Vischer-Heusler. E a visita da família de Basileia evoca também lembranças da vida intelectual de Basileia. A ideia "de voltar para a universidade" é refutada apenas por razões climáticas (em uma carta à irmã de 12 de março). Aparentemente, essa ideia lhe havia sido sugerida por círculos de Basileia, pelos quais ele ainda sentia um grande carinho.

Wilhelm Vischer-Heusler

Nietzsche sentiu a morte de Wilhelm Vischer (apenas onze anos mais velho do que ele) como perda de um colega. Além disso, o falecido, nascido em 4 de agosto de 1833, era o filho mais novo de seu tutor Wilhelm Vischer-Bilfinger, cuja casa Nietzsche frequentara com frequência e onde viera a respeitar o excelente acadêmico. Vischer também estudara em Bonn, dez anos antes de Nietzsche, e os dois devem ter trocado muitas lembranças sobre aquele lugar. Inicialmente, Vischer também se matriculara na Faculdade de Teologia, como Nietzsche. No Natal de 1853, quando visitou velhos colegas de escola em Göttingen e os encontrou entusiasmados com o estudo da filologia com os professores Karl Friedrich Herrmann e

Friedrich Wilhelm Schneidewin, seu entusiasmo o contagiou. Mas esta não era ainda a "sua" disciplina. Sob a tutela de Georg Waitz, ele finalmente se formou como historiador da escola crítica. Após completar seu doutorado em 1856, Vischer se tornou professor de História no Paedagogium em Basileia. Em 13 de outubro de 1857, casou-se com Sophie Katharina Heussler, filha do fabricante Heussler-Thurneysen: famílias estas com as quais Nietzsche mantinha laços estreitos. Após o nascimento do primeiro filho Karl Wilhelm, Vischer voltou com sua família para Göttingen, para continuar sua formação sob a supervisão de Waitz. Retornou para Basileia em 1866, primeiro como sucessor de F.G. Gerlach como bibliotecário-chefe da biblioteca universitária. Manteve-se nesse cargo até 1872, mas já lecionava História na universidade, a partir de 1867 como professor extraordinário. Em 17 de janeiro de 1874 foi promovido a professor ordinário, e em 1877 foi nomeado reitor da universidade. Tudo isso aconteceu durante os anos de Nietzsche em Basileia, ele acompanhou de perto a carreira de seu colega. Nietzsche sabia o que significava ser docente de História ao lado de Jacob Burckhardt numa universidade tão pequena. Vischer conseguiu se destacar do historiador universal Burckhardt, concentrando-se na história de sua própria pátria e limitando seus estudos à história de Basileia, da Suíça e da Suábia vizinha. E ele completava Burckhardt também metodicamente. Burckhardt usou de modo soberano as fontes disponíveis; Vischer, por sua vez, descobriu novas fontes e as publicou.

Era tradição inquestionada das famílias de Basileia – e não importava se o campo de trabalho eram as fábricas ou a universidade da cidade – disponibilizar-se para o bem da comunidade e participar dos processos políticos. No nível político, Wilhelm Vischer se dedicou à preservação de "sua" universidade e se defendeu contra os ataques dos círculos centralistas e radicais, que desejavam criar uma universidade federal, semelhante à escola politécnica de Zurique ou Lucerna. Vischer defendia a estrutura federalista do Estado nacional. "Seu senso pelo comum se manifestava também no apoio a obras assistencialistas e em doações constantes, sobretudo à universidade e sua biblioteca"[111]. Wilhelm Vischer era um político abertamente conservador e patrício. Sua forte personalidade reta contribuiu de forma decisiva para a imagem que Nietzsche criou do "homem nobre". Por isso, ele está sendo absolutamente sincero e autêntico, quando escreve à viúva Sophie Vischer em sua carta de condolência de 28 de abril[4]: "Posso acrescentar que, com ele, foi sepultada uma parte da minha vida e do meu passado pessoal, da qual me lembro com prazer e grande gratidão: ele pertencia aos colegas extraordinários que, num período da vida em que não se tem o direito de exigir confiança e ainda precisa provar seu valor, ele sempre me apoiou com atos e conselhos, segundo o exemplo de seu pai inesquecível. Ainda em minha última visita a Basileia (dois anos atrás) tive a impressão daquela confiança profunda que, creio poder dizê-lo, tínhamos *um no outro*".

Reminiscências de Basileia

Nesse mês de abril, "Basileia" volta a chamar a atenção de Nietzsche também em outros respeitos. Lê a preleção inaugural "Vitalismo e mecanismo" do novo professor ordinário de Química Fisiológica Gustav von Bunge (1844-1920), que Overbeck lhe envia. Overbeck observa: "O autor é adepto de Schopenhauer e provavelmente provocará desagrado entre os cientistas naturais com suas veleidades metafísicas. Na forma presente, porém, elas são também uma instrução para o futuro, cuja aplicação eu não compreendo. Mas Bunge [...] é uma pessoa original, e talvez sua palestra seja de seu interesse". Bunge seguiu seus próprios caminhos, que – mais ou menos a partir de 1900 – o afastaram de sua ciência. Ele adquiriu fama por sua corajosa luta sociopolítica contra o alcoolismo. Estudiosos e o governo de Basileia o homenagearam por isso ainda em vida em 1915 com um monumento[263].

Nietzsche envia à mãe três edições do jornal "Basler Nachrichten" com artigos de Vigier, presidente do governo do Cantão de Solothurn, que Nietzsche considera notáveis: "Como estudante, estivera em Berlim; e suas lembranças de 1848 são impressionantes em virtude de seus contrastes – é difícil acreditar que *nós* já vivemos situações tão contrárias. Por fim: Quem acredita hoje ainda que o nosso *Reich* alemão durará 40 anos! Hoje, tudo passa tão rápido". Isso poderia até ser uma citação de Jacob Burckhardt!

Ao lado dessas reminiscências de Basileia, é novamente a literatura francesa que desperta seu interesse: Paul Bourget, "Un crime d'amour". Nietzsche escreve a Overbeck em 10 (?) de abril de 1886: "Estão fazendo palestras sobre este romance, que finalmente volta a ser 'literatura de música de câmara' e não serve para as massas". E então recomenda a Overbeck a leitura de "Christentum, Volksglaube, Volksbrauch" [Cristianismo, fé popular, costumes populares], de Julius Lippert, "que corresponde ao meu modo de pensar sobre a religião e contém muitos fatos sugestivos".

Nietzsche adia sua mudança para Veneza, que ele atrasa por causa de uma suposta ameaça de cólera. Em 30 de abril, porém, ele chega em Veneza "após algumas semanas de incerteza constrangedora" (carta a Overbeck, 1º de maio de 1886).

Em Veneza

Nietzsche se aloja no apartamento abandonado de Köselitz, que este lhe oferecera. Köselitz se encontra no norte desde o outono de 1885, visitando teatros e tentando vender sua ópera, mas sem êxito. Fica em Viena de 3 de outubro até o início de janeiro de 1886; por fim, refugia-se na casa paterna em Annaberg, de onde se afasta apenas entre 6 a 20 de junho para sua viagem a Leipzig, organizada por Nietzsche.

Nietzsche precisa dessa solidão, que Veneza lhe oferece agora sem a presença de Köselitz, pois se sente esgotado. "Neste inverno, tive que pensar em tantas coisas, tantas coisas pesavam sobre mim", escreve em 7 de maio ao Sr. Von Seydlitz, "que nem tive tempo de pensar em mim, como me encorajam as suas linhas com tanto carinho. Por favor, entenda tudo isso literalmente, por mais louco que possa soar. Mas uma pessoa como eu se vê presa a seu problema – ou à sua 'tarefa', como se diz – como a um instrumento de tortura: após 'sobrevivê-lo', fico *acabado* por um bom tempo. Por exemplo, agora: um manuscrito com o título maldoso 'Além do bem e do mal' é um dos resultados do inverno; o outro se encontra aqui em Veneza, eu mesmo, além, talvez, do bem e do mal, mas não além de nojo, tédio, *malinconia* e dores nos olhos". E novamente Nietzsche não suporta o isolamento por muito tempo. Em 11 de maio, ele está em Munique, não consegue se encontrar com Seydlitz, mas conversa com o mestre de capela Hermann Levi e lhe recomenda a ópera de Köselitz. Nessa ocasião, ele descobre para a sua surpresa que este famoso dirigente de Wagner é também admirador de Bizet. Aparentemente, Nietzsche não sabe ou sente que, há três anos, a opinião de Levi sobre Köselitz está feita: "um músico absolutamente incompetente" (cf. acima, p. 132).

Naumburg-Leipzig

Dessa vez, Munique era apenas uma escala. Daqui, Nietzsche anuncia à mãe sua chegada em Naumburg para o dia 13 de maio. De lá, faz várias viagens a Leipzig, para resolver a questão da editora, para recomendar as composições de seu "maestro Gast" e, por fim, para ver seu velho amigo Erwin Rohde em sua nova atividade como professor. Em 31 de maio, ele constata com resignação: "A falta de uma editora persiste já há três meses e foi resolvida por mim da mesma forma custosa como no ano passado" (carta à irmã), ou seja, Nietzsche financia a impressão de sua obra mais recente com dinheiro próprio. Ao contrário da impressão privada em edição limitadíssima do Zaratustra IV no ano anterior, ele publica agora "Além do bem e do mal" como livro para a venda e entrega o manuscrito a C.G. Naumann não só para a impressão, mas também para a venda em consignação. Com isso, Naumann dá o passo de impressor para editor.

O encontro com Rohde resulta numa decepção recíproca: "Ouvi Rohde em Leipzig no seminário, mas também aqui eu me disse: 'não troco mais com ninguém'. – E Leipzig não é um refúgio para mim, isso eu sei". Rohde também ficou decepcionado com o "espírito" do seu novo local de trabalho. Já em 20 de junho, Nietzsche confidencia a Overbeck: "Mas Rohde! Encontrei-o no mais curioso dilema, fora de si por ter cometido a tolice de sair de Tübingen e no mais profundo conflito com Leipzig, de forma que sua decisão de aceitar o chamado para Heidelberg provou ser razoável, *faute de plus raisonable*". (Mas Rohde também não foi feliz em Heidelberg. Ele sofria com a perda de prestígio, com a dissolução da filologia clássica em todas as universidades como efeito da euforia materialista da era guilhermina.)

Mas também o encontro com o velho amigo e antigo companheiro de luta, que seria o último encontro pessoal após muitos anos de separação, decepcionou também Rohde. Mais tarde, ele confessaria a Overbeck[187; 229]: "Uma atmosfera indescritível de estranheza, algo absolutamente assombroso, o envolvia. Havia algo nele que eu não conhecia, e faltava-lhe muito que o distinguira no passado. Como se ele viesse de um país onde ninguém mais vivia". Nietzsche deve ter percebido e sofrido com esse estranhamento. Ele precisa de muito tempo – sempre um sinal de uma mágoa profunda – até conseguir falar sobre isso com seu amigo Overbeck. Apenas dois meses depois, em 14 de julho, ele lhe escreve: "Esse ar universitário estraga os melhores. Sinto constantemente como pano de fundo e última instância, até mesmo em personalidades como Rohde, uma maldita letargia geral e a completa falta de fé em sua causa. Quem sentiria empatia por uma pessoa que (como eu) *diu noctuque incubando* desde a mais nova juventude vive entre problemas e neles encontra seu sofrimento e sua felicidade! R. Wagner a sentia: e por isso Tribschen me era tão querida, mas agora já não tenho mais lugar nem pessoa que me serviriam como refresco". Acreditar em sua causa, viver com os problemas, arder no sofrimento e na felicidade da vivência, da visão: esta não é a filosofia de Nietzsche, mas este é o filósofo que ele exige e que ele anuncia em "Além do bem e do mal". E agora Nietzsche confessa a Overbeck também abertamente as suas preocupações editoriais: "Minhas negociações com os mais diversos editores finalmente me mostraram uma única saída. Faço a tentativa de publicar algo a minhas expensas. Se eu vender 300 exemplares, conseguirei cobrir os custos e talvez possa repetir o experimento. A firma C.G. Naumann cederá seu respeitável nome. A negligência de Schmeitzner foi incrível: há dez anos ele não envia livros aos livreiros, nem às redações. Não possui nem mesmo um depósito em Leipzig; nenhum anúncio – ou seja, meus escritos são, desde 'Humano, demasiado humano' – *anecdota*. Vendeu 60-70 cópias de cada 'Zaratustra' etc. etc. A desculpa de Schmeitzner é sempre: que, há dez anos, nenhum dos meus amigos teria a coragem de me defender. Ele exige 12.500 marcos pelos meus escritos". Sobre as condições aqui discutidas (mas jamais fixadas por escrito), Naumann relata em 13 de fevereiro de 1889[187]: "Meu acordo com o Sr. Prof. Nietzsche sobre a editora se baseia em uma negociação oral. O Sr. Prof. Nietzsche esteve comigo no ano de 1886 e perguntou se eu estaria disposto a publicar seus escritos, que eu os imprimiria e publicasse, mas que ele arcasse com eventuais prejuízos caso a venda de suas obras não conseguissem cobrir os custos de produção. Numa editora puramente filosófica, isso é normal, pois mesmo tendo uma pequena congregação de fiéis, esta não é grande o bastante para garantir os custos de produção, (além disso?) o Sr. Prof. Nietzsche sempre oferecia uma quantidade excessiva de exemplares gratuitos, que, juntamente com os exemplares absolutamente imprescindíveis para as redações, dizimavam grande parte das edições muito pequenas.

Eu, por minha parte, informava ao Sr. Prof. Nietzsche os costumeiros 5% das vendas, um eventual excesso deveria ser usado para a publicação de obras futuras".

No início de junho, Nietzsche concentra todas as suas atividades no apoio ao seu amigo Heinrich Köselitz. Em 5 de junho, ele se hospeda em Leipzig, na Auensstrasse, 48[II] e chama seu *protégé* com um telegrama: "Desejo encontro. Talvez por uma semana?" Köselitz vem já no dia seguinte e permanece duas semanas, até o dia 20 de junho. A princípio, o encontro trouxe uma bela surpresa para Nietzsche: Köselitz lhe entregou sua versão da canção de Nietzsche "Hino à vida", com o texto de Lou Salomé, que, em 1882, ele havia adaptado à melodia do "Hino à amizade" de 1873. Nietzsche enviou a partitura imediatamente a Friedrich Hegar em Zurique. Até então, Hegar havia se mostrado muito favorável a ele e a Köselitz e dispunha dos recursos necessários para uma apresentação: coro e orquestra. Nesse caso, Nietzsche pode ter tido interesses próprios como compositor, mas em Leipzig ele se empenha de forma altruísta em nome de Köselitz. "Todos os esforços de Köselitz têm sido em vão. Aqui em Leipzig tenho conseguido pelo menos uma coisa – uma apresentação particular da última obra de Köselitz no Gewandhaus com artistas excepcionais, a primeira linha da orquestra do Gewandhaus. O sucesso foi instrutivo, mas não muito agradável – a música não era boa; creio que tenha chegado a hora em que Köselitz precisa decidir se mudar para uma cidade da música, para aprender mais sobre a orquestração. No que diz respeito à ópera, estou negociando com Nikisch (sem muitas esperanças). Köselitz me trouxe o texto pronto da ópera corsa ('Marianna'), que ele escreveu em Annaberg. Mas não fui capaz de aceitá-lo; por mais que precise reconhecer a coragem com que se dedicou à tarefa. No próximo ano ele fará algo melhor" (carta a Overbeck de 20 de junho de 1886). Todos os esforços com e por Köselitz foram em vão. Nos meados de junho, Nietzsche recebe a notícia de outra morte, que também o afeta profundamente, mas de forma completamente diferente do que no caso de Wilhelm Vischer.

Em 13 de junho de 1886, morre afogado no Lago de Starnberg o Rei Luís II da Bavária. Apenas Nietzsche, Cosima, o próprio Wagner e talvez Hans von Bülow sabiam o que este rei significava para Wagner e para a arte alemã e a vida artística da Europa – e o que Wagner significava para esse rei. Também nesse caso, Nietzsche poderia ter escrito que "com ele, foi sepultada uma parte da minha vida e do meu passado pessoal". Nietzsche havia acompanhado em Tribschen toda a tensão em torno das apresentações de Munique, forçadas pelo rei, tudo aquilo que animara e decepcionara Wagner, e também o resgate financeiro do empreendimento de Bayreuth pelo rei. Por isso, Nietzsche pôde escrever a Overbeck em 20 de junho com toda sinceridade: "A tragédia bávara me abalou profundamente, sei demais sobre suas precondições".

A partir de agora, porém, aparecem as luzes no final do túnel. Paul Widemann, amigo de Köselitz e ex-aluno de Nietzsche em Basileia, aproveita a estadia de Nietzsche em Leipzig e faz uma visita de alguns dias. Nietzsche tem uma boa impressão dele. "É um homem dedicado, respeitável e fino, mesmo que sua filosofia ainda seja a de um principiante. Mas é um começo", ele escreve a Overbeck em 20 de junho. E Nietzsche iniciou também negociações entre os editores Fritzsch e Schmeitzner, com o propósito de uma aquisição de suas obras antigas. Em 21 de junho ele informa à mãe sobre o decurso das negociações: "Schmeitzner exige 12 mil marcos pelos meus livros: Isso é demais para o Sr. Fritzsch".

Na noite de 27 de junho, Nietzsche parte de Leibzig em direção a Sils e com a sensação agradável de não depender de ninguém. Ele é o editor de sua nova obra, que já se encontra na gráfica – as correções são feitas por Köselitz. Depois de mais de dois anos, desde a publicação do Zaratustra III em 10 de abril de 1884 (o Zaratustra IV não havia sido publicado propriamente dito), Nietzsche volta a se apresentar com um livro que, segundo a linha de "Aurora" e da "Gaia ciência", serve à sua missão filosófica, que ele agora vê claramente diante de si. Com o "Prelúdio a uma filosofia do futuro", como ele classifica "Além do bem e do mal", ele abre o caminho para colher os frutos de anos de trabalho filosófico. A obra é comparável ao prelúdio de uma ópera, ao qual segue a trama principal e no qual os temas e motivos principais são apresentados num movimento formalmente encerrado em si – numa adaptação da técnica de Wagner à filosofia. E quem sabe se, em vista do vínculo espiritual de Nietzsche com Wagner, Nietzsche não tenha aplicado a mesma vontade formal presente já na concepção do "Anel" de Wagner: ao prelúdio "Rheingold", segue a trilogia, tudo unido pelo mesmo *leitmotiv*, com motivos desenvolvidos a partir de *um* acorde básico? "Além do bem e do mal" seria então o "Rheingold" de Nietzsche. Mas sua trama principal termina com a caricatura grotesca do "Crepúsculo dos ídolos".

A obra fundadora

Em Nietzsche não resta mais nenhuma dúvida quanto a uma eventual falta de justificação para sua nova perspectiva, que ainda havia lançado suas sombras sobre todas as partes do Zaratustra. No novo livro emerge um Nietzsche mais autoconfiante e determinado. Os pensamentos são formulados com clareza e focados nos problemas principais, mas sem que fossem "sistematizados" ao ponto de estarrecerem em dogmas, dos quais ele se distancia com veemência e de forma inequívoca já no "Prefácio", datado em junho de 1885: "Supondo-se que a verdade seja feminina – como? Não é fundada a suspeita de que todos os filósofos, enquanto foram dogmáticos, entendiam pouco de mulheres? [...] Certo é que essa não se deixou instrumentalizar – e os dogmáticos de toda a espécie se apresentam hoje com uma postura triste e desencorajada. Se é que ainda estejam de pé! [...] Falando sério: temos boas razões para esperar que na filosofia o dogmatizar, por mais que tenha se comportado com solenidade e com gestos solenes e aparentemente incontestáveis, tenha sido apenas uma nobre infantilidade de diletantes [...] (como a superstição da alma, que ainda hoje, como superstição do "sujeito" e do "eu", continua a gerar confusão) [...]. A filosofia dos dogmáticos foi, esperamos, simplesmente um equívoco ao longo de alguns milhares de anos. [...] Não sejamos ingratos para com eles, ainda que seja necessário confessar que o pior, o mais teimoso e o mais perigoso de todos os equívocos tenha sido o de um filósofo dogmático, precisamente a invenção platônica do puro espírito e do bom em si mesmo. [...] A luta, porém, contra Platão, ou para dizê-lo de modo mais inteligível e 'para o povo', a luta contra a milenar pressão clerical cristã – pois o cristianismo é platonismo para o povo – gerou, na Europa, uma maravilhosa tensão do espírito [...] com o arco vergado de tal forma pode-se visar o alvo mais distante. É verdade, o europeu percebe esta tensão como situação de emergência; e duas grandes tentativas já foram feitas de relaxar o arco, uma vez com o jesuitismo e a segunda com a iluminação democrática. [...] Mas nós, que não somos jesuítas, democratas e nem mesmo suficientemente alemães, nós, bons europeus e espíritos livres, *muito* livres – nós ainda a sentimos, toda a emergência do espírito e toda a tensão do arco! E, talvez, também a flecha, a tarefa, e quem sabe? o alvo..."*

Nietzsche organiza seu livro em nove "partes principais" (a tradução literal de "capítulo"). Elas não chegam a alcançar o volume das "Considerações extemporâneas", mas apresentam suas características. O conceito original transparece, portanto, ainda na forma. E também tematicamente os primeiros capítulos retomam os escritos anteriores, mas vão além destes e levam o leitor para uma perspectiva nova ou pelo menos solidificada. O quarto capítulo, "Provérbios e interlúdios", revela seu caráter intermediário já no título. Nos capítulos 5-8, Nietzsche se dedica aos seus temas filosóficos fundamentais: ética, estética e teoria da arte, metafísica e epistemologia. Aqui se anunciam já a "Genealogia da moral", o "Caso Wagner" e a revalorização de todos os valores. No fim, Nietzsche tenta esclarecer sua autocompreensão, um tipo de "Ecce homo". Nietzsche está profundamente ciente do caráter experiencial e pessoal de sua filosofia, da dependência de sua perspectiva, de sua própria vivência, por isso considera uma questão de honestidade intelectual explicar seu ponto de vista pessoal e a perspectiva que deste resulta.

O novo ponto de vista de Nietzsche se encontra bem além da tradição filosófica, que contemplava tudo sob o dogma dualista da oposição entre "bem" e "mal", que postulava o "mal" como realidade espiritual autônoma e como antagonista do "bem". A oposição Deus-diabo passa a perder qualquer sentido metafísico em Nietzsche, e com esta também o fundamento de moral do "bem em si" (Platão) com base metafísica.

Primeira parte – "Dos preconceitos dos filósofos"

Aqui, Nietzsche ataca imediatamente o fundamento metafísico da ética (§ 2): "A crença fundamental dos metafísicos é a crença na antinomia dos valores. Nem aos mais cuidadosos entre eles ocorreram dúvidas já aqui no limiar, quando teria sido mais necessário [...]. Podemos, pois, duvidar primeiramente se antinomias existem de todo; e, em segundo lugar, se as valorações e as oposições de valores populares, às quais os metafísicos impuseram sua marca, não seriam talvez apenas valorações superficiais, perspectivas passageiras, talvez ainda [...] perspectivas de peixe [...]. Mas quem estaria disposto a se preocupar com esses perigosos 'talvez'?

---

* "O cristianismo é platonismo para o povo" é uma paráfrase inconfundível da expressão "Religião é ópio para o povo", desenvolvida a partir da formulação de Karl Marx de 1843: "Religião [...] ela é o ópio do povo"[19].

Precisamos esperar a chegada de uma nova espécie de filósofos [...]. E com toda sinceridade: vejo surgir esses filósofos".

Nietzsche retira os rótulos "bem" e "mal" também dos conceitos "verdade" e "mentira" (recorrendo assim ao seu primeiro escrito), arraigados na tradição filosófica, onde são usados quase como sinônimos. No § 4 lemos: "A falsidade de um juízo não é, para nós, uma objeção contra esse juízo. [...] A questão é em que medida ele serve para avançar e preservar a vida, para preservar e talvez até aprimorar a espécie. [...] Reconhecer a inverdade como condição da vida: isso significa resistir perigosamente aos sentimentos habituais referentes aos valores. Toda filosofia que ouse isso se coloca, já assim, além do bem e do mal". § 34: "Nada mais é do que um preconceito moral acreditar que a verdade vale mais do que a aparência; é inclusive a suposição menos provada que existe [...] nem mesmo existiria vida se não na base de apreciações e aparências [...]. Sim, o que nos obriga a supor que exista uma antinomia essencial entre 'verdadeiro' e 'falso'? Não bastaria admitir graus de aparência [...]? Por que o mundo que nos diz respeito não poderia ser uma ficção? E quem indagasse: 'Toda ficção não deve ter um autor?' não poderíamos responder-lhe com toda franqueza: 'Por quê?' [...] Não é permitido usar um pouco de ironia contra o sujeito, como também contra o predicado e o objeto? Não poderia o filósofo elevar-se acima da crença na gramática?"

Segunda parte – "O espírito livre"

Nessa parte, Nietzsche projeta mais uma vez com a ajuda de seu método indireto o futuro filósofo de espírito livre. No esboço desse filósofo vindouro, Nietzsche já pressupõe sua convicção da hierarquia natural entre os seres humanos; isso é, no fundo, também um pensamento de sua tradição da Antiguidade. Aristóteles (Política I, 4) diferencia entre aqueles que, segundo sua natureza, são senhores e líderes, e aqueles que nasceram para serem escravos, e na "República" de Platão todo poder e toda função legislativa estão nas mãos do filósofo. Mas Nietzsche distancia seu "espírito livre" também disso, tanto quanto dos "pensadores livres" de seu tempo, que, a seu ver, ainda estão demasiadamente emaranhados em dogmas e em seus próprio "princípios". No § 42 ele escreve: "Surge uma nova espécie de filósofos: ouso batizá-los com um nome um tanto perigoso. Assim como os vejo [...] terão justamente e talvez injustamente o direito de serem chamados *tentadores*. O nome é em si nada mais do que uma tentativa, ou, se preferirem, uma tentação". E no § 43: "Seriam novos amigos da 'verdade'? [...] Não serão, certamente, pensadores dogmáticos. Seu orgulho e também seu gosto protestarão se sua verdade pretender ser ainda uma verdade para todos. [...] 'Meu juízo é meu juízo: outra pessoa não tem facilmente direito a ele.' É preciso livrar-se do mau gosto de querer concordar com muitos. [...] No fim, será como é e sempre foi: as grandes coisas restam para os grandes; os abismos para os profundos; as delicadezas e os calafrios para os refinados; e em geral e ao todo, as raridades para os raros". No § 44: "Depois de tudo que disse, precisarei dizer ainda que eles também serão espíritos livres, muito livres [...] que não serão apenas espíritos livres, mas algo mais, algo mais elevado, maior, fundamentalmente diferente, que não quer ser desconhecido nem confundido? Ao dizer isso, porém, sinto-me obrigado [...] a afastar deles e de nós um velho e tolo preconceito [...]. Em todos os países da Europa [...] existe agora algo que comete abuso com este nome, um tipo de espíritos muito limitados, capturados, acorrentados [...]. São encontrados [...] entre os niveladores, esses que se chamam erroneamente 'livre-pensadores' – como escravos eloquentes do gosto democrático e de suas 'ideias modernas': todos eles homens sem solidão [...] camaradas comportados e toscos [...] só que não são livres e risivelmente superficiais, sobretudo com sua tendência fundamental de ver nas formas da velha sociedade a causa de praticamente toda miséria humana. [...] O que desejam alcançar com todas as forças é a felicidade do rebanho diante dos pastos verdes [...]. Veem o sofrimento como algo que deve ser abolido. Nós, os invertidos, que abrimos um olho e a consciência para a pergunta onde e como até agora a planta 'humana' melhor estendeu para as alturas, acreditamos que isto se deu sempre em condições inversas, que foi necessário que o perigo de sua situação crescesse primeiro até o imensurável [...] que seu espírito [...] se desenvolvesse na fineza e ousadia, que sua vontade de vida se intensificasse até a vontade de poder. [...] Nós [...] nos encontramos em todo caso [...] no extremo oposto de todas as ideologias modernas e das desejabilidades do rebanho. [...] E quanto à fórmula perigosa 'Além do bem e do mal', com a qual nos protegemos pelo menos contra o perigo de sermos confundidos: não somos *libres-penseurs*, *liberi pensatori*, *Freidenker* e como todos esses amáveis defensores das 'ideias modernas' possam se chamar".

Terceira parte – "O ser religioso"

Esta se volta principalmente contra o cristianismo, em algumas passagens, porém, vemos também Platão como adversário, como já havia sido anunciado no prefácio, e explica o vínculo entre as passagens correspondentes na "Gaia ciência" e o "Anticristo" posterior (§ 46): "A fé, exigida e não raramente obtida pelo cristianismo primitivo, [...] não é a fé ingênua e bruta de súditos, com o qual um Lutero ou um Cromwell ou qualquer espírito bárbaro do norte se agarravam ao seu Deus e ao seu cristianismo; é antes aquela fé de Pascal que, de modo terrível, se assemelha de modo horrível a um constante suicídio da razão [...]. A fé cristã é, desde os primórdios, sacrifício, sacrifício de toda liberdade, de todo orgulho, de toda autoafirmação do espírito; ao mesmo tempo, é escravização e escárnio de si mesmo, automutilação. Há crueldade e fenicismo nesta fé. [...] Seu pressuposto é que a sujeição do espírito provoca uma dor indescritível [...]. Os homens modernos, com sua insensibilidade em relação a toda nomenclatura cristã, não sentem mais o superlativamente horrível, que, para um gosto antigo, estava contido no paradoxo da fórmula: 'Deus na cruz'. Jamais houve até hoje tamanha ousadia na inversão [...] como nessa fórmula: prometia uma revalorização de todos os valores antigos. – É o Oriente, o profundo Oriente, é o escravo oriental, que assim se vingava de Roma e de sua tolerância aristocrática e frívola, do 'catolicismo' romano". E no § 47: "Em torno de nenhum outro tipo [sc. os *homines religiosi*] floresceu tamanha abundância de absurdo e superstição [...]. Como é *possível* negar a vontade? Como é possível o santo? Parece realmente ter sido esta a pergunta que fez de Schopenhauer um filósofo e onde ele se originou. E assim foi uma consequência verdadeiramente schopenhaueriana, que seu seguidor mais convencido [...] Richard Wagner, encerrou justo aqui a obra de sua vida [...]. Mas o que interessou tão desmedidamente os homens de todas as classes e de todos os tempos, inclusive aos filósofos, em todo o fenômeno da santidade, foi, sem dúvida alguma, a aparência de milagre que lhe adere, a sequência imediata de antinomias [...] a metamorfose súbita do 'homem mau' em 'santo', em um homem de bem".

No § 51, Nietzsche aponta outro efeito do santo: "Até agora, os homens mais poderosos têm se curvado diante do santo [...]. Pressentiam nele – de certa forma, por trás das interrogações do seu aspecto frágil e miserável – a força superior que quer se afirmar numa tal vitória, a força da vontade, na qual reconheciam a força própria e prazer de dominação [...]. Os poderosos da Terra aprenderam a ter um novo medo diante dele, pressentiram um novo poder, um inimigo desconhecido e ainda – foi 'a vontade do poder' que os obrigou a se deter diante do santo. Precisavam interrogá-lo".

Nietzsche deixa claro que suas ressalvas contra o cristianismo se limitam ao seu núcleo, ao Novo Testamento (§ 52): "No 'Antigo Testamento' judaico, o livro da justiça divina, há personagens, coisas e discursos de um estilo tão grandioso que a literatura grega e indiana nada lhe pode contrapor. Postamo-nos com terror e respeito diante desses incríveis resquícios daquilo que já foi o homem [...]. O gosto pelo 'Antigo Testamento' é pedra de toque para se reconhecer o 'grande' e o 'pequeno': – talvez ainda considere o Novo Testamento, o livro da graça, em maior conformidade com o seu coração (nele há ainda muito do bafo adocicado e tosco dos carolas e das pequenas almas). Ter unido o Novo Testamento, que é uma espécie de rococó do gosto sob todos os aspectos, ao Antigo Testamento, formando assim *um* livro, a 'Bíblia', o 'livro em si', seja talvez a maior ousadia, o maior 'pecado contra o espírito' que a Europa literária cometeu".

Na quarta parte, no § 121, o filólogo Nietzsche acrescenta: "É refinamento o fato de Deus ter aprendido grego quando quis ser escritor – e que não o tenha aprendido melhor".

Com uma oposição dura Nietzsche arrasta à luz a consequência da disposição para o sacrifício gerada pelas religiões, avassaladora para as próprias religiões (§ 55): "Antigamente, sacrificavam-se homens ao seu deus, talvez precisamente os mais amados [...]. Então, durante a época moral da humanidade [...], os instintos mais fortes [...] sua 'natureza' [...]. Por fim: o que restava sacrificar? [...] Não se devia sacrificar o próprio Deus e, por crueldade contra si mesmo, adorar a pedra, a estupidez, o peso, o destino, o nada? Sacrificar Deus para o nada – este mistério paradoxal da crueldade última foi reservado à geração presente".

No fim, Nietzsche pondera as vantagens e desvantagens das religiões (§ 61): "O filósofo como o compreendemos, [...] como homem da mais abrangente responsabilidade, que tem a consciência para o desenvolvimento geral do homem: este filósofo se servirá das religiões para sua obra de aprimoramento e educação, assim como se servirá também das contingências políticas e econômicas respectivas. [...] A própria religião pode ser usada para proteger-se contra o barulho e o esforço ligado a um domínio mais grosseiro e de se preservar do inevitável lodo de toda atividade política. Foi o que fizeram os brâmanes, por exemplo: com a ajuda de uma organização religiosa, conquistaram o direito de eleger um rei para o povo, enquanto se mantinham e se sentiam apartados, como homens de tarefas superiores às do rei. [...] Ascetismo e puritanismo são meios de educação e de enobrecimento quase imprescindíveis quando uma raça deseja dominar sua própria origem plebeia [...]. No que diz respeito aos homens comuns, finalmente, [...] a religião tem a inestimável vantagem de permitir que se contentem com a própria posição, de proporcionar-lhes múltipla paz de coração [...]. A religião e o significado religioso da vida iluminam com o raio de sol a existência daqueles homens atribulados e torna suportável o seu próprio reflexo [...]. No cristianismo e no budismo talvez nada seja mais respeitável que a sua arte de educar até os mais inferiores, de elevá-los, através da piedade, a uma ordem aparentemente superior das coisas mais elevadas e assim mantê-los contentes diante da ordem real".

No § 62, Nietzsche escreve: "Por outro lado, porém, para apresentar a tais religiões também sua contraparte terrível e expor à luz sua sinistra periculosidade: – paga-se um preço alto e terrível sempre que as religiões não são usadas para a disciplina e a educação nas mãos do filósofo, mas quando agem por conta própria e *soberanamente* [...]. Num balanço geral [...] as religiões soberanas são uma das causas principais que prenderam o tipo 'homem' em um nível inferior – receberam demais daquilo que pereceria. Devemos a elas coisas inestimáveis, [...] por exemplo, o que fizeram os 'homens espirituais' do cristianismo para a Europa! No entanto, quando [...] atraíam os internamente destruídos e selvagens para longe da sociedade e para conventos e casas de correção da alma: que mais precisavam fazer para, com boa consciência [...] contribuir para a deterioração da raça europeia? [...] Não dominou durante dezoito séculos uma *única* vontade na Europa de fazer do homem um *aborto sublime*? [...] Estes homens dominaram até agora os destinos da Europa com seu 'iguais diante de Deus' dirigiram até agora os destinos da Europa, até formarem uma espécie de homem diminuído, uma espécie quase ridícula, um animal de rebanho, benigno, doentio e medíocre, o europeu de hoje".

Quinta parte – "Sobre a história natural da moral"

Nietzsche volta para o tempo de "Humano, demasiado humano", das conversas com Paul Rée em Sorrento, para também aqui ir bem além daquele ponto de vista. Nietzsche acusa toda a filosofia moral de, apesar de se preocupar com a gênese, a origem e a evolução da moral – por exemplo, com os "mandamentos divinos" e com o "imperativo categórico" de Kant, nunca ter visto a moral como problema em si.

§ 186: "O sentimento moral é, atualmente na Europa, tão fino, tardio, múltiplo, irritável, engenhoso, quanto a 'ciência da moral' correspondente é ainda jovem, principiante, tosca e grosseira [...]. O que será preciso ainda por muito tempo [...]: recolher o material, reunir os conceitos, coordenar todo um mundo de sentimentos delicados, de diferenciações de valores [...] como preparação a uma teoria dos tipos da moral. [...] Todos os filósofos exigiam sempre com uma rígida seriedade risível [...] a justificação da moral – e cada filósofo acreditava até agora ter justificado a moral; mas a moral em si era vista como 'dada'. [...] Aquilo que os filósofos chamavam de 'justificação da moral' e de si mesmos exigiam era [...] apenas uma forma erudita da boa-fé na moral dominante, um novo meio de expressão".

Nietzsche reconhece como ser, como natureza da moral o seu rigor, sua implacabilidade, seu exercício durante longos períodos, o estreitamento da perspectiva (ou seja, a idiotice relativa) para disciplinar o homem em determinada direção. Uma moral "de volta para a natureza", no sentido de deixar correr soltas as chamadas "pulsões naturais", viola a natureza da moral.

§ 188: “Toda moral é, ao contrário do *laisser aller*, um pouco de tirania contra a ‘natureza’ e também contra a ‘razão’: mas isto ainda não é uma objeção contra ela, caso contrário, seria preciso decretar na base de outra moral que toda tirania e irracionalidade são ilícitas. O essencial e inestimável de toda moral é o fato de ser uma longa coação [...], basta lembrar a coação sob a qual todas as línguas adquiriram força e liberdade, a constrição da métrica, a tirania da rima e do ritmo. [...] Com toda seriedade, é muito provável que precisamente nisto consista a ‘natureza’ e isto seja ‘natural’ – e não aquele *laisser aller*! Todo artista sabe o quão distante o seu estado ‘mais natural’ se encontra do *laisser aller*, esta liberdade de ordenar, pôr, dispor, formar em momentos de ‘inspiração’ – e com quanto rigor e refinamento ele obedece justamente aqui às múltiplas leis [...]. O essencial ‘no céu e na terra’ é, como parece, e repito, que se obedeça com persistência e em uma direção: isso sempre resultará e sempre resultou em algo pelo qual valesse a pena viver na terra, por exemplo, virtude, arte, música, dança, razão, espiritualidade – alguma coisa que transfigura, algo engenhoso, louco, divino [...]. Arte, a música, a dança, a razão, a espiritualidade, enfim, algo que transfigure, de refinado, de louco e de divino. Confesso que nisso se suprimiu, sufocou e estragou também uma quantia insubstituível de força e espírito (pois aqui, como em todos os outros lugares, a ‘natureza’ se mostra como é, em toda a sua grandiosidade esbanjadora e indiferente, que escandaliza, mas é nobre) [...]. Essa tirania [...] essa tolice rigorosa e grandiosa educou o espírito; na razão maior e mais fina, a escravidão é, segundo parece, o recurso imprescindível também para a disciplina espiritual”. E no § 198: “Todas essas morais que se dirigem à pessoa individual para conduzi-la para a ‘felicidade’, como dizem, nada mais são do que sugestões comportamentais em relação à medida da periculosidade em que a pessoa vive consigo mesma; receitas contra suas paixões, contra suas boas e más inclinações, contanto que tenham a vontade de poder e queiram bancar o senhor”.

Para Nietzsche, a “história natural da moral”, sua natureza, é o fato de ela ser rigorosa e um instrumento na mão daquele que domina – também do instinto dominante – para impor uma vontade poderosa. Mas *o que* deve ser imposto, decidir isso já não compete mais metodicamente à definição da natureza da moral, mas à avaliação daquilo que se ambiciona e daquele que domina. E é aqui que Nietzsche parte para sua crítica dura aos valores de seu tempo.

§ 203: “Para onde devemos nos dirigir com nossa esperança? – Para novos filósofos, não resta outra escolha, para espíritos, fortes e independentes o bastante para poder dar impulsos a juízos de valor opostos, para revalorizar, inverter os valores eternos [...]. Para isto precisaremos um dia de uma nova espécie de filósofos e de governantes, diante dos quais tudo o que aqui que foi até agora em termos de espíritos ocultos, terríveis e benignos se apresentará como mera imagem pálida e diminuta. [...] Poucas dores se igualam àquela de ter visto, adivinhado e sentido como um homem extraordinário se desviou do seu caminho e degenerou [é provável que Nietzsche tenha em vista aqui Richard Wagner]: mas quem tem a rara visão para o perigo geral de que 'o homem' em si degenere; que, conosco, reconheceu o monstruoso acaso que até agora decidiu o futuro do homem – no qual não a mão, nem mesmo 'um dedo de Deus' jamais se intrometeu! [Epicuro!]; quem compreende a fatalidade que se encerra na ingenuidade tosca, na exuberância confiante das 'ideias modernas', mais ainda em toda a moral cristã europeia: este sofre de um medo que não se compara a qualquer outro [...]. A degeneração total do homem, ao ponto daquilo que aos idiotas socialistas se apresenta como o 'homem do futuro' – como seu ideal!; esta degeneração, esta diminuição do homem ao ponto de transformá-lo em animal de rebanho perfeito (ou ainda, como dizem, em homem da 'sociedade livre'), esse embrutecimento do homem em nível de animal anão, de direitos iguais e deveres, é possível, não há dúvida! Quem já ponderou essa possibilidade até às últimas consequências conhece um nojo a mais do que os outros – e talvez também uma nova tarefa!"

Sexta parte – "Nós, os estudiosos"

Nietzsche volta sua atenção agora para este filósofo vindouro e mostra primeiramente que se trata de um filósofo "futuro" e não "presente".

§ 204: "Mesmo correndo o risco de mostrar que o moralizar, mesmo aqui, se revela como aquilo que sempre foi – isto é, um modo destemido de *montrer ses plaies*, segundo Balzac – ousarei opor-me a uma mudança de hierarquia inapropriada e prejudicial que hoje ameaça estabelecer-se, [...] entre ciência e filosofia. [...] A declaração de independência do homem científico, a sua emancipação da filosofia é um dos efeitos mais delicados da ordem e da desordem democráticas. A glorificação própria e a presunção do estudioso estão hoje em pleno florescimento. [...] 'Livrem-se de todos senhores!' – também aqui é isto que exige o espírito plebeu; e depois que a ciência soube livrar-se com o maior sucesso da teologia, cuja 'serva' foi durante tanto tempo, pretende agora, em seu entusiasmo e irracionalidade, ditar leis à filosofia e também ser 'senhor' – não, o que estou dizendo! – ser filósofo. " Nietzsche alerta explicitamente contra o domínio dos tecnocratas e sociólogos, aos olhos dos quais tudo é permitido, contanto que seja possível, sem objetivos éticos ou limitação por uma moral rigorosa. E ele pergunta o que teria "contribuído mais do que qualquer outra coisa para a redução do respeito à filosofia e arreganhado as portas para os instintos plebeus. Tenhamos a coragem de confessar a nós mesmos até que ponto o nosso mundo moderno se ressente da falta de filósofos tais como Heráclito, Platão, Empédocles ou como se chamam todos esses eremitas reais e esplêndidos do espírito; e quanto, a bom direito frente a certos representantes da filosofia e que estão hoje em moda – na Alemanha, por exemplo, os dois leões de Berlim, o anarquista Eugen Dühring e o amalgamista Eduard von Hartmann – um honesto homem dedicado à ciência, pode se sentir melhor. É sobretudo a visão daqueles filósofos falsos, que se autodenominam 'filósofos da realidade' ou 'positivistas', que pode gerar uma desconfiança perigosa na alma de um jovem estudioso ambicioso". E § 205: "Os perigos para o desenvolvimento do filósofo são hoje na verdade tão múltiplos que se chega a duvidar se tal fruto ainda pode chegar a amadurecer. A extenção e a construção da torre das ciências cresceu monstruosamente, e com isso cresceu também a possibilidade de que o filósofo se canse já como aprendiz e se agarre ou se 'especialize' em algum aspecto; [...]. Durante muito tempo, as massas desconheceram e confundiram o filósofo, seja com o homem científico e estudioso ideal, seja com o fanático religioso 'dessecularizado', com o beberrão de Deus". § 211: "Insisto em que se deixe de confundir, de uma vez por todas, os operários filosóficos e em geral os homens de ciência com os filósofos [...]. Os verdadeiros filósofos são dominadores e legisladores, dizem: 'Assim deve ser!' Eles definem primeiramente o 'Para onde?' e o 'Para quê?' do homem [...]. O seu conhecimento é criação, sua criação é uma legislação, a sua vontade de verdade é – vontade de poder". § 213: "O que é um filósofo, é difícil aprendê-lo porque é tão difícil de ensiná-lo: é preciso 'sabê-lo' por experiência – ou deveria ter o orgulho de não sabê-lo. [...] É preciso ter nascido para cada mundo elevado, ou para dizê-lo com maior clareza, é preciso ter sido criado para ele: um direito à filosofia – tomando a palavra no sentido maior – tem-se apenas graças à descendência. [...] Muitas gerações precisam ter trabalhado para o advento do filósofo, cada uma de suas virtudes precisa ser adquirida individualmente [...] a altivez dos olhares, o saber-se separado das massas [...] a proteção e defesa de tudo aquilo que é mal-interpretado, que é caluniado, seja Deus ou o diabo, a prazer e o exercício na grande justiça, a arte do comando, a vastidão da vontade, a lentidão do olhar, que raramente admira, raramente olha para o alto e raramente ama..."

Sétima parte – "Nossas virtudes"

§ 214: "Nossas virtudes? – É provável que também nós ainda tenhamos nossas virtudes, mesmo que não sejam aquelas virtudes bondosas e primitivas, que honramos em nossos antepassados, embora mantendo-as um pouco a distância.

Nós europeus de depois de amanhã, primícias do século XX [...] se é que devemos possuir virtudes, teremos provavelmente apenas aquelas que aprenderam a entrar em melhor acordo com nossas inclinações mais secretas e mais queridas[...]: pois bem, andemos a procurá-las em nossos labirintos!" Essas virtudes do filósofo – do homem nobre – não descansam em seus preconceitos morais, pois (§ 219): "julgar e condenar moralmente é a vingança preferida dos espíritos limitados contra aqueles que o são menos que eles, também um tipo de indenização por tudo aquilo que obtiveram de menos da natureza, finalmente uma oportunidade de adquirir espírito e tornar-se refinado: – a malícia espiritualiza". Novamente, Nietzsche recorre à técnica da imagem negativa, do contraste, representando e flagelando aquelas que *não* podem ser as virtudes do filósofo (à semelhança de uma "teologia negativa"): moral não egoísta (§ 221), compaixão (§ 222), "História como depósito dos figurinos" com os quais nos fantasiamos, que vestimos para "ser" algo (§ 223), "o senso histórico" (§ 224) e (§ 225) "todos esses modos de pensar segundo o prazer e o sofrimento, isto é, de medir o valor das coisas segundo estados acessórios e aspectos secundários". Trata-se de "modos de pensar superficiais e ingênuos, que cada um que se sinta possuidor de forças criadoras e de uma consciência artística olhará com desprezo, não sem compaixão. [...] Bem-estar, como o entendeis – isso não é uma meta, parece-nos mais o fim! [...]. A disciplina do sofrimento, do grande sofrimento – não sabeis que apenas essa disciplina gerou todas as elevações do homem? Aquela tensão da alma no infortúnio, que lhe atribui a força, os calafrios diante da grande ruína, sua engenhosidade e bravura no suportar [...] da desventura, e tudo que lhe foi dado em termos de profundidade, mistério, disfarce, espírito, astúcia, grandeza, [...] existem problemas mais altos do que todos os problemas de prazer e sofrimento e compaixão; e toda filosofia que se esgota exclusivamente nisso, é uma ingenuidade".

Oitava parte – "Povos e pátrias"

Finalmente, Nietzsche volta sua atenção para um problema que mais o comove neste tempo.

Ele faz uma análise da espiritualidade de quatro povos europeus, de sua capacidade de se opor à "loucura das nacionalidades", que estava se aproximando de seu auge, e à autodestruição da Europa, e de fazer sua contribuição para a criação daquele "europeu" que ele postula e cujo surgimento no século XX ele considera inevitável. O que ele tem em mente não é uma Europa politicamente unida, que representaria apenas um novo "nacionalismo" europeu mais amplo, mas uma força espiritual, um espaço cultural. Deste ponto de vista, Nietzsche lança luz sobre "seus" alemães, os franceses, os ingleses – e os judeus. E já que ele vê a "Europa" como espaço cultural, ele os avalia na base de suas conquistas na filosofia, literatura e sobretudo na música! Nietzsche começa o capítulo (§ 240) com uma caracterização brilhante do prelúdio dos "Cantores mestres" de Wagner (cf. acima, p. 196) – talvez a mais brilhante de todas – e daí parte para uma caracterização dos alemães: "Ao todo, nenhuma beleza, nenhum sul, nada da delicada clareza do céu do sul, nenhuma graça, nenhuma dança, quase nenhuma vontade de lógica; certa grosseria até, [...] um revestimento pesado, [...] uma confusão de preciosidades cultas e veneráveis; algo de alemão, no melhor e no pior sentido da palavra [...], certa prepotência e superabundância alemã da alma, [...] verdadeiro distintivo da alma alemã, ao mesmo tempo jovem e senil, excessivamente cansada e exuberante em termos de futuro. Este tipo de música expressa melhor aquilo que penso dos alemães: são de anteontem e de depois de amanhã: não possuem ainda um hoje". Mais do que a seus poetas e filósofos – Kant, Hegel e naturalmente Schopenhauer, Nietzsche recorre, para a representação do estado e das possibilidade dos alemães, aos seus músicos, em primeiro lugar a Wagner, mas também a Mozart, Beethoven e Schumann (§ 245): "O 'bom e velho' tempo se foi, com Mozart ele se calou – quão felizes somos nós aos quais ainda fala seu rococó [...]. Ah! algum dia tudo estará acabado! – mas quem ousaria duvidar que ainda antes deixaremos de compreender e degustar Beethoven – que nada mais foi do que o último eco de uma transição e ruptura de estilo [...] sobre sua música se deita a luz crepuscular de perdas, perenes renúncias e eternas esperanças vagantes – a mesma luz que banhava a Europa quando sonhou com Rousseau, quando dançou ao redor da árvore da liberdade da revolução e quando se prostrou quase em adoração diante de Napoleão. [...] Quão estranha soa hoje a nossos ouvidos a linguagem dos Rousseau, dos Schiller, dos Shelley, dos Byron, nos quais juntos o mesmo destino da Europa encontrou sua palavra, que soube cantar em Beethoven! A música alemã que veio depois pertence ao romantismo, [...] a um movimento historicamente ainda mais curto, mais fugaz, mais superficial [...]. Weber: Mas o que nos significam ainda o Freischütz e Oberon? Ou o Hans Heiling e o Vampyr, de Marschner? Ou ainda o Tannhäuser de Wagner! É uma música remota, mesmo que ainda não esquecida".

Em seu lamento do § 246, Nietzsche confessa que sofre com a literatura alemã: "Que tortura são os livros escritos em alemão para quem possui um terceiro ouvido. Com que desdém atravessa o pântano de palavras sem som, de ritmos sem dança, que os alemães chamam de 'livro'!" § 247: "Quão pouco o estilo alemão tem a ver com o som e com o ouvido mostra o fato de que justamente os nossos melhores músicos escrevem mal. O alemão não lê em voz alta, para o ouvido [...]. O homem da Antiguidade lia, quando lia [...] para si mesmo, em voz alta, [...] isto é, com os *crescendo*, as inflexões, as variações de tom, as alterações de ritmo em que encontrava prazer o público do mundo antigo. [...] Um período é, segundo os antigos, sobretudo um todo fisiológico, uma vez que abarca apenas um fôlego. [...] Na verdade não temos direito ao período grande, nós, modernos, de respiração curta em todos os sentidos! [...] Mas na Alemanha existia [...] apenas uma espécie de fala pública e aproximadamente artística: a do púlpito. [...] A maior obra-prima da prosa alemã é, como convém, a obra-prima de seu maior pregador: a Bíblia é até agora o melhor livro alemão. Comparado com a Bíblia de Lutero, todo o resto é apenas 'literatura' – uma coisa que não cresceu na Alemanha e que portanto não criou, nem criará raízes nos corações alemães como o fez a Bíblia".

Diante disso, Nietzsche jamais se cansa de elogiar as qualidades da literatura francesa – e a música de seu Georges Bizet. § 254: "O que os franceses, ainda hoje, podem apresentar com orgulho como sua herança e propriedade como característica preservada de uma superioridade cultural sobre a Europa: [...] em primeiro lugar a sua disposição às paixões artísticas, sua dedicação à 'forma', para a qual foi criada, entre mil outras, a expressão, *l'art paur l'art* – isto não faltou à França há três séculos, e sempre, graças ao respeito pelo pequeno número', viabilizou-se uma espécie de 'música de câmara' da literatura, o que não é encontrado em nenhuma parte da Europa. O segundo ponto que justifica a superioridade dos franceses na Europa é sua antiga múltipla cultura moralística, que faz com que, em média mesmo nos *romanciers* dos jornais e dos '*boulevardiers* de Paris', se encontre uma sensibilidade e uma curiosidade psicológica, das quais não se tem ideia na Alemanha. [...] Mas a França ostenta ainda uma terceira reivindicação de superioridade: na índole francesa ocorre uma síntese mais ou menos bem-sucedida do norte e do sul [...], que um inglês jamais compreenderá: seu temperamento que periodicamente se volta e se distancia do sul [...] preserva-o do horrível cinzento do norte, da anemia e dos fantasmas conceituais dos países sem sol – da nossa doença *alemã* do gosto, contra cujo excesso momentâneo prescreve-se o sangue e o ferro em grandes quantidades, isto é, a 'grande política' [...]. Para os 'bons europeus', foi para eles que Bizet fez sua música, este último gênio que vislumbrou uma nova beleza e sedução – que descobriu um pouco do sul da música".

Nietzsche ignora generosamente a filosofia francesa – com a exceção dos moralistas –, mas não a filosofia inglesa. Os ingleses contemporâneos não lhe oferecem literatura (ele "superou" Byron e Shelley), muito menos música, por isso, lhe permanecem completamente estranhos. E com sua filosofia, eles se posicionam em outra região. Trata-se da antiga oposição entre "filosofia natural iônica" (Tales e seus sucessores) e a filosofia italiana, das escolas pitagórica e eleática voltadas para a "dialética", que Nietzsche já conhecia de seus estudos sobre Diógenes Laércio (Proêmio 18), que exerce uma influência sobre sua relação com a filosofia inglesa, predominantemente empírica. As definições de Diógenes Laércio: "A parte (o campo) da física trata do cosmo e daquilo que nele existe; a ética, do BIOS (o modo de vida) e, no que diz respeito a nós, a dialética fornece os conceitos dos dois"*, abarcando assim a lógica, a epistemologia e a metafísica. O antigo conceito de "dialética" é completamente diferente do que o moderno, fundamentado em Hegel. A posição de Nietzsche é evidente: ele se encontra na tradição dos éticos e "dialéticos", é sucessor de Parmênides, Platão, Aristóteles, Kant, Hegel, Schopenhauer e em oposição aos ingleses, aos "iônicos". § 252: "Essa não é uma raça filosófica – esses ingleses: Bacon significa um ataque contra o espírito filosófico em geral; Hobbes, Hume, e Locke, um rebaixamento e uma desvalorização do conceito 'filósofo' por mais de um século. Contra Hume levantou-se Kant; foi Locke do qual Schelling pôde dizer: '*je méprise Locke*'; na luta contra a 'idiotificação' do mundo pela concepção mecanicista inglesa, estiveram em acordo Hegel e Schopenhauer (com Goethe) [...]. O que falta na Inglaterra, e sempre faltou, sabia muito bem aquele meio-ator e orador, esse insosso confuso, mesmo quando tentava esconder sob caretas passionais tudo aquilo que sabia de si mesmo – ou seja, aquilo que lhe faltava, a verdadeira profundidade da visão intelectual, a filosofia. – É característico de uma raça tão pouco filosófica que ela se prende tanto ao cristianismo: precisa de sua disciplina [...]. Mas o que ofende até mesmo no inglês mais humano é a sua total falta de música [...]. Não tem nos movimentos de sua alma e também do seu corpo nem ritmo nem dança [...]. Que se o ouça falar [...] e escute seu canto! Mas exijo demais..." § 253: "Existem verdades que são reconhecidas melhor por cabeças medíocres [...]. Somos levados a essa sentença desagradável justamente agora que as mentes de alguns ingleses respeitáveis, mas medíocres – cito Darwin, John Stuart Mill e Herbert Spencer – se põem a dominar a região mediana do gosto europeu [...]. Não se esqueça que os ingleses, com sua mediocridade inferior, já ocasionaram uma depressão geral do espírito europeu: aquilo que chamamos de 'ideias modernas' ou ainda 'ideias do século XVIII', ou ainda 'ideias francesas'".

Nietzsche dedica muito espaço aos judeus. § 250: "O que a Europa deve aos judeus? – Muitas coisas, boas e más, e sobretudo uma coisa, ao mesmo tempo do melhor e do pior: o grande estilo da moral, o terrível e a majestade de infinitas reivindicações [...]. Nós artistas entre os espectadores e os filósofos somos gratos aos judeus por isso". Mas (§ 251): "Jamais encontrei algum alemão a quem os judeus

---

* τὸ ἀμφοτέρων τοὺς λόγους πρεσβεῦον

fossem simpáticos; e por mais sensata que possa ser a rejeição do antissemitismo por parte de todos os precavidos e políticos, esse cuidado todo [...] se dirige sobretudo contra seu perigoso excesso [...]. Que a Alemanha tenha judeus em número suficiente, que o estômago alemão, o sangue alemão enfrenta dificuldades [...] de dar conta dessa quantidade de judeus – como já o fizeram os italianos, os franceses, os ingleses, graças à sua digestão mais robusta –: esta é a declaração e linguagem explícita de um instinto universal [...], de um povo, cuja espécie ainda é fraca e indeterminada, de forma que facilmente [...] poderia ser aniquilada por uma raça mais forte. Os judeus, porém, são incontestavelmente a raça mais forte, mais tenaz e mais pura que agora vive na Europa [...]. Graças, sobretudo, a uma fé resoluta, que não precisa se envergonhar diante das 'ideias modernas'". Mesmo assim, Nietzsche vê a solução numa integração, "para a qual seria talvez adequado banir do país os agitadores antissemitas. Ir ao encontro deles com todo cuidado, com seleção; mais ou menos como o fez a nobreza inglesa. É óbvio que algum dos tipos mais fortes e já mais solidificados do novo germanismo poderiam manter relações com os judeus, por exemplo, o oficial nobre da Marca: seria de interesse múltiplo estudar se à arte herdada do comando e da obediência – e nas duas coisas o país citado é hoje clássico – não poderia ser acrescentado o gênio do dinheiro e da paciência (e da espiritualidade, da qual há muita falta no país mencionado) por meio da mestiçagem".

Nietzsche faz todo esse excurso apara avaliar a aptidão dos fatos contemplados para a realização (ou recuperação) da unidade cultural europeia que existia até o fim do Classicismo. § 256: "Graças a tudo isso e a certas coisa que atualmente não podem ser expressadas, são ignorados ou interpretados arbitrária e mentirosamente os indícios mais inequívocos, nos quais se expressa que a Europa deseja se unificar. Em todos os homens mais profundos e mais amplos desse século, a direção geral do trabalho misterioso de sua alma foi preparar o caminho para aquela síntese nova e antecipar, como experimento, o europeu do futuro [...]. Penso em homens como Napoleão, Goethe, Beethoven, Stendhal, Heinrich Heine, Schopenhauer: Não me reprovem se juntar a estes também Richard Wagner, acerca do qual não se deve formar um falso conceito sobre a base de seus próprios mal-entendidos", aludindo com isso ao "último Wagner e sua música 'Parsifal'", sobre a qual ele diz, encerrando o capítulo: "Isso ainda é alemão? [...] O que ouvis é Roma – a fé de Roma sem palavras!"

No último capítulo, Nietzsche tenta esboçar a resposta à pergunta referente a quem assumirá a liderança espiritual nessa Europa futura, quem ocupará o lugar de Goethe, Beethoven e Schopenhauer – ou seja, da literatura, música e filosofia.

Nona parte – "O que é nobre?"

Com grande insistência, Nietzsche repete que ele não entende uma unidade europeia no sentido político ou econômico, mas de um espaço cultural, que, porém, deve trazer não uma cultura hegemônica – nivelada por baixo – para todos, mas um espaço em que os "grandes" individuais e inconfundíveis possam desdobrar todo o seu efeito. Não existem "homens iguais" segundo sua natureza e, por isso, tampouco "reivindicações iguais"; pergunta esta que já ocupava a filosofia antiga no contexto da "justiça". A reivindicação *suum cuique* foi interpretada de formas muito controversas. Nietzsche nega a "igualdade dos homens" também nas fórmulas "perante Deus" e "perante a lei". Ele atém estritamente a uma "hierarquia e diferenciação de valores de homem para homem" extremamente diferenciada, que "necessita da escravidão em algum sentido. Sem o *pathos* da distância, resultante da diferença dos estamentos [...], não poderia resultar também aquele outro *pathos* mais misterioso, aquele desejo de um distanciamento sempre renovado dentro da própria alma, a formação de estados cada vez mais elevados, mais raros, mais distantes, mais abrangentes, ou seja, a elevação do tipo 'homem', a contínua 'autossuperação do homem'".

Desse homem "grande", aristocrático no sentido autêntico da palavra, Nietzsche exige que ele seja o homem nobre. Porém (§ 287): "O que é nobre? [...] Como se revela, como se adivinha, hoje sob este céu pesado e profundamente nublado pela soberania emergente da plebe [...], o homem nobre? – Não são as ações que o revelam, as ações são sempre sujeitas a interpretações múltiplas e por isso mesmo, impenetráveis, tampouco o são as 'obras'. Encontramos hoje entre os artistas e os estudiosos muitos que, com suas obras, demonstram como um desejo ardente os impulsiona rumo ao nobre: mas é precisamente este desejo pelo nobre [...] a característica mais eloquente e perigosa de sua ausência. Não são as obras, é a fé que é decisiva aqui, que determina a hierarquia, para recorrer a uma antiga fórmula religiosa num significado novo e mais profundo: um tipo de certeza fundamental que a alma nobre tem acerca de si mesma, algo que não se pode procurar, que não se pode encontrar e talvez nem mesmo perder. – A alma aristocrática tem veneração diante de si mesma". Com isso, Nietzsche assume a posição diametralmente oposta ao dogma cristão do pecado original. A partir daqui, o ataque de Nietzsche à ética cristã precisa ser compreendido como inevitável e consequente. A alma desprezível, manchada pelo pecado original é merecedora da maldição, não de veneração. Para Nietzsche, essa ética é desvalorizadora, humilhante: moral de escravos. Mas Nietzsche, mesmo assim, reconhece o mérito do cristianismo, quando soube semear e cultivar a veneração como possibilidade da alma. § 263: "Existe um instinto pela hierarquia, o qual [...] já é o indício de um posição elevada; existe um sentimento de prazer pelas nuanças da veneração, que permitem reconhecer a origem e os hábitos nobres. [...] O modo pelo qual a Europa em geral vem mantendo alta veneração pela Bíblia seja talvez a melhor parte da disciplina e do refinamento dos costumes que a Europa deve ao cristianismo: este tipo de livros de profundidade e da mais alta e última significância necessitam da proteção de uma tirania de autoridade exterior, para alcançar aquela duração milenar que é necessária para esgotá-los e interpretá-los completamente. Muito já se alcançou se às grandes massas [...] se ensinou finalmente aquele sentimento de que ela não pode tocar em tudo; que existem vivências sagradas, diante das quais devem tirar suas sandálias e manter afastada a mão imunda [...]. Vice-versa nas pessoas [...] crentes nas 'ideias modernas' nada talvez inspire tanto nojo quanto a sua falta de pudor, a cômoda ousadia do olho e da mão com que tocam, lambem, seguram tudo; e é possível que hoje no povo, principalmente entre os camponeses, exista relativamente uma maior nobreza de gosto e de tato na veneração que no semimundo do espírito, os homens cultos".

Para essas pessoas pouco nobres, curiosas e inescrupulosas, Nietzsche tem ainda uma palavra especial (§ 270): "O orgulho espiritual e a náusea de todo homem que sofreu muito – é quase a posição na hierarquia que determina o quão profundamente as pessoas podem sofrer – a horrível certeza [...] de, graças ao seu sofrimento, saber mais que os mais inteligentes e mais sábios [...] – esse orgulho espiritual calado de quem sofre [...] considera necessárias todas as formas de disfarce para se proteger do toque de mãos indiscretas e piedosas, e em geral de tudo aquilo que não é companheiro em sua dor. O sofrimento profundo enobrece o homem [...]. Uma das formas mais finas de disfarce é o epicurismo [...]. Existem 'homens descontraídos' que se servem da jocosidade para serem malcompreendidos [...]. Existem 'homens científicos' que se servem da ciência, porque esta confere um aspecto jocoso [...]. Existem espíritos livres e ousados que querem esconder e negar o fato de serem corações orgulhosos, incuráveis (o cinismo de Hamlet, o caso Galiani) [...]. Disso resulta que faz parte do humanismo refinado sentir veneração 'diante da máscara' e não praticar psicologia e curiosidade no lugar errado".

Essa última advertência precisa ser levada muito a sério: Com expressão sóbria, Nietzsche dá a entender que todos nós devemos nos abster também diante de *seus* sofrimentos – do sofrimento diante do futuro do homem europeu – de "tentativas de explicação" psicológicas e que não podemos destacá-lo como caso psicológico especial, mas que precisamos inserir sua vida e sua obra no longo decurso da história da filosofia. § 292: "Um filósofo: é um homem que vive, sente, escuta, suspeita, espera e sonha sempre com coisas extraordinárias; que é acometido por seus próprios pensamentos [...] como que por eventos e relâmpagos; que seja talvez ele mesmo uma tempestade, prenhe de raios; um homem fatal, em torno do qual se ouve incessantemente o ruído sinistro do trovão".

Nietzsche encerra o livro com um diálogo imaginário com "seu" deus Dioniso. E aqui encontramos uma oração que nos permite vislumbrar *onde* Nietzsche experimentou tamanho sofrimento. Seu Dioniso diz: "'Sob certas circunstâncias amo o ser humano' – e se referia a Ariadne que estava presente" (§ 295). Via ele nela "o homem nobre" com "veneração de si mesmo"?

A posição de "Além do bem e do mal" na obra de Nietzsche

Com o novo livro, Nietzsche demarca o campo da filosofia para o qual ele volta o seu olhar. Trata-se do campo que, desde a Antiguidade, se separa do empirismo como campo da filosofia especulativa, da ética e da "dialética". Diante de um objeto, porém, Nietzsche se comporta como empiricista: do ser humano ele se aproxima como "psicólogo", mas uma análise mais minuciosa revela que isso também nada mais é do que a máscara do filósofo.

Apesar de se tratar do campo acatado da Antiguidade, Nietzsche o ilumina de um ponto de vista completamente novo, que se encontra além do "bem" e do "mal", o que não significa sem moral, mas com uma moral que não mede e avalia exclusivamente na base do bem e do mal. O ponto de vista de Nietzsche se encontra numa região, onde são usadas outras medidas, que permite outra visão do campo filosófico. Nietzsche sabe que, com isso, ele assume uma posição contrária a toda a tradição filosófica desde Platão. E ao incluir em sua nova visão também as religiões – principalmente o cristianismo –, algo inevitável em sua posição, ele assume uma oposição radical também contra estas, mesmo reconhecendo alguns de seus méritos.

Novas medidas e novos instrumentos de medição resultam em novos valores, e disso segue necessariamente a "revalorização de todos os valores". Isso também tem suas origens na Antiguidade. Encontramos tanto a expressão quanto o objeto já no Diógenes Laércio, na biografia de Diógenes-Kyon ("o cão") IV,20, onde παραχαράττειν τὸ πολιτικὸν νόμισμα significa a revalorização tanto do dinheiro (como falsário) quanto dos costumes, ou seja, "aquilo que é público".

Os escritos de Nietzsche que ainda seguirão antes do colapso são a consequência da posição assumida em "Além do bem e do mal". E também o material com o qual construirá a sua filosofia já está visível aqui. Com isso, "Além do bem e do mal" não é apenas um "Prelúdio" de uma filosofia, é a exposição que já contém todo o material temático e define o acorde fundamental. A contemplação aprofundada desse livro nos permitiu uma visão fundamental de tudo que ainda seguirá.

Desfecho em Sils

A impressão do novo livro havia começado ainda durante a estadia de Nietzsche em Leipzig. Em 21 de junho, sete folhas já haviam sido corrigidas; e em 26 de junho, dez folhas. Na noite de 27 de junho, Nietzsche partiu de Leipzig, fez escala em Rorschach, à beira do Lago de Constança, e chegou em Chur no dia 29, na época a última estação ferroviária na viagem para a Engadina, "como que desgastado, após o longo esforço, doente. Ainda agora dores de cabeça. Mas já pude fazer uma longa caminhada na floresta e respirar o ar fortalecedor das montanhas. A viagem foi maravilhosamente organizada. Não tenho palavras para agradecer-lhe pela sua presença e ajuda" (carta à mãe, 29 de junho de 1886). No dia 30 de junho, a diligência o leva para a sua Engadina. Entrementes, Köselitz se apressa para fazer as últimas correções e as envia para Sils. Tanto Köselitz quanto a gráfica lhe mandam versões corrigidas. Em 5 de julho, Nietzsche agradece a Köselitz pelas "correções zelosas: sua remessa sempre chega apenas poucas horas após a remessa de Naumann: – o que é um pouco assombroso", pois as folhas impressas para Köselitz precisam passar ainda por Annaberg. Em Sils, Nietzsche já é esperado pelas damas Fynn e Mansuroff, que cuidam dele, como ele escreve em 14 de julho à mãe[124]: "Ontem, minhas damas me deram uma ricota delicada a modo russo, além de dois belos pães integrais". Isso combina com sua nova dieta: "Entrementes, estive doente, insatisfeito e espiritualmente bloqueado, também mal-alimentado: mas agora tenho algo que parece me fazer bem – como queijo de cabra e bebo leite [...]. Encomendei dois quilos e meio de legumes direto da fábrica, que chegaram hoje. Abro mão do presunto e também das sopas. Cozinhar é cansativo demais". É provável que estas também sejam reminiscências de Diógenes Laércio, que relata no Proêmio 7 que o alimento dos magos teria sido couve, queijo e pão rústico. Nietzsche sempre deu muito valor a uma alimentação sensata, no entanto, à luz da ciência nutricional moderna, devemos nos perguntar se seus experimentos eram realmente sensatos. Em "Além do bem e do mal", Nietzsche fala também sobre isso (§ 234): "A estupidez na cozinha; a mulher como cozinheira; a terrível insensatez com que se alimenta a família e seu chefe! A mulher deveria [...] como cozinheira há milênios, ter descoberto os maiores fatos fisiológicos e adquirido a arte da cura! [...] Pela falta absoluta de sensatez na cozinha, o desenvolvimento do homem foi atrasado e prejudicado mais do que por qualquer outra coisa: e até hoje pouco melhorou. Sermão às filhas superiores".

Nos meados de julho, persiste a incerteza referente ao editor. "Fritzsch ainda não conseguiu se entender com Schmeitzner, mas talvez isso ainda aconteça, pois Fritzsch parece querer muito ter 'todo o Nietzsche' e 'todo o Wagner' em sua editora: vizinhança esta que me agrada profundamente". Mas já em 5 de agosto, Nietzsche relata ao amigo Overbeck: "Fritzsch acaba de me enviar um telegrama de Leipzig: 'Finalmente em posse!' – palavras que me alegram muito. Um descuido fatal do meu tempo em Basileia ('excesso de confiança', como tantas vezes em minha vida) está agora resolvido". E então: "O novo livro está pronto; dei a ordem de lhe enviar um exemplar. Agora um *pedido*, velho amigo: leie-o de frente para trás, e não deixe que ele o amargure ou aliene – 'junte todas as forças', toda a força de sua benevolência, de sua benevolência paciente demonstrada já centenas de vezes". Na verdade, o pedido de Nietzsche é desnecessário. Nada pode abalar a lealdade de Overbeck. Mas o livro o levaria a perder outro velho amigo: Erwin Rohde.

Após a finalização da impressão em 21 de julho, "Além do bem e do mal" chegou às livrarias em 5 de agosto.

XII

Novos impulsos
(agosto de 1886 a junho de 1887)

O cansaço após o esforço para "Além do bem e do mal" e o desfecho suave em Sils são transformados em atividade renovada com a publicação do livro e a notícia da aquisição das obras anteriores pela editora de Fritzsch em 6 de agosto de 1886, como Nietzsche havia esperado: "Também ocupa-me a impressão do livro ao máximo; liberdade verdadeira (e permissão para pensar algo novo) virá apenas com os primeiros exemplares prontos" (carta de 20 de julho a Köselitz).

O ambiente e o modo de vida representam o maior contraste com a dimensão cosmológica da obra: o remoto vale no alto das montanhas, o idílio dos lagos, o aspecto alciônico das superfícies vastas e calmas de água em meio às formas bizarras das montanhas, além disso o "pequeno mundo" das pessoas de seu convívio, inspirador, mas jamais excitante, cultivado e restrito; ele precisa de tudo isso, pois reflete o estado de sua alma. Ele percebe o duro contraste com a obra especialmente em um ponto: suas declarações sobre a "mulher" e suas amizades com as damas de Sils. Ele confessa isso abertamente a Köselitz em 20 de julho: "Curioso! É fácil criticar a emancipação da mulher: acaba de chegar aqui outra amostra de uma mulher da literatura, a Miss Helen Zimmern [...] acho até que ela traduziu 'Schopenhauer como educador'. Naturalmente judia: – é extraordinário o quanto essa raça segura em suas mãos a 'espiritualidade' na Europa (hoje, ela conversou comigo longamente sobre sua raça) [...]. As duas inglesas, a velha Mansuroff e dois terços da sociedade do verão passado estão novamente aqui". E Meta von Salis o visitará de 7 a 9 de setembro, dias especiais tanto para ele quanto para ela. Ela veio com sua mãe e sua amiga Kym, mas, por causa do trajeto de viagem escolhido, chegaram no Hotel Alpenrose em Sils-Maria apenas às 8 da noite, a tempo da *table d'hôte*. Meta von Salis relata sobre esses dias[212]: "Sentamo-nos à mesa, e eu comecei a observar os outros hóspedes. Aos poucos, meus olhos míopes me asseguraram que Nietzsche estava sentado à cabeça da mesa. Ele parecia mais jovem do que em nosso primeiro encontro e conversava animadamente com a dama à sua direita, que, no dia seguinte, foi-me apresentada como Miss Helen Zimmern [...]. Com que fineza e atenção – completamente diferente da fama que os ignorantes lhe atribuíam – Nietzsche interagia com as damas, especialmente com as mais velhas! Fui testemunha disso ainda naquela noite. Pouco antes de todos se levantarem, enviei-lhe meu cartão. Quando veio até nós, e eu lhe apresentei minha mãe e minha amiga, ele foi encantador e cordial com minha mãe. Nenhum traço de artificialidade [...]. Então tentou convencer a minha mãe a permanecer em Sils no dia seguinte [...], queria apresentar-lhe a região, descreveu-lhe os encantos do vale, da península, dos dois lagos [...]. Para mim, Nietzsche pertence tanto a Sils quanto Heráclito ao santuário da deusa em Éfeso. Sils era seu *optimum* no norte. [...] Entrou no calado mundo montanhoso da Alta Engadina, na região saturada de cores e formas de Sils, onde a fragrância do sul parece pairar sobre os dois picos do Piz Badile como uma promessa, o homem mais solitário, mais orgulhoso e mais delicado do nosso século para reclamar para si o seu reino, como um príncipe nascido no exílio [...]. Nietzsche simpatizava não só com a paisagem, mas também com as pessoas de Sils. Durante a temporada de verão, quando as resenhas equivocadas conseguiam chegar até Sils e o médico, o professor e o pastor, com os quais Nietzsche costumava conversar na cafeteria, os liam, ele se alegrava com a falta de curiosidade impertinente desses senhores e se divertia quando o observavam discretamente para ver se conseguiam detectar o 'perigoso dinamite'" [...]. Quando Nietzsche veio me buscar na manhã de 9 de setembro de 1886, fomos primeiro até a península [Chasté] [...]. Escalamos a primeira plataforma da península. Foi aqui que Nietzsche, quando ainda não existia trilha [...], se deitara no campo e criara uma parte de seu 'Zaratustra'. Na época, desejara que fosse sepultado aqui [...]. Nietzsche falou sobre o surpreendente parentesco entre a Riviera di Levante e a península [...]. Possuía o talento extraordinário de encontrar lugares favoritos na terra [...]. Então Nietzsche fez uma retrospectiva do longo processo de recuperação, pelo qual passara em Sils-Maria. No início, a caminhada em volta do Pago de Silvaplana havia sido tão cansativa [mais ou menos 12 quilômetros], que ele costumava se deitar numa fenda da Pedra de Zaratustra, até recuperar as forças para voltar até Sils pela floresta [...]. No fim, conversamos sobre seu trabalho e sobre a incompreensão do chamado público melhor [...]. Ao aprofundar-se na gênese e no desenvolvimento de seus trabalhos posteriores, ele me advertiu, dizendo que não deveria destacar as coisas fortes que ele escrevia. O pensador eremita, cujas ideias não encontram aceitação nem eco, tende a levantar sua voz e assumir um tom irritado em seus escritos".

Foi nessa época também que aconteceu aquilo que Helen Zimmern relata vividamente muitos anos mais tarde[153]: "No hotel residia ao mesmo tempo a Srta. Von Mansuroff, que sofrera uma crise nervosa e era acometida por neuroses. Já estávamos em setembro e já fazia frio. Os amigos da paciente chamavam todos os dias uma carruagem para levá-la para a Itália, para um clima mais quente. Essa carruagem, porém, era obrigada a voltar para casa todos os dias, sem paciente, que se recusava a sair de seu quarto. Certo dia, Nietzsche, que recebera notícias sobre esse caso estranho, disse aos amigos preocupados da dama: 'Permitam que eu cuide dela!' E certa tarde, quando a carruagem estava esperando na frente do hotel, apareceu de repente Nietzsche na porta do hotel com a dama enferma, que o seguia como um cachorrinho obediente, a mesma dama que costumava esbravejar quando alguém mencionava o passeio. Mas nenhum de nós jamais soube como Nietzsche conseguira aquilo. Ele certamente não usou o famoso chicote".

Ao contrário de Meta von Salis, cuja visita durou apenas poucos dias, Helen Zimmern ficou nove semanas em Sils, ou seja, mais ou menos até o dia 20 de setembro. Sua companhia à mesa no hotel despertou o apetite de Nietzsche. Durante esse tempo, ele comeu bem.

Em 17 de agosto ele escreve à mãe sobre isso: "Entrementes, as coisas melhoraram um pouco: a receita que eu me prescrevera era muito estranha: ir para o hotel e comer o que todos comiam. Isso me fortaleceu (preciso de refeições fortes para me sentir bem: infelizmente, não sou rico o bastante para essa 'dieta')". Para controlar um pouco as finanças escassas, ele pede que a mãe lhe envie mais alimentos. Ele recebe "caixinhas", como já as recebera em Pforta e Bonn. Uma correspondência vasta com a mãe, que infelizmente foi excluída da primeira edição das cartas, gira em torno dessas preocupações do dia a dia, revelando de modo comovente o forte vínculo humano entre mãe e filho.

Entre morte e casamento

Esse verão traz dois acontecimentos que, aparentemente, comoveram Nietzsche tão profundamente que, de novo, precisou de muito tempo para verbalizá-los em suas cartas.

Em 31 de julho de 1886 faleceu Franz Liszt em Bayreuth. Estava ali mais por um acaso. Ele viajava muito, e durante uma dessas viagens, decidiu visitar sua filha Cosima durante os festivais. Ele foi sepultado em Bayreuth num próprio pequeno mausoléu. A notícia se espalhou rapidamente pelo mundo, e também Nietzsche deve ter recebido a notícia logo após o ocorrido. Mas apenas dois meses mais tarde, em

24 de setembro, ele vem a falar sobre isso, não numa carta ao músico Köselitz, mas a Malwida von Meysenbug: "E assim o velho Liszt, que entendia da vida e da morte, deixou-se enterrar na causa e no mundo wagneriano: como se ele fosse parte inseparável dela. Isso me doeu até o fundo da alma de Cosima: trata-se de uma falsidade a mais em torno de Wagner, um daqueles equívocos quase insuperáveis, sob os quais hoje a fama de Wagner cresce descontroladamente. A julgar pelo que conheci dos wagnerianos, o wagnerismo atual me parece uma aproximação inconsciente a Roma, que faz no interior o mesmo que Bismarck faz no exterior". Nietzsche conhecia todos os conflitos espirituais e sociais que haviam pesado sobre o relacionamento de Liszt com sua filha por causa do divórcio de Bülow, e como Cosima, por outro lado, "devia" ao pai o nascimento fora do casamento, a educação rigorosa e fria sob cuidados alheios, seu vínculo problemático com a Princesa Sayn-Wittgenstein e, por fim, o "acolhimento" do pai pela Igreja como *abbé*. Tudo isso levou Nietzsche a escrever a maliciosa sátira em "Crepúsculo dos ídolos": "Liszt, ou a escola da destreza – segundo as mulheres", incluindo assim o famoso pianista; de Carl Czerny, aluno de Beethoven, existe uma "Escola da destreza", mas para piano! E também a acusação de Nietzsche, segundo a qual a origem católica de Cosima teria estragado Wagner e se manifestado no "Parsifal", encontra seu fundamento na reconciliação de pai e filha. Na vida espiritual de Nietzsche, Franz Liszt representava um fator forte com peso ambivalente.

A notícia de seu velho amigo Paul Deussen, que se casou em 16 de agosto de 1886 em Berlim com Marie Volkmar (19 anos mais nova do que noivo), provoca, evidentemente, uma reação completamente oposta em Nietzsche[74]. À alegria, porém, mistura-se talvez não inveja, mas um pouco de amargura diante de seu próprio destino, pelo fato de nunca ter encontrado este caminho que aliviasse o peso do seu isolamento. Passam-se também nesse caso cinco semanas até que Nietzsche consegue escrever ao amigo. E é possível que, em ambos os casos, outro fator tenha exercido uma influência: ambas as cartas foram escritas após a despedida de Helen Zimmern! "Querido e velho amigo, tenho [...] o motivo mais belo de desejar-lhe felicidade, ou talvez nem tenha que desejar-lhe isto. Agarre-se ao que você tem agora [...], sobretudo, quando a 'felicidade' é, como em seu caso, uma mulher boa; pois a sorte costuma fugir de pessoas como nós (ou seja, de filósofos e bestas do conhecimento)". Nietzsche aproveita a oportunidade para enviar ao amigo seu livro mais recente, "Além do bem e do mal". "Como sinal de quanto gostaria de tê-lo por perto mais uma vez, permito-me enviar-lhe meu filho mais novo e malcriado: espero que, em suas mãos, ele adquira um pouco de 'moralidade' e dignidade vedantesca, pois ambas lhe faltam em virtude da descendência de seu pai". Com essa remessa, Nietzsche responde finalmente à publicação em 1883 do livro de Deussen, "Das System des Vedânta" [O sistema do Vedanta]. Na época (em 16 de março de 1883) Nietzsche havia agradecido com as palavras: "Alegra-me muito conhecer a expressão clássica do modo de pensar que mais me é estranho: é isso que o seu livro significa para mim [...]. Leio página após página com a maior 'malícia' – você não poderia imaginar um leitor mais grato".

Na época, Nietzsche havia praticamente "seduzido" Deussen com Schopenhauer, e Deussen permaneceu schopenhaueriano. Mais tarde organizou ainda uma edição das obras completas de Schopenhauer. E Nietzsche se sentiu impedido de enviar-lhe seu "Zarathustra": "Por acaso, estão imprimindo neste momento um manifesto meu, que diz 'não' com a mesma eloquência com que seu livro diz 'sim'. Isso é motivo para rir, mas talvez lhe cause sofrimento, razão pela qual não sei ainda se eu o enviarei para você. Para poder fazer o seu livro, você não podia pensar dessa forma sobre todas as coisas; e seu livro precisou ser feito. Consequentemente –" Agora, depois de três anos e depois de se posicionar além do bem e do mal e de enfrentar também a difícil sinfonia do Zaratustra, Nietzsche ousa presentear o amigo com uma obra sua. Evidentemente ele se sente aliviado com o fato de que, a despeito de todas as diferenças filosóficas, a confiança humana pôde ser preservada. Entrementes, Nietzsche desenvolveu também uma relação objetiva com a obra do amigo: "Seu livro tem me presenteado sempre de novo com interesse e instrução profundos: deveria existir algo semelhantemente claro, dialético sobre a filosofia sankhya". Deussen estava trabalhando nessa obra, que seria publicada no ano seguinte.

Era assim que Nietzsche sonhara seu relacionamento com Richard Wagner: a despeito de todas as diferenças fundamentais nas obras, preservar o respeito mútuo na amizade pessoal. Essa mesma postura se expressa num nível mais simples: a despeito de todas as declarações críticas sobre "a mulher", ele preserva suas amizades com as mulheres.

Nietzsche se interessa vividamente pelo desenvolvimento de Deussen. Havia sido ele que, em 1872, intermediara seu emprego como professor particular da família russa Kantchin (cf. vol. I, p. 337), que provou ser decisivo para o desenvolvimento do amigo. Desde então, Deussen se tornara um dos maiores especialistas do sânscrito e da filosofia indiana. Nietzsche acompanhava esse trajeto da distância e, por isso, pôde escrever ao amigo: "Neste verão, conversei muito sobre você com Leskien [professor em Leipzig] [...]. Ele me contou do respeito extraordinário de Böthlingk por sua obra; disse que seria mais fácil conseguir para você uma docência de sânscrito do que de filosofia. Na verdade, você teria se sentado entre duas cadeiras com seu talento duplo: segundo o velho costume acadêmico, costuma-se reconhecer apenas uma 'especialidade', não é permitido servir a dois senhores, ainda mais quando se trata de duas mulheres como a filologia e a filosofia". Mas Deussen acabou recebendo uma docência de filosofia em Kiel, em 1889, onde morreu em 1919.

Uma enorme carga de trabalho

Na época, em 1883, Nietzsche havia escrito a Deussen: "Elogio sobretudo [...] que você não desaprendeu a trabalhar com dedicação [...]. O céu sabe: Sem dedicação, crescem apenas ervas daninhas mesmo no mais belo jardim. Visto de perto, o melhor artista não se diferencia do artesão. Odeio o bando de vagabundos que se recusa a aprender uma profissão e que vê o espírito apenas como especiaria". E é o que ele mesmo faz nesse verão de 1886. Depois do dia 5 de agosto, assim que se sente livre para isso, ele se põe ao trabalho. Primeiro retoma aquilo que não havia concluído no ano anterior: as reedições das obras antigas – com exceção do Zaratustra. As anotações existentes permitem a Nietzsche enviar ao editor os manuscritos em sequência e ritmo supreendentes: em 16 de agosto, o prefácio à primeira parte de "Humano, demasiado humano"; em 29 de agosto, o novo prefácio ao "Nascimento da tragédia" com o título provisório "Tentativa de uma autocrítica", pois justamente nessa obra, que havia sido escrita completamente sob a pressão da veneração de Wagner, vale agora destacar o que vincula essa obra às seguintes, mostrar o que nasceu da própria natureza de Nietzsche e o que resultara apenas de seu relacionamento momentâneo com Wagner. Em 31 de outubro Nietzsche faz uma confissão surpreendente a Köselitz: "Em retrospectiva, parece-me uma grande sorte não ter tido em mãos 'Humano, demasiado humano' e 'O nascimento da tragédia' quando escrevi esses prefácios: pois, dito entre nós, não aguento mais essas coisas. Espero que um dia meu gosto venha a superar ainda o 'escritor e pensador' Nietzsche". Em 2 de setembro, Nietzsche recebe as folhas de correção do prefácio a "Humano, demasiado humano I" e as encaminha para Köselitz, com as palavras: "Por favor, leia estas páginas com seu olho crítico e ajude minha ortografia – e não só a ortografia! Você tem plenos poderes para alterar o texto!" Esse "cheque em branco" que Nietzsche dá a Köselitz teria consequências devastadores para a sua obra, principalmente para a primeira edição de suas cartas, que distorceram a imagem de Nietzsche. Pois não só Köselitz recorreria a essa permissão, mas também o "Arquivo" por intermédio de Köselitz como seu funcionário. Quando isso aconteceu, o autor não era mais capaz de supervisionar o "uso" que fizeram de seus plenos poderes, como ele o faz agora e como podemos ver em algumas cartas. Basta lembrar aqui a discussão sobre o título do livro "Aurora". Nesses mesmos dias, Nietzsche envia também o novo prefácio a “Humano, demasiado humano II” para Fritzsch, onde o texto é imediatamente preparado para a impressão. Em 12 de setembro, Köselitz recebe em Munique uma cópia para correção (que está visitando a Sra. Rothpletz, a sogra de Overbeck), e em 13 de setembro, Nietzsche também recebe um exemplar em Sils. Em 31 de outubro, a editora apresenta as novas edições completas do “Nascimento da tragédia” e de “Humano, demasiado humano I e II”.

Nietzsche tem muitos planos e está de ótimo humor. E está também em companhia animada: uma atriz de Viena, uma cantora de ópera de Munique e, como vizinha de mesa, a filha de 17 anos do compositor de “O Barbeiro de Bagdá” Peter Cornelius (1824-1874). Esta, porém, não lhe agrada muito. Ao contrário do filho musical de Cornelius, sua ópera, que ele elogia como “*finesse* de primeira categoria”, sua filha biológica lhe parece *sans sa finesse* (em carta de 2 de setembro de 1886 à irmã). E aparentemente essas damas se esforçaram muito para entreter Nietzsche, pois ele observa na carta de 2 de setembro a Köselitz: “tudo que é artista cantou e se apresentou para mim: o que me mimaria se continuasse assim”. Além destas, encontram-se em Sils dez professores universitários, quatro deles hospedados em seu hotel, “com os quais convivo de forma bem-educada”.

Nietzsche pretende reeditar a “Aurora”, depois a “Gaia ciência”, “aqui também o adendo anunciado ‘Cantos do Príncipe Vogelfrei’. Destarte, espero gerar um interesse renovado pelos livros e dar-lhes asas, do ponto de vista editorial” (carta a Köselitz, 2 de setembro de 1886). Naumann lhe envia notícias sobre as boas vendas de “Além do bem e do mal”. A metade da edição (mais ou menos 200 cópias) já foi vendida, o público “mordeu a isca”. Em tom entusiasmado ele relata tudo isso à irmã e ao cunhado: “No que diz respeito ao inverno, estarei em Nice: preciso apenas encontrar alguém que organize minha estadia de forma mais ‘digna’ (pois aproximo-me do momento assombroso em que serei um ‘animal famoso’ e precisarão pagar entrada para me ver)”. Minha saúde melhorou bastante segundo o juízo de todos que me viram: Sinal disso – estou ficando rude. Apenas os olhos pioraram – porque trabalhei demais. Para os próximos quatro anos anunciei a redação de uma obra principal em quatro volumes; só o título é de assustar: ‘A vontade de poder. Tentativa de uma revalorização de todos os valores’. Para isso, precisarei de tudo: saúde, solidão, bom humor, talvez uma mulher”. Essa cordialidade na correspondência com seus parentes sofreria um duro golpe. Em outubro, pediram-lhe muito dinheiro. Em 27/28 de outubro, ele comenta em uma carta a Overbeck: “Achava que precisava guardar o pouco dinheiro que tenho para eventuais emergências... Por outro lado, não consigo dizer não numa questão financeira tão tola”. Overbeck, porém, o apoia imediatamente em sua postura cautelosa (29 de outubro): “No que diz respeito ao pedido do Paraguai só posso implorar que você não ceda. [...] Não complique sua situação dessa forma". É provável que esse conselho tenha sido o motivo inicial para a postura hostil da irmã em relação a Overbeck, que manifestou todo seu veneno quando ela se tornou senhora sobre o arquivo e quando uma cooperação com Overbeck teria sido mais fértil do que o conflito desgastante.

O pedido gerou um conflito interior terrível em Nietzsche. Por um lado, não foi fácil abandonar a amada irmã num momento de verdadeira necessidade financeira. Quase não conseguiu dizer não. Por outro lado, a razão, o conhecimento de sua própria situação, o obrigou a lidar com cautela com suas reservas financeiras, pois além da miséria editorial, que o obrigava a financiar com dinheiro próprio a publicação de seus livros, crescia também a incerteza em relação à sua pensão de Basileia, pelo menos em relação a um terço desta – mil francos. E mesmo que Nietzsche tivesse tido algum dinheiro sobrando, ele teria ajudado a situação da mãe, que também não era fácil – e curiosamente ele oferece uma quantia à mãe, na mesma época em que ele nega o empréstimo à irmã "em virtude de uma própria necessidade financeira". Ele lhe escreveu sua resposta negativa em formulações extremamente cautelosas: "Confesso que o pensamento de ver minha irmã [...] dedicada à criação de gado [...] ainda é muito estranho [...]. Entendo ainda menos por que vocês pretendem trocar tão rapidamente sua existência humilde de camponeses contra o *gran chaco*. Por que adquirir terras tão vastas e, portanto, preocupações igualmente grandes, ou será que vocês querem enriquecer rapidamente? Nem dez cavalos conseguiriam me arrastar para um lugar onde, como me disseram, não existe nem mesmo uma boa biblioteca [...]. Preciso, portanto, da Europa, que é a sede da ciência na terra. [...] Mesmo que me obrigassem a deixar a Europa (o que não é de todo impossível, agora que a minha literatura está atraindo a atenção como literatura perigosa e imoral), minha saúde não me permitiria escolher países quentes [...]. No que diz respeito ao meu dinheiro: a minha razão e também a razão do meu amigo Overbeck me aconselham a não assumir quaisquer responsabilidades financeiras [...]. Quem sabe o que acontecerá comigo nos próximos quatro anos? Sei que agora depende de alguns acasos se continuarei a receber a pensão de Basileia". Por outro lado, a carta à mãe de 13 de novembro, escrita em Nice, revela[121]: "Entrementes tenho trocado cartas com Overbeck sobre o outro assunto: ele me aconselha urgentemente a não investir o dinheiro da forma requisitada [...] e Overbeck me lembrou da total incerteza da minha situação. Você está certa, teria sido cem vezes mais aconselhável investir o dinheiro em sua casa [...]. Toda essa ideia de me transformar em latifundiário no Paraguai teria como consequência que Basileia não me daria mais nenhuma pensão [...]. É preciso escolher. Nietzsche possui meia milha de terra com gado' – para os cidadãos sensatos e econômicos de Basileia, isso seria um argumento para suspender a minha pensão com o melhor dos motivos". Mas então vem a reviravolta surpreendente: "Como poderia alegrá-la no Natal, minha boa mãe? Mas peço que considere isso seriamente. Tenho a quantia de 500 francos guardados, portanto, posso permitir-me um pequeno luxo. Não tenho ninguém além da minha boa mãe". E então volta a elogiar: "Nice ainda é o melhor lugar, mas apenas para a temporada fria. Até mesmo o outubro é quente demais para mim, isso me deixa melancólico e eu fico entediado. Talvez eu passe um inverno inteiro na Engadina; também este ano haverá 300 hóspedes em St. Moritz (entre eles também o meu trio russo-britânico)". No entanto, acrescenta: "O tempo está triste, muita chuva; houve também uma enchente, que destruiu muita coisa. Eu mesmo fui surpreendido por uma onda e me refugiei numa árvore".

De volta à residência de inverno

Nietzsche se despediu de Sils em 25 de setembro e viajou diretamente, sem escala, até a Riviera. Após chegar em Gênova, ele se voltou para o leste, para a região de Rapallo com suas memórias de Zaratustra e se hospedou em Ruta-Ligure, que ele conhecia de suas visitas à S. Margherita e Portofino.

Em 2 de outubro, ele escreve entusiasmado sobre a paisagem em uma carta à Mrs. Fynn e repete a descrição na carta a Köselitz de 10 de outubro: "Imagine uma ilha do arquipélago grego, coberto de florestas e montanhas [...]. Há algo de grego aqui [...], por outro lado, também algo de piratas, algo repentino, oculto, perigoso; por fim [...] um pedaço de floresta tropical de pinhos, algo de brasileiro que afasta o visitante da Europa [...]. Nunca descansei tanto, numa insularidade e num esquecimento digno de Robinson; várias vezes fiz também grandes fogueiras. A chama pura e inquieta com sua fumaça branca que se levanta para o céu sem nuvens – campos por toda parte e aquela bem-aventurança de outubro, que se entretém com cem tons de amarelo – ah, querido amigo, essa felicidade seria algo para você, tanto quanto o é para mim!" Nietzsche se hospeda no Albergo d'Italia, cujos quartos limpos e baratos ele elogia, mas na carta à Mrs. Fynn ele lamenta[99]: "A cozinha é abominável; ainda não comi uma carne boa". Talvez seja esta a razão pela qual ele já pensa em se mudar para outro lugar, pois já em 10 de outubro ele informa a Köselitz: "Escreva a este endereço: Nice [...]", para onde ele viaja em 20 de outubro, voltando para sua velha Pension de Genève.

Mas Nietzsche não teve apenas uma experiência romântica na natureza que ele compara com algo cujo original ele nem conhece, i.e., as ilhas iônicas. Ele não só fez fogueiras e observou sua fumaça subir ao céu. Ele também trabalhou muito. Escreveu um novo prefácio para a "Gaia ciência", escreveu um quinto livro para esta obra, "para conferir a ela o mesmo valor da 'Aurora', isto é, do ponto de vista da gráfica", como escreve a Köselitz em 13 de fevereiro de 1887, amplia os "Idílios de Messina" e lhes dá o título de "Cantos do Príncipe Vogelfrei" e os acrescenta à obra com este título. Além disso, esboça um novo prefácio para a "Aurora".

Reações a "Além do bem e do mal"

Ao lado de todos esses trabalhos literários, Nietzsche também volta a manter uma correspondência mais ativa, em parte em decorrência às reações de "Além do bem e do mal". Estas abarcavam o espaço de rejeição seca à imparcialidade bondosa. O gesto mais veemente veio de seu velho amigo Rohde. Nietzsche lhe enviara uma cópia, e seria estranho se não tivesse lhe mandado também uma carta, como Nietzsche costumava fazer. Mas esta carta não sobreviveu. Falta também uma resposta direta de Rohde a Nietzsche. Não sabemos se Rohde deu sumiço a toda essa correspondência quando o arquivo de Weimar preparou a edição de cartas sob sua assistência. Preservou-se, porém, o posicionamento que ele enviou a Overbeck em 1º de setembro de 1886[188]: "Li a maior parte com grande desgosto. Em sua maioria, trata-se de discursos de uma pessoa após uma refeição exagerada [...]. Sua essência filosófica é tão pobre e quase infantil, tanto quanto a política [...] tolo e desinformado. Há, porém, alguns *aperçus* espirituosos [...] passagens ditirâmbicas. Mas tudo não passa de ideia aleatória; não há convicção [...]. Não consigo mais levar a sério essas eternas metamorfoses. São visões de um eremita e pensamentos de bolha de sabão. [...] Mas por que apresentá-las ao mundo como um tipo de evangelho? E o anúncio eterno de coisas incríveis [...] que, para a entediada decepção do leitor, nunca acontecem! – Isso me é indizivelmente repugnante". Para nós seria fácil acusá-lo de incompreensão. Em 1886, porém, Rohde não dispunha ainda do conhecimento e da visão que hoje nos permite contemplar o livro de Nietzsche em sua posição e função dentro da obra geral (se é que podemos usar essa expressão em vista de uma obra interrompida pela doença e que, em função desta, permaneceu torso) e da história da filosofia. Desde a Antiguidade – canônica, para um filólogo clássico como Rohde – os filósofos consideravam ser sua primeira tarefa, identificar o ἀρχὴ, o início, a origem de todas as coisas, e o elemento constante na transitoriedade dos fenômenos, o τὸ ὄν, e construir sobre este seus sistemas da visão do mundo, suas cosmologias e cosmogonias. E ainda em seu próprio século, Rohde acompanha a propagação do sistema hegeliano e a redução schopenhaueriana do mundo fenomenológico (o mundo das "representações") a um impulso primordial, que ele chama de "vontade". Rohde sabe e acompanhou no passado como Nietzsche cresceu nessa filosofia. E agora, Nietzsche vem e questiona a própria pergunta fundamental, a preocupação fundamental de toda a filosofia até então. De repente, a procura pelo ἀρχὴ nada mais seria do que um equívoco nascido do costume da gramática, do esquema do processo mental na divisão de sujeito e objeto, na separação do sujeito de seu ato, que pressupõe um agente para cada ação. "Eu vejo" pressupõe uma pessoa que vê e algo que é visto. Nietzsche questiona tudo isso. Para o filólogo – gramático – Rohde é simplesmente impossível acompanhar esse passo intelectual, por isso é incapaz de reconhecer a enorme consequência que teria uma aplicação geral desse pensamento. Nietzsche reconhece essa consequência perigosa e tenta demonstrá-la em alguns objetos. Essas tentativas, apresentadas com seu próprio medo diante da responsabilidade e com insegurança, são apenas pontuais. Rohde critica isso com todo direito na base de sua formação e situação filosófica. A relativização total de todos os juízos de valores realizada por Nietzsche ao vê-los todos apenas como resultado de "perspectiva", como visão pertencente apenas ao indivíduo a partir de seu ponto de vista dentro do cosmo, negando-lhe assim a possibilidade de um conhecimento absoluto e objetivo da verdade – essa perspectiva não pode ser aceita por um homem como Rohde, dedicado à ciência e, portanto, à busca objetiva da verdade.

O professor de Teologia Franz Overbeck é, como Rohde, cientista e formado na mesma tradição filosófica de Rohde – e de Nietzsche. Mesmo assim, ele se mostra mais aberto. Apesar de não acatar a posição radical de Nietzsche que tudo inverte, ele a aceita pelo menos como possibilidade. E também o vínculo da amizade o obriga a ver tudo *sine ira et studio*, de diferenciar entre o homem e a causa que este representa, assim como a amizade pessoal entre o schopenhaueriano Deussen e o desertor Nietzsche não é afetada pelo abismo que se abre entre suas confissões filosóficas. Por isso, Overbeck, em sua carta de 23 de setembro de 1886[188], repreende Rohde por deixar-se levar pela ira. No que diz respeito ao conteúdo do livro, ele lhe confessa: "O livro não me informou sobre os conhecimentos e propósitos últimos do autor; após o 'Zaratustra', este livro me pareceu uma recaída total, o que é especialmente preocupante em livros eremitas como este [...]. E assim vejo a maioria de suas objeções: a princípio concordo com o senhor, ao todo, porém, tenho uma opinião completamente diferente".

Overbeck reconhece corretamente – designando-o equivocadamente como "recaída" – que Nietzsche retoma o pensamento dos escritos anteriores ao "Zaratustra", excluindo este de certa forma. Ele não consegue ver o que Nietzsche reconheceu durante sua tentativa de continuar sua obra, i.e., que os caminhos traçados pelo Zaratustra o levariam para longe da filosofia, para regiões em que a formulação conceitual na palavra deixa de existir. O Zaratustra se aventurou na fronteira entre o racional e o irracional, entre conhecimento em conceitos e experiência a partir da vivência imediata, por exemplo, na poesia ou na música. Nietzsche apontou este perigo quando descreveu o Zaratustra como "sinfonia".

Jacob Burckhardt adota uma postura completamente diferente. O livro lhe permanece basicamente estranho, mas ele absorve a razão de sua incompreensão e assim aplica um pensamento fundamental de Nietzsche: o direito à perspectiva.

Nietzsche envia seu livro ao homem venerado, juntamente com uma carta, escrita em 22 de setembro de 1886 em Sils: "[...] dói-me não tê-lo visto e falado há tanto tempo! Com quem poderia querer falar se não posso falar com o senhor? [...] Não conheço ninguém que compartilhasse comigo tantas precondições quanto o senhor: parece-me que sua visão se voltou para os mesmos problemas [...] talvez com mais força e profundidade ainda do que eu, pois o senhor é mais contido [...]. Basta, aqui está um problema que, felizmente, não compartilhamos com muitos entre os vivos e os mortos. Expressá-lo seja talvez a ousadia mais perigosa que existe, não para aquele que ousa, mas para aqueles aos quais ele fala. Meu consolo é que, por enquanto, faltam os ouvidos para as minhas grandes novidades – com exceção de seus ouvidos, grande e venerado homem: e para o senhor nem serão 'novidades'". Jacob Burckhardt respondeu de forma sensível e com grande calor humano a esse apelo já em 26 de setembro. Burckhard agradece cordialmente pelo livro: "Infelizmente, o senhor superestima [...] a minha capacidade. Jamais fui capaz de me ocupar com problemas iguais aos seus, nem mesmo de adquirir clareza sobre suas premissas. Jamais tive uma cabeça filosófica, e já o passado da filosofia me é estranho [...]. O que melhor entendo em sua obra são os juízos históricos e sobretudo sua perspectiva sobre o tempo: sobre a vontade dos povos e sua paralisia temporária; sobre a antítese da grande segurança do bem-estar diante da educação desejável por meio do perigo [...]; sobre a democracia como herdeira do cristianismo; especialmente, porém, sobre os futuros homens fortes na terra! [...] Quão acanhados se apresentam ao lado destes os nossos pensamentos sobre o destino geral da humanidade europeia! – O livro ultrapassa em muito as capacidades da minha cabeça e chego a sentir-me estúpido quando me dou conta de sua visão surpreendente sobre todo o campo do movimento do espírito atual e de seu poder e de sua arte da designação minuciosa". Trata-se de uma postura altamente surpreendente para o estudioso de já 68 anos de idade, criado ainda completamente no espírito do Classicismo de Weimar. Essa postura se alimenta de duas fontes, como revela o final da carta: "Queria muito ter encontrado em sua carta algo sobre seu bem-estar. Eu, em decorrência da minha idade avançada, aposentei-me da minha docência de história e limito-me, por ora, à história da arte".

Burckhardt se sentia unido ao colega Nietzsche em sua miséria física – e diante das forças assombrosas dos poderes históricos ele resignou como cientista e se refugiou na história do espírito em suas manifestações da arte plástica.

Muito importante para Nietzsche é uma resenha de seu livro por Joseph Victor Widmann (1842-1911), no caderno de literatura do jornal de Berna "Der Bund", de 16/17 de setembro de 1886. Por muitos, Nietzsche ainda era considerado wagneriano e até mesmo membro do círculo íntimo de Bayreuth, e no fundo certamente ainda o era, pois justamente nessa época (em 29 de outubro) ele confessa a Overbeck: "É maravilhoso como me são fiéis os seguidores de Wagner; creio que eles sabem que ainda acredito no ideal em que acreditava Wagner – que importância tem o fato de eu ter tropeçado no humano –, demasiado humano, que R.W. colocou em seu próprio caminho?" Widmann, por sua vez, era um amigo pessoal de Brahms, que costumava visitá-lo em Berna ou passar alguns dias com ele no belo lago de Thun. Widmann era amigo também de Carl Spitteler, o que se tornaria importante tanto para ele quanto para o próprio Nietzsche e sobretudo para seu relacionamento.

O pai de Widmann, um monge convertido de descendência morávia, era pastor protestante em Liestal, a jovem capital do cantão Basileia-Campo, fundado na década de 1830, e sua mãe era uma freira também convertida. O elemento que tudo dominava na casa do pastor, na qual Carl Spitteler, nascido em 1845, foi criado como um segundo filho, era a música. Joseph Victor Widmann frequentou as escolas superiores na cidade de Basileia, estudou teologia, filologia e filosofia em Basileia, Heidelberg e Jena, foi durante um tempo organista e diretor musical em Liestal (Hamlet, 1866), depois assistente pastoral, a partir de 1868 diretor da escola de moças em Berna (portanto, defensor da educação feminina progressista) e, a partir de 1880, redator do caderno de literatura do jornal "Der Bund" em Berna. Ele possuía um talento poético e criou uma extensa obra literária. Seu mundo, porém, nunca sofreu o golpe devastador de um grande sacrifício, do qual nasce o grande poeta. Mas ele possuía um intelecto brilhante e flexível, que lhe permitiu escrever resenhas extraordinárias.

O fato de Widmann, como amigo de Brahms, se ocupar com Nietzsche publicamente foi, para Nietzsche, a porta que lhe deu acesso ao segundo grande partido no mundo artístico, ao partido que se opunha a Wagner. Podemos no mínimo supor que isso criou também uma das precondições que, mais tarde, permitiram a Nietzsche expor ao público a mudança de seu ponto de vista em relação a Wagner, pois ainda circulava a "Consideração extemporânea IV – Richard Wagner em Bayreuth" como sua última palavra sobre o assunto.

Widmann é, por ora, o único leitor e comentarista que reconhece as consequências da relativização do conhecimento filosófico como mera interpretação perspectivística e, com isso, também o perigo do livro de Nietzsche. Ele o compara com o vagão que transportou a dinamite usada para a construção do Túnel de São Gotardo, atravessando vales habitados por pessoas que de nada suspeitavam, e que ostentava uma bandeira negra para alertar à carga explosiva. O livro de Nietzsche precisaria ser identificado de forma semelhante.

Nada causava sofrimento maior a Nietzsche do que a minimização ou a rejeição com o argumento de que seus pensamentos não eram novos ou insignificantes – como Rohde fez. Mas também o reconhecimento acrítico, como o de Köselitz, lhe era repugnante. Widmann foi seu primeiro crítico que o levou a sério, que reconheceu todo o perigo e alertou contra ele.

Widmann, porém, causou algo que dificilmente deve ter pretendido: reforçou a autoimagem de Nietzsche como instrumento de um grande destino europeu, a sua fé de que, com ele, com sua suspensão e relativização da questão fundamental da filosofia, ocorreria a virada decisiva na filosofia que com ele a história da filosofia seria dividida em duas partes. Ele ficou entusiasmado ao ver que ele estava sendo levado a sério. Imediatamente, ele envia seu livro a Malwida von Meysenbug e copia para ela algumas passagens da resenha de Widmann. Orgulha-se sobretudo da expressão: "Isso contém dinamite", que ele sublinha. No entanto, como e o que Nietzsche cita é uma história que precisaria ser contada separadamente!*

A essa resenha e à carta de Jacob Burckhardt se junta ainda um terceiro "reconhecimento", que fortalece muito a autoconfiança de Nietzsche, mas que também já contém em si a semente de uma alienação bastante dolorosa. À mãe ele escreve no final de outubro, já de Nice: "Um dos franceses mais importantes em termos de espírito, caráter e influência, Henri [equívoco de Nietzsche!] Taine, um homem de qualidade tão alta quanto Jacob Burckhardt em Basileia, enviou-me como sinal de gratidão uma carta cordial. Poucas pessoas recebem honras como esta. Sempre tive o apoio dos velhos pensadores independentes e de visão ampla". Por causa dessa avaliação altamente favorável de Taine por Nietzsche, de um lado, e das ressalvas ríspidas de Rohde, por outro, essa velha amizade se romperia definitivamente um ano mais tarde.

---

* Para o texto completo da resenha de Widmann, cf. vol. III, Documento, n. 4.

Preocupações de compositor

Um filho de seu próprio passado musical volta a preocupar Nietzsche. O arranjo que Köselitz fizera para o seu "Hino à vida" não havia obtido o reconhecimento esperado de Hegar. Em 30 de setembro, este escreveu a Nietzsche, após se desculpar pela demora da resposta em decorrência de uma doença[124]: "Toquei sua composição várias vezes e, aos poucos, consegui colocar-me no seu lugar. Ela apresenta algumas harmonias às quais eu precisei me acostumar primeiro, mas que agora já não ofuscam a impressão que passam tanto a bela poesia quanto a sua música com sua intensidade e sinceridade. A instrumentação, porém, nem sempre é muito feliz. O clarinete em lá, por exemplo, não soa muito bem nas notas agudas; os trompetes também são agudos demais. Uma nova adaptação mostraria que o oboé é imprescindível". No reverso da carta, que ele encaminha a Köselitz em 10 de outubro de 1886, Nietzsche anota: "Seria possível [...] compor uma redução para piano (a quatro mãos, com aquela engenhosidade que hoje se pratica e da qual eu nada sabia quando era jovem) para aquele 'Hino à vida'?" Não temos conhecimento da execução desse projeto, mas sabemos que Köselitz compôs uma versão para a orquestra grande, ou seja para instrumentos de corda e de sopro, e incluiu também um oboé, mas manteve os clarinetes em lá, o que resulta naturalmente da peça em ré maior. Sobre uma mudança harmônica feita por Köselitz sem consulta prévia houve ainda uma ríspida troca de cartas.

Outono

Nietzsche se dirige uma última vez a Gottfried Keller (cf. acima, p. 269), envia-lhe seu livro e, em 14 de outubro, uma carta. Keller não respondeu, como já era de seu costume nesses anos. Deduzir de seu silêncio uma aversão a Nietzsche seria forçar as evidências. Mesmo assim, após a perda de Wagner, esta é a primeira vez que Nietzsche volta a se sentir *inter pares*, acolhido no círculo de espíritos iguais: Keller, Burckhardt e agora também Taine. Agora, o pequeno literato Lanzky, que já ofereceu sua ajuda para o próximo inverno, é percebido como peso. Em 8 de setembro, Nietzsche escreve à mãe: "Queria pelo menos que ele me servisse como divertimento e entretenimento, pois instrução não recebo dele! Tenho medo de Nice também por causa disto: Céus, como me entediaram as pessoas até agora, e sempre tentei tratá-las educadamente!" E em 19 de setembro: "Falando nisso, impedi o encontro com o Sr. Lanzky, eu temia que ele me entediasse como já dois anos atrás". Aparentemente, a separação não teve êxito, Lanzky apareceu e pretendia levar Nietzsche para a Córsega. Mas Nietzsche se recusou ao plano, "porque a pessoa que me acompanharia, quando vista de perto, me repugna profundamente". E na carta a Seydlitz, de 26 de outubro: "Minha cegueira quase total me obrigou a desistir de qualquer experiência e a fugir o mais rápido possível para Nice, que meus olhos 'já conhecem de cor'".

Apesar de se gabar do reconhecimento recebido de Jacob Burckhardt, uma decepção secreta o assombra, como confessa a Overbeck: "A carta de J. Burckhardt [...] me entristeceu, apesar de falar nos mais altos tons sobre mim. Mas o que me vale isso agora! Eu desejaria ouvir: 'Este é o *meu* sofrimento! Foi isso que *me* calou!' Apenas neste sentido, meu velho amigo Overbeck, sofro com minha 'solidão'. Pessoas não me fazem falta, apenas aquelas com as quais tenho em comum as *minhas preocupações, minhas preocupações*!"

Oscilando entre encorajamento, esperança e dúvida, Nietzsche voltou para Nice em 20 de outubro de 1886, para um inverno trabalhoso.

Nietzsche se arma contra o platonismo

Nietzsche combateu o isolamento em seu círculo de Nice entediante e espiritualmente não muito inspirador com muita leitura, a despeito do esforço que isso exige de sua visão fraca. Chama esse estado de "cegueira 3/4". Há dez anos, já vive com esse medo de ficar cego, já durante sua docência em Basileia seu médico lhe proibira temporariamente (1873) qualquer leitura, e, por isso, teve que apresentar suas preleções "de cor". Nietzsche sabe que pode causar danos irreparáveis aos seus olhos, mas ele não pode abrir mão da inspiração por meio do livro, ele precisa do diálogo com o autor, sobretudo com os autores contemporâneos e seus problemas atuais. Estes ocupam o primeiro plano de seu interesse, é a ocupação imediata, passional com o espírito do seu tempo que cativa sua atenção. E raramente ele se volta para um autor antigo. Assim, no Ano-Novo de 1887, ele lê – e relata isso a Overbeck em 9 de janeiro – "[...] o comentário de Simplício sobre Epiteto: aqui, apresenta-se aos olhos todo o esquema filosófico que se inscreveu no cristianismo: de forma que este livro de um filósofo 'pagão' passa a impressão de um livro profundamente cristão (falta-lhe apenas todo o mundo dos afetos e a patologia cristãos, o 'amor', como Paulo diz, o 'temor de Deus' etc.). A falsificação de todo real por meio da moral se apresenta aqui em todo seu esplendor; psicologia miserável; o filósofo reduzido ao 'pastor de uma paróquia rural'. E a culpa disso tudo é Platão! Ele continua sendo a maior desgraça da Europa!"

É a primeira vez que Nietzsche cita explicitamente o autor Epiteto da Antiguidade tardia e Simplício. Nietzsche conhecia Epiteto no mínimo desde sua leitura de

Schopenhauer, que o menciona. Por que ele decidiu se ocupar com ele agora, ele não nos diz. É possível que o impulso tenha partido das conversas com os professores reunidos em Sils no verão, em decorrência da formulação de Nietzsche em "Além do bem e do mal": "O cristianismo é platonismo para o povo". E foi sob essa perspectiva que Nietzsche leu também este autor, como revela a carta a Overbeck.

O "professor de Filologia Clássica", como ainda se apresentava expressamente a todos, desistindo do título apenas no círculo mais íntimo, deveria ter lido seu autor – Simplício – no original grego (e assim, talvez, teria tido uma impressão mais favorável deles). Mas Nietzsche recorre à tradução de K. Enk[220], que se encontra em sua biblioteca no "Archiv" e apresenta sinais de uso intenso[183]. E de Epiteto, ele possuía a tradução comentada de Karl Link[83].

Epiteto (mais ou menos 50-120, na opinião de outros 60-140) veio a Roma como escravo, mas, tornando-se um homem livre mais tarde, pôde estudar filosofia com Musônio. Em decorrência da expulsão dos filósofos pelo Imperador Domiciano (94/95), ele se mudou para a região de Epiro e fundou em Nicópolis uma escola filosófica de vertente estoica. Para Nietzsche, os ensinamentos de Epiteto, cuja essência é a ética, era essencialmente "moral de escravos". No entanto, havia pontos de contato significativos. Já o jovem Nietzsche havia se ocupado com o tema "*fatum* e história" (cf. vol. I, p. 88-91), sobretudo com o tema "livre-arbítrio e *fatum*", ou seja, com a responsabilidade ética. Epiteto oferece uma resposta maravilhosamente simples e clara[83]: De todas as coisas que existem, algumas estão sob nosso controle (sob nosso poder); as outras, não*.

Temos poder sobre nossas intenções (προαίρεσις) e desejabilidades e sobre sua execução (ἔργα), não, porém, sobre aquilo ao qual estamos vinculados (pelo destino) (τὰ κοινωνά), por exemplo, nosso corpo, nossas posses, nossos parentes, nossa pátria. Deve ter agradado a Nietzsche também a forma em que os ensinamentos de Epiteto nos foram transmitidos: não em tratados secamente por ele redigidos, mas na forma da diatribe, na forma de diálogo como transcrições de suas preleções pelo seu aluno Arriano, que redigiu mais tarde um excerto como "Encheiridion" ("Manualzinho").

Importante para a história da filosofia e para a posição de Nietzsche é que Epiteto, como estoico de vertente "conservadora", se insere na descendência dos filósofos naturais iônicos, a despeito do forte destaque que ele dá ao vínculo e à filiação divina de todos os seres humanos para a sua ética. Na física estoica, "Deus" – i.e., o

---

*τῶν ὄντων τὰ μέν ἐστιν ἐφ' ἡμῖν, τὰ δὲ οὐκ ἐφ' ἡμῖν (Ench. I, 1).

Logos – também é matéria, mesmo que extremamente fina, que graças à sua fineza inimaginável penetra tudo (materialmente). A forte "atmosfera" religiosa de Epiteto permitiu ao helenismo tardio apaixonado por lendas (lendas de Cristo, Maria e santos!) encontrar nele a influência de escritos do cristianismo primitivo e até mesmo considerá-lo um cristão disfarçado, e no tempo bizantino o *Encheiridion* sofreu até uma redação para o uso cristão.

Essas "invasões" de território permaneciam ainda no campo comum da fé, mas os Padres da Igreja foram longe demais quando acusaram a filosofia de seu tempo, que era predominantemente ou estoica ou neoplatônica, da adoção de pensamentos cristãos, quando, na verdade, o que ocorreu foi o inverso: Os teólogos dogmáticos do cristianismo primitivo passaram todos ou pela escola do Talmude ou pela escola dos estoicos ou do platonismo em Alexandria, Atenas e Roma. E eram justamente estes os traços que Nietzsche pretendia rastrear em sua crítica ao cristianismo, principalmente em sua ética. A ética não é invenção nem privilégio do cristianismo. É preciso ser levado em consideração também que ela surgiu das circunstâncias e necessidades do espaço ecológico da região mediterrânea oriental. Só isso já garante muitas semelhanças.

400 anos mais tarde, porém, Simplício estendeu essa "invasão" com seu comentário sobre o "Encheiridion" de Epiteto. Ele não o "cristianizou", isso impediu o fato de ele mesmo ter sido neoplatônico. Ele sofreu um destino semelhante ao de Epiteto. Ele também teve que abandonar sua pátria, quando, em 529, o Imperador Justiniano fechou a escola de filósofos em Atenas. Como platônico, Simplício buscava a síntese das escolas divergentes. Seus comentários sobre Aristóteles continuam de grande valor para nós. Porém: Na base da descendência eleática, que exerce grande influência sobre Platão, ele "harmoniza". E é exatamente isso que Nietzsche usa para acusá-lo em sua sucinta observação na carta a Overbeck. Mesmo assim, essa refutação generalizada é estranha e sua superficialidade não é digna do filólogo e filósofo Nietzsche. A partir de agora, encontraremos cada vez mais juízos generalizados desse tipo. E principalmente aqui teríamos esperado que Nietzsche reconhecesse o mérito de Simplicício como último e corajoso combatente da Antiguidade contra o cristianismo. Simplício detecta na nova religião uma inferioridade, pois ela venera apenas pessoas mortas (Cristo, os santos), em vez de adorar – como o platonismo – as eternas e vivas estrelas e a glória do cosmo. Além disso, Nietzsche deveria ter encontrado – e devidamente reconhecido – a refutação do dualismo entre o bem e o mal (ou "ruim", que também está contido no termo grego *κακόν*), de-

fendida por Simplício. Para Simplício, o "mal" (o ruim) não é um ἀρχή qualitativamente coordenado em relação ao bem, ou seja, não é um poder contrário de origem própria, mas um defeito, uma diminuição do bem*.

Mas em sua refutação de Simplício detectamos ainda outra antítese: a tensão, existente a partir da Antiguidade, entre os sucessores iônicos, científicos e materialistas – Heráclito, Leucipo, Demócrito, Epicuro (Nietzsche, p. ex., designa a si mesmo como epicureu) – de um lado, e o xamã Pitágoras e sua escola como também Xenófanes e Parmênides, de outro. No nível filosófico mais alto, contrapõem-se em Atenas Platão e Aristóteles. E agora, no século XIX, irrompe novamente essa antiga antítese entre idealismo e materialismo, alimentada pelos progressos da tecnologia e das ciências naturais e das tensões sociais em decorrência do capitalismo. Nessa situação, Nietzsche se prepara para um ataque frontal contra o platonismo, sobretudo na versão preservada pelo cristianismo. Ele se prepara estudando os platônicos da Antiguidade tardia, para aguçar seus próprios argumentos na discussão de suas teses. É nesse contexto que precisamos ver seu excurso sobre Simplício. Com a inversão de todos os valores platônico-cristãos, Nietzsche se apresenta como sucessor tardio da filosofia natural iônica (os pré-socráticos foram objeto de seu interesse especial em Basileia!) e, aparentemente, aproxima-se dos materialistas contemporâneos, dos quais ele se distanciara com seu "Zaratustra". E também agora ele tenta dar o passo além, continuando a perguntar pelo "principium" do ἀρχή e acreditando tê-lo encontrado naquilo que ele vem a chamar de "vontade de poder" em suas obras seguintes.

Como filólogo, Nietzsche sabia como desenvolver os fundamentos de uma obra científica, também de uma exposição filosófica sistemática. Sua intenção professada tantas vezes de estudar a ciência natural e também sua ocupação mais recente com autores mais distantes de sua atividade principal são testemunho desta determinação de seguir o método. Mas também dessa vez sua paixão, sua inquietação o levariam novamente para a diatribe polêmica; paradoxalmente, para um platonismo da forma!

---

*τοῦ ἀγαθοῦ παρατροπή (quae est aversio infimi boni, um afastamento do bem enfraquecido). Simpl. 172a: παρυφίσταται τῷ ἀγαθῷ ἔκπτωσις αὐτοῦ καὶ στέρησις ὑπάρχον. Οὕτω γὰρ ἔχει καὶ νόσος πρὸς ὑγίειαν, και κακία ψυχῆς πρὸς ἀρετήν. O ruim é essencialmente relacionado ao bem como queda, como privação, como falta. A perdição da alma se relaciona à virtude como a doença à saúde. Nietzsche poderia ter encontrado aqui sua antítese: Bom é aquilo que é saudável e forte; ruim é a fraqueza, a falta.

Dostoiévski

Por meio de sua descoberta literária mais recente, Nietzsche se viu diretamente inserido na discussão filosófica contemporânea. Não sabemos se o impulso partiu de uma citação feita por Widmann da tradução alemã recém-publicada do romance "A adolescente" como lema para sua resenha do "livro perigoso" de Nietzsche. Em vista da rapidez e sensibilidade com que Nietzsche costumava reagir ao mais fraco sinal da atmosfera espiritual de seu tempo, esse impulso já poderia ser considerado o suficiente, mesmo que tenha ocorrido de forma inconsciente. Pois ainda em 23 de fevereiro de 1887 ele escreve a Overbeck: "Até algumas semanas atrás, não conhecia de Dostoiévski nem mesmo o nome – homem inculto que sou, que não lê 'cadernos de literatura'! Um acaso numa livraria colocou em minhas mãos a obra recém-traduzida para o francês 'L'esprit souterrain' (acasos iguais me introduziram a Schopenhauer em meu 21º ano de vida e a Stendhal, aos 35 anos!). O instinto do parentesco (ou como poderia chamá-lo?) se manifestou imediatamente, minha alegria foi extraordinária". Bem, Nietzsche devia conhecer o nome de Dostoiévski pelo menos desde a resenha de Widmann, ou seja, desde setembro, e "O pálido delinquente" do Zaratustra sugere um conhecimento ainda mais antigo. Talvez seu inconsciente guardava uma lembrança a ele, o que o levou a se interessar pelo livro. É possível que algo parecido tenha acontecido com Schopenhauer e Stendhal, que ele cita como testemunhas de seu instinto literário. Em todo caso, Nietzsche afirma a verdade ao indicar que, até então, Dostoiévski não teve qualquer importância para ele. Nem mesmo as conversas com Lou Salomé (1882), que conhecia a obra de Dostoiévski, conseguiram despertar o interesse de Nietzsche. E agora, de repente, seis anos após a morte de Dostoiévski (9 de fevereiro de 1881), Nietzsche se concentra com toda a sua impulsividade típica nessa obra. Ele escreve sobretudo a Köselitz sobre isso, mas inclui também observações em suas cartas a Malwida von Meysenbug, Hippolyte Taine, Overbeck e, no ano seguinte, a Georg Brandes, jamais, porém, nas cartas à mãe ou à irmã. O que chama atenção também é que Nietzsche lê Dostoiévski em língua francesa, a princípio simplesmente porque as livrarias de Nice não ofereciam outras edições. Assim, Dostoiévski se funde completamente com o espírito da língua francesa, tornando-se para ele um dos "romancistas parisienses" mais importantes, como ele escreve a Hippolyte Taine em 4 de julho de 1887. E ainda em 20 de outubro de 1888, ele escreve a Georg Brandes: "Considero qualquer livro russo, principalmente Dostoiévski (em tradução francesa, pelo amor de Deus, não alemã!) um dos meus maiores alívios".

Dostoiévski encanta Nietzsche com sua visão profunda da alma humana, com sua habilidade psicológica, menos com sua poesia ou com seus pensamentos. "Com a exceção de Stendhal, ninguém me divertiu e surpreendeu tanto: um psicólogo com o qual 'eu me entendo'" – esta é a primeira declaração de Nietzsche na carta de 13 de fevereiro a Köselitz. E em 7 de março, escreve-lhe mais uma vez sobre Dostoiévski: "[...] ele descobriu o poder de sua intuição psicológica, seu coração se tornou mais doce e mais profundo com isso – seu livro de memórias 'La maison des morts' é um dos 'livros mais humanos' que existem. O que conheci primeiro, recentemente publicado em língua francesa, chama-se 'L'esprit souterrain', que contém duas novelas: a primeira é um tipo de música desconhecida; a segunda, um verdadeiro golpe de gênio da psicologia [...] que me deixou extasiada. Entrementes, li ainda, por recomendação de Overbeck, [...] 'Humiliés et offensés'". Köselitz, então, adquire um exemplar da editora alemã Reclam, concorda devidamente com Nietzsche, como cabe ao "aluno submisso e agradecido" (como assina quase todas as suas cartas a Nietzsche) e envia a edição a Nietzsche, que responde em 27 de março: "Os franceses traduzem com mais delicadeza do que o abominável Jüd Goldschmidt (com seu ritmo de sinagoga)". Em 30 de março, Köselitz ousa fazer uma objeção: "Percebi certa timidez celibatária, pois acabo de retornar do grandioso mundo de luta e amor do 'Orlando furioso'. Ah, esse Ariosto!" Isso se referia ao conto "Noites brancas", pois a edição francesa de 'Humiliés et offensés", emprestada por Overbeck, em virtude de um erro dos correios, nunca chegou às mãos de Köselitz, e Nietzsche observa em 15 de abril: "Talvez haja uma vantagem neste infortúnio: certo é que agora você desfrutou com razão muito maior a luz do sol de Ariosto do que a penumbra invernal de São Petersburgo". Esta é, por ora, a última declaração de Nietzsche sobre Dostoiévski, pois agora ele precisa se ocupar com os historiadores do cristianismo primitivo. Mas a leitura de Dostoiévski o impressionou profundamente, fato este que se revelaria apenas durante seu colapso em Turim. Permanece, porém, em aberto se os pensamentos e as formulações da ocupação de Dostoiévski com o niilismo russo moderno e com as teorias sobre a justificação do homem violento (p. ex., em "Crime e castigo") chegaram a influenciar os escritos posteriores de Nietzsche, ou se essa influência foi exercida por fontes comuns aos dois, sobre as quais Nietzsche conversou com Lou Salomé ou até mesmo com Malwida von Meysenbug (que, durante seu exílio londrino, convivia com emigrantes russos revolucionários).

Interesses históricos

As breves observações de Nietzsche na carta a Overbeck de 23 de fevereiro de 1887 nos transmitem uma noção da extensão dessa leitura de inverno. Primeiro, ele menciona o historiador e orientalista francês Joseph Ernest Renan (1823-1892), cuja "Histoire des origines du christianisme", escrita entre 1863 e 1883, não agrada a Nietzsche como "história das circunstâncias e sentimentos da Ásia Menor" e lhe parece "curiosamente suspensa no ar".

Aqui também se abre uma janela para o campo tensional entre Nietzsche e Wagner. Wagner costumava ler, pelo menos a partir de 1873 e até seus últimos dias, os livros de Renan, com opiniões divergentes, mas predominantemente com afirmação e ganho pessoal. Ele confessa que a "Vida de Jesus", de Renan (de 1863, publicado em alemão em 1864), lhe dera impulsos essenciais para o seu relacionamento com o cristianismo, e isso apesar de não considerar muito profundos os escritores franceses, principalmente em assuntos relacionados ao cristianismo. Ele tirou mais proveito de Renan do que resenhistas contemporâneos, que resumiam a representação de Renan com as palavras: "[...] ela despe Cristo de seu caráter divino e o explica a partir de aspectos geográficos, étnicos, culturais e psicológicos" e "coloca em primeiro plano apenas o lado social e moral do cristianismo, sem compreender realmente os elementos religiosos"[32].

Foi por causa desse livro que o clero o combateu, afastando-o por anos de sua docência de filologia. Esse fato já deveria ter sido o suficiente para conquistar as simpatias de Nietzsche, mas agora ele já não se satisfazia mais com a visão positivista e científica nessa área. E será que Nietzsche sabia da preferência de Wagner por Renan de suas conversas em Tribschen ou ainda em 1874 em Bayreuth? (cf. vol. I, p. 645).

Em todo caso, no que dizia respeito à literatura francesa, as opiniões de Wagner e Nietzsche eram diametralmente opostas. Em 1880 (26 de março), quando Wagner se surpreendeu gostando de autores franceses, ele disse: "Estou me tornando igual a Nietzsche!"[258] Ele preza Victor Hugo – desdenhado por Nietzsche –, é contra Voltaire e lhe contrapõe Renan (31 de maio de 1878). Politicamente, ele favorece Dühring (que Nietzsche chama de "bicho dos pântanos") e os socialistas (desprezados por Nietzsche), dos quais ele espera muito para o futuro. Wagner reconhece o abismo gritante entre o estado social da Alemanha central e a custosa corte militar em Berlim; problema este que Nietzsche nunca encara.

Naquele tempo, Nietzsche estuda *um* historiador alemão, Heinrich von Sybel (1817-1895), sua "obra principal", como Nietzsche a chama, mas em tradução francesa! Visto que a obra principal de Sybel "Die Begründung des deutschen Reiches durch Wilhelm I" [A fundação do *Reich* alemão por Guilherme I] em sete volumes foi publicada apenas em 1889-1894, o objeto dessa leitura deve ter sido a outra grande obra de Sybel "Die Geschichte der Revolutionszeit 1789-1800" [A história da era revolucionária 1789-1800] em cinco volumes, publicada entre 1853 e 1879. De passagem, Nietzsche menciona que ele havia sido preparado para os problemas de Sybel por meio da leitura do estadista francês e historiador conservador Alexis Charles Henri de Tocqueville (1805-1859), o "importante analista do mundo político" (Dilthey), e do crítico e historiador Hippolyte Taine (1828-1893), com o qual Nietzsche acabara de iniciar uma correspondência. Outro nome mencionado é o de Montalembert. Esse Comte Charles de Montalembert (1810-1870) defendia uma vertente que visava a um vínculo da Igreja com liberdade democrática e um sistema parlamentarista, o que deveria ter impedido Nietzsche se apreciar os cinco volumes de sua história do monasticismo ocidental (5. ed., 1874-1877). Mesmo assim, ele pergunta a Overbeck: "Você conhece 'Moines d'Occident', de Montalembert? Ou melhor: Você conhece algo mais sólido e menos partidário do que esta obra, mas com a mesma intenção de trazer à luz os benefícios que a sociedade europeia deve aos monastérios?" Trata-se de uma pergunta retórica, à qual a pergunta seria: Não existe obra melhor? Overbeck parece ter entendido ela como pergunta autêntica e crítica, pois ele lhe recomenda no lugar do "panegírico prolixo" Montalembert os dois volumes da "Sittengeschichte Europas von Augustin bis auf Karl den Grossen" [História moral da Europa desde Agostinho até Carlos Magno] (2. ed., 1879) do inglês William Lecky (1838-1903), que ele não conhece pessoalmente, que aparentemente lhe foi recomendada. Nietzsche o recusa: "Lecky se encontra em minha biblioteca: mas aos ingleses falta o 'senso histórico' – e algumas outras coisas. O mesmo vale para o norte-americano Draper". Além da obra de Lecky, a biblioteca de Nietzsche possui também a "Geschichte der geistigen Entwicklung Europas" [História da evolução espiritual da Europa] (2. ed., 1871), de John William Draper[183]. Aqui se manifesta a preferência pelos autores franceses, tão ressaltada já em "Além do bem e do mal", e também o abismo que o separa de Wagner: Wagner admirava Lecky!

O interesse desses meses se volta, portanto, quase que inteiramente para os historiadores contemporâneos da ética cristã, com os quais ele pretende se ocupar em sua obra. Diante do "estado dos olhos", esses trabalhos preparatórios são cansativos e extensos, trata-se de uma pesquisa dos fundamentos para a sua "obra principal" e que renderão primeiros resultados no "Anticristo". Em meio de tudo isso, Dostoiévski representa um "alívio", um "descanso do psicólogo", que, por isso, não é menos profundo ou apenas uma distração.

Música e teatro

Em 22 de dezembro de 1886 (em uma carta a Köselitz), Nietzsche se lembra: "No último domingo [19 de dezembro] a melancolia me levou ao teatro: 'Boccaccio, uma opereta, que agora conheço em três línguas. Mas a interpretação francesa foi, de longe, a melhor! Fiquei surpreso: essa elegância e delicadeza dos gestos, essa profunda benevolência na interpretação, essa ausência de vulgaridade alemã [...]. Eu mesmo – por mais absurdo que pareça – tive que enxugar as lágrimas três ou quatro vezes. A maior alegria é o que mais me comove agora". "Boccaccio" é a obra criada em 1879 do mestre de capela austríaco Franz von Suppé (1819-1895).

Uma impressão puramente musical, porém, cativou Nietzsche de forma completamente diferente. Em janeiro de 1887 ele assiste a um concerto em Monte Carlo, onde ouve pela primeira vez o prelúdio ao "Parsifal" apresentado por uma orquestra. Ele conhece a melodia desde 1882, na redução para piano, mas a magia da orquestra e seu efeito tranformam tudo em uma nova experiência profunda. Ele escreve sobre isso em 21 de janeiro, numa carta a Köselitz: "Posso dizer-lhe exatamente, o que eu *compreendi* [...]. Em termos puramente estéticos: Wagner jamais fez algo *melhor*? A consciência e segurança psicológica máxima em relação àquilo que aqui pretende ser dito, expressado, transmitido, a forma mais sucinta e direta para isso, cada nuança do sentimento levada ao nível do epigramático; uma clareza da música como arte descritiva; e por fim um sentimento sublime e extraordinário, vivência, evento da alma no fundo da música, que honra Wagner ao máximo [...]. Algo semelhante encontrei apenas em Dante. Não creio que um pintor tenha pintado um olhar tão melancólico do amor quanto Wagner o fez com os últimos acordes de seu prelúdio". Aqui, Nietzsche concorda com Wagner, que se manifestara sobre esse aspecto (22 de outubro de 1882)[258]: "Cristo não pode ser pintado, mas ele pode ser representado com notas". E Cosima o elogia por ter desistido da figura de Cristo para o palco, criando em seu lugar o Parsifal: "Cristo representado por um tenor, que nojo".

Nietzsche compreendeu "seu" Wagner, sem as roupas dramáticas, sem a fantasia do ator, simplesmente como músico. Em 1º de abril ele escreve a Köselitz: "Sou agora tão antiteatral, tão antidramático, a ruína da música por conta das convenções do drama se torna cada vez mais visível, o 'público' [...] já manifestou perigosamente sua vontade de tirania por meio de Richard Wagner. (Até onde vai minha desconfiança? Dois teatros apresentaram aqui neste inverno a 'Carmen', um em francês, o outro em italiano – e seu amigo desistiu até mesmo da Carmen!) Retorno da música, abandono da desnatureza teatral, de volta para a *natureza* da música – que, no fim das contas, é a forma mais ideal da retidão moderna".

Se não levarmos em conta essa virada decisiva em sua relação com a música, jamais entenderemos o ataque de Nietzsche nos anos seguintes contra o "ator Wagner" como ruína para o "músico Wagner" tão venerado por Nietzsche. Na derrota do músico diante do ator, Nietzsche reconhece o "Caso Wagner". O curioso é: O próprio Wagner tinha uma noção disso. Depois do "Parsifal", queria escrever apenas sinfonias, um pensamento entretido desde 1876 em Bayreuth: "após ter criado a orquestra invisível, pretendo inventar também o teatro invisível" (23 de setembro de 1878)[258].

Torcendo por Köselitz

Nietzsche permaneceu ligado a Wagner e ao seu "Parsifal" com laços delicados. Desde agosto de 1886, Köselitz se encontrava em Munique – certamente por incentivo de Nietzsche. Em 14 de agosto, Köselitz escreve de Munique sobre as impressões profundas de uma apresentação do "Parsifal" (i.e., Köselitz esteve em Bayreuth), e Nietzsche lhe responde: "Alegra-me o fato de que as suas experiências com o 'Parsifal' não sejam completamente contrárias às minhas experiências feitas a distância e aos meus juízos e preconceitos ousados". Mas ele o informa também que "agora, todo o ciclo do 'Nibelungo' pode ser ouvido em Munique, e novamente em setembro [...]. Talvez você aproveite esta oportunidade excelente". O objetivo principal da estadia de Köselitz em Munique, onde ele permanece até 6 de janeiro de 1887, é entrar em contato com Hermann Levi, que, desde 1872, domina a vida teatral local como mestre de capela da corte. Finalmente, Köselitz conseguiu uma apresentação decepcionante (para ele, como, provavelmente, também para os ouvintes) de seu septeto, com o qual já não teve muita sorte em Leipzig, em 1º de janeiro de 1887, sob a direção do jovem Richard Strauss, que exercia o cargo de terceiro mestre de capela em Munique. Todos sabiam que Köselitz obtivera esse acesso a Levi apenas por intermédio de Nietzsche. Para a biografia de Strauss pode ser interessante o fato de que o jovem Richard Strauss chamou a atenção de Nietzsche pela primeira vez em virtude dessa apresentação da peça de Köselitz. Em 1896, Richard Strauss lhe prestaria uma homenagem com sua obra "Also sprach Zarathustra" (op. 30). Para Levi, essa decepção não foi nenhuma surpresa; repetia-se aqui a sua experiência do outono de 1882 (cf. acima, p. 132).

Köselitz levava uma existência pobre em Munique. Ele conseguiu sobreviver com resenhas para a "Süddeutsche Presse". O pagamento por linha eram míseros 4 centavos [Pfennige], e ele era responsável pela coluna "Münchner Musikbericht" [Relato musical de Munique]. Por um lado, Nietzsche se alegra com isso, pois assim Köselitz é obrigado a cultivar suas habilidades autorais, e ele o incentiva a usar o que aqui ele adquiriu por meio da rotina para escrever um trabalho fundamental sobre a estética. Por outro lado, Nietzsche se entristece com a vida de escravo de seu protegido. Ele acredita que, dentro de dez anos, o gosto musical se afastaria de Wagner e se aproximaria de Köselitz. Portanto, o lema era persistir e sobreviver, também financeiramente, por isso lhe oferece em 9 de dezembro de 1886: "No que diz respeito ao dinheiro, você se contentaria se eu instruísse meu banqueiro de Naumburg a transferir-lhe 2 mil marcos? Uma transferência emitida para o seu futuro, querido amigo: Nada mais seria do que um empréstimo". Curioso, para o empreendimento do cunhado no Paraguai, falta-lhe essa fé no futuro!

Köselitz recusa a oferta educadamente, mas com firmeza: "Se eu soubesse que você recebe uma pensão de 500 mil marcos, mesmo assim hesitaria em privá-lo de 2 mil marcos; mas visto que você não se encontra em uma situação tão esplêndida, eu estaria cometendo um crime 'capital' se não o advertisse contra um passo tão tolo, ainda mais em favor de um músico que facilmente pode ser substituído, ao contrário de você, do qual dependem os destinos mais decisivos".

A própria existência pobre

E também esse inverno de 1886/1887 em Nice também transcorreu sem ocorrências externas notáveis. "Faz muito frio, em meu caso pessoal, muito frio. Um quarto voltado para o norte sem aquecedor. Dedos roxos são normais. Quanto frio já passei nos sete invernos da minha existência no sul! No fundo, não disponho dos recursos para viver aqui. Os preços dos quartos voltados para o sul são altos demais para mim, como também os apartamentos particulares bem localizados. Se incluir em meus cálculos também os 10, 11 e 7 graus de temperaturas medianas na Engadina, resulta a existência mais gélida que se pode produzir nesta vida", Nietzsche escreve em 25 de dezembro a Overbeck. Mas em 3 de janeiro ele se muda para um quarto sul: "Rue des Ponchettes, 29, I. étage, com sol, absolutamente necessário, dado o rigor do inverno; a situação era insustentável para corpo e espírito. Ponto de interrogação: se o dinheiro conseguirá me manter até a próxima remessa. Ontem refiz o cálculo para 21 apartamentos que ocupei nos sete invernos em Gênova e Nice: tantos desgostos e dificuldades em todos os sentidos. Ah, a sujeira sulista! Nos últimos meses, avaliei mais ou menos 40 quartos, sem encontrar algo adequado [...] para um animal pensante e limpo como eu".

O quanto o trabalho prende a atenção de Nietzsche nesse tempo se evidencia de forma clara em sua "reação", ou melhor, em sua passividade diante do evento natural que abala Nice, o forte terremoto às seis da manhã na Quarta-feira de Cinzas, em 23 de fevereiro de 1887. Muitas pessoas morrem, muitas casas são destruídas, também a casa onde Nietzsche escreveu as partes III e IV do "Zaratustra", fato que Nietzsche comenta em sua carta à Mrs. Fynn[90]: "A vantagem disso é que o mundo posterior terá que fazer uma peregrinação a menos". Na noite seguinte, Nietzsche faz uma caminhada pela cidade, "para transmitir um pouco de calma e coragem, pois o pânico é enorme, e a cidade está cheia de sistemas nervosos soterrados" e "para procurar as pessoas que conheço, que todas dormiram ao céu aberto – temo que em detrimento de sua saúde, pois a noite foi fria. Houve pequenos tremores, os cachorros uivaram, a metade da cidade estava de pé. Eu mesmo dormi bem após meu passeio de inspecção. O pior é que isso encerra a temporada", assim ele descreve a sua experiência do terremoto em 24 de fevereiro em uma carta a Overbeck.

Ao lado de tudo isso, o trabalho de Nietzsche avança. Em 14 de novembro de 1886, ele informa Overbeck sobre os novos prefácios para a "Aurora" e a "Gaia ciência": "Desde ontem, estão prontos para a gráfica [...]. Estes cinco prefácios são talvez a melhor prosa que escrevi em toda minha vida". (Trata-se dos prefácios para "O nascimento da tragédia", as duas partes de "Humano, demasiado humano", "Aurora" e "Gaia ciência".) Mesmo assim, continua redigindo os textos. Ainda em 22 de dezembro, ele envia o prefácio à "Aurora" para uma última revisão a Köselitz, "e depois imediatamente ao Fritzsch!" Em 28 de fevereiro, Nietzsche recebe a primeira prova do prefácio à "Gaia ciência"; em 5 de março a prova do adendo "Cantos do Príncipe Vogelfrei", e em 27 de março Fritzsch finalmente aceita imprimir também o novo quinto livro da "Gaia ciência", que ele recusara até então; em 9 de abril encontramos Nietzsche corrigindo a 18ª folha da "Gaia ciência". Esse trabalho se estende, pois passa-se mais de um mês até Nietzsche receber a quinta folha de correção do quinto livro da "Gaia ciência". Quatro semanas depois, em 22 de junho de 1887, as novas edições de "Aurora" e "Gaia ciência" chegam simultaneamente às livrarias. Assim, encerram-se as revisões das obras antigas. No dia seguinte, ocorre também o fim de sua carreira como compositor: Nietzsche recebe a partitura de seu "Hino à vida" na nova adaptação de "Peter Gast". Em 24 de junho, Nietzsche envia a partitura para Fritzsch, para a impressão.

A viagem de volta para a Engadina

Entrementes, Nietzsche já havia se despedido de Nice, fugindo, como de costume, do aquecimento da região mediterrânea. Neste ano (1887) ele parte uma semana antes da Páscoa, em 3 de abril, para uma primeira escala em Cannobio na margem direita do Lago Maggiore, pouco ao sul da fronteira suíça: montanhas e água. Ele se hospeda na Pensão Villa Badia. Nietzsche percebe imediatamente que não poderá ficar aqui por muito tempo, pois o sol é forte demais; e a luz, clara demais para seus olhos sensíveis. Já em 4 de abril ele informa Zurique como seu endereço. Mesmo assim, permanece quatro semanas e chega até a cogitar uma visita a Veneza, para rever Köselitz: "as manhãs em seu quarto com a sua música, as cores do final da tarde na *piazza* – isto é para mim a primavera!" (carta a Köselitz de 15 de abril). E: "De resto, eu viveria isolado e em silêncio em Veneza, como um anjinho, não comeria carne e evitaria tudo que deixasse a alma sombria e tensa. Recentemente, escrevi a Overbeck que amo um único lugar na terra, Veneza". E Nietzsche vê com toda nitidez: "No fundo, falta-nos qualquer estética musical e não conseguimos mais justificar nossos valores, por mais fortes que sejam os nossos sentimentos: um verdadeiro desespero no meu caso. Toda a posição da arte se tornou um problema para mim: e, em termos psicológicos, [...] o que se passou comigo quando me alienei de Wagner (e antes de Wagner da música de Schumann). Pretendo descobrir por que a sua 'música de leão' me revigora tanto, por que ela me parece tão curadora, íntima, descontraída e transfigurada". É sobre isso que ele pretende conversar com o músico Köselitz, pois até agora não encontrou nenhum "parceiro" que lhe ajudasse a obter clareza sobre o tema "estética". Mas seu estado físico o obrigou a seguir em outra direção.

Ele pensa em fazer curas de banho e massagem nas famosas instalações de Mammern ou em Schloss Brestenberg, para onde pode viajar passando por Zurique.

Na noite de 28 de abril, ele chega em Zurique e se hospeda novamente em sua Pensão Neptun. Aqui, ele se encontra duas vezes com Meta von Salis, em 4 de maio, Overbeck o visita, Nietzsche conversa também com Hegar sobre Köselitz, e Hegar se mostra muito amigável e acessível, e na manhã de 6 de maio ele procura Resa von Schirnhofer. É o último encontro dos dois. Resa von Schirnhofer chegara de Paris na noite anterior, onde, na casa de Natalie Herzen (afiliada de Malwida von Meysenbug), ela conheceu um amigo de Turgueniev e dele recebeu muitas informações sobre Dostoiévski, cuja "Maison des morts" ela leu em Paris. "Assim, aquela conversa da Rue d'Assas em Paris [...] teve sua continuação em Zurique com Nietzsche à sua maneira típica, que ilumina e faz cintilar qualquer tema, de forma que aquele encontro permaneceu na minha memória não em todos os seus detalhes, mas como um brilho no horizonte das lembranças"[226]. Nietzsche lhe recomendou sobretudo "L'esprit souterrain", lamentando, porém, a tradução alemã ruim. "Ele me disse que havia comparado a tradução alemã com a francesa e descoberto que a primeira simplesmente excluíra justamente os *aperçus* mais delicados e também análises psicológicas mais extensas. Ele pediu a um amigo que comparasse o original russo com as duas traduções, e este lhe confirmou a destruição alemã do texto original". Até então, Nietzsche havia lido de forma intensiva apenas o pequeno tomo com os dois contos, pois seu interesse principal ainda estava voltado para os historiadores. Overbeck havia lhe emprestado o escrito mais recente (publicado em 1886) do jovem berlinense Karl Bleibtreu (1859-1928), "Revolution der Literatur" [Revolução da literatura] (Nietzsche já possuía o "Lyrisches Tagebuch" [Diário lírico] deste mesmo autor, publicado em 1885), no qual o autor exige uma postura ativa da poesia na vida pública, na discussão de problemas da atualidade e em perguntas sociais[32]. A reação de Nietzsche é dura, tão dura quanto contra o naturalismo de Émile Zola – a despeito da língua francesa! Realismo e naturalismo não são os estilos de Nietzsche, ele se vê mais próximo do Impressionismo. Em 4 de maio ele devolve o livro a Overbeck com as palavras: "Bleibtreu me deixou um sentimento amargo: uma Alemanha em que os insatisfeitos são representados por esse tipo de pessoa certamente não é a minha pátria, muito menos a minha esperança". E em 13 de maio: "Para uma pessoa que pensa apenas em literatura, esse Bleibtreu escreve como um porco em meio à sujeira jornalística, completamente insensível diante das nuanças das palavras; sua ira não convence, seu humor não vai além daquilo que chamamos de piadas de bar – e nenhum fundo de filosofia (nem mesmo estética)!"[124] No mesmo dia da leitura de Bleibtreu, Nietzsche lê também "um francês insatisfeito, um independente" (pois seu catolicismo exige agora mais liberdade do que seu pensamento livre): Barbey d'Aurevilly (1808-1889), "Oeuvres et hommes. Sensations d'histoire". "Você precisa lê-lo, eu assumo toda responsabilidade. Como *romancier*, ele me é insuportável". A obra consiste de ensaios publicados desde 1860. E também aqui é o realismo que lhe é "insuportável".

Igualmente insuportável se torna o clima de Zurique: "ensolarado, abafado, barulhento, mesquinho, um convite constante para a dança da despedida", que ocorre na tarde de 6 de abril. Os planos de passar um tempo em Mammern e Brestenberg se derreteram na atmosfera de Zurique, e Nietzsche informa como destino a cidade de Chur, a calma capital na entrada ao vale do Cantão de Graubünden, a 600m de altura acima do nível do mar. Meta von Salis[212] relata que Nietzsche teria ido primeiro para Amden, a 930m de altura[146]. Mas "o calor e a ausência de sombras" o afugentaram daqui após dois dias. Amden havia chamado a atenção de Nietzsche por meio de uma representação favorável nos "Europäische Wanderbilder"[289]. E é provável que também seus amigos em Zurique lhe recomendaram o lugar, que gostavam de fazer excursões para Amden em virtude de sua proximidade.

Nietzsche chega em Chur no dia 8 de maio e se hospeda na Villa Rosenhügel, onde fica até 8 de junho. Chur lhe oferece florestas lindas na proximidade, e a antiga sede do bispo possui também uma boa biblioteca com mais ou menos 20 mil títulos. Ela lhe "dá isso e aquilo que me instrui. Pela primeira vez, vi o famoso livro de Buckle, 'Geschichte der Civilisation in England' [História da civilização na Inglaterra] – e curioso! Buckle é meu maior antagonista. É quase inacreditável o quanto E. Dühring se apoia nos juízos de valor toscos desse democrata em questões históricas: o que vale também para Carey, do qual ele assimilou todas as *oeconomica* essenciais. *In philosophicis* as coisas são ainda piores: trata-se realmente de uma das mentes menos originais [...]. Eu poderia muito bem tê-lo chamado de amalgamista, como já chamei também E. von Hartmann", escreve Nietzsche a Köselitz em 20 de maio.

Decepções

Às decepções históricas e filosóficas com os autores, juntam-se nestas semanas outras experiências e impressões desagradáveis.

A amizade com Erwin Rohde estava se aproximando de uma fase crítica. Entrementes, o que mantinha vivo o relacionamento era apenas o respeito pessoal, um amor fraternal alimentado por belas lembranças de tempos distantes. Há muito, Nietzsche abandonara a ciência da qual Rohde havia se tornado um dos mais importantes representantes, a filosofia clássica. Agora, Nietzsche chegava a zombar dela abertamente. O laço musical também havia sido rompido: Rohde permaneceu "wagneriano", e no último encontro pessoal na primavera de 1886 em Leipzig os dois já se estranharam. E a carta de Rohde a Overbeck demonstra claramente o profundo abismo que se abrira entre os dois na filosofia. O fundamento dessa amizade não suportava mais grandes pesos. Nietzsche, porém, superestimou a resistência desse fundamento com suas críticas ríspidas. É possível que o que o levara a essa avaliação equivocada tenha sido a visita do Dr. phil. Heinrich Adams, em 28 de fevereiro de 1887. Adams era filólogo da Escola de Rohde. Ele havia feito um trabalho sobre as fontes de Diodoro ("De fontibus Diodori"), e isso despertou em Nietzsche a esperança de retomar seus estudos sobre Diógenes Laércio, que, aparentemente, ainda o preenchiam com certo orgulho. Adams, porém, cansado da filologia, veio para estudar filosofia com Nietzsche. Não há quaisquer indícios de que ele tenha feito isso a conselho ou pelo menos com o conhecimento de Rohde, mas Nietzsche parece ter partido dessa suposição. Nietzsche, portanto, foi levado a crer que Rohde o respeitava como filósofo e que ele o reconhecia como superior (já que Nietzsche acreditava na superioridade do filósofo em relação aos outros cientistas). Nietzsche, porém, reagiu com certo ceticismo ao êxito dos estudos filosóficos desse Dr. Adams. Em 18 de maio, ele escreve diretamente a Rohde: "Seu desejo impaciente e pouco fundamentado de se dedicar à filosofia provocou, evidentemente, a minha desconfiança; no entanto, ele parece agora disposto a se dedicar com boa vontade aos estudos da história da filosofia antiga [...]. Hoje ele me escreve [...] perguntando se você não teria como encontrar para ele algum emprego numa biblioteca. Creio ser muito importante que ele fizesse algo sob seus olhares, sob sua crítica e disciplina, pois é um homem inseguro. [...] Eu pessoalmente [...] não me importo com as 'pessoas jovens' e tenho bastante experiência para duvidar da minha utilidade para elas. Meu deleite são os homens *velhos*, como Jacob Burckhardt e Taine: – e até meu amigo Rohde não é velho o bastante para mim. --- Mas 'o dia virá'". A resposta de Rohde a essa carta forneceu a ocasião para o sobrepeso lançado sobre esse fundamento da amizade. Ele reage de forma ofensiva às duras críticas de Rohde a Hippolyte Taine (é provável que Rohde tenha considerado inadequada a equivalência sugerida por Nietzsche entre Taine e Burckhardt). Segundo os editores das cartas de Rohde, Fritz Schöll e Elisabeth Förster, a resposta de Rohde foi destruída em 1894 pelo próprio Rohde, quando este visitou o Nietzsche-Archiv em Weimar. Mais tarde, em (1902), Elisabeth Förster lamentaria esse "auto de fé", alegando que as declarações de Rohde não haviam sido tão duras assim. Fato é que elas magoaram Nietzsche profundamente, escandalizando-o, e provocaram uma reação violenta e irrefletida, que desencadeou as piores consequências: "Acabo de escrever a Rohde uma carta profundamente amável e ríspida, por causa de uma declaração indevida sobre Taine", Nietzsche escreve a Köselitz em 20 de maio. A carta de Nietzsche a Rohde, enviada no dia anterior, contém as sentenças: "Não, meu velho amigo Rohde, não permito a qualquer pessoa que falte com tanto respeito ao Mr. Taine [...], muito menos a você, pois é uma total falta de educação tratar dessa forma uma pessoa que *eu* preze tanto, como você sabe [...]. Em relação a um estudioso como Taine, parente de sua espécie, você deveria abrir os olhos. Chamá-lo de 'vazio' é simplesmente uma estupidez sem medida [...]. Na história sofrida da alma moderna, que chega a ser uma história trágica em muitos aspectos, Taine ocupa um lugar como tipo respeitoso das mais nobres qualidades desta alma [...]. Um pensador com estas qualidades merece respeito [...]. Assim, querendo ou não, sua vida se transforma em missão, seu posicionamento em relação aos seus problemas é *necessário* (e não tão aleatório, tão ocasional quanto o seu posicionamento – e o da maioria dos filólogos – em relação à filologia). Mas tudo bem! Creio, porém, que, conhecesse apenas *esta* declaração sua, eu o desdenharia por causa da falta de instinto e tato. Felizmente, sei que você tem seus méritos. Mas você deveria ouvir como Burckhardt fala sobre Taine!"

Essas palavras eram duras, e Rohde, um homem respeitado em sua ciência e no mundo científico, reagiu imediatamente com a mesma veemência. Finalmente, Nietzsche percebeu que havia posto em jogo a amizade pessoal, uma das últimas em que podia se agarrar em seu isolamento cada vez maior. Imediatamente (já em 23 de maio!) ele tenta apaziguar seu amigo: "Querido amigo, não fui sensato anteontem ao ceder a uma raiva repentina contra você, mas é bom que ela tenha se expressado:

pois rendeu-me algo muito valioso, a sua carta, que me aliviou bastante e apontou uma nova direção para os meus sentimentos em relação a você [...]. Além de Burckhardt, Taine tem sido o único ao longo de muitos anos que disse algo cordial sobre meus escritos: de forma que, por ora, considero Taine e Burckhardt meus únicos leitores. Dependemos muito uns dos outros, como três niilistas [...] mesmo que eu ainda não duvide que, algum dia, encontraria a saída e a brecha que me permita chegar ao 'algo'.

Quando alguém avança tanto em suas minas profundas e continua a escavar, chega um momento em que ele se torna 'subterrâneo', ou seja, desconfiado. Corrompe o caráter: Testemunha disso é minha última carta".

Era tarde demais. O fundamento havia cedido, e apenas a notícia do colapso do amigo em 1889 conseguiria evocar em Rohde a compaixão que lhe permitiria superar esse abismo. Às sombras do rompimento de Nietzsche com Wagner, a grande tragédia do fracasso dessa velha amizade nunca foi vista a uma luz adequada e talvez permanecerá para sempre em certa escuridão, pois faltam-nos os documentos mais valiosos.

Imediatamente após a declaração sobre a "carta profundamente amável e ríspida" na informação a Köselitz, Nietzsche escreve: "No que diz respeito a uma carta do Paraguai: Eu me recuso a me envolver nesse empreendimento de antissemitas. Um pedaço de terra grandioso se encontra na posse dos meus familiares [...] chamado 'Nova Germânia'". Mas agora o empreendimento grandioso se encontrava em dificuldades financeiras extremas, e Förster não pedia apenas ajuda financeira de seu cunhado, ele a exigia. Isso foi demais para Nietzsche. Em 20 de maio, ele instrui seu agente bancário Kürbitz em Naumburg[121]: "Meu cunhado [...] exige que eu cubra gastos no valor de 4.500 marcos; mais precisamente, que o senhor pague três moedas do *Reich* [*Reichsmünzen*] no valor da quantia acima especificada e que eu aja como fiador, caso o valor das três moedas não seja quitado até julho. Vejo-me incapaz de aceitar essa proposição e peço que o senhor repasse essa informação ao Dr. Förster".

Essas linhas expressam uma dureza e amargura incomum para Nietzsche. Por isso, a carta reproduzida nas "Cartas reunidas", vol. V, p. 723, datada em 21 de maio de 1887, à "minha querida irmã" (que começa com as palavras: "Sua linda carta me alcançou ontem") deve ser uma das falsificações mais descaradas[7]. Na verdade, Nietzsche espera com a resposta até sua raiva se acalmar. Isso leva duas semanas, então, ele explica à irmã, e não ao cunhado, em 5 de junho por que ele precisa ser cauteloso em vista dos custos da impressão de suas obras e da incerteza referente à continuação da sua pensão de Basileia. Mesmo assim, Nietzsche não abandona sua irmã e faz o que pode. "Cedendo a uma ideia da nossa boa mãe, consegui [...] liberar pelo menos 1.800 tálers para você, pois assumi a sua parte da casa em Naumburg". Assim, algum dia ele poderá retornar para a "sua" casa.

A notícia do noivado de Lou Salomé parece ter afetado bem menos o seu espírito. Detectamos apenas um tom de melancolia e resignação nas palavras que Nietzsche escreve a Malwida von Meysenbug em 12 de maio de 1887: "A Srta. Salomé também me comunicou o seu noivado; mas eu não lhe respondi, por mais que eu lhe deseje sucesso e felicidade. É melhor evitar esse tipo de pessoa ao qual falta o respeito. Ninguém sabe me dizer quem seria esse Dr. Andreas". Carl Friedrich Andreas nascera em 1846 em Batavia (Java) e, aos 6 anos de idade, veio para Hamburgo com os pais. Devido à descendência persa dos pais, ele tinha uma relação especial com as línguas orientais e se tornou um cientista reconhecido nessa área. Após uma formação filológica cuidadosa, ele fez seu doutorado em 1868 sobre um texto persa, em 1871 ele se tornou professor de Literatura Oriental. Ele viajou para a Pérsia com uma expedição alemã; em 1875 fez uma viagem para a Índia em missão diplomática, recusou-se a retornar para a Alemanha e foi para a Pérsia, de onde retornou para a Alemanha em 1882. No início teve que sobreviver com aulas particulares em Berlim. Sua carreira como cientista começou apenas em 1887 – por isso Nietzsche não o conhecia – com um chamado para o instituto de línguas orientais recém-inaugurado em Berlim. Mais tarde, tornou-se professor de grande fama em Göttingen, onde morreu em 1930. Ele havia encontrado uma maneira de obrigar Lou Salomé a casar-se com ele, mas Nietzsche não chegou a ter conhecimento desse fato. Talvez ele teria sentido até um pouco de compaixão por ela.

Pouco antes de se despedir de Chur, Nietzsche ainda assistiu a um concerto e ouviu o op. 50 "Das Paradies und die Peri", para solistas, coro e orquestra, de Robert Schumann, "para a minha verdadeira amargura... Não, que sentimentalismo desprezível! E que filisteu é esse que nada nesse lago de *limonade gazeuse*. Saí correndo", ele escreve em 17 de junho a Overbeck. Sente saudade "das melodias descontraídas e engraçadas do nosso maestro veneziano", o qual ele incentiva a procurar Hans von Bülow, que agora estaria partindo para Hamburgo como chefe da ópera. "Se Bülow não apresentar sua ópera, ninguém o fará."

Uma remessa de livro a Köselitz revela os interesses musicais atuais de Nietzsche: Trata-se de "Der echte gregorianische Choral in seiner Entwicklung" [O coral gregoriano autêntico em seu desenvolvimento], de K. Franz Emil von Schafhäutl (1869).

Partida para a Engadina

O calor crescente obriga Nietzsche a procurar os altos vales. Ele tenta não voltar para Sils para evitar os altos custos, mas também porque precisa de tranquilidade para seu trabalho e suas pesquisas. Seus veraneios em Sils já eram famosos e atraíam também pessoas inconvenientes. Nietzsche faz uma tentativa em Lenzerheide, "onde existem florestas profundas" e um lago calmo. Floresta e lago, esta é, desde o verão de 1873 em Flims, a paisagem que mais agrada a Nietzsche. Em 8 de junho ele faz essa rápida viagem para a Lenzerheide, que fica a uma altura média de 1.500m acima do nível do mar. No entanto, só consegue ficar poucos dias. Provavelmente, não suporta a grande solidão. É possível também que ele se sentiu oprimido ou irritado pela estranheza do lugar. E assim como já voltou para Nice no outono, porque conhecia a cidade "de cor", ele volta agora também para Sils.

Apesar de ter informado Celerina (na Engadina, entre St. Moritz e Samedan) como residência para o verão seguinte, onde pretendia morar com o velho General Simon, ele escreve a Overbeck em 17 de junho de 1887: "Celerina não vai dar certo, imagine só, o velho General Simon acaba de falecer, e o dono da pensão não pretende manter nosso acordo. A perda desse velho militar muito rígido é realmente uma perda para mim: para mim, ele representava tanto a 'crítica da razão prática' que agora, no exterior, eu me sinto ainda mais abandonado e minha vida se tornou 'menos prática'. Ele faleceu em Siena, aos 71 anos de idade". Assim, Nietzsche volta para Sils, onde chega em 12 de junho, onde não encontra sua pequena comunidade familiar, pois suas damas Fynn e Mansuroff decidiram passar esse verão em Maloja.

XIII

Desfecho e ataque (da "Genealogia da moral" até "A vontade de poder", verão de 1887 até abril de 1888)

Neste junho de 1887, Nietzsche não chegou em Sils nas melhores condições. Ele se sentia cansado e desgastado pelo fardo da sua missão e pelo esforço que esta exigia dele; e a paixão com que ele vivenciava os problemas o consumia. Suas anotações evidenciam cada vez mais a paixão que impregna seu trabalho, e a obra desse verão, "A genealogia da moral" transpira esse calor excessivo. A racionalidade de seu modo de viver representa um contraste extremo. As existências interior e exterior se afastam cada vez mais uma da outra. De um lado, vemos o andarilho calmo em trilhas florestais, que segue as margens do lago ou que procura vales isolados, muitas vezes acompanhado de damas cultas, ou no barco no lago, onde ele aprende a remar, entregando-se ao ritmo e à melodia das águas. Por outro lado, as palavras e sentenças invadem seus cadernos de anotações como tempestades violentas, tempestuosas como a música de Wagner ou como o vento Föhn nos vales alpinos, que sacode as casas. E assim como o vento Föhn faz o distante parecer próximo e nítido, as sentenças de Nietzsche também se apresentam nítidas, aproximando seus pensamentos mais distantes.

E podemos levar adiante essa metáfora: Durante o vento Föhn, muitas pessoas adoecem, sofrem com dores de cabeça, náusea, insônia e cansaço. E aparentemente Nietzsche veio a apresentar os mesmos sintomas em decorrência do vento Föhn em seu interior. "Até agora, não consegui fazer outra coisa aqui no alto a não ser sentir-me doente", ele escreve após poucos dias, em 17 de junho, a Overbeck. "Cheguei com um forte ataque de dor de cabeça, vomitei durante 12 horas e me encontrei num estado que meu pequeno quarto aqui em Sils infelizmente conhece muito bem. A este estado se seguiu um forte resfriado com febre, insônia e falta de apetite, tontura, fraqueza: de forma que não consigo caminhar tanto quanto gostaria e imediatamente começo a suar (a despeito da proximidade da neve: em frente à casa há ainda restos de uma avalanche). Mesmo assim, estou feliz por estar de volta e por ainda existir – suportar os últimos anos tenha sido talvez a coisa mais difícil que meu destino exigiu de mim".

A morte de seu amigo paternal, o General Simon, ainda pesava sobre ele, quando ele recebeu em 26 de junho a terrível notícia da morte precoce de Heinrich von Stein, que falecera em 20 de junho. E é novamente Overbeck a quem ele abre seu coração em 30 de junho: "Sua notícia [...] me causou a mais profunda dor: ainda estou completamente fora de mim. Eu o amava tanto, ele era uma das poucas pessoas cuja mera existência me alegrava. E também não duvidava de que ele estava sendo reservado para o meu futuro [...]. Por que não fui chamado em seu lugar – isso teria feito mais sentido. Mas tudo é tão insensato: e esta criatura nobre, o melhor tipo da espécie humana, ao qual fui apresentado pelas minhas relações wagnerianas, não existe mais!" Nesse contexto, ele vê todo o seu estado de forma mais sombria e lamenta: "Minha saúde melhora apenas lentamente [...]: Existe algum bloqueio psicológico profundo, cuja causa e fonte eu não consigo identificar, graças ao qual meu humor mediano está sempre abaixo de zero; – não exagero quando digo que, durante um ano inteiro, não tive um único dia em que meu espírito e meu corpo tivessem se sentido bem. Essa depressão constante (de dia e de noite) é pior do que aquelas crises violentas e extremamente dolorosas que me acometem com tanta frequência". Precisamos acreditar em Nietzsche quando ele afirma desconhecer a causa de seus frequentes ataques, pois não conhecia sua doença. Caso contrário, não teria publicado em sua mais recente obra ("Genealogia da moral") sentenças como (III,7): "Este sentimento de inibição pode ter as mais diversas origens: por exemplo, como consequência [...] de corrupção do sangue, malária, sífilis e coisas parecidas (depressão alemã após a Guerra dos Trinta Anos, que contagiou a metade da Alemanha com doenças ruins e assim preparou o solo para a servilidade e covardia alemã)". E no outono, chega a anotar[6]: "[...] deveria ser introduzida a castração na luta contra as doenças e a criminalidade (como, p. ex., no caso dos sifilíticos): mas para quê! Precisamos pensar de forma mais econômica!" Será que Nietzsche sabia de sua doença?

Esses dias evidenciam como seu humor podia mudar rapidamente, como essa desesperança era capaz de substituir qualquer expectativa positiva. Apenas cinco dias após a carta sombria a Overbeck, em 25 de junho, Nietzsche havia escrito à mãe: "Como tudo indica, a saúde parece estar melhorando. Até agora, continuo sendo o único hóspede em Sils". Isso mudaria logo. Mesmo que seu círculo de damas tenha preferido o novo hotel em Maloja, a apenas seis quilômetros de Sils,

Nietzsche desfrutaria da presença empática de outra pessoa: Meta von Salis. Em junho, ela havia feito seu exame de doutorado na Faculdade de História da Universidade de Zurique, tornando-se assim a primeira cidadã do Cantão de Graubünden a adquirir o título de doutora. Agora, por volta do dia 18 ou 20 de junho, ela e sua amiga Hedwig Kym vieram para Sils para descansar, onde permaneceram sete semanas até o mês de setembro*.

Já que, nesse verão, ela e sua amiga eram as únicas pessoas mais próximas de Nietzsche em Sils, de cuja companhia ele gostava, o convívio com elas foi bastante intenso, tão intenso que logo se espalhou o boato de um casamento iminente de Nietzsche e Meta von Salis. Meta von Salis ficou irritada com o fato de que: "mulheres conseguem ver uma amizade entre homem e mulher apenas sob esta perspectiva"[212]. Ela acreditava que Nietzsche nunca ficou sabendo desses boatos ridículos, pelo menos nunca foi tema de suas conversas. Nada perturbou as sete semanas de convívio intelectual em alto nível, e Meta von Salis nos deixou suas valiosas lembranças desse tempo[212].

As semanas com Meta von Salis

"O calor era extraordinário naquele verão. Até mesmo naquelas alturas, tão próximas da neve eterna, preferíamos ficar dentro de casa ao meio-dia. [...] Os dois hotéis estavam lotados, e quase cada família do vilarejo havia alugado algum quarto. Nós nos hospedamos numa linda casa deste lado da ponte [...]. Nietzsche residia na mesma casa de sempre, do outro lado da ponte, e nos visitava quase todas as manhãs e, às vezes, também às tardes: quando o tempo era bom e o calor suportável, para convidar-nos para uma caminhada, nos outros dias, para uma conversa íntima no quarto. Quando não aparecia durante um dia inteiro, isso significava que estava doente. Isso acontecia raramente na época, e o tempo permaneceu gloriosamente lindo durante praticamente todas as sete semanas de minha estadia. [...] No 'Alpenrose', hóspedes conhecidos e alguns estranhos formaram aos poucos [...] um pequeno círculo comigo e minha amiga, ao qual nos dedicávamos durante as refeições – Nietzsche apenas almoçava no hotel, sozinho e antes dos outros. De resto, éramos vistos como exclusivos e realmente o éramos, pois preferíamos fazer nossas caminhadas sozinhos [...]. Nietzsche adorava 'descansar' da sua solidão e do

---

* Como ela mesmo informa[212], ela se despediu de Sils numa segunda-feira, ou seja, no dia 5 de setembro. Segundo uma carta de Nietzsche a Köselitz de 8 de setembro, ela teria partido na véspera, ou seja, no dia 7 de setembro, o que deve ser a data correta, pois Meta von Salis registra suas memórias apenas anos mais tarde.

seu trabalho – e, por vezes, também de visitas cansativas – em minha companhia. Passamos várias horas em meu quarto cheio de flores; eu, com algum trabalho manual; ele, falando sobre pensamentos, leituras ou experiências recentes. Ele gostava do fato de ter uma ouvinte [...]. Ele nunca desprezou as coisas simples que encontrava à beira do caminho: Falou com empatia sobre a preocupação de seu anfitrião com seu boi em vista da epidemia de febre aftosa [...]. Com ar festivo, Nietzsche me transmitiu as congratulações de sua mãe, que me respeitava muito mais desde minha conquista do doutorado". (Permanece em aberto o quanto isso representava também os sentimentos de Nietzsche; ele sempre preferiu a companhia de pessoas "acadêmicas"!) "Ele me contou repetidas vezes histórias sobre mulheres que se destacaram de alguma forma. Durante um inverno em Nice, ele era vizinho de uma mulher de Württemberg [...]. Como filha fiel de sua pátria, ela prezava 'Schiller' mais do que 'Goethe' e justificava sua preferência recorrendo à frase comum sobre o valor moral superior do primeiro. Ele riu sobre esse preconceito grotesco e não gostava quando os dois poetas eram mencionados numa mesma oração. Tampouco gostava quando alguém falava de Gottfried Keller *e* de Konrad Ferdinand Meyer, pois atribuía a Keller muito mais conteúdo e originalidade do que ao artista linguístico Meyer. [...] O quanto Nietzsche amava Goethe se evidenciou quando, certo dia, ele encontrou três anuários de Goethe em nosso quarto, que ele emprestou e, mais tarde, nos devolveu com as palavras: 'Meu humor sempre melhora na presença deste gigante'. [...] A preferência por Adalbert Stifter remete a uma característica de seu feitio psicológico. Em decorrência do esforço de todas as suas forças espirituais para rastrear as raízes da moral nas profundezas sem temer qualquer resultado, em decorrência também de uma tensão e inquietação interior cruel, que abalava dolorosamente todos os seus sentimentos, Nietzsche precisava de vez em quando de descanso e de um ambiente amigável. Ele mesmo era delicado, sensível, sempre disposto a se reconciliar, sempre com medo de machucar os outros; seu trabalho, porém, exigia dureza, proibia qualquer compromisso, causava dor e amargura em pessoas queridas. Então ele lia livros como o 'Nachsommer' de Stifter ou 'Humiliés et offensés' de Dostoiévski. No momento, Stifter exercia um efeito curador. Como Nietzsche me confessou durante um passeio às margens do Lago de Silvaplana, ele lera 'Humiliés et offensés' com lágrimas nos olhos. Ele criticou toda uma série de sentimentos em sua intensificação, não porque ele *não* os tinha, mas justamente porque ele os *tinha* e *conhecia* seus perigos. Evidentemente, conversamos muito sobre livros e autores. Nietzsche possuía *le flair du livre* e lia muito a despeito de sua visão fraca. [...] Como quase todos os leitores assíduos, ele sublinhava passagens nos textos ou as comentava na margem. Assim, preservou-se parte de sua vida espiritual em seus livros.

Os autores escandinavos modernos o interessavam muito menos do que os russos com suas análises psicológicas minuciosas. Mas seus favoritos eram os franceses, tanto os autores do período clássico quanto os dos séculos XVIII e XIX, sobretudo os moralistas, psicólogos e escritores de novelas. Ele me recomendou a leitura de Fromentin, Doudan e os textos de Goncourt sobre a moral e os costumes. Dediquei-me também aos estudos de Stendhal, Mérimée, Taine e Bourget. Entre os poetas modernos que o interessavam, encontravam-se Vigny, de Lisle e Sully Prudhomme.

Certamente, Stendhal cativava Nietzsche em primeira linha porque dominava com rigor sua natureza de emoções fortes, uma predisposição extraordinariamente sensível. [...] Repetidas vezes, Nietzsche ressaltou que Stendhal soluciona o problema da beleza de forma muito mais brilhante do que Kant, contrapondo ao agrado desinteressado a *promesse de bonheur* [...]. Como inimigo da Revolução Francesa e de todas as suas distorções conceituais e históricas, Nietzsche leu a grande obra de Taine sobre esse evento com muita alegria e alívio. O que mais o impressionou foi o volume sobre Napoleão. Ele escreveu a Taine dizendo que havia resumido toda a obra na fórmula: Napoleão é a síntese do 'Além do homem' e do 'não homem', no entanto, acredita que essa expressão tenha sido forte demais para esse francês nobre [...]. Por um lado, o livro 'Immortel', de Daudet (1888), agradou a Nietzsche, mas, de outro, também o repugnou. O que lhe agradou foi o fato de Daudet lançar uma luz fria sobre a máquina da respeitada academia francesa e, mesmo assim, não conseguir ocultar completamente seu desejo de conquistar uma das 40 cadeiras; o que o repugnou foi sua sátira ingrata e rude sobre a Córsega e seus habitantes. Ele leu com deleite a resposta que os moradores da ilha, desdenhados por sua pobreza, deram ao escritor [...]. Pobre como sinônimo de miserável – esta avaliação era estranha a Nietzsche. [...] Nietzsche nutria uma antipatia por Renan: ele o chamava de fauno – nós havíamos conversado sobre a 'Abbesse de Jouarre' – e o desprezava tanto quanto o alemão Eduard von Hartmann. Ao último concedia o mérito de gozar de seus leitores [...].

Pouco se interessava pelos ingleses e norte-americanos. Negava-lhes qualquer talento filosófico [...]. A luta pela existência de Darwin, a explicação de Spencer sobre os fenômenos éticos e biológicos não o satisfaziam. Para ele, Carlyle lhe servia como melhor exemplo para a importância da alimentação, até mesmo para as atividades mais espirituais do homem [...]. Emerson, porém, este homem delicado, mas masculino, lhe agradava. [...]

A presença de muitos visitantes de Basileia em Sils e o convívio com eles evocaram em Nietzsche muitas lembranças de sua docência naquela cidade. Em geral, sua impressão de Basileia era positiva [...]. O respeito com que os cidadãos ortodoxos de Basileia tratavam Nietzsche não se perdia nem mesmo nos momentos mais difíceis. Enquanto jornalistas radicais da Suíça alegavam ter profetizado sua doença já na base de suas obras, a 'Allgemeine Schweizer Zeitung', um jornal ligado à Igreja, demonstrou um luto sincero pelo seu colapso mental. [...]

No verão de 1887, Nietzsche demonstrou um ótimo humor e chegava a fazer gracejos inofensivos. Ele gostava de acompanhar-nos até o lago, permitiu que o introduzíssemos à arte do remo e se excitava com a presença do perigo quando éramos surpreendidos por um vento um pouco mais forte. 'Você é uma verdadeira aventureira!', ele me disse quando, numa manhã de céu encoberto [...], eu o mandei chamar, aguardando-o impacientemente no barco. [...] Jamais me esquecerei da despedida em setembro. O último dia antes da minha partida era um domingo [4 de setembro]. Fomos caminhar na praia do Lago de Silvaplana. O lago estava um pouco agitado, e as pequenas ondas murmuravam na praia. 'É como se também elas estivessem se despedindo de você', disse o nosso acompanhante. E quando voltamos para Sils, ele suspirou: 'Agora, volto a ser órfão e viúvo.' [...]"

Visitas rápidas em Sils

A monotonia do convívio diário foi aliviada um pouco pelo convite de suas damas Fynn e Mansuroff em Maloja, no dia 15 de julho. Nietzsche escreve a Overbeck: "Nosso encontro foi cordial e descontraído; o hotel oferecia um luxo agradável. 'Serviram-me' também um pequeno concerto – um holandês nobre muito agradável tocou (Grieg, Jensen, Parsifal)". E em 11 de agosto elas o visitam em Sils: "Acompanhei as damas durante meia hora, quando tiveram que voltar [...]; o baile recente foi um grande sucesso para a Miss Fynn (até os jornais falaram dela); na minha próxima visita, pretendem apresentá-la com as duas fantasias que ela usou na festa: primeiro como dama da corte russa, depois como camponesa russa. Aparentemente, foram as fantasias mais belas do baile. – Para dar-lhe uma noção do movimento: em 9 de agosto, passaram pelo hotel em Maloja mais ou menos 900 carros. Muito ao modo de Nice. Nosso Sils, por sua vez, mantém-se fiel ao seu caráter", ele escreve à mãe em 12 de agosto. E desde ou último outono, Nietzsche intensifica também o contato com Malwida von Meysenbug. Em 30 de julho de 1887, ele lhe escreve uma carta longa e sincera sobre seus problemas de saúde, sua depressão, os casos de morte dolorosos (ele encontra palavras comoventes para Heinrich von Stein), sobre a reedição de seus livros revisados e sobre uma profunda decepção humana: "Por favor, minha venerada amiga, não me confunda com o idiota e vaidoso Lanzky: ele é um literato de 10ª categoria, e dei-lhe um chute quando percebi o abuso que estava cometendo comigo e com minha literatura. Como você consegue aguentar uma página sequer de sua escrita melosa? Não preciso dizer que desconheço completamente sua 'Aurora' da qual você me escreve: esse tipo de coisa não entra em minha casa, tampouco quanto o próprio Sr. Lanzky"[124].

A maior surpresa, porém, aguarda Nietzsche no fim da temporada: em 2 e 3 de setembro, ele recebe a visita de seu velho amigo Paul Deussen com sua jovem esposa, que estavam percorrendo a trilha Stilfserjoch-Veltlin-Lago de Como-Bergell-Maloja, passando, portanto, também por Sils, "onde Nietzsche já nos esperava [...]. Ele foi extremamente atencioso, ostentando uma preocupação quase carinhosa por nós, algo que não conhecíamos nele. Ele me mostrou seus lugares preferidos, levou-me até seu apartamento muito simples, 'sua caverna', como o chamava, acompanhou-nos até Silvaplana, e seus olhos se encheram de lágrimas quando ele voltou para a sua solidão e nós seguimos nosso caminho, passando por St. Moritz e Pontresina [...] até chegarmos a minha velha Genebra em poucos dias"[74]. Nietzsche relata essa visita a Overbeck e elogia "o carinho comovente [...]. Ele está viajando para a Grécia; sua visita a Sils significa um desvio. Ele é o *primeiro* professor de Filosofia de confissão schopenhaueriana: e o culpado por ele ter optado por esse modo de pensamento sou eu. *Va benissimo!* Para mim, é mais importante o fato de Deussen ser o primeiro estudioso europeu que conhece a filosofia indiana de dentro, na base de um preparo kantiano e schopenhaueriano (ele 'acredita' nela: para isso, Schopenhauer foi uma fase intermediária necessária). Ele me trouxe a obra mais elaborada daquela filosofia, as Sutras de Vedanta, traduzida por ele mesmo e impressa pela academia".

Com essa descrição simples Nietzsche controla a grande excitação provocada por essa visita. De forma mais aberta ele confessa sua tristeza. Poucos dias após a partida de Meta von Salis, ele lhe confessa[213]: "Sils não perdeu toda a sua graça desde sua partida. O caráter do mês de setembro é traiçoeiro: frio, neve, chuva, tédio – eu me sinto doente a cada momento. Se assim não fosse, você teria recebido notícias minhas muito antes, também uma palavra da mais profunda gratidão, pois você me ajudou a atravessar um verão de trabalho difícil e de ventos contrários".

A despedida de Meta von Salis e a visita do casal Deussen – que também se transformaria em uma despedida para sempre, pois Nietzsche não encontararia mais o seu velho amigo antes do seu colapso – tiveram as consequências habituais: ainda durante a visita de Deussen, Nietzsche não se sentiu muito bem, e os dias seguintes trouxeram uma crise violenta. Assim, em uma carta à Mrs. Fynn[90], ele lamenta não poder vê-la no dia de sua despedida da Engadina (ela passaria o inverno em Genebra), e em 11 de setembro ele pede desculpas à mãe por não ter agradecido imediatamente pela remessa de alimentos em virtude de uma crise que durara dois dias.

Dieta rigorosa

Toda sua rotina era rigorosa – e tudo isso para o bem de sua obra. "Trabalhei muito, durante todo o mês de julho", ele escreve à mãe em 3 de agosto. "Parece-me que com minha saúde retornaram também minhas forças espirituais. Introduzi também algumas mudanças no meu modo de viver, que tiveram um efeito muito favorável. Uma delas é que não frequento mais a *table d'hôte*, pois suas refeições trazem riscos imprevisíveis; além disso, o refeitório é quente, lotado (mais ou menos 100 pessoas, muitas crianças), barulhento, ou seja, nada para seu animal delicado, que é também um pouco orgulhoso demais para participar dessa alimentação das multidões. Assim, como sozinho, meia hora antes: dia após dia um lindo *beefsteak* vermelho com espinafre e uma grande omelete (com geleia de maçã). Pago o mesmo quanto pagaria pela *table d'hôte*. À noite, apenas algumas fatias de presunto, duas gemas de ovo e dois pãezinhos. A mudança mais significativa diz respeito à manhã [...]. Às cinco da manhã, tomo uma xícara de chocolate amargo (Van Houten), que eu mesmo preparo, depois volto para a cama, às vezes caio no sono mais uma vez, mas às seis em ponto eu me levanto e bebo, após me vestir, uma xícara grande de chá. Então, dedico-me ao trabalho – e funciona. Todo o sistema é mais calmo e mais equilibrado; e meu humor também está melhor. No mês de julho sofri apenas três crises grandes de dor de cabeça, com ataques de vômito durante dias, o que é um grande progresso em relação aos meses anteriores [...]. Hoje encomendarei ainda presunto Wiel do meu fornecedor principal". Na época, este se encontrava em Eglisau. Mas Nietzsche não estava satisfeito com as entregas, pois a qualidade do presunto representava um fator decisivo: não podia ser muito salgado e precisava apresentar um teor baixo de gordura. Trata-se de um dos grandes temas de sua correspondência com a mãe, que lhe fornece todos os itens de uso diário. No início de junho, o filho lhe pede[124]: "Preciso muito também de uma caixinha com 12 dúzias de penas de aço, mas exatamente deste endereço [...] S. Roeder, fornecedor da corte, Berlim, pena de aço, n. 15, larga.

São as únicas penas com as quais consigo escrever de forma legível (como, p. ex., esta carta)". Em agosto, ele pede à mãe "duas gravatas, uma grande e larga e outra para afixar". Em 12 de agosto, ele agradece pelas "gravatas, correspondentes às minhas necessidades humildes [...]. A camisa é muito boa! Pois uso esse tipo o tempo todo (não de noite, mas de dia). Parece-me também que as mangas são razoavelmente curtas [...]. Por fim, as meias e as luvas: minha querida mãe, quantas coisas boas! [...] É como se você tivesse pressentido o que sua velha criatura tanto desejou neste verão". A mãe já havia lhe fornecido os alimentos para as refeições menores em Chur. Assim ele agradece e pede logo após sua chegada em Sils: "[...] pois o presunto (do tipo mais fino) me seria muito útil, e quero também fazer um pequeno (e lindo) presente para a pequena Adrienne. As pessoas aqui da casa são boas comigo, e seu velho animal tem poucos refúgios neste mundo onde as pessoas o tratam bem". Trata-se de um dos poucos documentos sobre o relacionamento de Nietzsche com seus anfitriões em Sils, que infelizmente havia sido excluído pela irmã na publicação de suas cartas. Mas a remessa de agosto lhe trouxe ainda algo bem diferente, pelo qual Nietzsche também agradece: "Preciso adiar um pouco o prazer de comer a torta; guardei-a numa caixa de metal. Compararei o chocolate cuidadosamente com dois outros produtos (o chocolate holandês Van Houten e o chocolate suíço da Sprüngli): veremos qual nação vencerá". Nietzsche parece ter sofrido uma grande decepção com o mel. "Mel", normalmente uma metáfora para tudo que lhe faz bem. Em 25 de junho, ele havia pedido "um pouco de mel" à mãe. Em 5 de agosto, porém, ele escreve: "Por favor, não mande mel! (da última vez, ele me fez muito mal) [...]. Por fim: da farmácia na Herrenstrasse, 100 gramas de ruibarbo em pedaços. O mais rápido possível, por favor". Aparentemente, Nietzsche precisa disso para ativar sua digestão e recorre a um remédio caseiro inofensivo. Nietzsche não usa qualquer medicamento nessa época (e não há quaisquer indícios que confirmem o abuso de medicamentos que a irmã usaria mais tarde para explicar o colapso mental do irmão). Tampouco consome bebidas alcoólicas, algo que ele menciona em várias cartas, como, por exemplo, na carta de 15 de setembro a Köselitz: "Nada de vinhos, nada de licores – isso eu já entendi". E Nietzsche volta a cuidar mais também de sua aparência. Ele usa não só as camisas e gravatas providenciadas pela mãe. Ele mesmo toma algumas medidas: "Em Chur, mandei consertar roupas e sapatos (camisas, meias, botas etc.): de forma que agora estou em perfeita ordem", ele informa à mãe em 25 de junho.

"Muthgen"

Foi com certo humor que Nietzsche recebeu uma notícia do *Goethe-Archiv* em Weimar. Após a morte de Walter Wolfgang von Goethe, neto do escritor Goethe, em 15 de abril de 1885, todo o espólio do poeta foi transferido para Weimar, onde então foi fundada uma sociedade dedicada a Goethe. Esta pretendia esclarecer a biografia do grande homem e reunir suas obras e cartas. A Grã-duquesa Sophie encarregou o *Goethe-Archiv* com a tarefa de publicar as obras completas do poeta, edição que viria a receber o seu nome e cujos primeiros volumes seriam publicados já em 1887. Neste contexto, do *Goethe-Archiv* chegaram a Nietzsche "comunicados e perguntas, [...] das quais resulta que, curiosamente, a pesquisa de Goethe se ocupa também com a minha história genealógica: pois ela descobriu que a amiga 'Muthgen' do jovem poeta (por volta de 1778) é também a minha avó paterna, Erdmuthe Dorothea Krause, irmã do professor de Teologia Krause de Königsberg, sucessor de Herder como superintendente-geral de Weimar, e esposa do superintendente Dr. Ludwig Nietzsche em Eilenburg (meu avô)" (carta a Overbeck, 6 de julho de 1887). Mas em 17 de julho ele escreve: "Assustei o pobre conselheiro do arquivo e pesquisador de Goethe ao informá-lo por meio de minha mãe que é bastante improvável que 'Muthgen' tenha sido amiga do jovem poeta em 1778 – visto que 'Muthgen' veio ao mundo em dezembro daquele ano. O infeliz já havia publicado a sua 'descoberta'! – bem, resta ainda a possibilidade de que a Muthgen do diário de Goethe tenha sido a mãe da minha avó. O vínculo com Goethe, porém, é certo; e a nomeação do Prof. Krause como sucessor de Herder também foi obra de Goethe".

Nietzsche não podia imaginar como o *Goethe-Archiv* se tornaria importante para seu próprio espólio – e como as atividades do *Nietzsche-Archiv* influenciariam temporariamente os trabalhos do *Goethe-Archiv*.

A imagem clássica do filósofo

O modo de vida rigoroso de Nietzsche corresponde totalmente à imagem clássica do filósofo antigo, e ainda sobre Kant as pessoas diziam que era possível acertar os relógios de acordo com a regularidade de suas caminhadas. Esse tipo de autodisciplina exige um espírito atento e rigoroso, a consciência de uma missão grande e o conhecimento de que a obra só será bem-sucedida se as energias forem aplicadas com sabedoria. Seria completamente inapropriado querer deduzir da conduta de Nietzsche naqueles anos prenúncios de uma desorientação espiritual e usar isso como argumento na avaliação da qualidade de sua obra. Meta von Salis se refere explicitamente a isso quando se lembra[212]: "Infelizmente houve um número de pessoas já antes do acontecimento terrível que consideraram Nietzsche um homem doente. Chamberlain escreve (1896!) que sua doença teria se manifestado logo após a redação do escrito 'Richard Wagner em Bayreuth' (1876), e um de seus conhecidos antigos me perguntou no início de 1888* se eu não tinha percebido sinais de algum

* É provável que tenha sido em 1889, após a visita breve de Meta von Salis no verão de 1888.

distúrbio mental no verão anterior, e ele sorriu com uma expressão de arrogância quando eu respondi que não.

Normal – anormal, estas palavras nada mais são do que chavões baratos, ainda mais se levarmos em consideração que, como Nietzsche gostava de ressaltar, pessoas normais não existem [...]. Para o povo, cada pessoa não totalmente ordinária já é louca; Lombroso chama o gênio de anormal – [...] sem, porém, demarcar precisamente o limite entre a pessoa genial e a não genial. Eu como leiga não ouso julgar uma questão tão delicada, mas tampouco hesito em declarar que aqueles que pretendem chamar Nietzsche de doente mental antes de 1888 precisam ser consequentes no sentido de Lombroso e suspeitar de todos os espíritos extraordinários de todos os tempos".

Meta von Salis alude ao estrago que o genro de Wagner, Houston Stewart Chamberlain (1855-1927), causou com sua tese – uma *prophetia ex eventu*. É realmente incrível com que irresponsabilidade esse homem misturou dados e fatos sobre Nietzsche em seu livro de 1896 sobre Wagner[68] – e como ninguém protestou contra esse tipo de "ciência" popular, permitindo assim que sua interpretação manchasse a imagem de Nietzsche durante décadas. Dificilmente servirá de consolo o serviço duvidoso que ele prestou ao seu sogro ao introduzir a obra de Wagner como "herança genética germânica" à política chauvinista da Alemanha. A obra de Wagner não conseguiu se recuperar disso até hoje. Igualmente fatídica foi a permanência da interpretação de Chamberlain do Nietzsche demente na consciência pública.

O que chama a atenção nesse momento é, pelo contrário, a clareza que Nietzsche demonstra justo agora, o domínio mental e o rigor com que ele resistiu a todas as tentações de uma vida mais fácil. E essa mesma clareza, esse mesmo rigor dominam também o estilo literário de seus escritos, conferindo assim um núcleo mais nítido, um perfil mais cristalino aos pensamentos filosóficos de Nietzsche.

O último hino

A revisão dos escritos mais antigos já havia lucrado com essa clareza, que agora estavam sendo na forma de novas edições. O "Hino à vida" também representa um desfecho. Trata-se da única de suas composições que Nietzsche enviou às gráficas. É, de certa forma, um extrato do "Hino à amizade" de 1873/1874. Nietzsche excluiu a introdução e os dois longos interlúdios, preservando apenas seu núcleo, a estrofe do hino[125]. Nietzsche escreve primeiro à mãe sobre essa peça de música: "A única das minhas composições a ser publicada, para que, um dia, vocês terão algo para cantar em minha memória".

A gráfica trabalhou com rapidez, e já em 8 de agosto Nietzsche recebeu as primeiras folhas de correção. Ele pediu mudanças apenas na folha de capa*, o que causou uma longa e infeliz correspondência. Nietzsche não conseguiu impor suas ideias e exigências e, em 29 de agosto, teve que conceder a vitória a Fritzsch. Ele estava lidando com um representante dos editores de música, e estes têm seu próprio catecismo. A partitura foi publicada no final de outubro.

No meio desses trabalhos, que sinalizavam o final de um período criativo, irrompiam, porém, já forças selvagens, para se preparar para o ataque. O manuscrito que Nietzsche enviou a Naumann em 30 de julho de 1887 e que foi publicado em 10 de novembro sob o título de

Genealogia da moral – Uma polêmica

anuncia no subtítulo abertamente a vontade de atacar. Assim como já havia ressaltado em todas as quatro partes do "Zaratustra" de forma quase penetrante, Nietzsche informa também para este escrito um tempo de redação quase fantástico: "Ele foi realmente decidido, iniciado e terminado em pouco tempo: segundo o comprovante dos correios, enviei o manuscrito (pela segunda vez) a Naumann em 30 de julho: o início dos trabalhos, que infelizmente não anotei, deve ter sido o dia 10 de julho" (carta a Köselitz, 8 de agosto de 1887). Isso poderia suscitar a impressão de que o livro teria sido sob uma inspiração genial. No entanto, constatamos também aqui um período de preparativos minuciosos e até mesmo cansativos. Seu espólio contém registros sobre isso, escritos pouco após a experiência do "Prelúdio ao Parsifal" no início de janeiro em Monte Carlo, como indica a vizinhança imediata das anotações sobre o "Parsifal".

As origens da grande citação de Tertuliano do tratado "De spectaculis" (escrito por volta de 200 d.C. pelo padre da Igreja) no § 15 da "Primeira dissertação" são mais antigas ainda. Na carta de Nietzsche a Overbeck, datada em 17 de julho de 1887, ele dirige "um pedido a você como 'padre da Igreja' – preciso urgentemente de uma passagem de Tertuliano, na qual esta bela alma descreve antecipadamente as alegrias que ele desfrutará no 'além' ao rever seus inimigos e anticristos: ele especifica de forma muito irônica e maldosa as torturas, aludindo às profissões dos respectivos indivíduos. Você consegue se lembrar desta passagem e enviá-la para mim? (no original ou traduzida: preciso dela *em alemão*)". Overbeck envia imediatamente

* Para a controvérsia com Köselitz por causa de uma mudança na própria composição, que este havia feito sem consulta prévia, remetemos à publicação[125].

sua edição latina, e o Prof. Nietzsche não encontra o tempo para traduzir a passagem nada fácil. Assim, as edições de Nietzsche apresentam a versão incompreensível para aqueles que não dominam o latim, e apenas as observações em alemão transmitem uma noção de seu conteúdo*. No dia 30 de agosto, Nietzsche agradece ao amigo pela remessa rápida e lhe confessa ao mesmo tempo: "Recorri sem quaisquer escrúpulos às suas anotações [...]. Encontrei parte da passagem ainda antes da chegada de sua carta em meus manuscritos, mas ficaria muito grato se pudesse tê-la *in extenso*". Que excertos eram estes, de que tempo e para qual fim?

Nietzsche sabia de seu amigo Overbeck que este, como historiador da Igreja, havia se ocupado muitas vezes com Tertuliano e que ele até chegara a travar um debate em 1878 com seu colega mais jovem Adolf Harnack sobre uma passagem de Tertuliano[188]. Mas "De spectaculis" não se encontra entre os muitos escritos de Tertuliano que Overbeck analisou ou citou ao longo de todos esses anos! Os editores da GOA (edição das obras completas de Nietzsche)[1] acreditam que Nietzsche tenha citado Tertuliano já no passado e remetem às três citações em "Humano, demasiado humano" e na "Aurora" de "*credo quia absurdum est*". Mas Tertuliano nunca escreveu isso! Se Nietzsche realmente tivesse recorrido ao texto de Tertuliano, ele jamais teria usado esse ditado popular. (Sobre esse problema textual, cf. Büchmann[19].)

Dificilmente, portanto, este excerto em seus manuscritos provém de seus anos em Basileia. Na época, ele não leu Tertuliano nem teria levado consigo anotações tão antigas. A suposição mais provável é que ele provenha do outono de 1882, onde se dedicou a estudos sobre a história da religião com Lou Salomé em Leipzig. É possível que aquelas anotações se encontravam na biblioteca de Sils. A biblioteca de Chur pode ser descartada como fonte, pois ela não possui o texto de Tertuliano (segundo uma informação pessoal do bibliotecário).

Tampouco podemos identificar a edição enviada por Overbeck. Nem todos os textos da biblioteca de Overbeck foram incluídos em seu espólio, e o texto de Tertuliano é justamente um daqueles que faltam. Pode ter se tratado de uma edição mais antiga, talvez até a de Ernst Kussmann (Gotha, 1887), mas que não se apoia na melhor tradição. Em todo caso, a citação de Nietzsche segue esta edição revista por Reifferscheid em 1890.

A "Genealogia da moral" se insere perfeitamente no conjunto da obra geral. "Adicionado à última publicação 'Além do bem e do mal' como acréscimo e es-

---

* Tradução no vol. III, Documentos, n. 5.

clarecimento", Nietzsche observa. Mas no *Prefácio* ele remete a um passado muito mais distante (§ 2): "Meus pensamentos sobre a origem de nossos preconceitos morais [...] receberam sua primeira expressão parcimoniosa e provisória naquela coletânea de aforismos intitulada de 'Humano, demasiado humano', cuja redação foi iniciada em Sorrento, durante um inverno que me permitiu uma parada, assim como um andarilho se detém, para contemplar a terra ampla e perigosa que meu espírito já havia atravessado. Isso aconteceu no inverno de 1876-1877; os pensamentos em si são mais velhos [...]. E o fato de eu ainda me agarrar a eles, o fato de eles mesmos se agarrarem cada vez mais uns aos outros, [...] isso fortalece em mim a esperança de que tenham surgido em mim [...] não esporadicamente, mas a partir de uma raiz comum, a partir de uma vontade fundamental do conhecimento [...] que se pronunciou com uma determinação cada vez maior. (§ 3) [...]. Na verdade, já aos 13 anos de idade, atormentou-me o problema da origem do mal: a ele dediquei [...] meu primeiro exercício filosófico". Depois dessa referência a Sorrento, Nietzsche se vê obrigado a se distanciar de Paul Rée. (§ 4): "O primeiro impulso para publicar algo das minhas hipóteses sobre a origem da moral foi um livrinho claro, limpo e inteligente [...] que me atraiu – com aquela atração, que se nutre do oposto, do antípoda. O título do livrinho era 'A origem dos sentimentos morais'; seu autor, o Dr. Paul Rée; o ano de sua publicação, 1877. Creio que jamais tenha lido algo ao qual tenha dito, sentença por sentença, conclusão por conclusão, um não tão forte quanto este livro: mas sem qualquer irritação e impaciência".

Após outras referências à "Aurora" e "Gaia ciência" e o conflito latente com Schopenhauer – Nietzsche usa a primeira parte, intitulada de "Primeira dissertação", para tratar do tema atual de "Além do bem e do mal": "bom e mau"; "bom e ruim".

Primeiro Nietzsche ataca os "psicólogos" (sociólogos) ingleses – incluindo neste grupo explicitamente Paul Rée – que pretendem remeter a origem dos juízos de valor morais a experiências de utilidade e, onde estas aparentam estar ausentes, ao esquecimento de uma utilidade já esquecida. A isso, Nietzsche contrapõe a tese (§ 2): "O juízo 'bom' não provém daqueles que experimentaram 'bondade'! Foram, antes, os próprios 'bons', isto é, os nobres, poderosos, superiores em posição e de alta ética, que perceberam e definiram a si e a seus atos como bons, ou seja, de primeira ordem, em oposição a tudo que era baixo, de ética baixa, ordinário, plebeu. Foi a partir desse *pathos da distância* que eles reivindicaram para si o direito de criar valores, cunhar nomes para os valores: que lhes importava a utilidade! [...] O *pathos* da nobreza e da distância, como já disse, o sentimento geral e fundamental duradouro e dominante de uma espécie superior e dominante, em sua relação [...] com um 'abaixo' – eis a origem da oposição 'bom' e 'ruim'". Ao estabelecer um vínculo etimológico entre "ruim" e "simples" (§ 4), ele deduz que o homem "simples" não foi o homem "bom" = o homem nobre. É principalmente nessa passagem que Nietzsche tenta esclarecer a origem dos conceitos morais a partir dos desenvolvimentos pré-históricos. Ele teve a coragem descomunal em seu tempo de levantar a tampa do poço pelo qual podemos enxergar o fundo sombrio do ser humano, onde ódio, vingança e crueldade se encontram acorrentados. Mostra o que acontece quando os demônios acorrentados adquirem a força, a superioridade para, "libertados" das amarras do "bem" e do "mal", movimentar-se além dessa fronteira. E é aqui que escapa a Nietzsche a expressão da "besta loura" que então se manifestaria. Esse diagnóstico assustador da essência humana não foi bem-aceito, como se ele mesmo tivesse criado ou recomendado essa "besta loura". Tentaram encobrir a vergonha de si mesmos atacando o diagnóstico revelador de Nietzsche. Nietzsche remete conscientemente a estados pré-históricos ou no mínimo remotos quando escreve sobre esse "animal de rapina" (§ 11):

"Ali desfrutam a liberdade de toda coerção social, na selva fogem à tensão causada por um longo cerceamento e confinamento na paz da comunidade, *retornam* à inocência da consciência dos animais de rapina, como monstros jubilosos, deixando para trás uma sequência horrenda de assassinatos, incêndios, violações e torturas, com ânimo elevado e equilíbrio interior, como se tudo não passasse de brincadeira de estudantes, convencidos de que mais uma vez os poetas muito terão para cantar e louvar. No fundo de todas as raças nobres encontra-se o animal de rapina, a magnífica besta loura que vagueia sedenta de espólios e vitórias [...]. O animal precisa sair novamente, precisa retornar à selva – nobreza romana, árabe, germânica, japonesa, heróis homéricos, vikings escandinavos: nesta necessidade todos se assemelham. [...] Sua indiferença e seu desprezo pela segurança, corpo, vida, agrado, sua terrível descontração e intensidade no prazer de destruir, nas volúpias da vitória e da crueldade – para aqueles que sofriam com isso, tudo se resumia na imagem do 'bárbaro', do 'inimigo mau', como o 'godo', o 'vândalo'". A partir de Homero os poetas glorificaram esses "heróis", que Nietzsche chama de "monstros jubilosos", apontando, ao mesmo tempo, para dois exemplos históricos recentes: "A profunda e gélida desconfiança que o alemão desperta assim que chega ao poder, agora novamente – é ainda um eco daquele horror inextinguível com que durante séculos a Europa assistiu à fúria da besta loura germânica"*. E o fato de que nem mesmo o "cristianismo" mais eloquente não evita ataques de brutalidade sanguinária – Nietzsche demonstra isso jus-

---

* Anos antes, Wagner já teve uma percepção nítida disso ao afirmar (em 1º de dezembro de 1881)[258]: "A Alemanha é um mendigo armado até os dentes. Não recomendo encontrar-nos na rua".

tamente com a citação de Tertuliano! A vingança, a compensação da culpa, e como equivalente, como possível meio de pagamento e libertação da crueldade, o prazer no sofrimento do credor prejudicado são identificados por Nietzsche como fundamento primordial de "culpa, má consciência e coisas afins" na "Segunda dissertação". A "jurisprudência", sobretudo o direito penal, é assim reduzida a uma lei de vingança (II, § 5): "A equivalência é dada quando uma vantagem diretamente relacionada ao dano (uma compensação em dinheiro, terra, bens de algum tipo) é substituída por uma espécie de satisfação íntima, concedida ao credor como reparação e recompensa – a satisfação de poder exercer livremente seu poder sobre um impotente, a volúpia de '*faire le mal pour le plaisir de le faire*', o prazer do estupro [...]. Por meio da 'punição' ao devedor, o credor participa de um direito dos senhores: finalmente pode também ele experimentar a sensação exaltada de desprezar e maltratar alguém como ser 'inferior' a si mesmo – ou no mínimo [...] vê-lo desprezado e maltratado. A compensação consiste, portanto, em um convite e um direito à crueldade". (§ 6): "Ver sofrer faz bem, fazer sofrer faz melhor ainda – é uma sentença dura, mas uma sentença principal antiga e poderosa, humana – demasiada humana".

E essa relação existe não só entre indivíduos, ou seja, no direito privado, mas também diante da sociedade, no direito público (§ 9): "Vive-se numa comunidade, desfruta-se as vantagens de uma comunidade (e que vantagens! por vezes, nós as subestimamos hoje em dia), vive-se protegido, poupado, em paz e confiança, sem preocupações referentes a certos abusos e hostilidades, aos quais se vê exposto o homem de fora, o 'sem-paz' [...]. O que acontecerá no caso contrário? A comunidade, o credor traído, garantirá seu pagamento [...]. Trata-se aqui menos do dano imediato: antes deste, o criminoso é visto sobretudo como 'infrator', como alguém que quebra a palavra e o contrato com o todo [...]. O criminoso é um devedor que não só não paga as vantagens e adiantamentos que lhe foram concedidos, mas ainda atenta contra o seu credor: daí que ele não apenas será privado de todos esses benefícios e vantagens, como é justo – agora será lembrado o quanto valem esses benefícios. [...]. O 'castigo', nesse nível dos costumes, é simplesmente a cópia, reprodução do comportamento normal perante o inimigo odiado, desarmado, prostrado [...]; ou seja, é o direito de guerra e a celebração do *vae victis*! em toda a sua impiedade e crueldade". Estas são as formas fundamentais e de partido de uma pré-história. (§ 10): "Com o poder cada vez maior, a comunidade não atribui mais tanta importância aos desvios do indivíduo, pois este já não pode mais ser considerado tão subversivo e perigoso para a existência do todo: o malfeitor não é mais 'privado de paz' e banido [...]. A vontade cada vez mais firme de considerar toda infração resgatável de algum modo e assim isolar, ao menos em certa medida, o criminoso de seu ato – estes são os traços impostos de forma cada vez mais evidente à evolução posterior do direito penal. Quando crescem o poder e a autoestima de uma comunidade, torna-se mais ameno o direito penal [...]. O 'credor' sempre se tornou mais humano na medida em que se tornou mais rico; por fim, é a medida de sua riqueza que determina quantas injúrias ele pode suportar sem sofrer. [...] Misericórdia; ela permanece [...] um privilégio do mais poderoso, ou melhor, seu 'além do direito'".

No entanto, Nietzsche protesta veementemente contra a alegação segundo a qual a comunidade, o "Estado" teria *surgido* na base desse tipo de cálculo, na base de acordos recíprocos: esses estados seriam fases tardias. Com isso, Nietzsche ataca as teorias de Estado de Rousseau e de todos aqueles que recorrem a um *contrat social* como origem do Estado. Nietzsche reconhece a transformação de uma população informe em um Estado como consequência de um ato de violência, que (§ 17) "foi levada a termo com atos de violência – que o mais antigo 'Estado', portanto, se apresentou como uma terrível tirania, uma maquinaria esmagadora e implacável, até que tal matéria-prima humana e semianimal ficou não só amassada e maleável, mas também *formada*. [...] 'Estado' [...] – algum bando de bestas louras [...] organizado guerreiramente e dotado da capacidade de organizar, lança inescrupulosamente suas garras terríveis sobre uma população talvez imensamente superior em número, mas ainda informe e nômade. [...] Penso que isso encerra aquele sentimentalismo que o fazia começar com um 'contrato'. Quem pode dar ordens, quem por natureza é 'senhor' [...] – o que lhe importam contratos! [...] Sua obra consiste em instintivamente criar formas, impor formas, eles são os mais involuntários e inconscientes artistas que existem [...]. Neles domina aquele tremendo egoísmo de artista, que tem o olhar de aço e já se crê eternamente justificado na 'obra', como a mãe no filho. Não foi neles que nasceu a má consciência, [...] mas sem eles ela não teria nascido, essa planta hedionda, ela não existiria se, sob seus golpes de martelo [...] um enorme *quantum* de liberdade não tivesse sido eliminado do mundo [...] e tornado como que latente". O produto desse esmagamento, desse confinamento é um ser humano (§ 16) "impacientemente lacerou, perseguiu, corroeu, inquietou, maltratou a si mesmo, esse animal que querem 'amansar', que se fere nas barras da própria jaula, este ser carente, consumido pela saudade do deserto, que a si mesmo teve de converter em aventura, em câmara de tortura, em selva insegura e perigosa – esse tolo, esse prisioneiro ansioso e desesperado tornou-se o inventor da 'má consciência'. Com ele, porém, foi introduzida a maior e mais sinistra doença, da qual até hoje não se curou a humanidade, o sofrimento do homem *com o homem*, *consigo mesmo*". São os problemas da agressão, do recalcamento, das neuroses – que têm ocupado a análise existencial a partir e por meio de Nietzsche –, que ele ilumina aqui com uma luz tão forte, que ele precisava iluminar porque seu tempo ainda tentava fugir deles. Agora, porém, Nietzsche não se contenta com a análise do modo da existência humana. De repente, irrompe sua fé no futuro do ser humano como uma possibilidade de uma natureza superior, a fé à qual se dedica seu "Zaratustra", na qual ele esboça uma forma de existência além do bem e do mal também como artista, como poeta, e não como conquistador ou domador de homens, um futuro que deixa para trás todas as características animais. No fim do § 16 ele escreve: "Acrescentemos, de imediato, que, com o fato de uma alma animal voltada contra si mesma, tomando partido contra si mesma, surgia na terra algo tão novo, tão inaudito, tão profundo, enigmático, pleno de contradição *e* de futuro, que o aspecto da terra se alterou substancialmente. [...] O homem se inclui, desde então, entre os mais inesperados e emocionantes lances no jogo da 'grande criança' de Heráclito, chame-se ela Zeus ou acaso – ele desperta um interesse, uma tensão, uma esperança, quase uma certeza, como algo se anunciasse com ele, algo se preparasse, como se o homem não fosse uma meta, mas apenas um caminho, um episódio, uma ponte, uma grande promessa ---"

Trata-se do velho sonho dos filósofos – também de Platão, que Nietzsche tanto desdenhava – segundo o qual a filosofia seria um meio, um caminho, talvez o caminho para a humanidade plena e verdadeira, liberta de sua origem animal. No entanto, podemos duvidar se os métodos concretos e detalhados apontados por Nietzsche nos levem ao destino desejado*. Assim, a "Genealogia" se insere perfeitamente não só na obra geral de Nietzsche, mas também no decurso da história da filosofia como um todo.

A "Terceira dissertação", "O que significam ideais ascéticos", com sua crítica ao "sacerdote" e com seus ataques contra o Novo Testamento e Lutero, já remete claramente ao "Anticristo" e antecipa algumas de suas teses. Surpreendentes e apenas forçosamente vinculadas ao tema geral da "Genealogia da moral" são algumas passagens sobre Wagner e sobre o "Parsifal". A experiência musical do janeiro de 1887, o encanto que Nietzsche experimentou ao ouvir o prelúdio do "Parsifal", o inquieta, ele precisa processá-la para libertar-se dela. O vínculo das passagens sobre Wagner e sobre o "Parsifal" com a crítica geral ao ideal ascético se apresenta de forma bastante artificial à luz da experiência impulsionadora. Em um ponto, po-

* Um grande número de suas opiniões remete a modelos antigos, essencialmente pré-platônicos, p. ex., ao fragmento DK 88 B 25 de Critias (Nietzsche usou ainda a coletânea de Mullach). Não só externamente nas muitas citações em latim e também em grego, mas também no conteúdo da "Genealogia" manifesta-se a filologia clássica como formação de Nietzsche.

rém, elas se encontram com as outras: elas remetem a escritos futuros. As restantes remetem ao "Anticristo"; estas, ao "Caso Wagner" e a "Nietzsche contra Wagner". Com clareza suprema, Nietzsche expõe aqui sua posição filosófica contra Wagner e o "Parsifal" (III, § 25): "A arte, na qual precisamente a mentira se santifica, na qual a *vontade de enganação* tem a boa consciência a seu favor, opõe-se de forma muito mais radical do que a ciência ao ideal ascético: assim percebeu o instinto de Platão, esse grande inimigo da arte, o maior que a Europa jamais produziu. Platão contra Homero: eis o verdadeiro, o inteiro antagonismo – ali, o mais voluntarioso 'partidário do além', o grande caluniador da vida; aqui, seu involuntário divinizador da vida, a natureza *áurea*. A vassalagem de um artista a serviço do ideal ascético é, portanto, a mais clara corrupção do artista que pode existir, e, infelizmente, uma das mais corriqueiras: pois nada é mais corruptível do que um artista". Nietzsche caracteriza essa sentença como excurso e antecipação ao acrescentá-lo entre parênteses.

Por isso, devemos observar nesse contexto também que agora parece se abrir a possibilidade de um contato pessoal com Johannes Brahms, o antípoda musical não dramático de Wagner. Em 18 de julho de 1887, Nietzsche escreve a Köselitz: "Uma curiosidade: Dr. Widmann [...] me escreveu uma carta entusiástica; também sobre Brahms [...] (este leu com interesse 'Além do bem e do mal', e agora está prestes a se dedicar à 'Gaia ciência'). – Poderia eu fazer algo pelo Leão de Veneza nessa direção??? Pontos de interrogação".

Nietzsche sabia muito bem que o caminho para o sucesso no mundo da ópera de seu *protegé* Köselitz certamente não passaria pelo músico não dramático Brahms. O ponto de interrogação se ergue diante do próprio Nietzsche, como já treze anos antes, em 1874, após a apresentação do "Hino triunfal" de Brahms em Basileia, quando Nietzsche escreveu a Rohde em 14 de junho de 1874: "[...] foi uma das provas estéticas mais difíceis para a minha consciência". Sem mencionar qualquer vínculo com Köselitz, Nietzsche escreve à mãe em 5 de agosto com grande satisfação: "Escreveram-me que o famoso compositor Johannes Brahms [...] se ocupa muito com os meus livros. Tudo indica que sua velha criatura exerce uma forte atração sobre os senhores músicos". Os pensamentos e as esperanças de Nietzsche em relação a Brahms se manifestam de forma mais evidente na carta de 11 de setembro a Widmann, à qual ele acrescenta de forma inesperada[124]: "[...] o senhor estaria disposto a entregar algo ao Sr. Johannes Brahms em meu nome, se ele ainda estiver próximo? (Uma composição minha, que será publicada em breve, o 'Hino à vida', para coral e orquestra.) Pois eu sou, como Wagner dizia, 'um músico frustrado' (e ele, 'um filólogo frustrado')".

Desfecho em Sils

Após a visita de Paul Deussen e de sua esposa, após a partida de Meta von Salis e das damas Mansuroff e Fynn, Sils se torna novamente inóspita no sentido literal: O outono é bem mais frio do que nos anos anteriores (e mais "triste, chuvoso: o que intensifica a sensação do frio"), ele escreve a Köselitz em 15 de setembro. Nietzsche está com frio. O que prende sua atenção agora são as folhas de correção da "Genealogia da moral". Em 7 de setembro, ele recebe a quarta folha; no dia seguinte, a quinta; e no dia 11 de setembro, a sexta folha. Uma carta do poeta e editor Ferdinand Avenarius lhe traz um novo impulso para o dia a dia: Avenarius pergunta se ele gostaria de colaborar com a revista "Der Kunstwart", que será publicada a partir de 1º de outubro.

A princípio, Nietzsche não pretende recusar a oferta rudemente, pois em sua situação editorial atual (ele se vê obrigado a financiar com dinheiro próprio a "Genealogia da moral") esse contato poderia ser um último refúgio. É nesse sentido que ele escreve a Köselitz em 8 de setembro: "Gostaria de dizer 'sim', pois seria bom ter um lugar para contribuir com argumentos *in aestheticis*. Pensei mais em você do que em mim. Avenarius é poeta [...], mais ainda um intermediário muito ativo com instinto editorial". Mas apenas dois dias mais tarde, sua postura muda. A carta de Nietzsche de 10 de setembro, porém, contém ainda uma surpresa: ele recomenda não só Köselitz, mas sobretudo *Carl Spitteler*. "Até agora, respondi a esse tipo de convites sempre com 'não': não adianta, preciso fazê-lo também neste caso. Por favor, veja nisso nada mais do que uma das cinco mil necessidades, que uma vontade resoluta de independência acarreta. Não se é 'filósofo' sem ser castigado por isso. Simplesmente não quero me envolver com revistas: São sempre publicações partidárias, sobretudo quando elas mesmo acreditam que não o são [...]. Essa minha 'abstinência' é retribuída: as pessoas se abstêm também de mim. Pelo menos, é o que me informa Gottfried Keller ('seu nome é praticamente inexistente em revistas alemãs'). [...] Eu mesmo não li três linhas sobre mim que teriam conseguido despertar meu interesse [...]. Por outro lado, para demonstrar-lhe minha empatia, quero chamar a sua atenção, prezado Sr. Lyricus, para dois senhores, cujo gosto fino e livre *in artibus* já provocou várias vezes a minha admiração (e que sabem escrever). Um deles é um músico alemão, que vive em Veneza há anos, em um isolamento indigno; raramente, muito raramente ele recorre também à escrita (sob algum pseudônimo, p. ex., Thomas Murner: precisaríamos seduzi-lo para que documentasse seus juízos sobre a música e os músicos. Informo-lhe o endereço exato, porém, em sigilo: Signor Enrico Köselitz, San canciano, calle nuova, 5256, Venezia. O outro senhor é suíço, Prof. Spitteler (Neuveville no Cantão de Berna); talvez já tenha ouvido dele sob o nome 'Tandem'?* Alguns ensaios estéticos de sua autoria que eu conheci por acaso [...] me revelaram uma mente extraordinariamente ponderada e fina (– ele escreve com humor: que sorte!). Recomendo-lhe calorosamente ambos os homens; sua colaboração honraria até as revistas da mais alta qualidade [...]". E após a assinatura, acrescenta: "*Ad vocem* música: Cuidado com todos os wagnerianos que escrevem – são todos eles animais com chifres ou pântano"[124].

Nietzsche não havia lido três linhas positivas sobre ele mesmo? E a resenha de Widmann, que tanto o entusiasmara?

Isso surpreende ainda mais, pois já no dia seguinte ele escreve a Widmann: "[...] por favor, transmita ao seu excelente funcionário Prof. Spitteler o meu mais devoto elogio: li agora mesmo sua 'Crítica da orquestra moderna'**. Quanto conhecimento, tato, independência do juízo! que *esprit*, que humor artístico! E no que diz respeito ao seu gosto *in rebus musicis et musicantibus*, uma única coisa me impede de elogiá-lo – o fato de ser exatamente o meu gosto. Lembrei-me de algumas coisas dele que eu li no inverno passado em Nice (sobre teatro e coisas teatrais); [...] em cadernos que encontrei completamente por acaso nas edições dominicais do jornal 'Bund'. Não seria possível reunir essas *Aesthetica* do senhor acima mencionado? O resultado seria um livro de qualidade rara, feito para alguns *gourmets*, que hoje não faltam. *Pulchrum est paucorum hominum*. – Ontem, um Sr. Avenarius de Dresden me convidou a colaborar com uma nova revista de arte, e eu me permiti a liberdade de recomendar em meu lugar o Sr. Spitteler".

Nietzsche não chegou a vivenciar a realização de seu desejo de uma coletânea dos escritos de Spitteler sobre assuntos da estética, mas Avenarius acatou imediatamente a recomendação de Nietzsche, pela qual Spitteler agradeceu a Nietzsche, inserindo ainda algumas observações, às quais Nietzsche reagiu imediatamente. Em 17 de setembro, ele lhe escreve[121]: "Uma única palavra sobre suas linhas: pois estou prestes a viajar. Vejo que o senhor argumenta contra redações e editoras – isso me põe um pouco contra o senhor. Perdão! Quando se produz coisas que não sejam bens para as massas, não se pode culpar os fornecedores das massas de permanecerem desinteressados nessas coisas. Isso não significa que sejam 'covardes' ou 'corruptos'. – É preciso ver essa situação como um privilégio [...] e agarrar-se à alegria com os dentes. Hoje, aquele que 'ri melhor' ri – e o senhor pode acreditar

---

* "Tandem" é o pseudônimo de Spitteler, sob o qual ele publicou sua obra "Prometheus und Epimetheus".

** O texto "Crítica da orquestra moderna" de Spitteler deve ser o ensaio "Alegoria na orquestra"[224].

em mim! – por último! E não vale querer viver de seus talentos (a não ser, é claro, que sejam talentos de exceção)". E após a assinatura: "Farei algumas tentativas de encontrar um editor para as suas *Aesthetica*".

E Nietzsche realmente está pronto para partir. Em 19 de setembro, Nietzsche se despede de Sils após uma estadia de mais de três meses e viaja diretamente para o sul, pelo passo de Maloja e pela região de Bergell. Em 20 de setembro, em meio a uma tempestade, ele alcança Menaggio no Lago de Como, onde já se instalaram as suas damas Fynn, e às sete e meia da noite de 21 de setembro ele chega em Veneza, onde passa exatamente um mês na companhia de Köselitz, para então, em 22 de outubro, refugiar-se uma última vez em Nice.

A última visita a Veneza

Veneza significa tranquilidade, recuperação, recuperação também por meio da música inofensiva de seu maestro Peter Gast. Ainda em 15 de setembro, Nietzsche não havia decidido se viajaria para Veneza ou Leipzig – "esta para fins eruditos, pois ainda preciso aprender, perguntar, ler muito em vista da parte principal da minha vida, que agora preciso completar. Isso, porém, significaria não um outono, mas um inverno inteiro na Alemanha: no entanto, minha saúde me aconselha urgentemente a não me arriscar com esse experimento perigoso neste ano. Por isso, tudo aponta para Veneza e Nice: e preciso também, segundo seu próprio juízo, agora do profundo isolamento comigo mesmo mais do que conhecimentos e perguntas sobre cinco mil problemas individuais". Os preparativos fundamentais para a sua "obra principal" são adiados por pelo menos um ano.

E já que Nietzsche tem seu amigo Köselitz por perto, sua correspondência diminui muito e se torna escassa para esse mês. Como destinatários permanecem apenas Overbeck, a mãe e a irmã no Paraguai.

Nietzsche mora no endereço calle dei preti 1263 (San Marco). Um clima favorável torna esta estadia muito agradável: "tempo claro, fresco, sem nuvens, quase como em Nice", ele escreve à mãe em 3 de outubro. Mas para Nietzsche, Veneza continua sendo a cidade em que Wagner morreu e, por isso, reaviva o "problema Wagner", inclusive o problema "Ariadne". E é desse tempo que provém a anotação ambígua: "No final, uma peça de Sátiro /

Intrometer-se: breves diálogos entre Dioniso, Teseu e Ariadne

– Teseu está ficando absurdo, disse Ariadne, Teseu está ficando virtuoso –

Ciúme de Teseu pelo sonho de Ariadne. Lamento de Ariadne.

O herói, admirando-se a si mesmo, tornando-se absurdo,

Dioniso sem ciúmes: 'Aquilo que amo em ti, como um Teseu poderia amá-lo?' --- Último ato. Casamento de Dioniso e Ariadne.

'Não se tem ciúmes quando se é um deus: disse Dioniso, a não ser dos deuses.'

'Ariadne, disse Dioniso, tu és um labirinto: Teseu se perdeu em ti, perdeu seu fio; o que lhe vale agora não ter sido devorado pelo Minotauro? Aquilo que o devora é pior do que um Minotauro.'

'Tu me adulas', respondeu Ariadne: cansei-me de minha compaixão, que todos os heróis encontrem sua ruína em mim: este é meu último amor por Teseu: eu o levo à ruína"[6].

Não há dúvidas de que aqui Teseu representa Wagner.

Lugar e forma da anotação são tão estranhos que ela já provocou múltiplas interpretações e perguntas textuais críticas. Num quadro desenhado lemos: "No final, uma peça de Sátiro", e então: "Intrometer-se: breves diálogos entre Dioniso, Teseu e Ariadne". Voltemos ao 17º ano de vida de Nietzsche. Era a época em que se ocupava em Pforta com o material de Hermenerico. De repente, o material passa a dominá-lo, e em seus registros autobiográficos de 1862 nós lemos[4]: "Eu ainda estava abalado demais para poetizar e não distante o bastante para criar um drama objetivo; na música, porém, ocorreu a manifestação do meu humor, na qual a lenda de Hermenerico se encarnara completamente". Agora, é o problema "Cosima" que ele não processou ainda. Dessa vez, Nietzsche recorre à ajuda do poeta, ele procura lidar com o problema de forma artística. Ele esboça isso aqui com poucos traços. (Podach critica a banalidade das formulações e ignora que se trata apenas de verbetes.) Nietzsche procura tornar suportável essa cena séria, introduzindo-a a uma peça de Sátiro. É interessante observar que temos aqui uma antecipação formal de "Ariadne em Naxos", de Hofmannsthal-Richard Strauss!

Aparentemente, a biblioteca em Veneza possuía muitas revistas alemãs. Nietzsche não podia mais se queixar de ser "desconhecido" ou "ignorado". Depois de duas semanas, em 5 de outubro, ele apresenta à mãe toda uma antologia de críticas sobre seus livros, principalmente sobre "Além do bem e do mal": "[...] uma mistura horripilante de rejeição e equívocos. Meu livro é chamado de 'tolice superior' ou acusado de ser 'diabolicamente calculista'. Alguns exigem que seja entregue ao carrasco [...], outros me glorificam como filósofo da aristocracia. Alguns me desprezam como um segundo Edmund von Hagen, outros me veem como Fausto do século XIX, e ainda outros se afastam cautelosamente de mim como 'dinamite' e besta. E esse juízo sobre mim precisou de 15 anos para se formar; se tivessem entendido algo do meu primeiro escrito 'Nascimento da tragédia', poderiam ter se escandalizado da mesma forma já na época [...]. Sem dúvida alguma, a França ainda me descobrirá alguns anos antes da minha pátria". Naturalmente, a mãe se assustou com tudo isso e acreditava que ele havia provocado essa onda de rejeição com seus ataques contra o cristianismo. A isso ele lhe responde em 18 de outubro: "[...] para tranquilizá-la posso dizer [...]: Os juízos que lhe enviei provêm todos da esfera dos partidos não eclesiásticos [...]. Não eram juízos de teólogos. Quase todas as críticas (feitas em parte por críticos e estudiosos muito inteligentes) faziam questão de ressaltar que não pretendiam entregar-me aos corvos dos púlpitos e altares. A oposição em que me encontro é cem vezes mais radical, de forma que as questões religiosas e denominacionais nem chegam a importar". E todos esses juízos tampouco conseguem abalar sua fé em sua tarefa filosófica: "[...] conheço os homens o bastante para saber que, em 50 anos, a opinião sobre mim terá se invertido. Então, o nome de seu filho será pronunciado com glória e respeito em virtude das mesmas coisas pelas quais agora eu sou castigado e caluniado".

A despeito do clima favorável, a despeito da música tranquilizante de seu admirador Köselitz, Nietzsche se vê obrigado a se despedir de Veneza. É sobretudo a luz que afeta seus olhos; ele acredita que seja por causa da umidade do ar. Assim, despede-se em 21 de outubro de 1887 desse refúgio amigável, que lhe servira como destino de férias entre suas residências de verão e inverno.

Pela última vez em Nice

A viagem não transcorreu bem, "extremamente nocivo; um incidente perigoso entre Gênova e Milão (nos túneis, à noite); atraso de duas horas. Chegada em Nice com fortes dores de cabeça. A mala aberta, a fechadura rompida", ele escreve a Köselitz na manhã de 23 de outubro, já em sua Pension de Genève. A viagem de Veneza a Nice havia se estendido por dois dias. Em compensação, Nice está bem mais quente e "tem agora algo extasiante. Elegância mundana descontraída, grande invasão da natureza exuberante na liberalidade urbana com espaço e forma, a vegetação exótica apresenta certo africanismo (minha própria caverna – alta, colorida – me parece bizarra e judaica). E aqui estou eu mais uma vez, britânico e indiferente entre muitos britânicos!"

Mesmo assim, desenvolve um ativismo extremo nesses primeiros dias, para oferecer seu "Hino à vida" recém-publicado a todos os maestros que conhece. Köselitz envia a partitura a quinze endereços. Nietzsche envia suas cartas, uma após a outra, a maioria ainda no dia 25 de outubro às mesmas pessoas, entre elas Hans von

Bülow em Mannheim, Felix Mottl em Karlsruhe, Hermann Levi em Munique, Carl Riedel em Leipzig e Alfred Volkland em Basileia. Nietzsche espera conseguir uma apresentação na Catedral de Basileia, justamente no mesmo lugar em que o "Hino triunfal" de Brahms o impressionara tanto. E acredita encontrar em Basileia também a maior empatia: "Supondo que o 'Hino à vida' lhe agrade e lhe pareça digno de uma apresentação: não duvido que a sociedade de Basileia se interessaria muito por ele. Não existe outro lugar no mundo onde este velho filósofo seja recebido com tanta boa vontade quanto em Basileia"[121]. No esboço da carta havia ainda uma referência a uma apresentação na catedral: "Poderia eu, este velho filósofo, sonhar com a possibilidade de ouvir-me naquele lugar?"

No entanto, ele duvida de si mesmo. A Felix Mottl ele pergunta: "[...] O que o senhor pensará de mim se hoje ouso enviar-lhe uma música minha? O senhor acredita que este hino de um filósofo seja possível, cantável e apresentável? – Eu mesmo imagino tudo isso, desejo até que essa música possa esclarecer onde a *palavra* do filósofo necessariamente precisa permanecer obscura. O afeto de minha filosofia se expressa neste hino".

Mottl, o diretor designado para o festival do verão seguinte, deve ter recebido a partitura e a carta em Bayreuth. Reagindo à última oração da carta de Nietzsche, Cosima responde a Mottl: "Temo que, com ou sem afeto, a filosofia me causou muita humilhação [...]. E agora ainda música"*. Após cada obra filosófica, essa imagem se repete: por um lado, um recuo, uma hesitação assustada, por outro, uma confissão forte e por vezes cínica que supera essa insegurança.

Mas nenhum desses esforços teve o êxito desejado, o "Hino" de 1874, ao qual Nietzsche havia acrescentado a poesia de Lou Salomé em 1882, e que agora havia sido publicado na versão de Peter Gast para coral e orquestra, não chegou a ser apresentado, mesmo que Nietzsche tenha interpretado algumas respostas como positivas, como, por exemplo, a de Felix Mottl.

É com satisfação evidente que Nietzsche toma conhecimento da resposta de Brahms: "J.B. transmite por meio desta a mais profunda gratidão por sua remessa: pela honra, que esta lhe representa, e pelos impulsos significativos que ele lhe deve". Nietzsche precisa de críticas competentes sobre sua composição e espera também colher algum reconhecimento. Ele quer ser legitimizado como músico, algo que Wagner havia lhe negado. Agora, ele espera que Brahms lhe ajude nisso.

---

* Sobre isso e a interpretação equivocada dessa passagem da carta de Cosima, cf. [123].

Os cinco meses de inverno 1887/1888 em Nice

Mais uma vez, Nietzsche tenta organizar sua vida da forma mais simples possível. Nenhum abalo externo deve impedir seu trabalho.

A princípio, Nietzsche permanece em sua pensão habitual e não faz novas tentativas de encontrar outro aposento, antes procura se instalar melhor aqui. Ele organiza um aquecedor. Sua cautela seria recompensada, pois esse inverno seria, principalmente no início, extraordinariamente frio. Chegaria até a nevar. Após uma semana em Nice, ele escreve à mãe em 31 de outubro[124]: "Hoje, minha querida mãe, escrevo apenas uma cartinha, pois a pergunta é urgente. Entrementes, tenho sofrido muito com o frio antecipado: Meu quarto, no primeiro andar, voltado para o norte e com pé direito alto, me causa dedos roxos e sensações terríveis: como serão as coisas quando vier o inverno! Assim que recebi sua carta amável, fui procurar aquecedores de aluguel, [...] mas voltei profundamente decepcionado. Queriam cobrar-me 50 francos pela temporada (sem lenha e sem custo de transporte e instalação; [...]. Seu pequeno aquecedor parece-me muito mais barato, além disso, eu mesmo consigo manuseá-lo e não preciso de um servo que me ajude (este tipo de aquecedor não existe aqui). Peço então, minha querida mãe, que me envie o mais rápido possível este aquecedor, juntamente com cem quilos de combustível [...]. Mas tudo precisa ocorrer imediatamente. Peço também que me envie instruções exatas sobre como manusear e limpar o aquecedor etc. etc".

O aquecedor chega dentro de três semanas, e em 23 de novembro Nietzsche informa à mãe "que esta manhã me encontro pela primeira vez num quarto aquecido: sofri bastante antes disso, pois o clima tem sido o pior".

E pretende cuidar melhor também de sua aparência. À carta de 31 de outubro ele acrescenta o *postscriptum*: "Aquele colete preto apresenta um rasgo feio na lateral: o tecido parece muito frágil. – Um novo par de calças me custaram 4 tálers. – Ainda me falta uma gravata larga (não como a última, mas como as anteriores, que cobriam toda a camisa. O decote do colete é grande demais). Até agora, não encontrei em Nice uma gravata adequada, mas continuarei a minha busca". Em 20 de março de 1888, fazendo uma retrospectiva do inverno, ele escreve à mãe que, apesar do aumento nos gastos, causado também pelo aquecedor, ele conseguiu viver bem abaixo das condições que os outros hóspedes do hotel tiveram que pagar, mesmo alojando-se num "quarto que me agrada, alto, com uma luz excelente para os meus olhos, recém-reformado, com uma mesa grande e pesada, *chaise longue*, estante de livros e papel de parede escuros em tons de vermelho e marrom, que eu mesmo escolhi. Parece-me que terei que continuar vindo para Nice: sua influência climática me faz muito bem. Consigo usar aqui os meus olhos mais do que em qualquer outro lugar. Sob este céu, minha cabeça ficou cada vez mais livre, ano após ano. As consequências assombrosas de anos e anos de doença na proximidade e expectativa da morte se manifestam de forma mais suave aqui. Preciso mencionar também que minha digestão funciona melhor aqui do que em outros lugares; sobretudo, porém, o meu espírito está mais esperto aqui e sente menos o peso de seu fardo – refiro-me ao fardo de um destino ao qual um filósofo é condenado. De manhã, faço uma caminhada de uma hora; às tardes, uma caminhada forçada de três horas – dia após dia o mesmo caminho: lindo. Após o jantar, permaneço no salão até às nove horas, na companhia de ingleses e inglesas. [...] Levanto-me às seis e meia e preparo meu chá e como algumas torradas. Às doze horas, o café da manhã; às seis da tarde, a refeição principal. Sem vinho, sem cerveja, sem álcool, sem café: maior regularidade no modo de vida e alimentação. Desde o verão passado acostumei-me a beber água: um bom sinal, um avanço".

Curiosamente, a publicação da "Genealogia da moral" em 10 de novembro não chega a ser mencionada nas cartas, a despeito da impaciência com que Nietzsche a aguardava. "Nada ainda de Naumann. Chego até a duvidar se ele sabe que eu me encontro em Nice", ele observa ainda em 3 de novembro em uma carta a Köselitz. E: "A quais jornais e revistas deve enviar exemplares? Em vista do teor mais científico e exclusivo destas dissertações, ao menor número possível! Mas às revistas especializadas na Alemanha, França e Inglaterra". E à irmã escreve em 11 de novembro de 1887: "Acabo de instruir meu editor para que ele lhe envie um exemplar de meu último livro. Na verdade, queria poupá-la dele: pois há passagens nele [...] que de forma alguma se destinam aos seus ouvidos atuais. No entanto, quero evitar que o livro a alcance por outro caminho; e já que, após as experiências com 'Além do bem e do mal', preciso contar com essa possibilidade, opto pelo menor de dois 'males' e o envio pessoalmente".

Surpreendentemente, Nietzsche começa a esboçar uma continuação, uma "Segunda polêmica" sob o mesmo título "Genealogia da moral", novamente com três "dissertações", dando continuação à numeração: "Quarta dissertação: o instinto de rebanho na moral; Quinta dissertação: sobre a história da moral – desnaturalização; Sexta dissertação: entre moralistas e filósofos morais". E referente ao argumento, ele anota: "A moral – e repito-me aqui – tem sido até agora a Circe dos filósofos. Posfácio. Um acerto de contas com a moral. Ela é a causa do pessimismo e do niilismo. Formulei sua fórmula mais sublime"[201].

O que são todas essas "dissertações", nas quais Nietzsche se afasta cada vez mais do aforismo, aproximando-se cada vez mais do ensaio breve? Trata-se de uma aproximação, de um retorno para a forma das "Considerações extemporâneas".

No entanto, ele não chega a executar o plano, apesar do fato de que as anotações do primeiro tempo em Nice ainda girarem em torno do complexo da "Genealogia". O projeto de "A vontade de poder" adquire cada vez mais força, mas também este é recalcado pelos pensamentos que acabariam resultando em "O Anticristo", "O Caso Wagner", "O crepúsculo dos ídolos" e "Ecce homo". Planos para obras e disposições de livros com os mais diversos títulos se sucedem num ritmo cada vez mais acelerado.

Ruptura, restauração, novo início

No outono de 1887, repete-se também no nível dos relacionamentos humanos a velha sucessão de término e devir. Em 11 de novembro, Nietzsche faz uma – última – tentativa de restaurar a amizade com Rohde. Ele lhe envia o "escrito recém-publicado" (a "Genealogia"). Isso foi um equívoco, pois Rohde não gostava mais dos escritos de Nietzsche. Nietzsche chega a implorar: "Na minha idade e no meu isolamento não perco pelo menos as poucas pessoas em que tenho confiado". O "psicólogo" Nietzsche comete seu segundo equívoco no longo *postscriptum*, onde ele volta a falar sobre o conflito referente a Taine, sem abandonar o seu ponto de vista: "Consigo perdoar isso ao Príncipe Napoleão, não, porém, a meu amigo Rohde". E Nietzsche não consegue consertar isso nem mesmo com seu lamento no fim da carta: "Consegui sobreviver a 43 anos e continuo tão solitário quanto fui como criança". Mas Rohde permaneceu mudo, e o "clamor se perdeu sem resposta"[259].

Em troca, Nietzsche tem mais sorte com outro velho amigo: Carl von Gersdorff. Apesar de não ter notícias suas há dois anos e meio, ele lhe envia a "Genealogia da moral" – e Gersdorff responde em 30 de novembro, agradecendo agora também pela remessa de "Além do bem e do mal"[14]: "Eu o acompanhei além do bem e do mal e me alegrei com ele como um aluno que se delicia com prazeres proibidos. Agradeço mil vezes por ter lembrado de mim. A vida que levo ainda não me tornou insensível aos seus pensamentos; cuidamos para que o ar espiritual que respiramos não seja um ar poluído [...]. Você vive num mundo lindo e livre e considero-o feliz por conseguir viver como filósofo". E em 20 de dezembro Nietzsche lhe responde com uma carta certamente sincera: "Poucas vezes em minha vida uma carta me alegrou tanto quanto a sua [...]. Essa felicidade não poderia ter sido reservada para um momento mais oportuno. Num sentido significativo, minha vida se encontra justamente agora em pleno meio-dia: uma porta se fecha, outra se abre [...]. Quem e o que me restará, agora que faço a transição (agora que sou condenado a fazer a transição) para a essência da minha existência, é uma pergunta fundamental [...]. A verdade é que o deserto em minha volta é tremendo [...]. Comoveu-me ter recebido como presente justamente agora a sua carta e nela a sua velha amizade".

O novo relacionamento com Carl Spitteler não se desenvolveu sem dificuldades. Os dois interlocutores eram, cada um de seu jeito, personagens peculiares. Quando Nietzsche conseguiu garantir a colaboração de Spitteler para a revista "Kunstwart", de Avenarius, ele acreditava que este lhe devia algo. Ele forneceu ao jornal de Berna "Der Bund" os seus livros para uma resenha, e Spitteler realmente redigiu uma crítica para o caderno de literatura da edição do Ano-Novo. Mas também aqui o "psicólogo" Nietzsche fez um cálculo errado. Era absolutamente impensável que Spitteler – que não era filósofo nem tendia para a filosofia, a despeito de suas "Aesthetica" – conseguisse, em poucas semanas, estudar a fundo as obras de Nietzsche (o próprio Nietzsche exigia sempre uma leitura lenta!) para escrever uma representação do teor filosófico, além disso, o círculo de leitores de uma publicação diária, apesar de culto, não teria recebido bem um tratado filosófico. O jornal "Der Bund" não é uma revista especializada! Nietzsche, portanto, sentiu-se desafiado, mas conseguiu conter uma reação apressada e escreveu apenas em 10 de fevereiro de 1888, com gélida ironia na forma indireta, como que para um conhecido distante. A carta, porém, se dirige diretamente a Spitteler[124]: "O Sr. Spitteler possui uma inteligência delicada e agradável; infelizmente, como me parece, a tarefa se encontrava, neste caso, tão além de suas perspectivas costumeiras que ele nem conseguiu reconhecê-la. Ele fala, vê nada além de *Aesthetica*: meus *problemas* são praticamente ignorados – eu inclusive. Nenhum ponto essencial que me caracterizasse é mencionado. Por fim, não faltam também no reino formal, espalhados entre muitas formulações bem-educadas, exageros e erros, por exemplo: 'apenas um professor poderia ter cometido um Anti-Strauss' ... Ou: 'as sentenças curtas são o que ele menos domina' (– e eu, burro, acreditava que, desde o início do mundo, ninguém tivesse tanto domínio sobre o provérbio marcante quanto eu: cf. meu Zaratustra). Para encerrar, o Sr. Spitteler julga ainda sobre o estilo da minha polêmica, dizendo que ele é o contrário de um estilo bom; afirma que eu jogo sobre o papel tudo como me passa pela cabeça, sem ponderar meus pensamentos [...]. *Eu* falo com uma ousadia passional e dolorosa sobre três dos mais graves problemas [...] inventei para isso um novo gesto linguístico para essas coisas em todos os aspectos novas – e meu ouvinte nada mais ouve do que estilo, ainda por cima um estilo ruim, e lamenta no fim que sua esperança de Nietzsche como escritor teria diminuído bastante. Faço eu 'literatura'? – Aparentemente, considera até mesmo o meu Zaratustra um exercício estilístico (– o evento mais profundo e significativo – falo da alma! – entre dois milênios, o segundo e o terceiro –). Um último ponto de interrogação: Por que não menciona meu 'Além do bem e do mal'?" Nietzsche poderia ter facilmente encontrado a resposta para esta última pergunta: o redator-chefe Widmann havia publicado uma longa resenha sobre este livro no caderno de literatura do jornal "Der Bund" em setembro de 1886. No que diz respeito ao conteúdo da carta, precisaríamos observar ainda que, em sua autoavaliação como mestre do provérbio marcante "desde o início do mundo", ele se esquece da epigrafia antiga, que representa um próprio gênero literário e uma altíssima qualidade artística. Aqui já se manifesta a autoavaliação arrogante, principalmente em relação ao seu "Zaratustra", que retornaria em alguns meses no "Ecce homo", onde passa a ser interpretada como sintoma do fim trágico de Nietzsche. Tudo isso já está presente em clareza absoluta.

Felizmente, esse conflito não resultou em uma alienação. Nesse ponto, Nietzsche e Spitteler eram personalidades parecidas: ambos estavam acostumados com o rigor dialético. Em todo caso, Spitteler responde tentando acalmá-lo, e Nietzsche continua a se empenhar por ele. Em 4 de março de 1888, ele lhe comunica: "Hoje, em vez de uma resposta, uma boa notícia. Por fim, consegui, a despeito de muitas tentativas frustradas e desencorajamentos, despertar o interesse de um editor para a publicação de suas *Aesthetica*. Acabo de receber a carta do chefe de uma das editoras mais renomadas de Leipzig (firma Veit & Co.), o Sr. Hermann Credner, que só pode ser chamada de favorável: ele me promete voltar sua atenção para esse assunto [...]. Por favor, não se comporte de forma exageradamente 'suíça' na comunicação com este editor exigente (ele é de uma antiga família de professores de Leipzig e é, além disso, editor do Tribunal do *Reich*)! Desejando poder continuar a oferecer os meus serviços / Atenciosamente / Dr. Friedrich Nietzsche Prof."

E Nietzsche enviou o novo livro também a Jacob Burckhardt, com uma carta que demonstra seu respeito pelo seu antigo colega: "Todas as tigelas que me são servidas contêm tantas coisas duras e de difícil digestão que o ato de convidar uma pessoa tão distinta quanto o senhor chega a ser um abuso das relações de amizade e hospitalidade... Por favor, perdoe-me se, por vezes, eu digo a mim mesmo como que para me consolar: 'até agora tenho apenas dois leitores, mas *que* leitores'", isto é, Jacob Burckhardt e Hippolyte Taine. "Ninguém sente uma gratidão maior pelo senhor do que eu". Burckhardt respondeu apenas agradecendo pela remessa do livro e lhe prometeu outra carta. Esta, porém, nunca precisou ser escrita.

O maior ganho desse tempo, porém, foi sem dúvida alguma Georg Brandes, o respeitado docente da Universidade de Copenhague, que agora começava a se interessar vividamente por Nietzsche.

Elisabeth Förster relata[1] que um senhor de Viena teria apontado Brandes para Nietzsche no verão de 1886. Infelizmente, ela não menciona o nome. Podemos, porém, supor que se tratava de um dos professores que povoaram Sils naquele verão e que ele pertencia ao círculo de admiradores predominantemente judeus de Viena, como já Lipiner e Paneth.

Em 1886, Nietzsche enviou a Brandes seu livro "Além do bem e do mal", e agora, apesar de Brandes nunca ter reagido, envia-lhe também a "Genealogia da moral". Não é a primeira vez que Nietzsche demonstra certa insistência. Neste caso, ela rendeu frutos. Em 26 de novembro, Brandes responde: "Desta vez, porém, sinto-me impulsionado a transmitir-lhe imediatamente minha mais sincera gratidão pela remessa. Sinto-me honrado pelo fato de o senhor me conhecer e de me conhecer ao ponto de querer conquistar-me como seu leitor". Então, Brandes fala brevemente sobre os pontos que os unem e separam e expressa seu desejo de encontrá-lo pessoalmente: "O senhor é uma das poucas pessoas com as quais desejo falar". Isso não veio a acontecer. O que falta ainda é qualquer referência a uma ocupação mais intensa com a filosofia de Nietzsche, talvez até mesmo numa preleção. O que mais impressiona Nietzsche na carta de Brandes é a expressão "seu radicalismo aristocrático". "Esta é a palavra mais inteligente que li até agora sobre a minha pessoa." Nietzsche se esquece que ele se entusiasmara igualmente com as expressões "explorador de fronteiras" de Burckhardt e "dinamite" de Widmann. Nietzsche responde à carta de Brandes, de 26 de novembro, com uma rapidez incomum em 2 de dezembro. Ele se abre para o novo parceiro sem resguarda – como já o fizera tantas vezes. No fundo, Nietzsche é facilmente acessível e ingênuo. Isso já lhe rendeu várias decepções, mas esse traço corresponde tanto ao seu ser que ele o repete novamente sem qualquer reserva. Além disso, sua situação o obriga a tal comportamento: ele precisa da proximidade, da compreensão de um ser humano: "Alguns leitores que eu prezo pessoalmente, de resto nenhum leitor – este é o meu desejo [...]. Tanto mais me alegra o fato de que, para o *satis sunt pauci**, os *pauci* não me faltam nem jamais me faltaram. Entre os vivos menciono [...] meu excelente amigo Jacob Burckhardt, Hans von Bülow, Mr. Taine, o poeta suíço Keller; entre os mortos, o velho hegeliano Bruno Bauer e Richard Wagner. Alegro-me verdadeiramente que um europeu e missionário cultural tão bom quanto o senhor se juntará a eles. Agradeço-lhe de todo coração por sua boa vontade".

---

* Seneca, epist. ad Luc. 7, 11.

Nietzsche envia a Brandes todos os seus escritos anteriores *en bloc*, até mesmo seu "Zaratustra IV" secreto e também seu "Hino à vida", perguntando: "O senhor é músico?" Brandes não é músico, ele deve suas impressões artísticas mais profundas à escultura e pintura. Neste ponto essencial, eles não são compatíveis.

Rapidamente, os dois desenvolvem uma correspondência intensa. Dentro de um ano, vinte cartas são trocadas entre os dois homens. Isso introduz um novo foco na vida de Nietzsche, mas suscita também um velho problema.

Nietzsche se vê compreendido e apoiado em grande medida por judeus: primeiro Lipiner, depois Paneth, recentemente Helen Zimmern, Avenarius e agora Brandes (pseudônimo para Cohen). Por outro lado, sua atenção é atraída de forma inequívoca pela agitação antissemita emergente, para a qual ele já havia sido preparado pelo conflito com seu cunhado Bernhard Förster e contra a qual ele se defendia com veemência: "Desde que li a 'correspondência antissemita' não conheço mais nenhuma cautela. Esse partido corrompeu, nesta ordem, o meu editor, minha fama, minha irmã, meus amigos – nada se opõe mais à minha influência do que a vinculação do nome Nietzsche a antissemitas como E. Dühring: todos entenderão quando recorro aos meios da autodefesa. Eu expulso *qualquer um* que desperta minhas suspeitas neste sentido (você entende que me agrada imensamente quando este partido começa a declarar guerra contra mim: mas esta guerra deveria ter começado dez anos atrás)", ele escreve à mãe em 29 de dezembro de 1887[121].

Mas precisamos perguntar se Nietzsche realmente assume uma postura tão clara, se, além do cristianismo com sua fundamentação na metafísica e ontologia de Platão, ele não começa também a atacar a ética judaica.

Em Nietzsche, conflitam os antigos antagonismos: Hellas contra o Oriente, mais precisamente: a filosofia natural iônica contra o rigor religioso judaico. A formação grega de Nietzsche, sobretudo na base da filosofia natural iônica pré-platônica, iluminista, se manifesta novamente nele, impregna seus pensamentos. Ele cai vítima do mesmo conflito que Wagner também vivenciou, que Nietzsche reconhece na obra tardia de Wagner, mesmo que sob sinais invertidos.

Wagner fazia parte do círculo antissemita (Heinrich von Stein, Hans von Wolzogen e também Cosima), mas que teve sua manifestação vergonhosa apenas depois de sua morte, na segunda geração (Winifred Wagner, H.S. Chamberlain). Mesmo assim, contratou o judeu Hermann Levi como maestro para a estreia do "Parsifal". E é justamente nessa obra que encontramos um reflexo deste mesmo conflito. O Castelo do Gral se encontra ao norte dos Pireneus, no âmbito das sagas "arianas". O castelo mágico de Klingsor se encontra aquém, no sul dos Pireneus, no âmbito oriental, mauro e semítico. Na vida prática, Wagner opta por Levi; na obra, ele provoca a ruína do oriental Klingsor e celebra a vitória de Parsifal.

Será que Nietzsche encontraria uma solução semelhante, permitindo que Zimmern, Avenarius e Brandes espalhassem sua fama pelo mundo, enquanto que na obra (no "Anticristo"), ele mata a ética judaica como "moral de escravos", como moral de um povo oprimido, que só tem esse caminho para chegar ao poder? O destino não lhe deu o tempo necessário para tomar uma decisão, e assim permanecem em seus cadernos de anotações desse tempo as declarações mais controversas de forma irresolvida como testemunhas de uma luta passional: um baú de tesouro para os ecléticos com segundas intenções!

O acorde dominante atual

Os movimentos intelectuais de Nietzsche sempre apresentavam um vínculo com a realidade no sentido de que sempre se deviam a um impulso agudo, seja humano, musical ou literário. Nesse inverno de 1887/1888 dominam essencialmente três relacionamentos humanos. Um deles é o novo contato com Georg Brandes. Igualmente significativa é a relação com Carl Spitteler, intensificada pela música. Como amigo de J.V. Widmann, ele tinha proximidade com Brahms, não só no sentido pessoal, mas também em sua percepção musical; o que, na verdade, era curioso. Esperaríamos neste mitopoeta épico uma afinidade maior com o mitopoeta dramático Wagner.

Nesse período, Spitteler publicou alguns artigos sobre a estética, principalmente da arte sonográfica, que Nietzsche leu com interesse. Agora, ele voltou a se ocupar com mais intensidade com sua posição em relação à música e, principalmente, a Wagner, e ele tentou esclarecê-la em seus escritos "O Caso Wagner" e "Nietzsche contra Wagner". A história da evolução deste segundo escrito revela o quanto Nietzsche era impulsionado por Spitteler, pois chegou até a cogitar a possibilidade de publicá-lo como obra de parceria, até mesmo sob o nome de Spitteler!

As anotações desses meses, que giram principalmente em torno dos problemas da ética e do cristianismo (comparando este com o budismo, Vedanta e até mesmo Manu), são interrompidas repetidas vezes por observações e até pequenos ensaios sobre Wagner e a música em geral.

Nietzsche recorre até mesmo o conflito musical entre Piccini e Gluck para fundamentar sua posição filosófica contra Wagner. O impulso para esse empreendimento partiu das cartas do Abbé Galiani à Madame d'Epinay, que ele menciona.

Niccolò Piccini, nascido em 1728 em Bari, falecido em 1800 em Passy, perto de Paris, era representante típico da ópera italiana da escola napolitana. Ele adquiriu fama com *opere serie* bem-sucedidas e com a ópera bufa. Trabalhava em Paris desde 1776, onde foi estilizado, contra a sua vontade, como rival de Gluck pelos círculos literários e sociais, uma antítese que, com a morte de Gluck em 15 de novembro de 1787, rapidamente caiu em esquecimento, pois, a despeito de seu revestimento estético, devia sua constituição sobretudo a sentimentos nacionalistas. Gluck, nascido em 1714 na região do Alto Palatinado, que residia em Viena e conseguiu apresentar suas "óperas de reforma" em Paris apenas graças ao apoio de alguns círculos da corte, provocou o protesto de Marmontel, La Harpe e d'Alembert, ou seja, de autores que Nietzsche ainda prezava. Além do 100º aniversário da morte de Christoph Willibald Gluck, que evocou a lembrança daquele conflito, existiam muitos paralelos com seu conflito com Wagner, que, com sua declaração de guerra contra a "Grande Ópera" francesa, referia-se explicitamente à obra reformadora de Gluck. Ao chamar-se agora de "piccinista", Nietzsche encobre apenas o conflito interior irresolvido com a música de seu tempo. Ele questiona sua reivindicação de representar algo mais profundo, de remeter à transcendência, algo que entendem tanto Gluck quanto Wagner. Nietzsche exige a "retidão artística" (como o formula explicitamente mais tarde numa carta a Malwida von Meysenbug), ou seja, a soberania da forma musical na obra dramática, a experiência sensual e imediata da paixão humana, existente na ópera italiana. Mas sua maior acusação contra Wagner é o aspecto místico e extasiante de sua música, à qual ele mesmo é tão suscetível – e à qual ele não pode se permitir, pois viola os princípios de sua dieta espiritual, com todas as consequências psicossomáticas.

Ele tenta recalcar esse êxtase por um outro, que lhe parece mais inofensivo. Por exemplo, por "Offenbach: música francesa, com o espírito de Voltaire, livre, descontraída, com um pequeno sorriso sardônico, mas clara, espirituosa até mesmo na banalidade (– ele não maqueia –) e sem a *mignardise* da sensualidade doentia ou loura de Viena"[6]. E, por fim, contrapõe sempre de novo a "Carmen" de Bizet a Wagner, como "antialemão: o *buffo*. A dança moura"[6]. Nice lhe oferece também nesse inverno várias coisas desse tipo, mas não ópera italiana e sim teatro francês: quatro vezes "Carmen", uma das primeiras óperas de Bizet "Os pescadores de pérolas", da qual ele foge após o primeiro ato por ser ainda parecida demais com "Wagner", e as três operetas de Offenbach "La Périchole", "La Grand-Duchesse (de Gerolstein)" e "La fille du Tambour-major". Além destes "Lakmé" (ópera cômica de 1883) de Léo Delibes (1836-1891) e "Amleto" (Hamlet, 1868) de Ambroise Thomas (1811-1896), "muitas iguarias", como ele observa. Sobre um concerto em Monte Carlo

(29 de dezembro de 1887) com música francesa contemporânea, "para ser mais explícito, muito Wagner ruim", ele escreve a Köselitz em 6 de janeiro de 1888: "Não aguento mais essa música pitoresca sem ideias, sem forma, sem qualquer ingenuidade e verdade. Nervosa, brutal, insuportavelmente impertinente e arrogante – e tão maquiada!!! Uma das peças foi um tipo de tempestade marítima; a outra, uma caça selvagem (de César Franck); a terceira, um balé das Erínias (com a Oresteia de Ésquilo!!!). *Isso* é décadence". Essa expressão se torna agora moeda verbal diária de Nietzsche, reintroduzida pelo funcionário do "Journal des Débats" Paul Bourget, pois Nietzsche já conhecia a expressão das conversas em Tribschen[258]. "A música me passa agora sensações, na verdade como nunca. Ela me liberta de mim mesmo, ela me deixa sóbrio de mim mesmo [...] e toda vez após uma noite de música (ouvi a Carmen quatro vezes) tenho uma manhã cheia de descobertas e ideias [...]. É como se eu tivesse tomado banho num elemento natural. A vida sem música é simplesmente um equívoco, uma labuta, um exílio" (carta a Köselitz, 15 de janeiro de 1888). Mesmo assim, Nietzsche tenta fugir completamente da música, para concentrar-se em sua tarefa principal, a elaboração de sua "obra principal" já anunciada várias vezes: "A vontade de poder". "Nada conheço, nada ouço, nada leio: e apesar de tudo isso, nada me importaria mais do que o destino da música", ele confessa a Köselitz em 21 de março. E também a tentativa de se abster da música não adianta, o problema da "música" não o deixa mais em paz – muito menos a figura carismática de Wagner, de Richard *e* Cosima! Em 25 de novembro de 1887, ele confidencia ao seu diário[6]: "A Sra. Cosima Wagner é a única mulher de grande estilo que eu conheci; mas eu a culpo de ter corrompido Wagner [...]. O Parsifal de Wagner é primeiramente uma condescendência de Wagner aos instintos católicos de sua mulher, a filha de Liszt". E pouco antes escreve: "Aquilo que eu prezava em Wagner era a boa porção de anticristo que Wagner representava com sua arte e natureza. Sou o wagneriano mais decepcionado, pois no momento em que a boa educação exigia ser pagão, Wagner se tornou cristão. Nós alemães, se é que jamais levamos a sério as coisas sérias, somos todos zombadores e ateus! Como Wagner também o foi!"*

Esse conflito latente entre rejeição filosófica fundamental e decepção pessoal de um lado e o encanto pela música de Wagner, pela figura paterna e por Cosima de outro – o tempo não lhe dará mais o privilégio de resolvê-lo. Nietzsche tentou afugentar o problema com o "Caso Wagner" no sentido de uma declaração de guerra pública, mas ele não teve sucesso com isso; o problema persistiu e continuou

---

* Mais tarde, Elisabeth incluiu essa anotação em uma de suas cartas construídas (V, 777).

a exigir suas energias. Por fim, teve que escrever ainda "Nietzsche contra Wagner" – desviando assim mais uma vez sua atenção de sua tarefa principal.

De forma inesperada, porém, outro problema viria a perturbar a tranquilidade de seu jardim epicureu, no qual deveria florescer a planta de sua "obra principal", mas que agora viria a ser completamente pisoteada: a grande política, intermediada por um de seus queridos círculos de damas.

Bismarck, Stoecker, o Reich no campo de visão[17; 21; 22; 27; 59]

Em 5 de março de 1888, Nietzsche escreve à mãe: "As notícias de San Remo não trazem coisa agradável: Esse sistema de mentiras e de distorção arbitrária dos fatos, continuado por esses ingleses em aliança com um médico inglês desprezível, escandalizou até os estrangeiros, sem falar dos médicos alemães, da família imperial, de Bismarck. Por um acaso, encontro-me muito bem-informado sobre as *intima intimissima* dessa história assombrosa. – Temos, desde o 1º de março, uma grande guerra alfandegária entre a Itália e a França: nossa província é a que mais sofre em decorrência desta. Nice adquiria tudo que precisamos para nos alimentar da Itália [...]. A guerra alfandegária com suas taxas incríveis simplesmente isola os dois países um do outro [...]. Pretendem estabelecer uma linha com um barco a vapor entre Nice e Argel".

Em 9 de março de 1888, falece o Imperador Guilherme I, aos 91 anos de idade, e seu filho de 57 anos de idade, o Príncipe Frederico III, casado com uma filha da Rainha Vitória da Inglaterra, foi obrigado a assumir o cargo de imperador, apesar de estar gravemente doente, e faleceu após apenas 99 dias de "governo", em 15 de junho de 1888. Ele sofria de um câncer de laringe e havia procurado alívio nos ares de San Remo. Seu médico inglês Mackenzie questionava o diagnóstico e impediu assim a cirurgia que poderia ter prolongado sua vida. Mas esta não foi a única informação que Nietzsche recebeu de suas informantes, que ele identifica numa carta à mãe de 20 de março: "Atmosfera bastante alemã: Sra. Von Münchow, Srta. Von Diethfurth etc. Minha vizinha de mesa é, também neste inverno, a Baronesa Plänckner, nascida Seckendorff: como tal, em contato constante com todos os Seckendorffs da corte e do exército (p. ex., com o Conde Seckendorff, que, como todos sabem, é a mão direita – e um pouco mais – da nova imperatriz!). É, também, amiga próxima do conselheiro secreto Von Bergmann, de modo que fui muito bem-informado sobre as coisas em San Remo. Até segurei em minhas mãos algumas folhas escritas pelo príncipe herdeiro na véspera de sua partida". A Europa enfrentava uma guerra continental, a Alemanha estava fortemente armada. Os militares, Moltke e Von

Waldersee, queriam convencer Bismarck da necessidade de uma guerra preventiva contra a Rússia para não ter que se preocupar com a retaguarda no caso de um ataque francês. Mas ele ainda invocava o Pacto dos Três Imperadores (Alemanha, Áustria, Rússia) de 1881, apesar de não atribuir-lhe nenhum grande efeito. A conspiração do czar com a França inquietava os espíritos na Alemanha. Então, Bismarck fez o jogo duplo de assinar um tratado de garantia secreto com a Rússia (18 de junho de 1887), garantindo, em troca de sua própria segurança, à Rússia sua "neutralidade", ou seja, liberdade total para suas ambições na região dos Bálcãs, sobretudo para a defesa de seus interesses na região do Mar Negro, por outro lado, firmando uma aliança com a Inglaterra, a Itália e a Áustria, garantindo à Turquia seu direito à Constantinopla, para que esta lhes servisse como proteção contra a Rússia (12/16 de dezembro de 1887). Quando o tratado secreto com a Rússia se tornou público em 3 de fevereiro, Bismarck ordenou um fortalecimento do exército e declarou em 6 de fevereiro no *Reichstag*: "Nós alemães tememos a Deus, mas nada no mundo além dele; e o temor de Deus é o que nos faz amar e cultivar a paz".

A aproximação à Inglaterra se tornou necessária, pois apenas dela podia se esperar alguma resistência séria contra o armamento marítimo e a ampliação das colônias africanas. E esse sistema fatídico de tratados e mentiras com a militarização total da Alemanha por meio de um programa militar de sete anos recebeu a bênção cristã do famoso e influente pregador da corte em Berlim Adolf Stoecker.

Stoecker nasceu em 11 de dezembro de 1835 em Halberstadt. Essa data caíra num domingo de advento, o que ele e sua família sempre interpretaram como presságio. O pai era guarda na escola de equitação dos Kürassiere, o garoto cresceu praticamente na caserna e montou seu primeiro cavalo aos 3 anos de idade.

Stoecker era calculista e precoce. Aos 12 anos, matriculou-se no *Domgymnasium* e encerrou sua formação escolar em 1854 com o *abitur*. Martin Hugo Lange, filho do reitor da escola de Pforta, havia despertado o interesse de Stoecker pela teologia. Stoecker estudou em Halle e fundou a associação estudantil Borussia. Quando um membro de sua associação comete uma infração grave contra as leis universitárias e Stoecker se recusa a revelar o nome, ele é expulso da universidade. Então, ele se muda para Berlim, onde completa seus estudos. Ele demonstra ser um pastor rigoroso e combatente em várias paróquias; exclui, por exemplo, os pais que, em matrimônio misto, permitem que seus filhos recebam uma educação católica, de sua comunidade evangélica.

Em 1871 Stoecker se torna pastor da guarnição na cidade de Metz, conquistada durante a guerra. Aqui conhece o comandante General Von Waldersee. Em 1874

(18 de outubro) ele é chamado para Berlim como pastor da corte e da catedral. Ele se mostra abalado diante do estado moral da cidade e cria, por isso, em março de 1877, uma "missão urbana".

Stoecker se preocupa também com a situação social. Contrapõe ao socialismo revolucionário um "socialismo cristão", criando seu próprio partido em 1878, o que lhe rende a inimizade mortal com os círculos marxistas. Em 1879, na luta contra eles e sobretudo contra sua imprensa, ele chega a chamar toda a imprensa liberal (não eclesiástica) de "imprensa judia", chamando todos para a resistência contra ela sob o estandarte da "Cruz Negra". Assim, torna-se um dos líderes do movimento antissemita. Ele faz palestras sobre o tema do antissemitismo em todo o país. Em 1881, faz uma visita também a Basileia* – e Nietzsche certamente teve notícias disso. Após anos de luta política e infinitos processos de difamação, Stoecker cai em desgraça com o jovem Imperador Guilherme II – juntamente com Bismarck – e abandona seu ofício de pastor em 1890. Nietzsche, porém, não veio mais a tomar conhecimento disso nem da morte de Stoecker em 1909.

Nietzsche considerava este homem particularmente repugnante: defensor do cristianismo, simpatizante das ideias socialistas e alimentador da propaganda antissemita: era impossível reunir em uma única pessoa mais características suspeitas a Nietzsche. Nietzsche obteve informações "íntimas" sobre toda essa maquinação, e ele se assustou profundamente. Ele se lembrava ainda muito bem daquilo que vivenciara em 1870 em Metz. O terror, a loucura, a catástrofe de uma guerra militar real – não de uma guerra espiritual, que ele sempre prezava – era para ele um fantasma que o assombrou até os primeiros dias de seu colapso mental em janeiro de 1889. Ele via toda a cultura europeia, que surgira do humanismo grego, ser destruída. Era esta o problema que não permitiu que ele recuperasse a tranquilidade e que permaneceu presente ainda nos últimos momentos de uma consciência já perturbada e que o levou a lançar os ataques "loucos" contra o imperador, Bismarck e Stoecker nos "bilhetes da loucura".

"A vontade de poder"

No outono de 1887, Nietzsche havia iniciado um primeiro esboço para essa "obra principal sistemática"[6]. Ele numera ao todo 372 anotações, que então ele organiza com cifras romanas (I-IV) em quatro "livros", definindo assim seu lugar.

---

* Na *Martinskirche* com o tema: "A responsabilidade pessoal dos ricos e dos pobres no movimento social da atualidade".

São, em grande parte, realmente apenas "anotações" e não "aforismos" elaborados. É provável que Elisabeth Förster e seus funcionários do *Nietzsche-Archiv* reconheceram corretamente que essas anotações representavam a primeira versão da "Vontade de poder". No entanto superestimaram essas criações. São apenas verbetes, anotações temáticas, também orientações para os pensamentos, mas nenhuma obra publicável. Mesmo assim, essa coletânea foi publicada como primeira versão de "A vontade de poder", mas logo foi retirada do mercado. Em 1911, o mundo foi presenteado com uma "obra" ampliada por várias peças do espólio, totalizando 1.067 números. Curiosamente, nem todas as 372 anotações numeradas pessoalmente por Nietzsche foram incluídas nessa "versão final"! Já em 13 de fevereiro de 1888, Nietzsche considera encerrada essa primeira abordagem. A Köselitz ele escreve: "Terminei a primeira redação da minha 'Tentativa de uma revalorização': foi, como um todo, uma tortura, e ainda me falta a coragem para esse empreendimento. Daqui a dez anos pretendo fazer um trabalho melhor". E, na verdade, isso teria sido necessário, pois os pensamentos expostos nesses 372 números não trazem nada de novo, nenhum desenvolvimento sistemático que teria demonstrado uma "vontade de poder" como impulso primordial do cosmo, como, por exemplo, a Φιλία e o νεῖκος de Empédocles, o *spermatikos logos* estoico ou, mais recentemente, a "vontade" de Schopenhauer. E tampouco podemos falar de uma revalorização de *todos* os valores, Nietzsche permanece dentro do âmbito do material temático já processado em "Além do bem e do mal". É possível que ele tenha tido uma consciência nítida disso e, por isso, sejamos talvez obrigados a interpretar literalmente suas palavras na carta a Spitteler de 10 de fevereiro de 1888, ou seja, da época do término de sua primeira "tentativa": "Sei, porém, muito bem que este livro ('Além do bem e do mal') é considerado um livro *proibido* – apesar de tudo isso, ele contém a chave para a minha pessoa, se é que existe uma. É preciso lê-lo primeiro"[121].

Pode até ser uma questão controversa da filologia nietzscheana, da história da obra de Nietzsche, se o "Anticristo" deve ser considerado a primeira parte da obra principal, cujas partes seguintes não vieram a ser escritas em virtude de sua doença; não é uma questão que diga respeito à biografia. Cabe a esta esclarecer apenas os contextos biográficos. E aqui precisamos mencionar a leitura excessiva de Nietzsche. Isso sirva talvez também como inspiração para a crítica textual. Os cadernos de anotações de Nice mencionam: Teichmüller ("Griechische Philosophie" [Filosofia grega]), Reuter ("Augustin und die religiöse Aufklärung des Mittelalters" [Agostinho e o Iluminismo religioso da Idade Média]), mas sobretudo autores franceses ou autores traduzidos para o francês: Sainte-Beuve ("Port Royal"), George Sand ("Lettre d'un voyageur"), Flaubert, Mérimée, Stendhal, Baudelaire, Renan, Victor Hugo,

Montaigne ("como entretenimento!"), Galiani, A. Pougin (1834-1921) ("Les vrais créateurs de l'ópera français", 1881), Roberty ("L'ancienne et la nouvelle philosophie", 1887), o diário de Goncourt, Tolstoi ("Ma religion") e, por fim, os artigos de Georg Brandes sobre Zola, Goethe, Turgueniev, Ibsen, Stuart Mill, Flaubert, Renan, Goncourt e Julius Wellhausen, como demonstra o espólio.

Não surpreende, portanto, que, com tudo isso, Nietzsche não foi capaz de se dedicar à sua "tarefa principal", como ele a via: "[...] de pensar algo filosoficamente homogêneo e insistir continuamente e imperturbado em um problema" (em janeiro de 1871 a Wilhelm Vischer!).

Mas o que o impediu de se dedicar ao seu plano principal foi, mais uma vez, a ocupação passional com aquilo que lhe foi apresentado por Brandes, Spitteler e a política europeia. Trata-se do conflito verdadeiramente trágico de sua existência. Ao artista e poeta, o filósofo impôs suas visões; o poeta seduzia o filósofo para abandonar o âmbito do racional e de se aventurar nos mundos intermediários da fantasia e inspiração; o homem passional não permitia que o filósofo se firmasse, e as exigências da filosofia nunca permitiram uma vida despreocupada ao homem passional. Além disso, o corpo e o espírito excessivamente sensíveis exigiam um ambiente que inspirava sem excitar. Essas exigências eram satisfeitas nos cinco a seis meses de inverno em Nice e os três meses de verão em Sils. Podemos considerar esses lugares as "residências fixas" de Nietzsche. Mas ele ainda não havia encontrado soluções para as estações intermediárias da primavera e do outono, aqui ele continuava a fazer experiências. Ele sabia apenas que precisavam ser lugares à beira dos Alpes, a uma altura mediana entre Sils e Nice, não isolados demais – mas tampouco barulhentos. Ele preferia uma cidade com uma boa biblioteca, pois o trabalho não podia parar, e Nietzsche precisava conviver não só com pessoas, mas também com livros. Veneza, Zurique e Chur eram climaticamente inadequados. Agora, Nietzsche decide acatar uma nova sugestão: *Turim*.

O calor em Nice já é grande demais e a luz se tornou intensa demais para seus olhos fracos. Ele se despede da cidade em 2 de abril de 1888, sem saber que jamais retornaria, e parte em direção a Turim, que ele alcança apenas em 5 de abril após uma verdadeira aventura.

XIV

A "Revalorização" não acontece (abril a dezembro de 1888)

Na segunda-feira de Páscoa (2 de abril de 1888), às 6 da manhã, Nietzsche embarca no trem da Riviera e se despede de Nice. Para chegar a Turim via Alexandria ele precisava trocar de trens em Savona, mas "aqui houve uma confusão completa". Em 7 de abril ele escreve a Köselitz que "realmente não fui feito para viajar a sós: eu me excito demais, de forma que só cometo tolices". Pois Nietzsche não pegou o trem para Turim, no interior, mas o trem para Gênova. Separou-se também de sua bagagem de mão, as malas foram diretamente para Turim.

A excitação da viagem e o infortúnio na troca de trens causaram, evidentemente, uma forte crise. Em Sampierdarena, uma cidade próxima de Gênova, ele teve que se refugiar num hotel, onde, doente e exausto, ficou deitado até o dia seguinte. Na quarta-feira (4 de abril) ele ousa fazer uma excursão para Gênova e se comove estranhamente com a cidade. Na mesma carta a Köselitz, Nietzsche escreve que "caminhei pela cidade como uma sombra entre lembranças. Aquilo que havia amado nesta cidade, cinco ou seis pontos seletos, agradou-me ainda mais: parecia-me tudo de uma *noblesse* pálida e incomparável, muito acima de tudo que a Riviera tem a oferecer. Agradeço ao meu destino por ter me condenado a essa cidade dura e sombria nos anos da *décadence*: quando saio dela, saio também de mim mesmo – a vontade se estende, perco a coragem de ser covarde!" Na quinta-feira, Nietzsche finalmente chega a Turim e se entusiasma imediatamente. "É esta a cidade da qual preciso no momento".

A felicidade de Nietzsche deve ter sido imensa ao, após dez anos de tentativas frustradas de encontrar um lugar adequado para os difíceis meses de transição no fim da primavera e no outono, saber que, no futuro, não precisaria mais se preocupar com isso. Quanto valor ele dava isso se revela na exaltação das descrições que insere em cada carta a Köselitz durante os dois meses dessa primeira estadia em

Turim, apesar de não se sentir bem nos primeiros dias em virtude das excitações da viagem. E queixou-se também sobre o clima. Mesmo assim: "Que cidade digna e séria! Não é uma cidade grande, não é moderna, como eu temia: é uma residência do século XVII, que tinha um *único* gosto dominante em tudo, a corte e a *noblesse*. A serenidade aristocrática se preservou em tudo; não existem subúrbios mesquinhos; um gosto homogêneo que se estende até às cores (toda a cidade é amarela ou marrom avermelhada). E um lugar clássico tanto para os pés quanto para os olhos! Que segurança, que pavimentação [...]. Aparentemente, vive-se aqui de forma mais econômica do que em todas as outras grandes cidades da Itália [...]; e até agora ninguém me enganou [...]. E o estilo palaciano é sem pretensão; [...] e tudo muito mais digno do que esperava! As cafeterias mais lindas que já vi. Nesse clima variável, as arcadas têm algo necessário: elas são espaçosas e não esmagam. À noite, na ponte sobre o Rio Pó: maravilhoso! Além do bem e do mal!"

Doze anos antes, em 31 de agosto de 1876, Jacob Burckhardt esteve em Turim e escreveu ao amigo Robert Grüninger[61]: "Hoje à tarde vi com grande deleite um vestíbulo palaciano sobre colunas arqueadas [...] e achei que o arquiteto fez jus ao espaço disponível, ao jardim etc. – Hoje à noite no Teatro Alfieri, la Traviata e balé; espero ouvir essa Traviata todas as noites e decorá-la. Além disso, acabo de ver sob os salões na Contrada del Po uma jovem dama com olhos negros sorridentes, como jamais os vira. Não há lugar em Turim onde não se encontre um grande monumento: poucas coisas ruins e algumas extraordinárias. – A galeria é muito mais rica do que em 1855 e maravilhosamente nobre, o ar é suportável, de modo que consegui ficar nela por duas horas". E, agora, Nietzsche: "Turim, querido amigo, é uma descoberta capital. Direi algumas coisas sobre ela, pensando na possibilidade de que isso possa ser vantajoso também para você [...]. O ar: seco, inspirador, divertido; houve dias com o caráter mais lindo do ar da Engadina [...]. O primeiro lugar em que minha vida é possível. – E tudo é prestativo, as pessoas são simpáticas e bem-humoradas. A vida é barata: 25 francos com serviço de quarto no centro histórico da cidade, de frente ao grandioso Palazzo Carignano de 1680; [Nietzsche residia no endereço Piazza (via) Carlo Alberto 6], a cinco passos dos grandes Portici e da Piazza Astello, dos correios, do Teatro Carignano! – Neste, desde que cheguei, *Carmen*: naturalmente! Successo piramidale, tutto Torino carmenizzato! O mesmo mestre de capela como em Nice. Além disso, 'Lalla Roukh', de Félicien David. Um jovem compositor apresenta uma opereta, para a qual ele mesmo escreveu o texto, o Sr. Miller Junior. O livro de endereços registra 21 compositores, 12 teatros, uma *Accademia filarmonica*, um liceu de música e inúmeros professores para todos os instrumentos. Moral da história: quase uma cidade musical! – Os altos e amplos Portici são um orgulho [...]. Livrarias grandes com livros em três línguas. Jamais encontrei algo igual em outro lugar. A firma Löscher é muito atenciosa comigo. Seu chefe atual, o Sr. Clausen, ensina-me muitas coisas (– cogito a possibilidade de passar um inverno aqui). [...] Informaram-me que, no verão, apenas quatro horas do dia são verdadeiramente quentes. As manhãs e as noites são refrescantes. Do centro da cidade, vê-se o mundo da neve: parece que não há nada entre a cidade e as montanhas, é como se as ruas desembocassem diretamente nos Alpes. Dizem que o outono é a temporada mais bonita. O ar deve contar algum elemento energizante: os residentes daqui são *reis* da Itália". E realmente a coroação da casa de Savoia como rei sobre uma Itália unida ocorreu em Turim.

Köselitz recusa o convite de vir para Turim com muito pesar: "Já pensei muitas vezes [...] em Turim, mas sempre me disseram que a vida era cara naquela cidade. Minha situação é difícil, se não comesse em casa, não poderia permanecer em Veneza, tão desesperadora é a minha situação". Nietzsche responde com informações detalhadas: "Vindo da boca de um funcionário público ou militar, isso pode ser absolutamente correto: essa cidade é cara, porque o obriga a representar seu cargo e por ser uma das primeiras cidades de funcionários públicos da idade (sede do Estado Maior etc.). Do *nosso* ponto de vista [...] vale o exato oposto. Ainda não conheci um lugar mais barato [...] até Leipzig é mais caro [...]. Alimento-me aqui melhor [...] *e* gasto menos! Existem muitas tratorias muito frequentadas, que reduzem ainda mais os preços: a cidade está cheia de gente jovem (e solteiros mais velhos), graças às muitas escolas superiores, à universidade e ao corpo de oficiais – todos eles querem comer bem e pagar pouco. Nas cafeterias mais luxuosas a oferta é incacreditável. O *Caffé nazionale*, por exemplo, que lembra Monte Carlo, lota suas salas às noites, os clientes ouvem um concerto de 12 peças, uma pequena orquestra – e não se paga um centavo a mais do que em outros lugares (Café 20 centavos, chocolate 30 centavos, o *pezzo gelato* 30 centavos etc.). E também os teatros não são caros. [...] Todos os teatros [...] em plena atividade; uma companhia de comédia parisiense [...] duas novas companhias de operetas [...]. A grandeza do espaço e a grandiosidade têm algo de contagiante; anda-se com um senso de liberdade maior. Agora, a cidade ostenta seus maravilhosos adornos de primavera, as avenidas – tudo isso sempre foi um gosto *principesco*. Ainda tenho dificuldades de acreditar em meus olhos quando faço uma caminhada ao longo do Rio Pó e olho para essa paisagem rica, colorida e pitoresca de florestas e colinas. [...] O rio com pequenas ilhas verdes, e, ao lado, sem interrupção, em perfeita claridade, as montanhas [...]. São estas que determinam o clima [...] os muitos dias claros [...] (apenas 50 a menos do que Nice). Constatei com surpresa quão bem eu lido aqui com dias chuvosos: trabalhei sem interrupção, já mais do que todo o inverno em Nice! Nos dias lindos, sopra aqui um vento leve, leviano, sedutor, que dá asas até aos pensamentos mais pesados – (e nem ouvi ainda a Carmen!). Prova de quanto estou ocupado comigo mesmo. Uma única visita ao teatro: [...] Por quê? Porque o maestro se chamava L. Sassone! Hoje, chamamos isso de '*induction psychomotrice*'".

Mas a indução psicomotora tinha ainda outra fonte de energia: a autoestima elevada, o orgulho estimulante de ter subido ao palco acadêmico mundial como filósofo.

Georg Brandes

Em Copenhague, Brandes fazia preleções sobre "o filósofo alemão Friedrich Nietzsche" diante de um público que lotava o auditório!

Georg Brandes (na verdade, Morris Cohen) nasceu em Copenhague, em 4 de fevereiro de 1842, como filho de um comerciante judeu. Seus pais não eram ortodoxos, e Georg Brandes é visto como fundador de uma vertente cultural radical, cosmopolita e anticlerical na Dinamarca e Noruega. Estudou direito e filosofia. Aos 22 anos de idade – em 1863 – completou seu mestrado, em 1870 obteve sua promoção com uma dissertação sobre "A estética francesa do nosso tempo", na qual ele abandonou o ponto de vista hegeliano em prol das ideias de Taine. Após viagens para a Inglaterra, França e Itália, ele fez preleções na Universidade de Copenhague sobre a literatura do século XIX. Por causa de suas ideias radicais, não recebeu a docência vacante em 1872 e, por isso, mudou-se para Berlim em 1877, onde ficou apenas até 1883, para então retornar para Copenhague. Apesar de se tornar professor ordinário apenas em 1902, ele desenvolveu uma rica atividade de preleções e publicações. Como crítico literário versado, ele se ocupou praticamente com toda a literatura contemporânea e deu apoio aos jovens poetas. Nesse contexto, interessou-se também por Nietzsche, que ele introduziu nos países nórdicos, influenciando assim Strindberg e Hamsun. Ele morreu aos 85 anos, em 19 de fevereiro de 1927 em Copenhague, após uma vida muito ativa. Contribuiu apenas dois ensaios para a literatura sobre Nietzsche: "Radicalismo aristocrático. Um tratado sobre Friedrich Nietzsche", na *Deutsche Rundschau*, em 1890, e "Friedrich Nietzsche", em "Menschen und Werke" [Personalidades e obras], em 1893.

E também as suas cartas a Nietzsche o apresentam como espírito vívido, independente e radical. Ele não é "discípulo" de Nietzsche. Brandes reconhece a agudez extraordinária do espírito de Nietzsche, as teses de Nietzsche o interessam, mas ele não as acata e defende de forma acrítica. Assim, escreve a Nietzsche em 17 de dezembro de 1887: "Sinto-me um pouco magoado pelo fato de seus escritos atacarem de modo tão rápido e violento fenômenos como o socialismo ou anarquismo [...]. Seu espírito, que normalmente costuma ser tão deslumbrante, parece um pouco recalcado quando a verdade se encontra nas nuanças. Interessam-me altamente seus pensamentos sobre a origem das ideias morais. Compartilhamos [...] certo desgosto, que alimento contra Herbert Spencer. Aqui, ele é visto como deus da filosofia. Esses ingleses, porém, têm a vantagem decisiva pelo fato de que seu espírito evita as alturas e, portanto, também as hipóteses, enquanto a hipótese fez com que a filosofia alemã perdesse seu domínio mundial. Será que suas ideias sobre a diferença de castas como fonte de variados conceitos morais não são muito hipotéticas?"

E também aos ataques de Nietzsche contra Paul Rée na "Genealogia da moral", Brandes responde que teria conhecido Rée em Berlim como homem silencioso e de conduta nobre, e também sua "quase irmã" Lou Salomé, uma "russa inteligente". Observa também que seu livro "Der Kampf um Gott" [A luta por Deus] "não conseguiu transmitir uma noção de seu talento verdadeiro", tocando assim involuntariamente em uma ferida ainda aberta.

Em 11 de janeiro de 1888, ele chama a atenção de Nietzsche para Søren Kierkegaard, como um "dos psicólogos mais profundos que existem", mas lamenta que as obras de Kierkegaard existem apenas em dinamarquês. Mesmo assim, Nietzsche acata a sugestão: "Pretendo ocupar-me com o problema psicológico de Kierkegaard em minha próxima viagem para a Alemanha". O destino não lhe deu tempo para isso. Portanto, permanece duvidoso se o filósofo Kierkegaard teria despertado o interesse de Nietzsche ou até mesmo se ele o teria compreendido. O que o levou a fazer essa declaração foi a palavra "psicólogo"!

Finalmente, após repetidos avisos ao editor Fritzsch, Brandes recebeu no final de fevereiro de 1888 os livros anteriores de Nietzsche. Brandes agradece em 7 de março: "Alegrei-me muito ao receber todos estes livros novos, folheei e li. Os livros de sua juventude me valem muito; facilitam muito a minha compreensão; agora, escalo facilmente os degraus que levam até o seu espírito. Fui apressado ao começar pelo Zaratustra. Prefiro subir do que saltar de cabeça em um mar".

Brandes aponta corretamente para um erro cometido ainda hoje pela maioria dos leitores de Nietzsche: o de começar pelo Zaratustra. Esse excurso poético (ou excurso para a poesia) deve ser lido por último. O próprio Nietzsche aponta o caminho na carta a Carl Spitteler quando diz que a leitura deve começar por "Além do bem e do mal", pois seria esta a obra que contém a chave. Mas Brandes também não erra quando decide começar pelas primeiras obras.

E Brandes oferece a Nietzsche também uma visão breve de sua própria existência: "Creio que sua vida seja calma aí no sul. A minha é uma vida de luta, que me desgasta. Odeiam-me agora ainda mais nesses países do que me odiaram dezesste anos atrás. Não é agradável, mas me alegra em certo sentido, pois demonstra que ainda não perdi o vigor e que não fiz as pazes com a mediocridade dominante". Agora, Nietzsche se entusiasma completamente com o corajoso pioneiro. Poucos dias antes de sua partida, em 27 de março, ele escreve de Nice: "Sinto pena do senhor em seu norte invernal e sombrio; como o senhor consegue manter viva a sua alma? Admiro quase todos que conseguem preservar sua fé em si mesmo sob um céu encoberto, sem falar da fé na 'humanidade' [...]. Eu seria niilista em Petersburgo: aqui, creio, como uma planta, no sol. No sol de Nice – e isso não é um preconceito. Nós o tivemos, para o detrimento de toda a Europa. Deus, com o cinismo que lhe é próprio, o faz brilhar mais sobre os 'filósofos' inúteis do que sobre a 'pátria' militar e heroica tão mais digna. Por fim, o senhor, com o instinto do homem nórdico, optou pelo estímulo mais forte que existe para suportar a vida no norte, a guerra, o afeto agressivo, a campanha dos vikings. Reconheço em seus escritos o soldado comprovado; e não só a 'mediocridade', talvez mais ainda o tipo das naturezas mais independentes e peculiares do espírito nórdico o desafiam constantemente para a luta". Brandes envia a Nietzsche o seu livro sobre o romantismo alemão (1873, edição revisada 1883), mas acrescenta que muitas passagens foram mudadas contra a sua vontade pelo revisor e pelo editor. E Nietzsche responde com um exemplo de sua própria vida[124]: "Entendo muito bem sua experiência [...] com o Sr. Hermann Credner. Eu também me envolvi com ele dois anos atrás, no entanto, assustei-me tanto com sua absurda arrogância de editor que exigi imediatamente a devolução do manuscrito. No ano passado, ele foi condenado porque ousara inverter, sem o conhecimento do autor, toda a tendência de uma obra histórica sobre a política alemã por meio de uma correção posterior". E é a este editor que Nietzsche recomenda Carl Spitteler!

O quão pouco era necessário para que algo se transformasse em núcleo de condensação para os pensamentos inquietos de Nietzsche se mostra mais uma vez, e de forma quase que assustadora, no livro de Brandes. Em 27 de março, Nietzsche lhe confessa: "Seu 'romantismo alemão' me fez pensar sobre como todo esse movimento alcançou sua meta apenas na música (Schumann, Mendelssohn, Weber, Wagner, Brahms): como literatura, nunca passou de grande promessa. Os franceses foram mais felizes. Temo que sou excessivamente músico para não ser romântico. Sem música, a vida seria um equívoco para mim". E agora ele desenvolve seu manifesto antirromântico. Nietzsche ataca "todo esse movimento" naquele ponto em que – nacionalmente como evento alemão – encontrou sua expressão sublime na reunião de poesia e música, na obra de Wagner: nos meses seguintes, escreve a polêmica "O Caso Wagner" como panfleto contra o romantismo alemão.

Do outro lado, Brandes agora se inspira com os escritos de Nietzsche: Em 3 de abril de 1888, ele lhe escreve: "Ontem, porém, quando recebi sua carta e li um de seus livros, senti uma irritação repentina, causada pelo fato de que ninguém o conhece aqui na Escandinávia, e rapidamente decidi torná-lo conhecido de imediato. O pequeno recorte de jornal o informará que estou [...] anunciando uma nova preleção sobre seus escritos [...]. Quero muito conhecer sua aparência externa, por isso, peço que me presenteie com uma fotografia do senhor. Envio-lhe com esta a última fotografia minha. Peço ainda que o senhor me escreva sucintamente quando e onde o senhor nasceu e em quais anos publicou (ou melhor: redigiu) os seus escritos [...].

Os escritos de sua juventude – os extemporâneos – me foram muito úteis. Como o senhor era jovem e entusiástico, também aberto e ingênuo! Ainda não entendo completamente muitas coisas das obras mais maduras, parece-me que o senhor reinterpreta ou generaliza muitas vezes dados muito íntimos e pessoais, oferecendo assim ao leitor um cofre sem chave. Mas consigo compreender a maioria. Com grande prazer li a obra sobre Schopenhauer, apesar de eu mesmo não dever muito a Schopenhauer, mas suas palavras pareciam ter nascido em minha própria alma".

E novamente Brandes lhe transmite um impulso: "Caso o senhor domine o sueco, quero chamar sua atenção para o único gênio da Suécia: August Strindberg. Quando o senhor escreve sobre as mulheres, o senhor se parece muito com ele".

Esta foi a virada: Preleções sobre o filósofo Nietzsche (ainda vivo) na universidade, quando, apenas agora, um schopenhaueriano (Paul Deussen) conseguia conquistar uma docência filosófica. O dia 22 de fevereiro de 1888 era o 100º aniversário de Schopenhauer, mas Nietzsche observa (em uma carta de 14 de abril a Carl Fuchs em Danzig) "que apenas poucas cidades da Alemanha comemoraram a memória de Schopenhauer. Danzig se destacou".

"Mas que surpresa! – Onde o senhor encontrou a coragem para falar publicamente sobre um *vir obscurissimus*! O senhor acha que eu sou famoso em minha querida pátria? Tratam-me na Alemanha como se eu fosse algo estranho e absurdo, que, por ora, não precisa ser levado a sério", Nietzsche escreve em 10 de abril, antes de informar sua 'vita': um documento fatídico, que já contém muitos dos ingredientes da *lenda de Nietzsche*, desenvolvida pela sua irmã biógrafa. Por exemplo: "Nasci em 15 de outubro de 1844, no campo de batalha de Lützen. O primeiro nome que ouvi foi o de Gustav-Adolf. Meus antepassados eram nobres poloneses (Niëzky); parece-me que o tipo se preservou bem, a despeito das três 'mães' alemãs. No exterior, costumam ver-me como polonês [...]". Com a exceção da data de nascimento, tudo aqui é pura ficção. E então acrescenta a lenda "Muthgen", a mesma que, poucos meses antes, ele mesmo refutou: "Minha avó pertencia ao círculo de Schiller e Goethe em Weimar; seu irmão tornou-se sucessor de Herder". Depois, apresenta-se como oficial do exército ("artilharia montada"), na verdade, porém, nem conseguira completar a escola de suboficial, tampouco foi "obrigado" – como informa Brandes – a abrir mão de sua cidadania alemã por causa de Basileia (outros docentes não o fizeram). Essa decisão nascera de sua própria vontade*.

Nietzsche se diverte como uma criança, e, em seu êxtase sobre seu sucesso inesperado, ele sente a necessidade de "embelezar-se". Rapidamente ele envia sua *vita*, mas curiosamente ele hesita com o envio da fotografia. Apenas algumas semanas mais tarde, em 25 de abril, ele pede à mãe[121]: "Aquele estudioso dinamarquês, o Dr. Brandes [...], pediu-me insistentemente uma fotografia minha, enviando-me ao mesmo tempo a sua. Este caso é tão extraordinário que não pretendo negar-lhe qualquer coisa. Se ainda existir uma fotografia, mesmo que seja a última, devemos enviá-la. [...] Por favor, faça esse sacrifício". Brandes, porém, perde a paciência e lhe escreve em 29 de abril: "Não foi uma postura muito honrada não me enviar o seu retrato. Na verdade, enviei-lhe a minha apenas para obrigá-lo. É um esforço tão pequeno, este minuto com o fotógrafo". E agora Nietzsche insiste também de forma mais enérgica com a mãe[124]: "Repito o meu pedido referente à fotografia, pois entrementes o próprio Dr. Brandes já o reiterou. Mas apenas uma das melhores, caso contrário, nenhuma".

Brandes tinha um público garantido, mesmo quando falava sobre um tema completamente desconhecido. A primeira preleção teve 150 ouvintes, mas, para ele, este número não era grande. Apenas "quando um jornal grande falou sobre minha primeira palestra e eu mesmo escrevi um artigo sobre o senhor, o interesse aumentou, e as próximas palestras tiveram mais ou menos 300 ouvintes, que acompanharam com a maior atenção a minha exposição de seus trabalhos. No entanto, não ousei repetir as palestras, como costumo fazer há muitos anos, pois o tema ainda não é muito popular". "*Sic incipit gloria mundi*", escreve Nietzsche em sua euforia ao amigo Deussen em 3 de maio. Mas à alegria se mistura uma mágoa constante pelo fato de ele não receber esse reconhecimento também em sua pátria, que ele ama profundamente a despeito de todas as acusações, críticas e decepções. Isso gera novamente aquele humor que ele responsabilizara por sua "Meditação de Manfredo" e

---

* O texto completo do *vita* para Brandes se encontra no vol. III, Documento, n. 6.

que chamara de "*cannibalido*". A Alemanha venerava agora outras personalidades, ídolos como Richard Wagner. É contra este e contra outras pessoas que Nietzsche volta agora o seu ataque direto e pessoal. Agora, ele ousa sua declaração de guerra aberta. O humor do tipo *cannibalido* determina em primeira linha o estilo do trabalho, ao qual ele se dedica durante dois meses em Turim e sobre o qual ele informa Köseltiz em 20 de abril: "Estou bem-disposto, trabalho desde cedo até a noite – um pequeno panfleto sobre música ocupa meus dedos –, eu digiro como um semideus, durmo a despeito do barulho das carruagens à noite: Tudo isso são sinais de uma adaptação eminente de Nietzsche a Torino".

"O Caso Wagner"

No início, estão apenas alguns esboços parciais. Nietzsche deve ter começado a redação definitiva do escrito apenas por volta do dia 15 de maio. Pois ele começa com as palavras: "Ontem ouvi – será que alguém acreditará – pela vigésima vez a obra-prima de Bizet" (Carmen), e isso ocorreu, como Nietzsche escreve a Köselitz em 17 de maio, apenas poucos dias antes, "uma apresentação gloriosa". Ainda em 13 de maio, ele escreve ao Freiherr von Seydlitz que ele pretende assistir à Carmen.

Esse escrito dificilmente pode ser incluído entre as "obras", mesmo que também não possa ser ignorado em sua obra completa. Outros filósofos também possuem escritos que definimos como *parerga*, como escritos que acompanham, completam e explicam a obra principal. Além disso, Nietzsche não tratou "O Caso Wagner" como algo secundário, tampouco o escreveu levianamente. Pelo contrário, é uma obra-prima estilística, cujos argumentos apresentam um equilíbrio ousado, uma proeza realizada na corda bamba suspensa entre descontração e ironia avassaladora. Em termos de volume, nem chega a ser uma "Consideração extemporânea". Nietzsche lhe dá o subtítulo de "Carta de Turim, maio de 1888". Isso, porém, se refere apenas ao início, e rapidamente Nietzsche abandona essa ficção, pois não condiz à realidade: A maior parte do texto foi escrita em Sils.

O próprio Nietzsche chama a atenção para a função existencial do momento atual com a primeira oração do prefácio: "Concedo-me um pequeno alívio".

"O Caso Wagner" já é um crepúsculo dos ídolos. Nietzsche remete a esse vínculo já no prefácio *deste* escrito: "Também este escrito [Crepúsculo dos ídolos] [...] é, sobretudo, um descanso, um raio de sol, uma excursão para o ócio de um psicólogo. Talvez também uma nova guerra?" Na verdade, tanto o "Caso Wagner" quanto o "Crepúsculo dos ídolos" são polêmicas, panfletos. Desde a "Genealogia da moral", Nietzsche se encontra no modo de ataque. Agora, porém, sobressai o motivo do "alívio", do "ócio". Mas alívio de quê?

O fardo da “revalorização”

Os cadernos de anotações desse período[6] apresentam um volume e conteúdo extraordinário. Nietzsche tem trabalhado muito, seus pensamentos estiveram em constante movimento, ele tem tentado captar os seus problemas em formulações cada vez mais precisas, criou uma série imensa de esboços, desde verbetes soltos até sentenças curtas e disposições detalhadas para obras e até mesmo ensaios e exposições sucintas. E, no meio de tudo isso, observações isoladas sobre o “Caso Wagner” e “Ecce homo”! No entanto, não representam corpos estranhos no contexto da problemática geral. É justamente nessa vizinhança imediata dos círculos de problemas aparentemente heterogêneos que reconhecemos o emaranhamento de todos os seus pensamentos. A ocupação com a arte faz parte da imagem geral, é elemento essencial do mundo espiritual de Nietzsche. Pretende dedicar-lhe capítulos inteiros, para abordar seus problemas também do ponte de vista da arte.

Mas tudo isso não consegue passar de pontos individuais e tentativas isoladas, como o “prefácio”, com o qual, ainda em Nice em 25 de março de 1888, abre um novo caderno: “*Arte*”. “Não consigo falar sobre arte com gestos ranzinzas: quero falar dela como falo também comigo mesmo em caminhadas selvagens e solitárias, nas quais, por vezes, consigo vislumbrar uma sorte e um ideal heréticos para a minha vida. Passar sua vida entre coisas delicadas e absurdas; alheio à realidade; metade artista, metade pássaro e *metaphysikus*; sem um sim e não para a realidade, a não ser que, de vez em quando, ela seja reconhecida com as pontas do pé ao modo de um bom dançarino; sempre agraciado por algum raio de sol da felicidade; descontraído e encorajado até mesmo pela tristeza – pois a tristeza *sustenta* o feliz –; acrescentando um pequeno gracejo também ao mais sagrado: tudo isso, evidentemente, o ideal de um espírito pesado, de um espírito do peso”.

E também aqui se manifesta a necessidade de um “alívio”, de “ócio”, o qual ele deixa correr solto para resolver seus problemas graves por causa do Caso Wagner. Para ele, Wagner é apenas um caso especial do grande problema da “arte” (e para Nietzsche “arte” significa em primeiro lugar “música”).

Em Wagner, o romantismo alcança seu *telos*. Nietzsche, porém, compreende o romantismo como depravação fisiológica, como estação no caminho para o niilismo, exatamente como o cristianismo. Eles são paralelos em sua função, no Parsifal de Wagner eles se tomam pela mão. “Distanciei-me de Wagner quando ele se refugiou no deus alemão, na igreja alemã e no *Reich* alemão: Outros ele conseguiu atrair com isso”, diz uma passagem amargurada em um caderno de anotações[6]. Romantismo alemão na arte e cristianismo nas religiões são, para Nietzsche, os movimentos contrários à vontade de poder, eles precisam ser “revalorizados”, i.e., ser despidos de seu valor como postura de vida, se o desenvolvimento do homem como consequência de sua vontade não deve ser impedido, se o perigo de ruir diante da negação dessa vontade, de afundar no niilismo deve ser banido. Por outro lado, a arte, contanto que seja resgatada do romantismo, contanto que o romantismo seja superado por ela, possui a força, o poder de ser um contrapeso para os fatores destrutivos. Isso oferece a Nietzsche a realizar o regresso para os pensamentos de sua primeira obra "O nascimento da tragédia"[6]: "A arte [...] é a grande possibilitadora da vida, a grande sedutora para a vida, o grande estímulo da vida. A arte, como único contrapeso a toda vontade da negação da vida, como anticristão, antibudista, antiniilista *par excellence*".

A arte como redenção daquele que reconhece...
A arte como redenção daquele que age...
A arte como redenção daquele que sofre...

No prefácio, como que convida Richard Wagner para um diálogo, ocorre essa confissão de fé, esse evangelho do artista: 'A arte como tarefa verdadeira da vida, a arte como sua atividade metafísica'".

Essas declarações sobre a obra inicial, agora na primavera de 1888, precisam ser vistas tanto no contexto geral dos preparativos para a "obra principal" quanto sob o ponto de vista das declarações feitas mais tarde em "Ecce homo". E os ataques ao cristianismo paulino se cristalizarão no "Anticristo", também o "Anticristo" é um recorte parcial da problemática geral da "obra principal" quando esta trata do problema da religião em si, problema este sobre o qual Nietzsche realiza estudos extensos. Em 31 de maio ele escreve a Köselitz: "Devo uma instrução essencial a estas últimas semanas: Encontrei o código de leis de *Manu** [...]. Este produto absolutamente ariano, um código sacerdotal da moral na base dao Vedas, do conceito das castas e da origem primordial – não pessimista, por mais sacerdotal que seja – completa minhas noções sobre a religião da forma mais curiosa possível. Confesso que tenho a impressão de que todo o resto [...] me parece uma imitação ou até mesmo uma caricatura disso [...] até mesmo Platão [...] mas bem-instruído por um brâmane. Os judeus se apresentam aqui como uma raça de candalas**, que aprende de seus senhores os princípios, na base dos quais uma classe sacerdotal se transforma em senhor e organiza um povo. E também os chineses parecem ter produzido seu Confúcio e Lao-Tsé sob a impressão desse antigo código clássico".

---

* Nietzsche leu a tradução francesa de Louis Jacolliot, Paris 1876.

** A expressão era usada já em 1869, em Tribschen.

A despeito dos muitos esboços e tentativas de estruturação da obra até ao ponto de definir as páginas ("cada livro 150 páginas, cada capítulo 50 páginas", ou seja, 10 folhas cada livro, no total de 40 folhas, o que pode ter sido motivado pelos possíveis custos de impressão), não emerge um plano sistemático para a obra. Citações e referências à filosofia antiga, porém, indicam que Nietzsche tenha planejado um desenvolvimento sistemático de uma história crítica da filosofia e religião do seu ponto de vista. É possível que, em termos formais, ele tenha se orientado na "História do materialismo" de Friedrich Albert Lange, obra esta que lhe permitira se aproximar da filosofia. Significativa é nesses contextos também a menção frequente de Pirro de Élis, que viveu uma geração após Aristóteles (mais ou menos 360-270) e cuja filosofia cética antecipa muitas teses de Nietzsche, por vezes até literalmente, como a expressão "Além do bem e do mal": Φύσει τε μὴ εἶναι ἀγαθὸν κακόν (Diog. Laert. IX, 101)[77]. Nietzsche deve ter conhecido Pirro por intermédio de Diógenes Laércio (livro IX, 61-108), onde ele aparece na companhia de Heráclito e Demócrito. O livro seguinte no Diógenes é dedicado completamente a Epicuro. E Nietzsche menciona Pirro e Epicuro numa mesma oração[6]: "Pirro e Epicuro, duas formas da *décadence* grega: parecidos no ódio contra a dialética e todas as virtudes teatrais – na época essas duas coisas eram chamadas de filosofia [...]. Sua vida era um protesto contra o grande ensinamento da identidade (felicidade = virtude = conhecimento). A vida certa não é incentivada pela ciência: A sabedoria não o torna 'sábio'. A vida certa não deseja a felicidade, ela se abstém da felicidade".

Vemos aqui Nietzsche não só no regresso aos pensamentos fundamentais de suas primeiras obras e à forma das "Considerações extemporâneas", mas também no regresso a seu fundamento científico, o método histórico-crítico e o conhecimento do filólogo clássico. É principalmente nessa função que ele expressa seu desprezo pela teologia[6]: "Outro distintivo do teólogo é sua *inaptidão para a filologia*. Entendo aqui a palavra filologia num sentido bem geral: como capacidade de reconhecer fatos sem distorcê-los por meio de interpretações" (sentença esta que ele incluirá em seu "Anticristo").

O problema "música"

Insere-se nessa imagem de regresso acelerado também a repentina reativação da correspondência com o diretor musical de Danzig, Dr. Carl Fuchs. Nos anos de Basileia, seu relacionamento havia sido bastante pessoal e próximo, mas havia ruído em 1878 sob a pressão das posturas divergentes em relação a Wagner. Entrementes, Fuchs (1882) havia acatado completamente a teoria musical de Hugo Riemann, publicando em 1884 uma obra em dois volumes intitulada de "O futuro da apresentação musical", e Fuchs enviou um exemplar a Nietzsche no final de 1884. Nietzsche agradeceu com uma longa carta, apontando primeiro suas maiores ressalvas contra Riemann (que agora, em 1888, ele revoga explicitamente no "Caso Wagner") e expondo sobretudo sua teoria sobre a arte métrica antiga, que ele defendera em 1871 como professor em Basileia. – Então, a correspondência com Carl Fuchs é novamente interrompida, até Nietzsche, à procura de uma possibilidade de apresentação para o seu "Hino à vida", enviar essa partitura também a Carl Fuchs. Este responde com uma de suas longas e temidas cartas, enviando-lhe também uma fotografia sua. Nietzsche agradece em 14 de dezembro de 1887 e lhe descreve minuciosamente o seu estado, mais especificamente que, após esse desfecho, do qual fazia parte também esse hino, ele agora se encontra num ponto de virada, prestes a partir em direção ao seu verdadeiro destino. "Lembre-se de mim com carinho, meu querido senhor doutor: Agradeço-lhe cordialmente por seu favor também na segunda metade de seu século".

Isso também soa como um desfecho, mas quatro meses depois, em 14 de abril de 1888, Nietzsche reinicia, por iniciativa própria, uma correspondência que seria altamente significativa para os meses seguintes: "Sua fotografia está na minha mesa, como já esteve em Nice: que desejo isso desperta de conversar com o senhor! [...] Para que, pergunto-me, essa alienação absurda pelo espaço [...] essa lacuna entre as poucas pessoas que teriam algo a dizer umas às outras! – O senhor conhece Turim?" Segue então um grande louvor a Turim, e Nietzsche menciona também as apresentações da "Carmen". "Foi para cá que eu trouxe minha mochila de preocupações e filosofia [...]. Como tudo transcorre! Como tudo se afasta! Quão silenciosa a vida fica! Nenhuma pessoa conhecida. Minha irmã está na América do Sul. Cada vez menos cartas. E ainda nem sou idoso!!! Apenas *filósofo*! Mas *afastado*! – [...] Conte-me um pouco sobre seu destino, prezado amigo! Para onde seu navio o leva? E por que suas *Critica* não foram publicadas? Nenhum juízo *de rebus musicis et musicantibus* me agradaria mais". Fuchs era redator musical do jornal "Danziger Zeitung" desde 1887, cujo caderno cultural alcançou um nível de grande reputação graças à sua colaboração.

Nietzsche passa a estudar as teorias de Riemann e Fuchs e as defenderá no verão em Sils contra as críticas de músicos. E ele volta a falar também sobre seu trabalho filológico referente à métrica antiga. Com Carl Fuchs, Nietzsche retorna para o mundo da filologia e música dos anos de Basileia.

Aphrodisia

Nesse mesmo período, Nietzsche recebe uma carta de Resa von Schirnhofer, na qual ela o convida a passar o tempo intermediário entre Nice e Sils em Zurique. Em 14 de abril, ele lhe responde: "Minha querida Srta. Resa, lindo, muito lindo este ato de escrever-me isso. Mas agora, para estar comigo, é preciso vir para Turim. Até agora, sempre tenho sofrido muito com a primavera, e o pior lugar tem sido a sua cidade de Zurique. Jurei que jamais repetiria este erro. Turim é uma cidade maravilhosa [...]. Pretendo ficar aqui até 5 de junho e então mudar-me diretamente para a minha residência de verão em Sils-Maria. Eu me alegraria muito se conseguíssemos, de alguma forma, reunir os nossos planos: faça um pequeno esforço de ser uma *Parca*!" Neste verão, porém, ela não pode vir para Sils, e o papel da Parca foi assumido por Meta von Salis.

Em 31 de março, dois dias antes de sua despedida de Nice e partida para Turim, ele revela à irmã que a meteorologia não é a única razão pela qual ele não deseja ir a Zurique[124]: "Também me cansei um pouco dos suíços: são retangulares e complicados demais, assim como as cidades suíças".

Nietzsche ama e precisa do convívio com damas cultas, reservadas e nobres. Isso intensifica o contraste com suas glosas menosprezíveis sobre "a mulher", nas quais ele reduz a mulher à sua função sexual. E também nessa tensão revela-se um problema existencial irresolvido. Essas anotações aparecem em todos os cadernos de anotações, também em um caderno de Turim[6]: "A prostituição não é abolida. Existem razões de desejar que ela não seja abolida. Consequentemente – ela deveria ser enobrecida [...]. Deveríamos parar de desprezar as prostitutas: então, também elas não terão qualquer motivo para se desprezar. A prostituição é, no mundo inteiro, algo inocente e ingênuo. Existem culturas na Ásia em que ela goza de muito respeito. A infâmia não está contida nela mesma, ela lhe foi imposta pela antinatureza do cristianismo, pela religião que conseguiu manchar até mesmo o instinto sexual! – *La fille canaille* é uma especialidade cristã [...]. Problema: quais são as condições que conferem à capital do novo *Reich* alemão a superioridade na arte de transformar a prostituta em *canaille*?" É justamente isso que Stoecker empreende com sua "missão urbana".

"Em todos os casos em que uma criança representaria um crime: nos casos de doenças crônicas e neurastenia de terceiro grau, onde o veto contra o instinto sexual nada mais seria do que um desejo pio [...], deve se exigir o impedimento da concepção. A sociedade conhece poucas exigências tão urgentes e fundamentais [...].

Trazer ao mundo uma criança na qual não se tem o direito de estar é pior do que tirar uma vida. O sifilítico que produz uma criança gera a causa para toda uma série de vidas fracassadas, ele cria uma objeção contra a vida, ele é um pessimista da ação: no fundo, ele diminui o valor da vida".

É provável que o tema da "sífilis" se deva ao espírito do tempo. O código moral insustentável sobretudo das associações estudantis provocou uma infestação dos círculos militares e acadêmicos*. Mas o que provocou esse posicionamento de Nietzsche justamente agora e dessa forma? Existem as respostas mais controversas. É possível que Nietzsche tenha tido conhecimento do fato de ele mesmo estar sofrendo com essa doença, tentando então recalcá-la com esse tipo de juízos apodíticos e, ao mesmo tempo, justificar sua renúncia a filhos (o que, porém, não o impediu de fazer pedidos de casamento). É possível também que Nietzsche não suspeitasse de qualquer doença desse tipo, sentindo-se perfeitamente livre para fazer esse tipo de juízos. Mas como, então, ele pôde, mais tarde na clínica, falar de uma infecção dupla como estudante em Leipzig – dado que essa informação seja confiável?

Este não é o único enigma psicológico que Nietzsche nos apresenta nessa época. De repente, em 13 de maio de 1888, uma impressão assustadora, do mundo de um fragmento "Euphorion" do jovem adolescente (cf. vol. I, p. 97), chega a ser mencionada numa carta ao Freiherr von Seydlitz: "Ontem, imaginei uma paisagem de uma *moralité larmoyante*, para usar uma expressão de Diderot. Paisagem de inverno. Um velho cocheiro, que, com a expressão do mais brutal cinismo, mais brutal ainda do que o inverno, se alivia sobre seu próprio cavalo. E o cavalo, essa pobre criatura castigada, olha para ele, grato, muito grato".

Isso é puro cinismo, o de Diógenes Laércio, livro VI, cap. II "Diógenes" ("o cão"), de onde Nietzsche também empresta a formulação que ele usa em uma carta a Brandes de 23 de maio: "Aquilo que a humanidade mais tem odiado, temido, desprezado – disso tenho feito meu 'ouro'. Que ninguém me acuse de falsário!"**

Será que Nietzsche queria que essa passagem bizarra fosse compreendida como "piada"? (A psicologia profunda deve atribuí-la provavelmente também aos "*aphrodisia*".) Em vista de sua falta de humor verdadeiro, ele seria até capaz de fazer uma avaliação desse tipo. Ele podia ser sociável, ele podia ser jocoso – mas jamais demonstrou "humor". E suas "brincadeiras" eram muitas vezes no mínimo

---

* Já falamos sobre isso no vol. 1, p. 120.

** παραχαράξαι τὸ νόμισμα.[77]

estranhas (basta lembrar as linhas vulgares na carta de fevereiro de 1882 a Köselitz ou as "Filhas do deserto" no Zaratustra!) e se tornam cada vez mais bizarras.

Desfecho feliz em Turim

Essa imagem sombria se apresenta como corpo estranho numa paisagem de resto ensolarada. Nietzsche está satisfeito com sua estadia em Turim. Em 25 de abril, escreve à mãe[124]: "Turim [...] é o lugar onde mais queria ter a minha velha mãe comigo. Você se divertiria muito". E um mês mais tarde (em 27 de maio), escreve a Overbeck: "Minhas saúde resistiu de modo geral. Durante estes dois meses em Turim, adoeci quatro vezes: um *mezzo termino*, com o qual me contento [...]. Ontem, o *filosofo* da cidade, o Prof. Pasquale d'Ercole, me fez uma visita; na livraria Löscher, teve conhecimento da minha presença na cidade [...]. O *archivo storico* de Florença menciona em sua última publicação (sobre a literatura histórica alemã) meus pensamentos gerais sobre a história (2ª Consid. extemp.); o tratado encerra com estes [...]. A carta de Nova York, que você teve a bondade de me enviar, continha a promessa de um ensaio em inglês sobre meus escritos por parte das maiores revistas norte-americanas". A carta era assinada pelo Prof. Karl Knortz. Ou seja, também aqui anuncia-se o reconhecimento de Nietzsche no exterior.

Todos esses indícios promissores de um reconhecimento crescente provocaram em Nietzsche uma reação quase infantil e ingênua: ele passa a cuidar melhor de sua aparência. Assim, informa a mãe em 10 de maio "que encomendei um terno completo num bom alfaiate [...]. O alfaiate criticou duramente as coisas que eu vestia: não queria acreditar que haviam sido feitas sob medida, disse que não existiam alfaiates tão ruins assim. [...] Eu ri; mas há dez anos não usei uma roupa que coubesse em mim".

Como despedida, Turim o presenteia ainda com um prazer musical: uma festa de música em 2 e 3 de junho, em que 34 orquestras municipais (de sopro) concorreram umas contra as outras. Nietzsche, já em Sils, relata a Köselitz em 14 de junho: "Assisti à competição entre as cinco melhores capelas, no *Teatro Vittorio Emanuele*, que oferece lugares a mais ou menos 5 mil pessoas. A acústica foi encantadora: algo que eu não esperava. Estes *fortissimi*! A meu ver, o melhor desempenho foi o da capela de Asti, com seu maestro Foschini, que teve a ousadia de apresentar uma *sinfonia drammatica* própria. Depois da minha partida [...] eu soube que Asti havia conquistado a medalha de ouro". Nietzsche se interessa vividamente pela cena musical internacional e se alegra igualmente com os avanços dos compositores de opereta italianos e com o sucesso da "Paixão de São Mateus", de Johann Sebastian Bach, em Paris.

Viagem para Sils

Como havia planejado já há algum tempo, Nietzsche se despede de Turim em 5 de junho de 1888 com destino a Sils. Uma inovação da companhia ferroviária, que permite comprar passagens diretamente até Chiavenna, sem ter que comprar novas passagens durante a viagem (o que havia sido necessário seis vezes até então), facilita a viagem de Nietzsche. Mesmo assim chega exausto e doente em Chiavenna. Mas ele se obriga a continuar sua viagem no dia seguinte e alcança Sils, onde fica de cama devido a uma crise de 24 horas. A diferença de altura entre Turim (280m acima do nível do mar) e Sils (1.809m) é enorme, maior do que a diferença de altura entre Sils e Zurique ou Chur. Até mesmo pessoas saudáveis sofrem com tamanha diferença. Além disso, nesse junho de 1888, o clima era horrível; e a umidade, extrema, oferecendo assim a Nietzsche as condições mais desfavoráveis.

Clima e saúde igualmente ruins

Durante as próximas seis semanas – até o final de julho – o tempo e o estado de saúde de Nietzsche permanecem praticamente iguais. Em 25 de junho de 1888, ele escreve à mãe[124]: "Tenho passado por um tempo mau e difícil. Ainda ontem não soube como me defender contra os pensamentos mais tristes. Sabe, acho que o que me falta não é apenas saúde, falta-me também a precondição para recuperá-la – a *força de vida* é tão fraca, não consigo reparar o prejuízo de mais de dez anos, durante os quais vivi sempre do 'capital' sem ter acumulado nada, nada. Consigo manter-me de pé com grande arte e cautela, mas quanto tempo se passa com minha fraqueza, numa idade em que eu não deveria ser fraco! E também essa dependência excessiva do tempo é um sinal ruim. Durante todo este tempo, encontrei-me num estado indescritivelmente ruim. Uma dor de cabeça profunda, que provocou uma ânsia de vômito no estômago; sem força nem vontade para caminhar; nojo diante do meu [...]" (fim da folha, rasgada). Dez dias depois, Nietzsche relata – em parte com as mesmas palavras como à mãe – a Overbeck o seu estado deplorável: "Eterna dor de cabeça, eternos vômitos; uma exacerbação dos meus velhos sofrimentos; uma profunda exaustão nervosa, que rende inútil toda a máquina [...]. Essa irritabilidade extrema sob influências meteorológicas não é um bom sinal: aponta para certa exaustão generalizada, que é, na verdade, a minha doença verdadeira [...]. No fundo, minha cabeça não está doente, meu estômago não está doente: mas sob a pressão da ausência generalizada de força de vida (que é, em parte, *hereditária* – do meu pai, que também morreu em consequência de uma falta geral de força de vida), as consequências se manifestam em todas as suas formas". E uma semana depois, em 11 de julho, escreve novamente a Overbeck: "Nada melhorei, nem comigo, nem com o tempo. Ar gélido hoje: O céu encoberto com nuvens pesadas. Em cinco semanas, tive *um* dia bom, porém muito frio (– infelizmente tive razões para passá-lo na cama). 24 dias com chuva constante, dia e noite; e três dias de neve [...]. O ar no início da minha estadia era abafado, com o nível de temperatura mais alto que pode ser alcançado na Engadina; não era possível dar 20 passos sem suar. E logo em seguida, neve". Em 20 de julho, Nietzsche se vê obrigado a repetir a mesma oração: "Nada melhorou, nem o tempo, nem a saúde – ambos continuam absurdos". ("Absurdo", uma palavra que ele passa a usar com frequência em cartas e anotações.) Finalmente, em 26 de julho, ele pode relatar: "O tempo, apesar de ainda deixar muito a desejar, clareou; eu também. A última crise, porém, foi a mais violenta. Procurei um médico". Este aparenta ter encontrado uma causa infecciosa bem concreta. Nietzsche, porém, menciona isso apenas em 14 de outubro numa carta a Köselitz: "Desde junho tenho sentido muito frio! Sem qualquer remédio! – Minha saúde não consegue superar um *choc* causado por uma longa disenteria. Primeiro, pensei em uma intoxicação; no entanto, os remédios comuns como bismuto e pó de Dower resolveram o problema. Resulta disso tudo um enfraquecimento, que me deixa mais sensível também ao frio".

A alimentação monótona e desequilibrada, que ele relata à mãe, também não ajuda a melhorar seu estado deplorável. Também neste verão, o cardápio se apresenta desta forma[124]: "Às cinco da manhã, tomo uma xícara de chocolate quente (na cama); mais ou menos às seis e meia, tomo meu chá. Às doze, como sozinho [...]: sempre um bife e uma omelete. Às sete da noite, como em meu quarto uma fatia de presunto, duas gemas de ovo cru e dois pãezinhos" (carta de 17 de julho à mãe). Para as refeições noturnas*, "quero dessa vez que todo o presunto venha de Naumburg. No verão passado, encomendei-o de Basileia, Zurique, St. Gallen e outros lugares, e só me decepcionei [...]. A única coisa que me agradou foi a última remessa de Naumburg em setembro. [...] Já que meu verão dura mais ou menos quatro meses, preciso ainda no mínimo de 12 libras = 6 quilos de *presunto de bisteca*. Trata-se de meu jantar *completo* para quatro meses. [...] Infelizmente, o mel não me fez bem: como já no verão passado. Houve vômitos. Trata-se de mel de cera; mas meu estômago tem seu próprio jeito de lidar com cera".

Em 17 de julho, ele agradece pela remessa: "Ontem à noite, quando eu estava comendo o último pedaço de presunto, chegou sua *bela* remessa, em estado razoa-

* A datação do arquivo (em 7 de setembro) é impossível. Nietzsche escreve no "sábado"; ele escreveu essa carta o mais tardar em 7 de julho, mais provavelmente ainda em junho.

velmente bom, como me pareceu: só as torradas estavam um pouco amassadas [...]. Pedi que pendurassem as linguiças, que me parecem deliciosas; no entanto, pretendo começar pela mais grossa. Imagino que as linguiças finas sejam mais fáceis de conservar do que as grossas [...]. Hoje de manhã, provei as torradas: são deliciosas [...]. Há dois dias percebo uma melhora; no entanto, sofri pouco antes a pior crise de todo esse tempo. [...] O tempo permanece invernal, chuvoso, encoberto; ontem, uma tempestade terrível". Uma semana mais tarde (23 de julho), ele se vê obrigado a relativizar sua gratidão: "Na época, ainda não havia provado o presunto [...]. Sinto muito, mas ele não ficou como você desejara. O presunto de bisteca é incomparavelmente melhor e mais saudável. A despeito de suas instruções de usar pouco sal, o homem estragou a carne com um excesso abominável de sal. A carne é de um marrom avermelhado, não pálida como o presunto de bisteca. Preciso sempre levantar-me durante a noite e tomar um copo de água [...] e o excesso de sal irrita meu estômago. [...] Instalou-se também uma consequência comum de carne salgada, uma infecção dentária, que dificulta muito o mastigar. [...] As torradas, por sua vez, são mais deliciosas do que quaisquer outras que já comi. Muito obrigado! E também a abóbora tinha um gosto muito agradável e interessante: ela me fez bem – devo elogiar a Srta. Alwinchen". Alwine, a empregada doméstica da mãe, que, aparentemente, contribuiu com a abóbora. Nas semanas seguintes, a família celebraria os dez anos de seu serviço.

E também em Sils a preleção de Brandes sobre Nietzsche continua a alimentar a autoestima do filósofo. Orgulhoso, ele usa as lindas gravatas, as novas camisas (tudo organizado pela mãe), compra um chapéu e uma mala e, durante suas refeições noturnas solitárias, ele cobre a mesinha com um guardanapo branco, que ele também havia pedido à mãe[121]. E tudo isso a despeito do tempo ruim e da "força de vida" reduzida pela doença aguda! E ele continua a trabalhar incansavelmente no "Caso Wagner", cujo manuscrito ele envia a Naumann em 17 de julho.

Ataque ao romantismo alemão

Naumann recusa o manuscrito como ilegível, e Nietzsche produz um novo, que ele envia ao editor dentro de poucos dias. Ele havia redigido a primeira versão "em um estado de tamanha fraqueza que as letras latinas podiam ser facilmente entendidas como gregas (– uma pequena prova da gráfica me confirmou isso). A nova cópia é muito mais legível, graças a um tipo especial de bico de pena, 'Soenneckens Rundschriftfedern', recomendadas pelo professor de Sils para as minhas mãos trêmulas", ele conta em uma carta a Carl Fuchs, em 24 de julho. À mãe, que teve que lhe enviar essas novas penas, ele relata em 2 de agosto: "A culpa não foi só dos bicos de pena. E, desta vez, o presunto é exatamente como o desejei"[124]. Ou seja, a alimentação melhor fortaleceu também o seu estado geral.

Nietzsche abandona os bicos de pena de aço pontudos e passa a usar um bico de pena que o obriga a escrever de forma mais lenta e maior, mas que apresentam também o perigo de produzir uma letra ilegível na mão de um escritor nervoso e apressado.

A nova cópia ofereceu a Nietzsche a oportunidade de revisar o texto. Agora, ele acrescenta os dois posfácios e o epílogo, dirigindo um ataque repentino contra Brahms, que, em termos de intensidade, supera tudo que ele apresentara contra Wagner até então, "julgamento de um morto", como ele o chama em uma carta a Köselitz de 9 de agosto.

Por que Nietzsche empreende esse ataque duro – e completamente malsucedido – contra Brahms é mais uma das perguntas que ele não pôde mais responder. Não havia passado um ano sequer desde que ele se alegrou com o interesse de Brahms pelos seus escritos, em decorrência do qual ele tentou estabelecer um contato pessoal com o homem famoso. Será que a causa foi, mais uma vez, apenas uma decepção pessoal pelo fato de Brahms não ter se interessado nem pela ópera de Köselitz nem pelo seu "hino"? Será que algum visitante havia trazido algum boato até Sils, ou será que os músicos que se hospedavam em Sils estavam começando a acreditar que Nietzsche havia abandonado Wagner para se tornar adepto de Brahms? Será que Nietzsche se viu obrigado a se antecipar a tamanho equívoco? Podemos extrair apenas uma certeza do "Caso Wagner" e seus adendos: para Nietzsche não existia a alternativa "Wagner ou Brahms", sua alternativa era o romantismo alemão, com seus dois estandartes Wagner e Brahms, ou superação do romantismo alemão com sua fundamentação filosófica em Hegel e Schopenhauer. O "Caso Wagner" só pode ser compreendido nesse contexto e jamais como panfleto pessoal voltado contra Wagner (e, no segundo adendo, contra Brahms), por mais que o escrito se apresente com essa superfície. E a crítica do círculo de Bayreuth (Curt von Westernhagen, p. ex.)[266], se volta apenas contra essa aparência superficial, que aponta paralelos textuais entre Nietzsche e as glosas de Paul Bourget contra Baudelaire. Nietzsche acatou formulações individuais, mas não seus pensamentos! Nietzsche conhecia o ensaio de Bourget contra Baudelaire. Ele reconheceu – surpreso! – que o francês atribuía um problema semelhante a um autor da literatura francesa. As formulações de Bourget se ofereciam como clichês. Mas deduzir disso que os pensamentos de Nietzsche foram induzidos por Bourget e que Nietzsche adotou as formulações de Bourget apenas por um capricho, para acertar uma antiga "conta" com Wagner, seria não entender a razão do escrito. Trata-se da execução de uma decisão filosófica, apoiada por juízos de gosto.

A dimensão histórico-filosófica desse escrito se resume nos § 10 (final) e 11 (primeiras sentenças): "Lembremo-nos de que Wagner era jovem no tempo em que Hegel e Schelling seduziam os espíritos; que ele adivinhou, que ele tocou com suas mãos aquilo que apenas o alemão leva a sério – a 'ideia', ou seja, algo que é escuro, incerto, cheio de pressentimentos; que, entre os alemães, a clareza é uma objeção; a lógica, uma refutação. Schopenhauer acusou duramente de desonestidade a época de Hegel e de Schelling – duramente e também injustamente: ele mesmo, o velho falsário pessimista, não foi em nada mais 'honesto' do que seus contemporâneos mais famosos. Deixemos de fora a moral: Hegel é um gosto [...]. Um gosto não só alemão, mas europeu! – Um gosto que Wagner compreendeu! – que ele perpetuou! – Ele simplesmente o aplicou à música – inventou para si mesmo um estilo que significa o 'infinito' – tornou-se herdeiro de Hegel [...]. A música como 'ideia'.

E como as pessoas compreenderam Wagner! – O mesmo tipo de gente que se entusiasmou com Hegel se entusiasma hoje com Wagner; em sua escola escrevem até a língua hegeliana! – Sobretudo, compreendia-o o jovem alemão. As duas palavras 'infinito' e 'significado' já lhe bastavam: elas provocavam nele um sentimento de incomparável bem-estar. Não foi com a música que Wagner conquistou os jovens, foi com a 'ideia' [...]. Eu já expliquei qual é o lugar de Wagner – não é a história da música. O que, porém, ele significa mesmo assim para sua história? A emergência do ator na música: um evento capital, que nos faz pensar e talvez temer. Em fórmula: 'Wagner e Liszt'. – Jamais a retidão dos músicos, sua 'autenticidade' foi testada de forma mais perigosa [...]. O sucesso já não está mais do lado dos autênticos – é preciso ser ator para ter sucesso! –, Victor Hugo e Richard Wagner – eles significam a mesma coisa".

Nietzsche observa com preocupação um desenvolvimento do "teatro", no qual o ator triunfa sobre o músico; o diretor, sobre o cantor. Mas também decisões puramente musicais são notáveis e dizem respeito a desenvolvimentos essenciais na história da música (§ 1): "Posso dizer que a orquestra de Bizet é quase a única que eu ainda suporto. Qualquer outro tipo de orquestra, que hoje se celebra, o wagneriano, brutal, artificial e 'inocente' ao mesmo tempo, voltando-se aos três sentidos da alma moderna ao *mesmo tempo* – como me é desfavorável essa orquestra wagneriana!"

Nietzsche toca aqui em uma diferença fundamental na técnica de instrumentação. Wagner, e com ele o tratamento alemão contemporâneo da orquestra, busca a mistura acústica, que é produzida pela execução dupla da mesma voz em vários instrumentos. Um exemplo perfeito disso é o prelúdio do "Parsifal", onde o primeiro motivo, uma extensa linha melódica, é executado primeiro pelos violinos, violoncelos, uma clarineta e um fagote e então, no clímax, recebe o apoio de um corne inglês. Na repetição, ouvimos violinos, violoncelos, todos os três oboés e um trompete: ao elevar a melodia por uma oitava, Wagner obtém uma substância sonora mais alta, destacando-a assim dos tons mais sutis das clarinetas e flautas. Não ouvimos a "flauta" ou o "violino" ou o "trompete", mas a "orquestra". A técnica de instrumentação francesa, por sua vez, busca a acústica inequívoca, a transparência instrumental. Nietzsche encontra isso em Bizet.

Outra observação também é reveladora: A música de Bizet "é precisa. Ela constrói, organiza, encerra: assim, representa o oposto do pólipo na música, da 'melodia infinita'". Wagner sustenta a tensão, recusando-se ao "desfecho", como, por exemplo, no prelúdio ao "Tristão". Os motivos não são processados e variados como numa "execução", eles permanecem inalterados em sua forma e seguem um ao outro em movimento contínuo. A "Carmen" de Bizet, por sua vez, é uma "ópera de números". Seguem-se nela as peças individuais, encerradas em si mesmas, e cada uma tem um desfecho, apresenta uma forma fechada.

Nietzsche reconhece no motivo e na frase os micro-organismos, a partir dos quais surgem as formas maiores. A ocupação com esses problemas musicais se torna para ele em um tipo de escola da lógica, e ele estabelece paralelos com a filosofia: "Alguém percebeu [...] que, quanto mais nos tornamos músicos, mais nos transformamos em filósofos? – O céu cinzento rasgado por relâmpagos; a luz suficientemente forte para os detalhes mínimos; os grandes problemas se tornam palpáveis; o mundo pode ser visto como que do topo de uma montanha". Mas a Nietzsche falta a capacidade de figuração concentrada para reunir tudo isso em uma única forma. Por causa disso, fracassaram já em sua juventude suas tentativas de composições "grandes", a missa, o réquiem, o oratório natalino; por isso, fracassou também o Zaratustra, que não teve um desfecho formal; e, por isso, fracassa agora também sua "obra principal". A "melodia infinita" de sua discussão filosófica, a contraposição de motivos, temas, sempre irresolvida por causa de alguma ressalva ou antecipação, avançando em relações dissonantes, deixando em aberto o acorde final: este é o seu perigo, e ele a reconhece na obra wagneriana como num espelho. Nietzsche revela isso no prefácio: "Ninguém se envolvera de forma mais perigosa com o wagnerianismo, ninguém o combateu com maior dureza, ninguém se alegrou mais ao se livrar dele [...]. Se eu fosse moralista, quem sabe como o chamaria! Talvez *autossuperação*". Mas ele se enganou se acreditava que havia conseguido isso.

Conversas entre músicos

Além desses esclarecimentos valiosos, o "Caso Wagner" contém também muitas glosas até mesmo feias, que simplesmente não funcionam. Nietzsche as considera "engraçadas", como se expressa em várias cartas. Também aqui se manifesta seu humor um tanto "estranho". Creio que seja interessante apontar duas possíveis fontes.

A partir de 24 de julho, dois músicos se hospedaram em Sils, com os quais Nietzsche convivia de forma bastante assídua. Nenhum dos dois era famoso o bastante para ser mencionado pelos léxicos contemporâneos – muito menos pelos léxicos modernos. Por isso, nossas informações sobre eles são escassas.

Um desses músicos era Carl August Riccius, mestre de capela do *Hoftheater Dresden* desde 1847, ou seja, foi o sucessor imediato de Wagner. Ele contava muitas anedotas sobre o mundo do teatro e também sobre Wagner. Sobre essas conversas, Nietzsche escreve a Carl Fuchs em 24 de julho: "O senhor acreditaria se eu lhe contasse que Wagner, quando era mestre de capela, sugeriu, no jornal 'Dresdner Anzeiger', ao rei de renunciar ao título de 'rei' e chamar-se 'presidente hereditário da casa de Wettin'? E também que lhe propôs abolir o dinheiro e reintroduzir o escambo? – A punição para essas excentricidades foi suave e até mesmo delicada: tiraram de Wagner a ópera clássica e deram-lhe lixo para dirigir". Em sua última obra, Wagner instituiu o herói como rei sobre o Santo Graal. Qual destes era o Wagner autêntico para Nietzsche?

Mais decisivo para Nietzsche foi o pianista hamburguês Karl von Holten. Sobre ele, Nietzsche escreve a Fuchs em 26 de agosto: "Tamanha coincidência de amabilidade e maldade é coisa muito rara. Um velho *abbé*, com os humores de um grande ator. Ao mesmo tempo, uma estranha sensibilidade para agradar e alegrar [...]. Para mim, ele pensara na seguinte gentileza: ele havia praticado a composição do único músico que ainda respeito, meu amigo Peter Gast, e a apresentou *privatissime* seis vezes e de cor, prezando-a como 'obra amável e espirituosa'. – *In rebus musicis et musicantibus* nós nos entendemos perfeitamente, i.e., não demonstramos qualquer tolerância e dissecamos o 'ciclope' entre os cegos". Semanas mais tarde, Nietzsche ainda descreve este Sr. Von Holten (numa carta de 15 de setembro a Overbeck): "Um músico muito agradável, engraçado e esperto", provavelmente um daqueles músicos que, para compensar a pressão profissional e da exposição constante a emoções extremas, recorre à zombaria, à paródia. Um mecanismo de defesa psicológica semelhante deve ser responsável também pela famosa piada sobre os médicos! Nietzsche tinha consciência dessa necessidade de compensação. Em 18 de julho, escreve no final da carta a Carl Fuchs[124]: "Dei aos homens o livro mais profundo que possuem, meu Zaratustra [...]. Mas como tenho que pagar por isso! Quase chega a estragar o caráter! O abismo se tornou profundo demais. Desde então, só faço piadas para não perder o controle sobre a tensão e vulnerabilidade insuportáveis". Se levarmos em consideração que é nesse tempo que Nietzsche redige a segunda versão do "Caso Wagner" e que o desfecho desses trabalhos (24 de agosto) coincide com a partida de Von Holten (22 de agosto), não é de todo improvável que o "humor" de Nietzsche tenha se alimentado dessa fonte durante a redação final.

No entanto, esses "alívios" e esse "ócio do psicólogo" não foram as únicas coisas que ocuparam Nietzsche. Nas conversas com Von Holten e na correspondência com Carl Fuchs, ele começa a se ocupar seriamente com a teoria musical de Hugo Riemann, na qual ele critica agora apenas a terminologia, questionando também alguns de seus efeitos práticos: "Conversamos seriamente sobre isso, mas no mesmo espírito, ou seja, que uma versão 'fraseada' é pior do que qualquer outra [...]. Eu queria que o Sr. [Fuchs] e Riemann usassem as mesmas palavras usadas também na retórica: período (oração), cólon, vírgula, também pergunta, oração condicional, imperativo – pois a teoria da frase é simplesmente o que a teoria da pontuação é para a prosa e poesia [...]. Comparamos essa vivificação das partes menores, que, na música, faz parte da prática de Wagner e daí se tornou um sistema de apresentação quase dominante [...] com fenômenos semelhantes em outras artes: trata-se de um típico sintoma de decadência, uma prova de que a vida se retirou do todo e agora se esbanja nos pormenores".

Dificuldades pessoais

Essa interação tão intensiva com Carl Fuchs, porém, não transcorreu sem problemas. Aparentemente, Fuchs superestimou a proximidade pessoal e lhe confidenciou intimidades, que ele deveria ter guardado para si. "Entrementes, o Dr. Fuchs [...] me enviou toda uma literatura. [...] Ele se queixa de ter tido contra si o mundo inteiro durante os sete anos em Danzig. [...] Pretende sair de lá [...]. Após fracassar com sua candidatura a uma docência na Escola Superior de Berlim, três professores desta vieram para Danzig e apresentaram um concerto. Fuchs os elegia da forma mais impudente. Como desculpa, ele me escreve não ter permitido que sua frustração transparecesse. Na verdade, tentou conquistar três dos votos mais influentes. – Prometeu-me um ensaio sobre meus escritos: expressa um medo infernal, temendo que sua defesa de um ateu pudesse prejudicar sua posição como organista da Igreja de São Pedro [...]. O mesmo Fuchs tinha, durante anos, o mesmo medo infernal de que seu relacionamento comigo prejudicasse seu relacionamento com Wagner; alguns anos antes, quando minha influência sobre os círculos wagnerianos era incontestável, ele fez de tudo para me adular [...]. É também organista da sinagoga em Danzig: ele zomba do culto judaico da forma mais suja (– mas aceita seu salário!). Por fim, escreveu-me uma carta sobre sua descendência, com tantas indiscrições nojentas e repugnantes sobre sua mãe e seu pai que eu perdi a paciência e lhe proibi da forma mais rude possível que me escrevesse esse tipo de cartas" (carta a Overbeck de 20 de julho de 1888[4]). Bem, a carta não foi tão rude assim. Em 18 de julho, escrevera a Fuchs[124]: "Querido senhor doutor, por favor, não se zangue comigo, mas sou obrigado a me defender contra a sua carta, não posso, de forma alguma, ouvir esse tipo de *privatissima, personalia*: isso causa em mim, nem ouso dizê-lo – temo que precisaria recorrer a termos medicinais. [...] Desejo, uma vez por todas, jamais ouvir novamente muitas coisas – assim, talvez, eu o suporte". Em contraste surpreendente com a agressividade de seus escritos, principalmente desse período, Nietzsche não possuía o dom para inimizades pessoais, ele não suportava essa tensão. "Jamais consegui ter um inimigo pessoal", ele escreve em 25 de julho a Carl Spitteler, referindo-se à "Consideração extemporânea" sobre Strauss[124]. Assim, após poucos dias, em 24 de julho, tenta acalmar as turbulências também na correspondência com Fuchs: "Querido amigo, deixemos o turbilhão seguir seu curso. O mar se acalmou". Em uma carta a Overbeck, ele se preza dessa "pequena humanidade de minha parte" também em relação a Carl Spitteler, e alega que havia "certo humor por trás dela: foi o meu jeito de me vingar por um artigo totalmente desprovido de tato de Spitteler sobre toda a minha literatura, que foi publicado no inverno passado no 'Bund'. – Tenho uma opinião positiva demais desse suíço para permitir que uma falta de educação desse tipo me abale (– respeito seu caráter, o que, infelizmente, não se aplica ao Dr. Fuchs). Graças à minha intercessão, Spitteler é também colaborador do 'Kunstwart' e, a meu ver, seu único escritor interessante. De resto, aboli a revista: A uma carta recente do Sr. Avenarius [...] respondi-lhe da forma mais clara (a revista propaga o espírito alemão e traiu, p. ex., Heinrich Heine da forma mais insensível – Sr. Avenarius, esse judeu!)". E Nietzsche havia também tentado encontrar um editor para Spitteler. Ainda em 16 de julho ele acreditava poder parabenizar Spitteler pela publicação de sua obra pela editora de Credner. "Esse Credner pode se congratular" – é assim que Nietzsche mascara seu elogio. Mas ele alerta Spitteler: "Ele é, entre nós, instável e imprevisível ao ponto da idiotice", e repete o que já havia escrito a Brandes e o que soube de Brandes sobre Credner. Rapidamente, essa desconfiança se comprovaria. Já em 25 de julho, Nietzsche começa sua carta a Spitteler com as palavras[124]: "O que o senhor me escreve me entristece. A motivação que Credner atribui ao seu 'não' seria simplesmente uma tolice – se ela fosse verdadeira. No entanto, é evidentemente apenas um pretexto. Ontem, numa conversa com um senhor que conhece a história íntima do Hoftheater em Dresden há 40 anos, cheguei à conclusão segundo a qual *todas* as rejeições – de óperas, de livros, de serviços – sempre são justificadas com pretextos falsos – a razão verdadeira jamais é expressada [...]. Minhas próprias experiências com editores são cem vezes piores do que as suas. Há casos entre elas que eu não ousaria colocar no papel. Mas estou em guerra; e entendo se os outros estiverem em guerra comigo [...]. No que diz respeito à minha relação com a imprensa alemã, [...] ela é bastante curiosa: Ela se fundamenta no medo que as pessoas têm de mim. Sou um dos poucos que não temem comprometer-se: um tipo de homem muito preocupante! Na verdade, gozo de uma fama respeitável – e tenho muitos leitores secretos. Nem sempre é fácil ser o espírito mais independente da Europa. Em cada cidade maior tenho um círculo de admiradores, até mesmo em Baltimore". No fim, Nietzsche, que também sofre com a falta de um editor, lhe sugere: "O senhor já negociou com Robert Oppenheim (Berlim) sobre a sua obra? Este publica literatura semelhante, por exemplo, o melhor livro alemão que existe sobre a França: 'A França e os franceses', de Karl Hillebrand! – Ou o senhor prefere que eu escreva?"

Após uma interrupção de um ano, Nietzsche retoma também a correspondência com Malwida von Meysenbug. Começa assim também o último capítulo desta amizade. Malwida ainda era uma wagneriana fiel e convicta. No entanto, sempre evitou ressaltar isso nas cartas a Nietzsche. É possível que isso tenha levado Nietzsche ao equívoco de acreditar que ela tinha se afastado de Wagner. É possível também que ele foi simplesmente descuidado e imprudente – ou será que ele queria forçar uma decisão? Em todo caso, Malwida sentiu-se profundamente magoada pelo "Caso Wagner", e esta longa amizade, uma das mais antigas, também terminou em dissonância. O fato de ela ter servido tanto a Wagner/Klingsor quanto a Nietzsche/Zaratustra a transformou, aos olhos de Nietzsche, em Kundry ("Parsifal").

Talvez tenha realmente sido apenas um descuido, provocado pelo desespero do isolamento filosófico (a despeito de seus "círculos de admiradores"!), quando ele lhe escreveu: "O meu entorno realmente se tornou muito vazio [...], não existe ninguém que soubesse da minha situação. O pior é que, há dez anos, não ouço uma única palavra que me alcance. [...] Isso me exclui de qualquer convívio humano, isso gera uma tensão insuportável e uma vulnerabilidade, sou como um animal que é constantemente ferido. A ferida é não ouvir qualquer resposta, qualquer palavra e ter que suportar sozinho o fardo que tanto gostaria de compartilhar. (– Por que, se não por isso, eu escreveria?) Ser 'imortal', isso acaba comigo [...]. Na minha querida pátria, tratam-me como alguém cujo lugar seria o manicômio: esta é a 'compreensão' que recebo! Além disso, opõe-se a mim também o cretinismo de Bayreuth. O velho sedutor Wagner afasta de mim, mesmo morto, as últimas pessoas. – Mas na Dinamarca – e é absurdo dizê-lo! – me celebraram neste inverno! [...] A alma precisa possuir grandeza para suportar os meus escritos. Tenho a sorte de amargurar todas as pessoas fracas e virtuosas". Em 12 de agosto, Malwida, que se encontra em Versalhes, responde: "Quando o senhor se queixa de que aquilo que o senhor dá ao mundo [...] não recebe resposta, posso garantir-lhe que há empatia amorosa pelo senhor e pelo seu gosto em mais de um coração e que é, em primeira linha, culpa sua se o senhor não o perceber [...]. Trata-se de um equívoco ou paradoxo quando alega ter a sorte de ter todos os fracos e virtuosos contra o senhor. Os verdadeiramente virtuosos não são fracos, são, na verdade, os realmente fortes: como diz o conceito original da *virtù*. E o senhor é a contradição viva: pois o senhor é verdadeiramente virtuoso, e creio que, se as pessoas realmente conhecessem o seu exemplo, este as convenceria mais do que seus livros [...]. Sim, é triste que a Alemanha agora se ajoelha diante dos ídolos do poder, mas virá o tempo em que o espírito alemão despertará. E se isso não acontecer? Bem, a evolução da humanidade será avançada por outras tribos, como o senhor já vê na Dinamarca e na América do Norte", remetendo assim ao relacionamento com o Prof. Karl Knortz, sobre o qual Nietzsche havia lhe escrito. E Nietzsche tinha conhecimento também de outras "pessoas interessadas". Em 29 de julho (ou seja, mais ou menos no mesmo tempo em que lamenta seu isolamento na carta a Malwida), ele relata a Carl Fuchs: "Ontem alcançou-me uma carta de Bayreuth. Um admirador vienense desconhecido, que me chama de seu 'mestre' [...] pede que eu seja mais magnânimo do que Siegfried em relação ao velho andarilho. Disse estar falando em nome de todo um círculo de 'discípulos' meus [...], de 'espíritos livres' gratos pelo meu livro 'Além do bem e do mal' (pelo fato de eu ter lhes dito tantas palavras grandes, profundas e também terríveis)". Trata-se, mais uma vez, do velho e fiel círculo de Viena. Mas também de Berlim veio uma notícia boa: Paul Deussen lhe enviou dois mil marcos para o custeio da impressão, levantados por um círculo de admiradores. É típico de Nietzsche que ele suspeita apenas de Paul Deussen e Paul Rée, cujo caráter seria capaz desse tipo de ação, como doadores (numa carta de 24 de julho à mãe).

A doação causou certo desconforto a Nietzsche e feriu seu orgulho. Ainda em 9 de dezembro ele informa a Köselitz sobre essa doação e, já que este se encontra em Berlim, pede a ele: "Por favor, faça, o mais rápido possível, uma visita ao meu velho e estranho amigo Prof. Deussen [...]. Ele demonstrou seu carinho por mim da forma mais estranha do mundo: neste verão, enviou-me dois mil marcos para a impressão dos meus livros (e a Srta. Meta von Salis, mil francos para o mesmo fim!)".

No entanto, podemos confiar no testemunho de Paul Deussen[73]*, quando fala sobre a origem dessa doação: "Certo dia, um jovem docente me procurou em meu escritório da Universidade de Berlim e me pediu contar-lhe mais sobre Nietzsche, cujos escritos ele havia lido. Então, contei-lhe como sua renda [...] após a perda de seu salário, que me foi informada por Kaftan, [...] se limitava a uma bolsa de três mil francos ao ano, e como havia encontrado Nietzsche em Sils vivendo nas condições mais modestas imagináveis. O jovem homem ouviu-me com atenção [...]. Grande, porém, foi minha surpresa quando, dois dias depois, eu recebi uma carta deste jovem informando-me que ele conseguira levantar a quantia de dois mil marcos para Nietzsche e pedindo que lhe enviasse esse dinheiro sem mencionar o doador. [...] Pedi que o próprio doador fosse até os correios para providenciar a remessa. [...] Eu só consegui afastar a suspeita de eu ter sido doador, quando recebi a permissão de revelar o nome do doador verdadeiro. O dinheiro foi guardado para financiar a impressão das obras, mas já que, logo em seguida, estas começaram a gerar um grande lucro, essa doação só teve um valor ideal. O dinheiro foi devolvido ao doador, mas quando este se recusou a aceitá-lo de volta, [...] decidiram usar a quantia para encomendar um retrato de Nietzsche em óleo para o *Nietzsche-Archiv*". (Kaftan sabia da "bolsa" porque havia sido professor em Basileia.)

Conversas teológicas

O silesiano Julius Kaftan, mencionado aqui por Paul Deussen, nasceu em 30 de setembro de 1848 em Loit bei Apenrade. Em 1873 – aos 25 anos de idade – ele foi chamado para a faculdade de teologia da Universidade de Basileia. Ele já era mestre de Teologia e doutor de Filosofia. Sua palestra inaugural ocorreu sob o título "A visão filosófico-religiosa de Kant em sua importância para a apologética" (publicada em Basileia, 1874, por Detloff). Ele lecionou principalmente ética cristã e teologia neotestamentária. Em reconhecimento de seu sucesso, ele foi promovido a professor extraordinário em 1874 e a professor ordinário em 1881. Após dez anos de docência em Basileia, ele aceitou um chamado para Berlim em 1883, onde trabalhou com muito sucesso até a sua morte em 27 de agosto de 1926. Duas de suas obras mais importantes são: "Die Wahrheit der christlichen Religion" [A verdade da religião cristã] (1888) e "Glaube und Dogma" [Fé e dogma] (1899). Como bom colega de Overbeck, conheceu também Nietzsche; durante os primeiros anos, encontraram-se muitas vezes no restaurante "Kopf", onde almoçavam, mas sem apro-

* Em suas memórias de F.N., publicadas em 1901, ou seja, depois da morte de Nietzsche.

fundar seu contato. Em agosto de 1888, Kaftan passou três semanas em Sils com sua esposa, provavelmente mais por causa das qualidades do local, mas é possível que a informação de Paul Deussen sobre a presença de Nietzsche em Sils tenha servido como incentivo adicional. Durante essas três semanas, o convívio com Nietzsche foi intensivo, o que, para Nietzsche, significa sempre "longas conversas filosóficas" e muitas caminhadas. Kaftan documentou suas lembranças desse tempo, primeiro numa palestra "Das Christentum und Nietzsches Herrenmoral" [O cristianismo e a moral de senhores de Nietzsche], apresentada em Berlim na Aliança Evangélica em 1896[129], e, mais tarde, no artigo "Da oficina do Além do homem", de outubro/ novembro de 1905[130]. É interessante observar que Kaftan nunca menciona Meta von Salis, que esteve em Sils na mesma época – final de julho até 17 de agosto. Em 13 de agosto, ele menciona explicitamente um passeio de barco. E curioso: Meta von Salis jamais menciona Kaftan em suas memórias de resto muito minuciosas. Será que Nietzsche impediu um encontro com Kaftan?

Apesar de não poder contar com a presença das damas Fynn e Mansuroff nesse ano, não faltaram a Nietzsche oportunidades para conversar e se distrair. "A companhia do hotel não é ruim; e as pessoas distintas entre os hóspedes querem se apresentar a mim. Como, por exemplo, um promotor muito agradável de Lübeck, o Sr. Dr. Schön; um velho presidente do norte da Alemanha [...] e até mesmo as moças bonitas me cortejam. Elas têm alguma noção de que eu sou um 'animal' [...]. No entanto, permaneço frio diante desses ataques da juventude. Não escrevo para a classe imatura dos trabalhadores", Nietzsche escreve à mãe em 2 de agosto. O evento decisivo foi o reencontro com Kaftan após quase dez anos. Nesse ínterim, o mundo espiritual de Nietzsche havia mudado, e também em termos de método e faculdade mundos os separavam. Mesmo assim, Kaftan relata impressões pessoais agradáveis. Mas ele não está interessado em preservá-las para uma posteridade que venera Nietzsche. Seu efeito é de um contraste extremo em relação à sua rejeição categórica da filosofia de Nietzsche a partir de um ponto de vista profundamente protestante e luterano. Kaftan, porém, demonstra um conhecimento completo dos escritos de Nietzsche. Com suas lembranças agradáveis ele demonstra que sua rejeição filosófica não se deve a qualquer ressentimento ou decepção pessoal.

É justamente a isso que Overbeck alude, quando Kaftan lhe envia sua palestra e Overbeck responde em 15 de janeiro de 1897[188]: "Mesmo dominando de forma igualmente segura as medidas do 'senhorio cristão' como as vejo aplicadas aqui, meu relacionamento com Nietzsche foi próximo demais para poder concordar plenamente com o senhor. Creio que o senhor não exigirá de mim a assistência na execução de um amigo, independentemente da qualidade de seus méritos". Overbeck enviou o artigo a Köselitz, que lhe respondeu em 20 de maio de 1897[188]: "Kaftan se aventura num jogo perigoso [...]. A palestra pressupõe o ar e a atmosfera de uma assembleia protestante, pessoas que já se convenceram que Nietzsche é um ser abominável. Sem essa precondição, a palestra se transforma quase em *panegyrikus*. Esse Kaftan [...] deveria ser chamado à ordem publicamente. Pois não temos interesse nenhum [...] que a massa cristã se ocupe com Nietzsche".

As anotações puramente biográficas de Kaftan são importantes também porque confirmam as declarações de Meta von Salis, que tem sido acusada de uma passionalidade tipicamente feminina. Kaftan descreve o convívio[130]: "Na época, convivemos diariamente durante três semanas [...] e conversamos sem restrições sobre tudo, como velhos amigos. Na verdade, não éramos isso [...]. Por isso, surpreendi-me várias vezes com o fato de ele procurar esse contato comigo. [...] No entanto, durante todo esse tempo, não percebi qualquer sinal de uma doença mental. [...] Poucos meses depois, ocorreu a catástrofe. Muito provavelmente, fui um dos últimos com o qual ele conviveu diretamente. [...] Mais tarde, em Turim, viveu completamente isolado. [...] Nestes últimos anos, manifestou-se várias vezes uma excitação doentia, principalmente durante as horas de trabalho intelectual [...] nem sempre tão palpável quanto no quarto livro do 'Zaratustra', [...] como que aguardando seu momento de ataque [...]. Isso também me confirma em minha suspeita de que, no convívio pessoal, ele era tão diferente do que como se expressa em seus escritos. Não como se não se abrisse completamente na conversa. Mas ele falava sobre essas coisas com a maior tranquilidade, assim como amigos conversam sobre assuntos sérios, mesmo sabendo que o outro defende uma opinião completamente diferente. Mesmo assim, escreveu naquele tempo o 'Crepúsculo dos ídolos'! Em uma passagem deste escrito creio ouvir o eco de uma das nossas conversas. E que ninguém me diga que sua conduta tenha sido apenas máscara [...]. Ele sentia uma grande necessidade de conviver com qualquer pessoa para a qual pudesse se abrir. Só assim consigo explicar o zelo com que me procurava: após a minha chegada noturna, ele logo me surpreendeu na manhã seguinte com sua visita; jamais nos despedimos sem combinar o horário do nosso próximo encontro; quando eu e minha esposa partimos, ele veio se despedir, apesar de se tratar de uma hora em que ele costumava descansar. Ou seja, não havia nada de máscara nisso, era em tudo sua simples e modesta amabilidade, sua natureza".

Kaftan lembra duas caminhadas em especial[50; 130]: "Subimos pelo Vale de Fex em direção à geleira, quando surgiu o tema de sua doença, e falamos sobre tudo que ele havia vivido por causa dela e sobre tudo que ele devia a ela. Numa pequena ponte [...], ele parou na estrada estreita e falou em voz baixa sobre a grande transformação que ele havia sofrido. Era como se um homem pio falasse sobre a maneira como ele reconhecera a futilidade do mundo e aprendera a descansar sua alma em Deus. O que ele pretendia era, porém, justamente aquela transição do não para o sim: esta é a raiz de todos os seus discursos e ensinamentos [...]. Repito [...] que isso confere à sua teoria um traço heroico, que aqui se explica a sua simpatia: sentimos aqui vontade, determinação e ação [...]. Este homem, tão hostil diante de toda moral, possui um traço de grandeza ética, que nos conquista". E até mesmo o teólogo Kaftan sucumbe ao encanto da paisagem do Zaratustra, à atmosfera de Zaratustra: na proximidade do mundo da geleira, na natureza sublime, onde Nietzsche apresenta o grande mistério, a revelação de sua teoria filosófica em voz baixa e melódica, uma experiência feita também por Resa von Schirnhofer. Isso era obra de arte, visão poética – ou filosofia? Gênio ou loucura? Inspiração ou surto esquizofrênico? Essa pergunta se impõe no caso de Nietzsche, porque sabemos da catástrofe iminente, da qual o separam apenas quatro meses. É difícil não escrever uma sátira (*difficile est satiram non scribere*; Juvenal[128]), diz um provérbio conhecido. Mas é igualmente difícil não ceder à tentação de uma *prophetia ex eventu*. Kaftan mostrou-se à altura desse desafio. A despeito da rejeição radical da filosofia de Nietzsche como produto tardio do positivismo, ele jamais projetou sobre aquela cena no Vale de Fex augúrios de uma doença. E com a mesma objetividade ele relata também um acontecimento engraçado durante uma excursão para Sils-Baselgia[50; 130]: "Nietzsche estava me explicando uma receita de cozinha com grande entusiasmo [...]. De repente, achei tudo muito engraçado, [...] eu ri e disse: 'Isso seria algo para os 'Fliegende Blätter', o fato de nós professores estarmos caminhando aqui e conversando sobre receitas'. Mas então ele se zangou seriamente e me apresentou um sermão sobre o pecado de negligenciar as necessidades do corpo".

Quando Kaftan escreveu essas linhas, ele já conhecia a tese da irmã sobre o acidente vascular cerebral em decorrência de exaustão e abuso de drogas e também os estudos de Möbius, que se apoiam no diagnóstico de uma "paralisia progressiva". Ao contrário dos dois, porém, Kaftan não suspeita de uma disfunção orgânica, mas um abalo espiritual, que permite uma refutação da filosofia de Nietzsche. Assim, deu início ao movimento que ainda hoje tenta desclassificar qualquer pensamento desagradável ou incompreensível de Nietzsche como "sintomas do adoecimento espiritual". Como essência da tensão espiritual, que supostamente acabou destruindo Nietzsche, Kaftan reconhece (e nisso ele é verdadeiramente teólogo)[129]: "Ele nunca conseguiu esquecer o cristianismo e superá-lo. Ele o destruiu repetidas vezes. Mas aquilo que precisa ser destruído repetidas vezes, a isso se atribui uma força de vida indestrutível. Sobretudo, porém, isso explica o final trágico de sua existência espiritual, a loucura. [...] O fato de ele ter perdido Deus, de ter levado uma existência sem Deus, este foi o destino trágico de sua vida. Pois ele dependia de Deus, e apenas em Deus ele teria conseguido usar sua rica vida espiritual para criar uma forma grande e harmoniosa. [...] Não foi uma catástrofe tão repentina quando, no início de 1889, a loucura irrompeu na forma de uma megalomania. Ela havia sido preparada. Nietzsche [...] fracassou, porque precisava de Deus para viver, mas ele havia perdido o Deus vivo e o caminho que leva para Ele". Sem querer discutir o equívoco que Kaftan comete ao tentar explicar a doença, é muito provável que, durante as conversas desse verão de 1888, Nietzsche tenha falado muito sobre seu conflito constante com sua origem religiosa (que regularmente na época de Natal se manifestava na forma de graves crises de saúde).

Os trabalhos em Sils

A despeito de todos esses testemunhos de caminhadas, conversas, companhias, correspondências, que poderiam suscitar a impressão de "ócio" não só do psicólogo, o trabalho intenso e contínuo permanece o elemento dominante nessas semanas. No início, tenta aperfeiçoar o "Caso Wagner". Por mais que se esforce a conferir um tom leve ao escrito, ele o preocupa e oprime. Ele pondera detalhes, muda o texto, quando as folhas de correção já são enviadas para ele e para Köselitz, que, como sempre, mostra-se entusiasmado com tudo que Nietzsche produz. Mas é a ele que Nietzsche confessa em 11 de agosto: "Serviu-me como grande fortalecimento [...] o fato de que este escrito arriscado lhe causou tanta diversão. Há horas, principalmente à noite, em que me falta a coragem para tanta ousadia e dureza. *In summa*: ele me disciplina e impõe uma solidão ainda maior – e me prepara para expressar coisas ainda maiores do que essas maldades sobre um 'caso privado'. As coisas mais fortes se encontram nos pós-escritos. Em um ponto, creio até ter ido longe demais (– não referente às coisas, mas à expressão das coisas). Talvez seja melhor excluir a observação (na qual faço uma alusão à descendência de Wagner). [...] No final, volto ao ponto de vista do 'prefácio': para livrar o escrito do caráter aleatório e para ressaltar seu lugar no contexto de todo o meu trabalho e propósito". Em 24 de agosto, Nietzsche finalmente envia o texto do "Epílogo" a Naumann. Este já havia começado com a impressão, mas as correções constantes por parte do autor atrasaram a publicação. Assim, "O Caso Wagner" chegou às livrarias apenas em meados de setembro. Nietzsche recebeu o primeiro exemplar em 15 de setembro ainda em Sils. Naumann prometia distribuir os livros às livrarias até 22 de setembro.

Entrementes, porém, Nietzsche já havia deixado o "caso privado" para trás. Já em 7 de setembro, Naumann recebe um manuscrito novo, cujo volume corresponde mais ou menos a uma "Consideração extemporânea", intitulado de "Ócio de um psicólogo". Em 12 de setembro, ele escreve a Köselitz sobre esse texto: "Por trás deste título inofensivo esconde-se um resumo muito ousado e preciso das minhas principais heterodoxias filosóficas: de forma que o escrito possa servir como iniciação à minha revalorização dos valores (cujo primeiro livro já está quase pronto). [...] Ao todo, um escrito bastante leve, a despeito dos juízes rigorosos [...]. Trata-se de verdadeiras *psychologica* das mais finas e desconhecidas. (Os alemães terão que ouvir algumas verdades, justifico sobretudo a minha pouca opinião sobre a espiritualidade do *Reich* alemão.) – Este escrito, que em tudo se apresenta como 'gêmeo' do 'Caso Wagner' [...] precisa ser publicado o mais rápido possível: pois preciso de um tempo para a publicação da 'Revalorização'". No dia seguinte, Nietzsche anuncia também ao Barão de Seydlitz seus trabalhos mais recentes: "Minha economia interna está totalmente a serviço de um empreendimento extremo, que, como título de livro, pode ser resumido em poucas palavras: 'Revalorização de todos os valores'. [...] Isso inclui também algumas distrações. Uma delas, que em breve ousará entrar pela sua porta, se chama 'O Caso Wagner. Um problema para músicos' (algumas línguas maliciosas leem 'O Caso de Wagner'). [...] No fim do ano, publicarei outra coisa minha que revelará minha filosofia em sua qualidade tripla, como *lux*, *nux* e *crux*. Ela se chamará, com toda graciosidade e virtude: 'Ócio de um psicólogo'". Tratava-se da parte principal daquilo que finalmente seria publicado sob o título de "Crepúsculo dos ídolos, ou: Como filosofar com o martelo". E também aqui Naumann se pôs imediatamente ao trabalho. Em 20 de setembro, Köselitz recebeu as primeiras folhas de correção, que, a convite de uma família alemã, se encontrava em Buchwald (Transpomerânia). Dessa vez, ele teve que fazer uma objeção: "O título [...] me parece, quando imagino o efeito que terá sobre as pessoas, um tanto inofensivo: Você transportou sua artilharia para o topo das mais altas montanhas, possui canhões jamais vistos e precisa apenas disparar cegamente para espalhar terror por toda parte. Os passos de um gigante, que fazem estremecer os fundamentos das montanhas, não podem ser chamados de ócio". Nietzsche adota não só essas expressões exaltadas de Köselitz em seu vocabulário diário, ele acata também a objeção e lhe informa, já em 27 de setembro, o novo título: "Crepúsculo dos ídolos" – e observa: "Gersdorff me alertou seriamente da reação dos wagnerianos – é também nesse sentido que o novo título [...] certamente será ouvido – ou seja, mais uma maldade contra Wagner".

No entanto, é possível que esse escrito devesse ser visto a essa luz não só em virtude da mudança do título, pois em 15 de setembro Nietzsche escreve a Naumann, após já ter em mãos o "Caso Wagner": "Entrementes reconheci também outra coisa: que neste momento uma outra publicação se proíbe absolutamente. Ela perturbaria a impressão deste escrito – [...] Por favor, guarde o manuscrito durante algum tempo (digamos até a Páscoa do próximo ano)". Mas essa instrução veio tarde demais, o livro já estava sendo impresso. Nietzsche se rendeu a essa situação, aceitou as folhas de correção e acrescentou ainda a parte final. Em 25 de outubro, ele escreve a Köselitz que havia feito uma pequena celebração por ocasião da impressão do livro, e em 13 de novembro Nietzsche informa também Overbeck sobre o término da impressão. Em 25 de setembro, ele recebe os primeiros exemplares e imediatamente envia uma cópia a Jacob Burckhardt com uma carta quase devota, que ele encerra com as palavras: "Não me permaneceu oculto que, há pouco tempo, houve um dia em que a piedade de toda uma cidade se lembrou com profunda gratidão de seu primeiro educador e benfeitor. Permiti-me, com toda humildade, acrescentar meu próprio sentimento ao de uma cidade inteira". Nietzsche estava se referindo ao 70º aniversário de Burckhardt.

A entrega do "Crepúsculo dos ídolos" às livrarias permaneceu suspensa. Apenas em 27 de janeiro de 1889, ou seja, imediatamente após o noticiamento da catástrofe, é que Overbeck encontra o livro numa livraria em Basileia, e pouco depois o jornal "Basler Nachrichten" publica uma primeira resenha.

Ao contrário do "Caso Wagner", esse "Crepúsculo dos ídolos" é realmente um texto leve, redigido em poucos dias como *hors d'oeuvre* de sua filosofia: é assim, pelo menos, que Nietzsche imagina seu efeito. Ele não teve tempo para um trabalho tão detalhado e estudos preliminares como no "Caso Wagner", pois agora ele finalmente cria coragem para se dedicar à sua "obra principal", a "Revalorização de todos os valores". Mas ele erra já no início.

O direcionamento decisivo

Ao contrário de todos os planos de trabalho e disposições de livros elaborados até o final de agosto, que prometiam o desenvolvimento de seu pensamento filosófico a partir de premissas epistemológicas, Nietzsche isola um aspecto parcial e aplica sua visão filosófica – ainda não deduzida sistematicamente – a um problema especial e escreve uma crítica ao cristianismo. Assim, a consideração extemporânea "O anticristo" se transforma necessariamente em primeira parte da "Revalorização", algo ao qual esse escrito, em virtude de toda a sua natureza, não pode fazer jus. É provável que o problema já estivesse contido nas primeiras disposições, mas sempre como um ao lado de outros, no máximo na forma de um adendo, mas jamais como "primeiro livro".

Já a irmã, biógrafa e editora, tentou resolver o enigma dessa surpresa e chegou a atribuir a culpa ao "tempo ruim da Engadina" e "ao mal-estar causado por este"[86]. E, desde então, outros têm tentado resolver essa pergunta, também com a ajuda do método da análise da obra ou da história das ideias. Mas talvez ela deva ser respondida justamente a partir de aspectos biográficos, não, porém, com referência ao clima!

A princípio, Nietzsche pretendera escrever sua "obra principal sistemática" como trabalho do método histórico-crítico, que ele aprendera com o filólogo Ritschl. Durante alguns anos ele havia se dedicado a intensos estudos de fontes – já falamos disso várias vezes – e ele possuía ricos conhecimentos históricos e psicológicos sobre o tema "cristianismo". Ainda na primavera passada, ele havia estudado a obra de Julius Wellhausen (cf. acima, p. 438)*. Ou seja, Nietzsche estava perfeitamente preparado para a discussão com o teólogo dogmático ortodoxo Kaftan. Mencionamos também já várias vezes como as "obras" de Nietzsche são, no fundo, recortes de um diálogo ininterrupto com interlocutores diversos e – em medida mais restrita – temas variados, semelhantes aos diálogos platônicos. Só que, neste último caso, os interlocutores de Sócrates podem ser identificados, eles são apresentados, enquanto que no caso de Nietzsche eles permanecem no escuro. Mas aqui, no "Anticristo", podemos supor que as conversas com Kaftan foram tão decisivas para a obra quanto Richard Wagner, Paul Rée e Lou Salomé. E é justamente em conexão com ela que encontramos um indício. Em 1891, ela havia apresentado, em artigos do jornal "Vossische Zeitung", "uma caracterização abrangente de Nietzsche", na qual ela distingue pela primeira vez os três períodos de seu desenvolvimento espiritual e que ela repetiu em seu livro "Friedrich Nietzsche in seinem Werk" [Friedrich Nietzsche em sua obra] de 1894[214]. Kaftan se opôs a essa divisão em três períodos na base de suas discussões com Nietzsche, e ele fundamenta sua opinião com exemplos da obra de Nietzsche. Ele demonstra – explicitamente contra Lou Andreas-Salomé – que não existe separação entre os segundo e terceiro períodos por ela definidos, pois desde "Humano, demasiado humano" toda a obra de Nietzsche seria marcada ininterruptamente e até o fim pela pretensão de ser ciência positiva, ou seja, que Nietzsche

---

* Julius Wellhausen, nascido em 17 de maio de 1844, em Hameln. Em 1872, veio para Greifswald como teólogo e orientalista; em 1882, assumiu uma docência em Halle; e em 1885, em Marburg. De 1892-1913, foi sucessor de Paul de Lagardes em Göttingen, onde morreu em 7 de janeiro de 1918. Sua "História de Israel" (1878) "provocou a resistência da ortodoxia protestante tanto com seu conteúdo quanto com seu tom anticlerical".[24] Hostilizado pela sua igreja, ele teve que sair de Greifswald. Em 1883, reeditou o livro sob o título "Prolegomena sobre a história de Israel". Em 1885, publicou "Die Komposition des Hexateuchs und der historischen Bücher des A.T." [A composição do hexateuco e dos livros históricos do Antigo Testamento.] Como orientalista importante, Wellhausen pratica a crítica textual e compreende Jesus como figura histórica, não como "revelação". Nietzsche estudou a obra de Wellhausen a partir de 1883.

teria permanecido positivista em certo sentido. É essa interpretação de Nietzsche por parte de Kaftan que Overbeck recusa categoricamente.

Kaftan havia percebido essa convicção nas conversas, nas quais o filólogo e historiador Nietzsche se opôs ao teólogo dogmático com um método positivista. Ele encontrou Nietzsche sobre o mesmo solo, ao qual Paul Rée o havia introduzido e sobre o qual ele havia interagido com Lou Salomé seis anos atrás. Ao contrário de um aparente terceiro período visto pela distante Lou Salomé, Kaftan presenciou diretamente a estrutura positivista da personalidade de Nietzsche ainda em 1888. O fato de que o positivismo não satisfazia Nietzsche e que ele tentava transcendê-lo não muda nada em termos de fundamento e pretensão.

De forma igualmente ininterrupta, Nietzsche dá continuação ao fluxo de suas conversas. O novo trabalho, o "Anticristo", é a resposta à discussão, o manifesto de Nietzsche ao teólogo Kaftan e à teologia dogmática por ele representada. Permanece em aberto ainda aquilo que a obra de Overbeck "Über die Christlichkeit unserer heutigen Theologie" [Sobre o cristianismo da nossa teologia atual][186], publicada em 1873, evoca e cuja evolução Nietzsche havia acompanhado de perto. Já o título – "O Anticristo" – lhe era familiar daquela época. Na carta a Gersdorff de 14 de agosto de 1873, Cosima Wagner escreve[14]: "Estou lendo agora o Anticristo de Renan e gostaria de saber o que o Prof. Overbeck acha deste livro".

Kaftan havia partido no final de agosto. Imediatamente em seguida, Nietzsche começa a escrever o "Anticristo". Durante a estadia de Kaftan, ele escreveu (segundo o testemunho deste, cf. acima, p. 468) o "Crepúsculo dos ídolos". A Meta von Salis, com a qual ele permaneceu em contato intensivo após sua partida em 17 de agosto, Nietzsche escreve em 7 de setembro[213]: "O dia 3 de setembro foi um dia muito estranho. De manhã cedo, escrevo o prefácio para a minha 'Revalorização de todos os valores', talvez o prefácio mais orgulhoso que jamais foi escrito até hoje. Depois saí – e veja! o dia mais lindo que já vi na Engadina [...]. Então, sentei-me à mesa e encontrei [...] sua carta estranhamente grossa". Ela lhe enviara seu exemplar da genealogia, para o qual ela havia encomendado uma capa preciosa. Queria ela que o autor o assinasse? Agora, ele lhe devolve o livro "com a mais sincera gratidão [...]. Eu o embrulhei com papelão grosso: o meu desejo é que os correios não cometam nenhuma brutalidade". E aqui ele nos revela também algo sobre a intensidade de seu trabalho, diante da qual ele mesmo se mostra surpreso: "Consegui até fazer algo, algo que não acreditava que conseguiria. No entanto, a consequência disso foi que a minha vida ficou em desordem durante as últimas semanas. Levantei-me várias vezes às duas da noite, 'possesso pelo espírito', e anotei o que havia passado pela minha cabeça. E então ouvi como meu anfitrião, o Sr. Durisch, abria a porta da casa e saía para a caça de camurças. Quem sabe! Talvez eu mesmo tenha participado da caça". Dois dias depois, em 9 de setembro, na carta a Carl Fuchs, ele fala sobre a "Revalorização", "cujo primeiro livro está quase pronto".

Mais uma vez, sua paixão, seu interesse pelos problemas atuais, se intromete e consegue desviar sua atenção de sua tarefa. No entanto, em vista da regularidade dessa ocorrência, não há como não suspeitar de que isso não era muito difícil. E Kaftan também fala sobre isso em suas memórias: A despeito de seu grande respeito pelo intelecto extraordinário e pelo estilista brilhante, ele simplesmente nega a Nietzsche a capacidade de desenvolver uma obra sistemática.

Entrementes, o tempo havia piorado muito. Nietzsche planejava partir para Turim no dia 16 de setembro, no entanto, só conseguiu viajar no dia 20. Em várias cartas ele fala de chuva e neve constantes, de uma precipitação que, dentro de quatro dias, atinge o triplo do valor mediano do mês. Os lagos transbordaram, regiões inteiras ficaram alagadas, de forma que ele ficou preso em Sils. E quando conseguiu fugir do vale alpino no dia 20 de setembro, ele se deparou com a mesma situação na planície da Lombardia. Chegou "apenas à meia-noite em Milão. O mais problemático foi uma longa passagem noturna em Como por terreno alagado numa ponte de madeira muito estreita – à luz de tochas! Perfeito para a vaca cega que sou! Cheguei exausto em Turim: mas estranho! De um momento para o outro, tudo estava em ordem. Claridade maravilhosa, cores de outono, um bem-estar exótico que se deitava sobre todas as coisas" (carta a Köselitz de 27 de setembro de 1888).

Os últimos meses em Turim

A chegada em Turim traz uma virada radical no bem-estar físico de Nietzsche: a partir de agora, as terríveis crises de dor de cabeça e vômito, a tortura dos últimos quinze anos, que o castigava pelo menos uma vez por semana, não ocorrem mais. Nietzsche não investigou as razões dessa "melhora" ilusória, ele desfrutou o bem-estar e a felicidade dessa libertação. E quem o acusaria disso? Finalmente, ele podia concentrar toda a sua força em seu trabalho, seu sofrimento doloroso não consumia mais grande parte de suas energias. Como que possesso, dedicou-se ao seu trabalho, fazendo longas caminhadas ao longo do Rio Pó e levando uma vida externamente calma e isolada num aposento modesto na casa de pessoas simples e confiáveis – o vendedor de jornais e dono de um "quiosque fino" e sua família. De vez em quando, ia ao teatro ou a um concerto. Ele não percebeu, não podia perceber as interrupções, perturbações e distorções de sua relação com a realidade – breves, mas em sequência cada vez mais rápida. Mas eram o revés, o substituto pelas crises de enxaqueca dos últimos anos: a ausência da dor era uma brecha, uma lacuna na sensibilidade, que sinalizava uma destruição da capacidade de percepção como prenúncio da dissolução definitiva.

Não ocorre também a oscilação entre estados de euforia e depressão, Nietzsche se sente continuamente bem e forte. Imediatamente, Nietzsche procura seu bom alfaiate. Já uma semana após sua chegada, em 28 de setembro de 1888, ele relata à mãe: "Ainda não perdi um dia de trabalho e estou incomparavelmente melhor do que na Engadina. Turim é o único lugar onde minha alimentação corresponde completamente às minhas necessidades muito pessoais [...]. Chegou também um novo manto para o outono". Após as decepções meteorológicas do verão na Engadina, ele preza duplamente o lindo outono italiano. Assim, exalta em 17 de outubro, numa carta à mãe: "Dia após dia um tempo de indescritível pureza e luz – jamais vi um outono assim em outro lugar. Nem posso falar das uvas e outras frutas maravilhosas. A cidade é maravilhosa, mas calma, com todos os seus 300 mil habitantes". Ele escreve à mãe também de uma encomenda que fizera por precaução: "O fabricante de aquecedores pretende enviar-me o aquecedor por 24 marcos, inclusive transporte e embalagem, e também um saco de cilindros de carvão por 12 marcos". E também em uma carta a Overbeck de 18 de outubro ele expressa sua satisfação: "Sou agora a pessoa mais grata do mundo – meu humor corresponde ao outono, no melhor sentido da palavra: chegou a hora da minha grande colheita". Agora, nasce nele o desejo de usar Turim não só como estação intermediária na primavera e no outono, mas de ficar também no inverno. Feliz e entusiasmado ele escreve a Köselitz em 30 de outubro: "Acabei de olhar-me no espelho – nunca me vi assim. Bem-humorado, bem-alimentado e dez anos mais jovem do que, de fato, sou. Ao mesmo tempo, desde que escolhi Turim como meu lar, transformei-me também em relação às honras que eu presto a mim mesmo – contratei, por exemplo, um alfaiate extraordinário e quero ser percebido como estrangeiro fino, por onde quer que ande. O que, supreendentemente, tenho conseguido [...]. Até hoje, não sabia o que significa comer com apetite; tampouco o que necessitava para ter forças. Minha crítica aos invernos em Nice é agora muito dura: dieta inadequada. O mesmo vale [...] para a sua Veneza. Como aqui com a constituição mais descontraída da alma e dos intestinos quatro vezes mais do que na 'Panada'. – E também em outros sentidos Nice tem sido uma tolice completa. E também a paisagem de Turim me é mais simpática do que esse pedaço estúpido da Riviera com poucas árvores. Irrito-me por ter demorado tanto de me livrar dela [...]. Aqui, dia após dia, emerge com a mesma perfeição desenfreada à luz do sol: as maravilhosas árvores em amarelo ardente, o céu e o grande rio em azul delicado, o ar da mais sublime pureza – um Claude Lorrain como nunca imaginei ver. Frutas, uvas doces – [...]. Em todos os aspectos, a vida vale a pena ser vivida aqui". E ainda em 13 de novembro ele repete em uma carta a Overbeck: "O outono [...] foi um verdadeiro milagre de beleza e abundância de luz – um Claude Lorrain permanente. Aprendi todo um novo sentido da expressão 'tempo bom' e lembro-me com pesar do meu apego a Nice. – Os livros que tinha deixado ali já estão a caminho de Turim". E também na carta à mãe de 17 de novembro* ele elogia as uvas excelentes e a cozinha de Turim. Ele come com apetite e "nunca tive qualquer distúrbio estomacal". E também sua aparência ressalta sua nova alegria de viver: "Você se surpreenderia com a postura reta e orgulhosa de sua velha criatura. Comparado com Nice, tudo se inverteu. Um paletó leve, com forro de seda azul, basta por ora completamente. O manto grosso de Hillebrand será usado apenas no inverno. Dois pares de sapatos com cadarços. Luvas de inverno inglesas. Óculos dourados (não na rua). Agora, você já consegue imaginar sua velha criatura".

E nada perturba e interrompe esse sentimento! Em 11 de dezembro, ele volta a relatar à mãe[124]: "Nenhum dia ruim até agora. O tempo sempre maravilhoso; um pouco frio, mas nada que não conhecesse da Engadina. O aquecedor ainda não chegou [...]. Chegaram as três caixas de livros de Nice. – Agora estou bem em todos os sentidos; limpeza extrema; comida excelente; cama enorme (o luxo dos italianos); jamais dormi tão bem", e, aparentemente, *sem* soníferos! Finalmente, o inverno chega também a Turim. Em sua última carta (de 21 de dezembro) à mãe, ele informa: "não é tão frio ao ponto de ser obrigado a usar o aquecedor. Após alguns dias de neblina, o sol e o céu claro voltam a se impor". O aquecedor parece ter chegado, mas ainda não foi usado.

Pontes são destruídas

Diametralmente opostos a esse humor descontraído e feliz apresentam-se algumas reações pessoais de Nietzsche.

O primeiro a ser atingido é Hans von Bülow. Desde 1887, Bülow vivia em Hamburgo, após ter assumido em 1886 os "concertos para assinantes" daquela cidade. Nietzsche acreditava agora que, como chefe da ópera, Bülow poderia apresentar o "Leão de Veneza" de Köselitz e lhe escreveu em 10 de agosto (ou seja, ainda de Sils) uma carta de recomendação[4]: "Eu gostaria muito de ver esse leão na *menagerie* de Pollini [intendente da ópera de Hamburgo]. Essa ópera é um pássaro

---

* Datação errada de 3 de novembro[7].

da espécie mais rara. Hoje em dia, não fazem mais esse tipo de música. Todas as qualidades em primeiro plano, que hoje faltam à música. Beleza, espírito do sul, descontração, o humor bondoso do mais sublime gosto – a capacidade de criar a partir do todo [...]. O texto é simplesmente o *matrimonio segreto*, traduzido por meu amigo. Meu amigo [...] como me parece [...] inventou com a magia da cor de Veneza uma *morbidezza* para a música, além de muitas realidades encantadoras do lazzaronismo do sul. Um quarto ato com um coral de *gondolieri* no final, *couleur locale* de primeira qualidade. [...] A abertura teve sua estreia em Zurique. Ninguém escreve mais esse tipo de abertura. – Agora que Wagner domina os teatros desde São Petersburgo até Montevidéu, é preciso a coragem de um Bülow para se arriscar com música boa". Bülow, que dirigia também a orquestra filarmônica de Berlim e, por isso, viajava muito, não encontrou imediatamente o tempo necessário para se ocupar com a questão. Nietzsche sabia disso de uma resposta no passado (26 de outubro de 1887), que Bülow, por falta de tempo, teve que transmitir por meio de sua esposa. Dessa vez, porém, Nietzsche não teve a paciência para esperar uma resposta e pôs um fim súbito ao relacionamento em 9 de outubro, antes mesmo de Bülow se manifestar[7]: "O senhor não respondeu à minha carta. Prometo que o deixarei em paz para sempre. Creio que o senhor tenha uma noção de que o primeiro espírito da era dirigira um pedido ao senhor".

Ao mesmo tempo, Nietzsche provoca um conflito com a bondosa Malwida von Meysenbug, enviando-lhe o "Caso Wagner". Ele revela aqui a mesma ingenuidade como por ocasião de seu rompimento com Rohde, pedindo que ela pergunte ao seu genro Gabriel Monod a quem ele deveria confiar a tradução do escrito para o francês, pois "este escrito contra Wagner deve ser lido também em francês. E é mais fácil traduzi-lo para o francês do que para o alemão. Apresenta também muitas intimidades com o gosto francês: o elogio a Bizet no início certamente seria ouvido. – No entanto, precisaria ser um estilista refinado e até mesmo esperto para reproduzir a tonalidade do escrito. Por fim, eu mesmo sou agora o único estilista alemão esperto. [...] Neste verão, eu teria tido todas as razões para pedir o conselho de outro, do Sr. Paul Bourget, que vive próximo de mim: mas ele nada entende *in rebus musicis et musicantibus*; se não fosse isso, ele seria o tradutor do qual preciso neste momento.

O escrito, traduzido primorosamente para o francês, seria lido pela metade do mundo. Sou a única autoridade neste assunto e além disso psicólogo e músico o bastante para não permitir que me enganem também em questões técnicas". Mas agora a reação de Malwida foi veemente. Ela se sentiu ferida no ponto de sua mais alta veneração. Nietzsche deveria ter reconhecido que, ao ser obrigada a decidir por um lado, ela permaneceria fiel a Wagner e se distanciaria dele.

Agora, ele queria ter clareza e forçar a decisão. Em 18 e 20 de outubro, ele lhe escreve duas cartas[7; 124]: "Essas pessoas atuais com seu lamentável instinto depravado deveriam julgar-se felizes por terem alguém que lhes sirva um vinho puro em casos obscuros. Que esse zé-ninguém soube fazer com que as pessoas acreditassem que [...] ele era 'expressão última da natureza criativa', sua 'última palavra', para tanto precisou ser gênio, no entanto, gênio da mentira. Eu mesmo tenho a honra de ser o oposto – um gênio da verdade". E: "Perdoe-me se ouso me manifestar mais uma vez: pode ser a última vez. Tenho abolido quase todas as minhas relações humanas, enojado com o fato de me verem como algo que não sou. Agora, chegou a sua vez. Há anos, envio-lhe meus escritos, para que, finalmente, você me diga, justa e ingenuamente: 'Eu rejeito decididamente cada palavra'. E você teria todo o direito de fazê-lo. Pois você é 'idealista' – e eu trato o idealismo como uma inveracidade transformada em instinto [...]. Cada sentença dos meus escritos contém o desprezo ao idealismo. Não existe destino pior para a humanidade do que essa falta de sinceridade intelectual; desvalorizaram o valor de todas as realidades quando criaram a mentira de um 'mundo ideal'. [...] Você criou [...] a partir do meu conceito do 'Além do homem' uma 'mentira superior' [...]. E quando chega até a mencionar o nome de Michelangelo na mesma oração com uma criatura suja e falsa como Wagner, eu a poupo de ouvir a palavra que me passa pela mente. – Em toda a sua vida você se enganou em relação a praticamente todo mundo: muitas infelicidades, também na minha vida, se devem a isso. [...] Por fim, você comete uma injustiça entre Wagner e Nietzsche! – E ao escrever isso, sinto vergonha de ter inserido meu nome nessa vizinhança. – Ou seja, você não entendeu nada do nojo que [...] dez anos atrás, me levou a me afastar de Wagner. [...] Você nada percebeu do fato de que eu, há dez anos, sou um tipo de consciência para os músicos alemães, de que eu replantei por toda parte a retidão artística, o gosto fino, o ódio mais profundo contra a sexualidade nojenta da música wagneriana? [...] Você nunca entendeu uma única palavra minha: não adianta, precisamos esclarecer as coisas entre nós – e é também nesse sentido que o 'Caso Wagner' é, para mim, uma sorte".

A bondade infinita de Malwida sobreviveu também a esse ataque. Ela não só lamentou a catástrofe que em breve cairia sobre Nietzsche, ela ficou abalada e compartilhou de seu destino como amiga autêntica.

Ambas as reações de Nietzsche representavam uma ruptura com a geração mais velha e com o círculo wagneriano da década de 1870. Nietzsche havia conhecido Malwida von Meysenbug por ocasião da apresentação do "Tristão" em Munique, dirigida por Bülow em 1872.

Em troca, Nietzsche cultivou os relacionamentos com seus contemporâneos com todo cuidado. Por exemplo, com J. Widmann, ao qual ele não enviou seu "Caso Wagner", e com Carl Spitteler, ao qual ele agradeceu pela resenha positiva no jornal bernense "Der Bund", de 8 de novembro de 1888[121]: "Muito feliz por ter seu consentimento neste 'caso', pois existem desta vez muitas razões para não contar, mas ponderar os votos [...]. Não enviei o escrito ao Dr. Widmann, porque temia que este feriria seus sentimentos por J. Brahms. Mas já que suas palavras me dão a entender que ele esperava recebê-lo, tenho todo prazer de enviar-lhe uma cópia imediatamente". Assim, Nietzsche instrui Naumann em 7 de novembro a enviar um exemplar do "Caso Wagner" a Widmann[6]. Mas este reage de forma inesperada. Repugnado pelos ataques tolos e desnecessários contra seu amigo Brahms, Widmann revida num artigo do "Bund" de 20/21 de novembro de forma que não poderia ter sido pior para o pensador *e* ser humano Nietzsche*. No entanto, Widmann exagera tanto quanto Nietzsche exagerara em seu escrito. E ele se engana como já se enganara também Richard Pohl (cf. abaixo, p. 482) em relação à declaração de Nietzsche ("Caso Wagner", segundo pós-escrito): "Conheço apenas um músico que hoje ainda é capaz de compor uma abertura coesa", referindo-a a Nietzsche como compositor. Ninguém conhecia na época "Peter Gast" ou sabia de sua amizade com Nietzsche! No fim, porém, Widmann erra completamente ao citar justamente Helene Druscowitz, que acusa Nietzsche de "arrogância e megalomania" – logo ela que se chamava de "doutora da sabedoria mundial"! (Cf. acima, p. 275.) Nietzsche é tomado de surpresa, de forma que nem consegue reagir. E também Köselitz permanece calado. Apenas após a catástrofe de janeiro de 1889, Naumann toca no assunto em uma carta a Overbeck.

No final de novembro, Hippolyte Taine recebe o "Crepúsculo dos ídolos", juntamente com uma carta, na qual Nietzsche sugere também para esse escrito a tradução para o francês, alertando porém à dificuldade de uma tradução que faça jus à expressão do original. Taine lhe sugere em 14 de dezembro como tradutor o redator do "Journal des Débats" (a publicação preferida de Nietzsche!) e da "Revue des deux mondes", Jean Bourdeau. Mas já era tarde demais. Tarde demais Nietzsche tentou iniciar também uma correspondência com August Strindberg (1849-1912). Apesar de Strindberg ler com entusiasmo o "Caso Wagner" de Nietzsche e chegar à conclusão que, aparentemente, eles tinham o mesmo ponto de vista em relação

---

* Cf. o artigo completo de Widmann no vol. III, Documento, n. 9.

à “mulher” e apesar de Nietzsche também ler as obras de Strindberg em tradução francesa e aprová-las (em 18 de novembro, “Les mariés” [título original: “Giftas”]), esse contato não rendeu frutos para Nietzsche, por mais vívida que tenha sido a correspondência nessas poucas semanas.

Intocadas permaneceram a amizade com Overbeck e a veneração por Jacob Burckhardt, ao qual Nietzsche continua a enviar exemplares de suas publicações novas, apesar de Burckhardt ignorá-las já há algum tempo.

Houve um rompimento, que deve ter sido doloroso para Nietzsche, rompimento este provocado não por ele, mas pela irmã. Trata-se de uma dessas experiências cujo processamento exige semanas e meses. Apenas no Natal e apenas ao amigo Overbeck ele confidencia a decepção amarga e profunda preocupação que sua irmã lhe causara em seu aniversário, em 15 de outubro[4]: “Ouso contar ainda que a situação no Paraguai não poderia ser pior. Os alemães atraídos para lá estão revoltados e exigem a devolução de seu dinheiro – que não existe mais. Já ocorreram brutalidades; temo o pior. – Isso não impede minha irmã de me escrever com extremo desdém que agora eu estaria começando a ficar ‘famoso’. Que doce! E que tipo de gente eu teria escolhido para alcançar esse objetivo, judeus, que já comeram de todos os pratos, como Georg Brandes – ao mesmo tempo ela me chama de ‘Fritz do seu coração’ – isso acontece já há sete anos! Até agora, minha mãe não faz ideia disso tudo – esta é a *minha* obra-prima. Ela me enviou um jogo como presente de Natal: Fritz e Lieschen...”

E também a relação de Nietzsche com a música sofre uma nova ruptura parcial. A pressão enorme do trabalho intensivo e também a temática desse trabalho, além da consciência (exagerada) da responsabilidade de um ato histórico de importância mundial para a história do espírito, i.e., a revalorização dos valores em vigor há dois mil anos (desde Platão), exigiam uma compensação, um alívio. Evidentemente, “O Caso Wagner” e o “Crepúsculo dos ídolos” não lhe trouxeram esse “alívio” necessário. Nietzsche o encontrou na opereta francesa e espanhola mais recente. Em novembro, ouviu “Mascotte” (1880) do francês Edmond Audran (1842-1901); e em dezembro, duas vezes “La gran via” do espanhol Federico Chueca (1848-1908). Este, porém, só sabia escrever as melodias, a instrumentação e a harmonização precisou ser feita por J. Valverde. Não era, portanto, um produto de primeira qualidade. Mesmo assim, Nietzsche se entusiasmou tanto com essa peça que ele até chegou a se entediar com seu “Santo Offenbach”, ao ponto de abandonar a apresentação de “La Belle Hélène”! O fato de ele rejeitar também Johann Strauss faz parte de sua posição antiwagneriana, pois Wagner havia se manifestado de forma positiva sobre Strauss. Em sua rejeição, Nietzsche recorre a expressões de extrema rudeza.

Assim, zomba em uma carta de 18 de novembro a Köselitz: "Como define a opereta o Monsieur Audran: 'o paraíso de todas as coisas delicadas e engenhosas, inclusive as doçuras sublimes'. Ouvi recentemente a 'Mascotte' – três horas sem um único compasso de espírito vienense [Wienerei] (= porcaria [Schweinerei]). Leia qualquer caderno cultural sobre uma nova *opérette* parisiense: na França, são agora verdadeiros gênios nesta arte [...]. Eu lhe garanto, Viena é um chiqueiro".

E nesses dias ele perde até mesmo o seu amado Bizet. Encontramos um primeiro indício numa curta nota a Carl Spitteler de 19 de novembro[121]: "É óbvio que devo a minha 'conversão' à Carmen [...] mais uma maldade minha. Conheço a inveja, os ataques de raiva de Wagner contra o sucesso da Carmen". Ele usa palavras mais claras numa carta de 27 de dezembro a Carl Fuchs: "O senhor não pode levar a sério o que digo sobre Bizet; do jeito que sou, eu ignoraria Bizet mil vezes. Mas como antítese irônica a Wagner, seu efeito é forte; teria sido uma falta de gosto sem igual se eu tivesse partido de um elogio a Beethoven". Certamente não podemos atribuir um peso excessivo a esse capricho ou deduzir disso que o entusiasmo de Nietzsche pela "Carmen" nunca foi sincero. Resa von Schirnhofer deu uma resposta inequívoca a isso, ela foi testemunha do fascínio autêntico. Em vista da natureza impulsiva de Nietzsche e de suas rápidas mudanças de humor, essas marginálias não podem ser interpretadas ao pé da letra. Existiam também algumas "constantes": O poeta e pensador Goethe, o músico Beethoven e o historiador Burckhardt – estes eram os espíritos diante dos quais Nietzsche se calava, mesmo em estados de espírito extremos.

Nietzsche tenta provocar uma nova e definitiva ruptura com o editor de seus primeiros escritos até o "Zaratustra III" E.W. Fritzsch (que havia adquirido os direitos editoriais de Schmeitzner). Motivo foi um artigo do biógrafo de Wagner Richard Pohl, que este publicou como contra-ataque ao "Caso Wagner" na revista de Fritzsch "Musikalisches Wochenblatt", em 25 de outubro de 1888, sob o título "O Caso Nietzsche". Como subtítulo, Pohl usa uma paráfrase de Nietzsche: "Um problema psicológico", indicando, desde já, o direcionamento de seu ataque*. Pohl apela às palavras de Nietzsche: "Enterro meus ouvidos ainda na música, ouço sua causa. E curioso! No fundo, não penso nisso ou não o sei, [...] pois, enquanto isso, passam-me pela cabeça pensamentos completamente diferentes". E Pohl avalia: "Temos aqui o tipo de uma pessoa não musical. Pois para uma pessoa musical é impossível pensar em outra coisa durante a música senão na música [...]. Com isso, já teríamos

---

* Cf. o texto completo no vol. III, Documento, n. 7.

encerrado o tema Nietzsche. [...] Agora, porém, segue a coisa mais estranha: O Sr. Nietzsche é compositor. Compôs um 'Hino à vida', [...] uma ópera! Esta é muito esotérica; o compositor jamais superou a vergonha para falar dela. Mas o próprio Richard Wagner me contou, a quem ele mostrou a ópera – naturalmente um drama musical escrito por ele mesmo. – Perguntei a Wagner: 'E o que o senhor achou?' – 'Uma besteira!' ele respondeu. [...] Já observei antes que me falta o nexo causal para o afastamento de Nietzsche. – Talvez tenhamos que procurá-lo aqui? [...] Nietzsche diz também: 'Conheço apenas um músico que hoje ainda é capaz de compor uma abertura coesa: e ninguém o conhece.' – Suponho que Nietzsche esteja se referindo a si mesmo!" (cf. acima, p. 480 J.V. Widmann).

Diante disso, poderíamos citar perfeitamente as palavras de Hans Sachs, no terceiro ato dos "Cantores mestres" de Wagner: "O Sr. Beckmesser se engana, tanto cá quanto lá". Não precisamos mais demonstrar que Nietzsche se referia a Heinrich Köselitz = Peter Gast quando falou do compositor desconhecido. E podemos afirmar também que Nietzsche nunca escreveu e compôs uma ópera. Um trabalho dessa extensão teria deixado rastros visíveis: no entanto, não existem quaisquer indícios que sugiram isso. Em algum ponto da história das obras de Nietzsche encontraríamos alguma lacuna que poderia servir como explicação possível de que ele apagou os rastros dessa ópera. No entanto, temos diante de nós o trabalho contínuo de Nietzsche, sem qualquer lacuna, vemos que, em toda sua atividade, não falta um único dia que poderia ter servido para a criação de uma ópera. Como, então, Pohl pôde alegar algo desse tipo? Se a conversa por ele citada realmente aconteceu – e temos razões para duvidar disso – a observação de Wagner só pode ter se referido ao "Eco de uma noite de São Silvestre" ou ao "Hino à amizade", ou Pohl simplesmente cometeu um equívoco extremamente tolo. É possível que Wagner tenha chamado de "besteira" a *alegação* implícita à pergunta de Pohl, segundo a qual Nietzsche teria lhe mostrado uma ópera sua. Trágico é, porém, que essa afirmação de Pohl serviu para fundamentar uma lenda que se mantém viva até hoje nos círculos wagnerianos e que reduz o fenômeno complexo do afastamento de Wagner, do idealismo e do romantismo alemão à "psicologia" de Pohl. Pohl se engana também em um aspecto histórico-musical: "Mas ele [Nietzsche] tem momentos lúcidos. Estes se revelam no final do panfleto [...]. Os admiradores de Brahms também são agraciados, não, porém, com elogios. Mas o espaço dedicado a Brahms é menor na mesma medida em que é menos significativo do que Wagner".

Nietzsche ficou sentido com a afirmação de Pohl segundo a qual ele representaria "o tipo de uma pessoa não musical". Isso questiona um fundamento existencial do homem que dizia sobre si mesmo: "Jamais existiu um filósofo, que era, no fundo, músico nesta medida" (carta a H. Levi, outubro de 1887)[121]. E também aqui ele precisou de dois meses até conseguir falar sobre o assunto: Em 27 de dezembro de 1887, ele escreve a Köselitz: "Não faria mal algum se também você me tratasse um pouco como músico – isso jamais passaria pela cabeça dos alemães estúpidos".

Toda a sua frustração se descarregou sobre seu editor Fritzsch, que permitiu a publicação do artigo de Pohl em sua revista. Nietzsche ignorou ou esqueceu completamente que Fritzsche era também (e sobretudo) o editor de Wagner e que ele – Nietzsche – havia sido acolhido pela editora como *protégé* de Wagner. O afastamento de Nietzsche, que veio como surpresa para muitos, precisava ser exposto aos leitores desta revista. Nietzsche escreveu imediatamente (comunicando com orgulho esse ato de determinação aos mais diversos destinatários): "Qual é o preço que o senhor pede por toda a minha literatura? Com sincero desdém, Nietzsche". Fritzsch responde secamente e pede 11 mil marcos (mais ou menos 14 mil francos). Em 30 de novembro, Nietzsche responde a Fritzsch (coleção Rosenthal): "Após ponderar tudo, não posso aceitar esse preço. Entrementes tenho tentado conquistar o Sr. C.G. Naumann para a aquisição da editora. Mas por ora ele não quer saber disso, pois está envolvido demais em outros empreendimentos. A princípio, eu queria que toda a minha literatura estivesse reunida em uma só mão: evidentemente, eu estaria disposto a fazer um sacrifício (– meus livros têm sido, para mim, um luxo curiosamente custoso –), mas simplesmente não posso aceitar o preço que o senhor exige. Respeitosamente, Dr. Nietzsche".

No momento, Naumann não se encontrava na posição de levantar tanto dinheiro, mas ele considerou a oferta uma boa base de discussão. E foi nisso que Nietzsche baseou sua decisão.

Já antes, no conflito com Schmeitzner, ele havia tentado recuperar os direitos editorais. O que, na época, havia se apresentado como uma aventura irresponsável, possuía agora um fundamento sólido. Nietzsche constatou com satisfação um interesse internacional cada vez maior pelos seus escritos, desde as preleções de Brandes até mesmo na Rússia, a despeito de terem sido proibidos pela censura daquele país! O "Caso Wagner" chamou muita atenção na França, o círculo de Viena existia há muito tempo, e os artigos de Widmann e Spitteler haviam provocado também o interesse do público suíço, e até mesmo da América do Norte o alcançavam sinais promissores.

O papel secreto de C.G. Naumann

A surpresa de Franz Overbeck deve ter sido grande quando – posteriormente – descobriu na correspondência com Naumann o papel que o editor exerceu nas decisões de seu amigo, que, para ele, haviam sido incompreensíveis.

Nietzsche havia dado sua confiança irrestrita a esse homem, merecidamente, como se evidenciaria, mas a intensidade e o efeito de sua influência foram preocupantes. Naumann negociava agora diretamente com Fritzsch e influenciava também o sucesso e as decisões em relação às obras de Nietzsche. Assim, comunicou a Overbeck em 21 de fevereiro de 1889[187]: "Quando o Sr. Prof. Nietzsche esteve comigo pela última vez [em maio de 1886], pedi que, antes de publicar sua 'revalorização', escrevesse algumas brochuras baratas, mencionando nestas repetidas vezes a sua obra principal. Imediatamente, ele acatou essa ideia e me garantiu sua execução. Creio não ser necessário dizer que, neste contexto, não pensei no 'Caso Wagner', antes tinha em mente brochuras do tipo do 'Crepúsculo dos ídolos'. Fato é, porém, que o 'Caso Wagner' despertou o interesse de círculos amplos pelo Sr. Nietzsche, e tenho certeza de que o 'Crepúsculo dos ídolos' fará o mesmo em outras esferas. O bom estado financeiro da editora expressa melhor esse sucesso".

E em 13 de fevereiro de 1889: "[...] pois o 'Crepúsculo dos ídolos' foi distribuído apenas em janeiro de 1889. No entanto, o livro já estava impresso e pronto no início de 1888; tive, porém, bons motivos para não ir a público com esse livro na época natalina, os livreiros não teriam lhe dado a atenção merecida".

E no mesmo dia: "Tive [...] uma correspondência com o Sr. E.W. Fritzsch, na qual eu indaguei ao mesmo em nome do senhor professor por que ele havia feito exigências tão exorbitantes. Fritzsch me informou que o Sr. Prof. Nietzsche o havia ofendido profundamente e que ele pretendera expressar isso por meio de sua reivindicação. Após uma longa conversa, concordamos que o Sr. Nietzsche deveria propor-lhe uma quantia pela editora, que então serviria como base para as negociações! Evidentemente, os acontecimentos atropelaram esse assunto. Creio que o Sr. Fritzsch seja aquele que mais perdeu em decorrência da doença do senhor professor.

Comunico-lhe tudo isso porque o senhor encontrará nas correspondências do senhor professor uma carta minha de novembro na qual pedi que ele não tomasse nenhuma medida apressada em relação à compra. Eu já havia sido autorizado a oferecer 13 mil marcos e pedir apenas um adiamento de poucos dias, mas essa quantia me parecia tão exagerada que preferi apresentar ao Sr. Prof. Nietzsche algumas alternativas".

Como Nietzsche pretendia levantar os recursos para realizar sua oferta a Fritzsch? Em 26 de novembro, ele escreve a Paul Deussen, pedindo um empréstimo[6]: "Querido amigo, preciso falar com você sobre um assunto de suma importância. Minha vida está alcançando seu auge: alguns anos ainda, e um tremendo relâmpago fará a terra tremer. – Juro que tenho o poder de mudar o *calendário*. –

Não existe nada hoje que não cairá, sou mais dinamite do que homem [...]. E este é o motivo pelo qual escrevo.

Quero tirar meu Zaratustra das mãos de E.W. Fritzsch, quero ter toda a minha literatura em minhas próprias mãos [...]. Não se trata apenas de uma riqueza enorme, pois meu Zaratustra será lido como a Bíblia – ela simplesmente não pode ficar nas mãos de E.W. Fritzsch. Este homem insensato acaba de ferir a minha honra: não tenho opção, preciso tirar dele os meus livros. Também já negociei com ele: ele exige mais ou menos 10 mil tálers por toda a literatura. Graças a Deus, ele não faz ideia daquilo que realmente possui. – *In summa*: preciso de 10 mil tálers. Pense, meu amigo! Não quero nada de graça, trata-se de um empréstimo, e pagarei os juros que você pedir".

Certamente, sua consciência já é ofuscada por uma forte excitação (no passado, esta teria provocado uma "crise"), o que se expressa no tom exaltado e num erro de cálculo. Por um lado, Nietzsche sabia que Deussen jamais teria sido capaz de levantar essa quantia. Deussen não dispunha de bens (ao contrário de Gersdorff, p. ex.) e seu salário de professor era modesto. Além do mais, Nietzsche precisava não de 10 mil tálers, mas de 10 mil marcos – uma grande diferença (um marco valia mais ou menos 3 tálers).

Mudar o calendário, contar os anos não mais a partir do nascimento de Cristo, mas a partir de um evento da história mais recente, é o sonho de todos os "revolucionários" desde a Revolução Francesa, e para o autor do "Anticristo" esse sonho é quase obrigatório. A história já forneceu exemplos para a profecia de Köselitz segundo a qual o "Zaratustra" seria lido como uma Bíblia, e sua irmã demonstrou com o *Nietzsche-Archiv* que seus livros eram capazes de render uma fortuna.

De forma menos hipotética, mais clara e inteligente, ocorre seu contato com outra pessoa: o historiador de direito e especialista em direito germânico

Prof. Andreas Heusler-Sarasin

Andreas Heusler (30 de setembro de 1834-2 de novembro de 1921) se dedicou, como já seu pai, à jurisprudência, mas, ao contrário do pai, que se especializara em direito romano, se concentrou no direito germânico. Após um brilhante exame de doutorado em 12 de junho de 1856 (ou seja, antes ainda de completar 22 anos de idade) em Berlim, ele foi imediatamente chamado de volta para sua cidade natal, à qual ele permaneceu fiel durante toda a sua vida e à qual serviu com grandes sacrifícios também nos ofícios mais altos. Sua popularidade era comparável à de Jacob Burckhardt.

Como autor de obras históricas e jurídicas, Heusler foi extraordinariamente produtivo. Sua obra principal "Die Institutionen des deutschen Privatrechts" [As instituições do direito privado alemão] (2 volumes, 1885 e 1886) recebeu a admiração até de Bismarck. Em termos políticos, Heusler era um típico cidadão de Basileia conservador, ele pertencia ao círculo que demonstrou repetidas vezes sua simpatia por Nietzsche e no qual Nietzsche sempre se sentiu acolhido de alguma forma. Além disso, Heusler era um homem altamente musical, o que pesava muito na opinião de Nietzsche e quase chegava a representar uma *conditio sine qua non* para sua confiança. Apesar de Heusler ter sido dez anos mais velho, eles haviam sido colegas na universidade, e Nietzsche havia frequentado a casa de Heusler.

Em sua carta a Köselitz de 15 de janeiro de 1889[50], infelizmente foi justo Overbeck que causou alguma confusão com sua descrição da breve correspondência entre Nietzsche e Heusler no final de dezembro de 1888. Não condiz à realidade a alegação de Overbeck segundo a qual a carta de Nietzsche de 30 de dezembro tenha sido "a primeira e altamente surpreendente manifestação de Nietzsche dirigida a Heusler". O filho de Heusler – Andreas Heusler III – publicou em 1922 o primeiro apelo[108]. O contexto da carta permite uma datação em 22 de dezembro de 1888: "Não existe mais qualquer acaso em minha vida. Esta noite lembrei-me de um cidadão de Basileia que eu venero com carinho especial – não ouso dizer quem é: e neste momento recebo uma carta de Overbeck..." A intensidade com que Nietzsche "vive" no círculo de Basileia, com que ele "regride" para aquele tempo, é tamanha que esse colega passa a ocupar seus pensamentos. É interessante também que Nietzsche usa um cartão de visitas de seu tempo de Basileia ("Prof. Dr. Nietzsche") para transmitir essa saudação. Tudo indica que Heusler lhe enviou uma resposta muito amigável, e apenas então (e não como "primeira manifestação") Nietzsche lhe faz o seu pedido. Primeiro ele descreve os eventos relacionados ao artigo de Pohl, sua reação e as reivindicações de Fritzsch, para então escrever: "C.G. Naumann, um dos comerciantes mais respeitáveis de Leipzig e dono de uma grande gráfica, me aconselha a considerar uma sorte a tremenda falta de tato de Fritzsch, pois isto permite que eu, a um passo de me tornar 'mundialmente famoso', recupere toda a minha literatura". Após demonstrar assim a seriedade dessa transação comercial, Nietzsche apela também à sua própria integridade: "Sou o contrário de uma pessoa abastada, felizmente, porém, sou muito econômico. Pago aqui 25 francos por mês pelo quarto – e não queria que fosse diferente". E então chega à "moral da história: preciso de mais ou menos 14 mil francos. – Em vista do fato de que minhas próximas obras serão vendidas não em milhares, mas em dezenas de milhares, simultaneamente em francês, inglês e alemão, creio poder pedir este empréstimo sem qualquer receio. Em toda minha vida jamais tive um centavo de dívidas". Nietzsche menciona ainda explicitamente suas boas relações com Taine e Bourdeau e sua fama crescente em Paris, para então encerrar: "Querido Heusler! O restante é *silêncio* --- Tudo deve ficar entre *nós*!" Em um pós-escrito, Nietzsche faz uma referência a um artigo no "Kunstwart" sobre ele e Peter Gast, que, aparentemente, ele anexa à carta como prova de sua fama crescente.

O editor desta carta* observa[108]: "A lógica da carta é perfeita. Suas informações são corretas [...]. A esperança de ver seus livros publicados em línguas estrangeiras tinha fundamento, mesmo que não tenha se realizado, e a expectativa de viver sua hora de fama e de ver as vendas de seus livros dispararem se realizou já no ano seguinte, infelizmente tarde demais para o autor. Assim, a carta se encontra ainda aquém do limiar dos 'bilhetes da loucura': sua caligrafia é clara, constante. A 'crise destrutiva' ocorreu apenas depois desta carta. Em 30 de dezembro, Nietzsche possuía ainda a saúde espiritual que lhe permitiu escrever suas últimas obras entre setembro e novembro daquele ano".

Quando Nietzsche se dirigiu ao seu "querido Heusler", ele agiu de forma clara e sábia. Heusler era um dos maiores especialistas do direito privado alemão (portanto também dos direitos editoriais) e também um dos representantes da sociedade de Basileia, aos quais Nietzsche devia sua aposentadoria. E foi justamente por isso que Overbeck se mostrou preocupado e se opôs à ideia, como ele explica posteriormente (em 15 de janeiro de 1889) a Köselitz. Como fiel administrador do dinheiro de Nietzsche, ele sabia muito bem que essas aposentadorias não eram concedidas de forma vitalícia, mas apenas para um número restrito de anos. O pedido de Nietzsche poderia chamar a atenção dos tesoureiros das três fundações e levá-los a suspender os pagamentos. Nietzsche acabara de receber 3 mil francos de Deussen e Meta von Salis e possuía também algumas economias. Mesmo assim, teria que assumir um risco no valor de 9 mil francos, o que correspondia a três anos de aposentadoria. Overbeck acreditava não poder assumir esse risco. Isso provocou um primeiro conflito sério entre Nietzsche e Overbeck, e devemos a Richard Blunck a observação que este poderia ter sido o pano de fundo para o "bilhete de loucura" a Overbeck, de resto completamente incompreensível: "Apesar de até agora vocês terem demonstrado pouca fé em minha capacidade de cumprir minhas obrigações financeiras, creio poder demonstrar que eu sou uma pessoa que paga as suas dívidas – por exemplo, as que tenho com vocês –". (O adendo: "Mando executar todos os antissemitas" remete a outro contexto.)

---

* Cf. o texto completo no vol. III, Documento, n. 10.

E Overbeck se enganou também em relação a outra afirmação de Nietzsche. No mesmo dia em que Nietzsche escreveu a Heusler, ele enviou uma carta também a Overbeck: "Deixar correr o assunto com Fritzsch é pura razão". Overbeck interpreta isso como "desistir". Na carta a Köselitz, ele interpreta as palavras de Nietzsche da seguinte forma: "No mesmo dia 31 de dezembro, recebi uma resposta que me levou a crer que os planos relacionados a Fritzsch estavam enterrados". Se contemplarmos todo o texto da carta de Nietzsche, o equívoco de Overbeck se torna incompreensível. Nietzsche relata entusiasmado os seus contatos com os tradutores J. Bourdeau, Karl Hillebrand e com o filólogo e historiador romano Ruggiero Bonghi e com a Miss Helen Zimmern, e acrescenta: "[...] não se esqueça de que considero o Caso Fritzsch uma grande *sorte*". Nietzsche não vacila, ele não se afasta de sua decisão clara e não revela qualquer traço de insegurança, nada o faz duvidar, nem mesmo Overbeck: Naumann havia assumido as negociações, e Nietzsche estava disposto a deixar as coisas correrem nessa direção!

Nietzsche não conseguiu recuperar os direitos de suas obras, mas a ruptura definitiva com Fritzsch por ele iniciada permitiu a transferência das obras a C.G. Naumann em fevereiro de 1892, estabelecendo assim uma condição importante para a publicação da primeira edição geral. Nesse final de outono de 1888, Nietzsche começou a construir conscientemente o seu futuro. Fazia parte disso também que, agora, ele pediu de volta os poucos exemplares do "Zaratustra IV" enviados aos amigos.

Os últimos escritos

Por um lado, Nietzsche sentiu que a hora de sua influência, de seu efeito estava próxima; por outro, ele a via ameaçada por experiências e temores. O círculo mais íntimo reagiu com incompreensão e incredulidade; ele estava acostumado ao apoio constante de Köselitz, este não lhe significava muito. Mas incidentes como os com Bülow, Malwida von Meysenbug, a irmã, Fritzsch e até mesmo Overbeck eram preocupantes. E as reações ao "Caso Wagner" também foram decepcionantes: muitos se surpreenderam. Os leitores ainda acreditavam que a posição de Nietzsche em relação a Wagner era a de "Richard Wagner em Bayreuth", de 1876. Eles não haviam acompanhado seu afastamento de Wagner, e ninguém havia percebido que seu caminho na filosofia necessariamente o afastaria de Wagner. Além disso, teve que se preocupar com outro problema: O Imperador Frederico III havia falecido em 15 de junho, e Nietzsche havia apostado em sua postura liberal como ajuda para a propagação de seus escritos. Ele não confiava em seu sucessor, Guilherme II; acreditava que este era totalmente dependente de Bismarck e de Stoecker. Este seu equívoco em relação à situação política de Berlim em nada afeta o fato de que ele sofria com esses temores, obrigando-o a se precaver. E quem sofreu a consequência disso foi, mais uma vez, a sua obra: ele interrompeu – dessa vez, para sempre – seu trabalho na "obra principal", e até mesmo a peça "O anticristo", temporariamente chamada de "1º livro da revalorização de todos os valores" permaneceu em um tipo de "estado cru" – Nietzsche interrompeu também aqui os trabalhos pouco antes de completar a redação final, e ele não chegou mais a publicar esse escrito. Ele só foi publicado em 1895, como parte da primeira edição geral e redigido pelos editores.

A princípio, Nietzsche parece ter considerado encerrados os trabalhos no

"Anticristo"

já em 30 de setembro. No entanto, faltam-nos cartas em que ele informa o término dos trabalhos, como ele costumava fazer em outros casos. E tudo indica que ele continuou a redigir o manuscrito e que tentou encontrar outro fim. Assim, permanecem alguns desníveis num texto que, de resto, é um dos mais claros e "científicos" (em termos estilísticos). A lógica é aguçada, e as formulações não possuem ornamentos retóricos. Nietzsche quase não recorre a metáforas. A formulação mais insegura é o título: "O Anticristo". O conteúdo não cumpre o que o título promete. Há dúvidas quanto à validade do subtítulo temporário "Primeira parte da revalorização de todos os valores". Já que Nietzsche desistiu do projeto em quatro partes, não faz sentido falar de uma "primeira parte". Assim, "O Anticristo" permanece como escrito independente, como "Consideração extemporânea". Os dois outros subtítulos "Ensaio de uma crítica ao cristianismo" e "Maldição contra o cristianismo" são os que mais se aproximam do teor do livro, mas eles também não designam de forma adequada o conteúdo e o propósito do escrito. Trata-se de uma crítica àqueles que, por convenção ou comodidade, se chamam de "cristãos" e também de uma crítica às *igrejas* cristãs.

O filólogo aborda a tradição com a crítica textual, ele a lê não como "revelação" ou "Palavra de Deus", mas como relatos históricos, separando os três evangelhos sinóticos do Evangelho de João. Ele os acusa de já terem efetuado uma primeira distorção, uma dogmatização em direção a uma relação negativa com o mundo, ressaltando a vida de Jesus, que não era dogma, mas prática.

Jesus não negou "o mundo", menosprezando-o apenas como transição para um além "melhor": ele não tomou conhecimento do mundo, não o aprovou nem rejeitou, foi – no sentido grego da palavra – um "idiota". Essa palavra revela também a influência da leitura de Dostoiévski sobre o pensamento de Nietzsche, em oposição à interpretação de Jesus como "herói" de Renan. Precisamos lembrar-nos desses vínculos e dessas fontes se não quisermos ignorar o conteúdo das respectivas passagens em Nietzsche. Jesus não era da oposição, não era "combatente" contra a igreja judaica nem contra qualquer outra coisa, ele era um renunciador, uma pessoa "privada" (é este o sentido de *idiotēs*, em grego). Foi a interpretação de sua vida pelos discípulos e apóstolos que introduziu o "não" como reação ao mundo. Mas é o Apóstolo Paulo que Nietzsche acusa da maior distorção: por meio dele, o sacerdote judeu reconquistou seu poder, justamente aquele tipo de "sumo sacerdote e escriba" que a prática de vida de Jesus rejeitava. Nietzsche atribui a Paulo todo o peso da teologia dogmática, que ele recusa radicalmente, chamando-a de ardilosa e mentirosa (§ 15): "No cristianismo, nem a moral nem a religião apresentam qualquer contato com a realidade. Somente causas imaginárias ('Deus', 'alma', 'espírito', o 'livre-arbítrio' ou também o 'não livre-arbítrio'); somente efeitos imaginários ('pecado', 'redenção', 'graça', 'castigo', 'perdão dos pecados'). Um convívio entre seres imaginários [...]; uma ciência natural imaginária (antropocêntrica...); uma psicologia imaginária (somente equívocos sobre si mesmo, [...] 'remorso', 'tentação do diabo' [...]); uma teologia imaginária ([...] a 'vida eterna'). Este mundo de ficções puras distingue-se, para grande desvantagem sua, do mundo dos sonhos, o qual reflete pelo menos a realidade, ao passo que aquela falseia, desvaloriza e nega a realidade. Depois de se ter criado o conceito 'natureza' como noção oposta a 'Deus', o 'natural' transformou-se necessariamente em sinônimo de 'desprezível' – todo esse mundo de ficções tem a sua raiz no ódio contra o natural (a realidade!), é a expressão de um profundo mal-estar perante o real... Mas assim tudo se explica. Quem tem razões para se esquivar da realidade por meio da mentira? Aquele que sofre por causa dela. Mas sofrer por causa da realidade equivale a uma realidade infeliz:... A preponderância dos sentimentos de desprazer sobre os sentimentos de prazer é a causa daquela moral e religião fictícias [...]". Como comparação, Nietzsche recorre a uma religião poderosa: o budismo. § 20: "Com a minha condenação do cristianismo, não pretendo ter cometido uma injustiça contra uma religião similar que, pelo número dos que a professam, lhe é superior: o budismo. Ambas se compartilham a característica de serem religiões niilistas [...], ambas divergem do modo mais curioso. [...] O budismo é cem vezes mais realista do que o cristianismo; tem em si a herança de formular os problemas de modo objetivo e frio, surge após um movimento filosófico centenário; o conceito 'Deus' é rejeitado, assim que entra em cena. O budismo é a única religião verdadeiramente positivista [...], até em sua epistemologia [...]; já não diz 'luta contra o pecado', mas, atribuindo todo o direito à realidade, 'luta contra o sofrimento'. Já deixou para trás – e isso o distingue profundamente do cristianismo – o autoengano dos conceitos morais; situa-se, para falar na minha linguagem, para além do bem e do mal". Aqui também se abre um abismo fundamental entre Nietzsche e Wagner, que também se ocupou intensamente com o budismo em seus últimos anos, mas sempre dando preferência ao cristianismo.

E também no "Anticristo" retorna a objeção contra a teologia dogmática cristã, que se arrasta por toda a obra de Nietzsche: O cristianismo é a religião dos estamentos inferiores, é uma "religião de escravos", a vingança dos desprivilegiados contra tudo que se destaca neste mundo, e foi também nessas classes que ele primeiramente se propagou. Nisso ele ainda concordava com o Richard Wagner antigo. É possível até que Nietzsche tenha adotado essa visão do próprio Wagner. Em 28 de junho de 1869 (Tribschen!), Cosima registra em seu diário uma de suas conversas com Wagner sobre Schopenhauer[258]: "E então mencionou que os símbolos do cristianismo não correspondem tanto ao espírito culto quanto os da religião indiana, pois estes seriam o resultado de uma cultura altíssima, enquanto aqueles teriam partido das classes mais pobres e marginalizadas".

Nietzsche cede muito espaço aos seus ataques contra os teólogos, acatando também aqui pensamentos de seu tempo em Basileia e do panfleto de seu amigo Overbeck: "Ueber die Christlichkeit unserer heutigen Theologie" [Sobre o cristianismo da nossa teologia atual], de 1873[186], em que Overbeck parte do pressuposto segundo o qual a fé, e principalmente a fé cristã na revelação, e a ciência, como questionamento metodológico com a finalidade de alcançar um conhecimento empírico, se excluiriam mutuamente. Os respectivos conceitos de verdade seriam diametralmente opostos. O teólogo agora jurou sua lealdade àquilo que Nietzsche chama de "mentira", aquilo que não condiz com a realidade. (Já em 1873 ele partia do par conceitual "verdade" e "mentira" no sentido extramoral!) Aqui, no "Anticristo", ele resume a oposição na seguinte formulação (§ 52): "Na não liberdade em relação à mentira – eis como reconheço os teólogos predestinados. Outro distintivo dos teólogos é a sua incapacidade para a filologia. Por filologia entendo aqui, num sentido muito geral, a arte de ler bem, de identificar fatos sem os falsificar mediante interpretações". E (§ 38): "Mesmo na mais modesta pretensão de retidão, deve saber-se hoje que um teólogo, um sacerdote, um papa, com cada frase que pronuncia, não só se engana, mas mente – que já não lhe é dado mentir por 'ingenuidade', por 'ignorância'. Também o sacerdote sabe, como qualquer pessoa, que já não existe mais 'Deus', nem 'pecado', nem 'Redentor' – que 'livre-arbítrio', 'ordem moral do mundo' são mentiras: a seriedade, a profunda autossuperação do espírito já não permite ser ignorante em relação a estas coisas... Todos os conceitos da Igreja são reconhecidos como o que são, como a mais malévola falsificação que existe, com o fim de desvalorizar a natureza, os valores da natureza; o próprio sacerdote é reconhecido como o que efetivamente é, como a espécie mais perigosa de parasita, [...]. Sabemos [...] o que valem as intenções sinistras dos sacerdotes e da Igreja, para que serviram, [...] – os conceitos de 'além', 'Juízo Final', 'imortalidade da alma', 'alma' são instrumentos de tortura, são sistemas de atrocidades, graças aos quais o sacerdote se tornou senhor, permaneceu senhor... Todos sabem isto: e mesmo assim tudo permanece igual".

Enquanto Overbeck limitava essa incompatibilidade da teologia como ciência a uma postura cristã autêntica, Nietzsche dá um passo decisivo além: Toda a nossa vida, toda a forma de existência moderna, toda a prática de vivência do homem moderno se encontra em contradição irreconciliável com a teologia dogmática cristã. Mentimos quando ainda nos chamamos de cristãos, um homem equipado com os conhecimentos da ciência natural e da filosofia modernas já não pode mais chamar-se "cristão". E isso lança luz também sobre o "Caso Wagner": Nietzsche conhecia a posição de Wagner em relação ao cristianismo. Ele sabia do caminho que Wagner percorrera, desde Feuerbach e Schopenhauer até um ateísmo radical. E agora esse "Parsifal"! Nietzsche sucumbiu ao mesmo equívoco, que ainda hoje se propaga por muitas partes. Ele ignorou que Wagner era, em primeira linha, mitopoeta, e que seu recurso aos mitos da Edda e do Rei Artur já era secundário, era apenas revestimento, e o mesmo valia também para o revestimento cristão do "Parsifal". O "Parsifal" não é um mito *cristão*, mas um *mito* cristão. O próprio Wagner sofreu com essa confusão, com esse equívoco, iniciado já pelos ensaios de Hans von Wolzogen. Infelizmente, ele não se pronunciou publicamente sobre isso, mas apenas em conversas privadas, como, por exemplo, em 20 de outubro de 1878 (!) numa conversa com Cosima[258], quando disse que Wolzogen havia ido longe demais ao identificar a figura de Parsifal com o Salvador: "Eu nem pensei no Salvador quando escrevi isto" (cf. vol. I, p. 643s.).

No "Anticristo", Nietzsche não menciona mais o nome de Wagner. Ele enfrenta o problema como um todo (§ 38): "Para onde foi o último sentimento de decoro, de respeito para consigo mesmo, se até os nossos estadistas – uma espécie, de resto muito despreocupada, profundamente anticristãos em seus atos –, se dizem ainda hoje cristãos e vão à comunhão?... Um jovem príncipe [o Imperador Guilherme II], à frente dos seus regimentos, esplendoroso como expressão magnífica do egoísmo e da presunção do seu povo – mas, sem qualquer pudor, confessando-se cristão!... A quem é que o cristianismo nega? A quem é que ele chama de 'mundo'? O fato de sermos soldado, juiz, patriota, de defendermos a nós mesmos; de preservarmos a nossa honra; de buscarmos a nossa vantagem; de sermos orgulhosos... toda avaliação que se transforma em ação é hoje considerada anticristã: e que aborto de falsidade deve ser o homem moderno para, apesar de tudo, não sentir vergonha em chamar-se ainda cristão!"

No fim, Nietzsche entoa o lamento comovente do historiador. A Antiguidade era para ele não só um objeto do conhecimento, da formação, ele a viveu e ainda vive em seu espírito, como havia formulado em 1875 em seu pedido à Secretaria de Educação de Basileia[105]: "Pois uma instrução que não consegue induzir nos alunos uma preferência mais profunda para a vida helênica [...] – essa instrução não alcançou seu propósito natural".

Já nos deparamos com pensamentos, formulações dos pré-platônicos e do ceticismo da Antiguidade tardia contra o platonismo ao longo de toda a obra de Nietzsche. De forma inconfundível, esse vínculo profundo se expressa agora (§ 59): "Em vão todo o trabalho do mundo antigo: não tenho palavras que expressem o meu sentimento sobre algo tão monstruoso. E visto que o seu trabalho foi um trabalho preliminar, que com uma autoconsciência granítica se lançara justamente apenas o fundamento para um trabalho de milênios, em vão todo o sentido do mundo antigo!... Para que serviram os gregos? Para que os romanos? Todas as precondições de uma civilização culta, todos os métodos científicos já se encontravam aí, já se tinha estabelecido a grande e incomparável arte de ler bem – esta precondição para a tradição da cultura, para a unidade da ciência; a ciência da natureza, em aliança com a matemática e a mecânica, estava no melhor caminho – o sentido dos fatos, o último e mais valioso de todos os sentidos, tinha sua escola, sua tradição secular! [...] Todo essencial já fora encontrado [...]: toda retidão do conhecimento – tudo isso já estava lá! Há mais de dois milênios! E, mais ainda, o tato e o gosto bom e fino! [...] Tudo em vão! Da noite para o dia, apenas uma memória! Gregos! Romanos! A nobreza do instinto, o gosto, a investigação metódica, o gênio da organização e da administração, a fé, a vontade do futuro humano, o grande sim a todas as coisas, visível enquanto *imperium romanum*, visível para todos os sentidos, o grande estilo não já simplesmente arte, mas feito realidade, verdade, vida... E não foi soterrado da noite para o dia por um fenômeno da natureza! Não foi derrubado pelos germanos ou por outros retardados! Mas foi desfigurado por vampiros astutos, ardilosos, invisíveis, anêmicos! Não vencido – apenas sugado!... A sede oculta de vingança, a pequena inveja tornada senhor! De súbito, tudo o que é miserável, que se flagela, infestado por sentimentos maus, todo o mundo de gueto das almas no topo!... Basta ler qualquer agitador cristão, Santo Agostinho, por exemplo, para compreender, para cheirar, que camaradas imundos chegaram assim ao poder". § 60: "O cristianismo nos privou da colheita da cultura antiga [...]".

A forma do escrito: uma "Consideração extemporânea", sua temática, que retoma as conversas em Tribschen, a ocupação com David Friedrich Strauss e o panfleto de seu amigo Overbeck, e a posição histórico-espiritual, um último grito de um filólogo clássico da filosofia antiga e da oposição helênica cética contra o cristianismo: tudo isso remete de volta aos anos de Nietzsche em Basileia e fecha o círculo de sua obra, iniciada com o "Nascimento da tragédia"; com o "Anticristo" como regresso aos valores antigos, Nietzsche abandona sua tarefa filosófica: a "revalorização de todos os valores" não é realizada!

O que segue agora não resulta mais de uma problemática filosófica, antes pretende servir ao seu futuro pessoal, e com isso Nietzsche busca de forma consciente e enérgica a confrontação com seu tempo, que já havia dominado um aspecto parcial do "Anticristo", quando perguntava se o homem moderno ainda podia se chamar de "cristão".

"Ecce homo"

A princípio, Nietzsche tenta prestar contas a si mesmo, mas também aos amigos e admiradores, que, recentemente, haviam reagido com incompreensão. E também aqui ele volta aos anos de Basileia. Em sua terceira "Consideração extemporânea" ("Schopenhauer como educador") ele havia esboçado um projeto de si mesmo; agora, tenta retraçar em que ele havia se transformado segundo o axioma de sua juventude: γένοι' οἷος ἐσσί*. Em 15 de outubro, ele anota em seu caderno de anotações[6]. "Neste dia perfeito, em que tudo amadurece e não só a uva amarela, recaiu sobre a minha vida uma visão ensolarada – olhei para trás, olhei para fora, e jamais vi tantas coisas e coisas tão boas de uma só vez. Não é a toa que acabo de enterrar o 44º ano; o que havia de vida nele foi salvo, é imortal. O primeiro livro da revalorização dos valores; os seis primeiros cantos de Zaratustra; o crepúsculo dos ídolos, minha tentativa de filosofar com o martelo – tudo isso dádivas deste ano, até mesmo de seus últimos três meses – como poderia não sentir gratidão pela minha vida inteira!

E assim narro a mim mesmo a minha vida.

Aquele que tiver a minha noção de mim, adivinhará que vivenciei mais do que qualquer outra pessoa. A prova está até escrita em meus livros, que, linha após linha, são livros vividos a partir de uma vontade de viver e que assim, como *criação*, representam um acréscimo real, um a mais daquela mesma vida". Assim começam

---

* "Torna-te aquele que és".

as anotações para o "Ecce homo". Em 13 de novembro, ele relata a Köselitz: "Meu 'Ecce homo. Como se tornar o que se é' irrompeu entre 15 de outubro, meu excelentíssimo dia de aniversário, e 4 de novembro com tamanho esplendor e bom humor, que me parece adequado fazer um pequeno gracejo. As últimas partes foram compostas numa tonalidade que os 'Cantores mestres' parecem ter perdido, 'a melodia daquele que rege o mundo'. O último capítulo ostenta o título infeliz: 'Por que eu sou um destino'. A veracidade deste fato é demonstrada com tanta força que, no fim, o leitor se curvará diante do livro como 'larva'. – O manuscrito já iniciou sua lenta viagem para a gráfica. [...] é um prefácio à Revalorização que cospe fogo". Ou seja, ele fez conscientemente o que ele já havia escrito a Carl Spitteler em 25 de julho em relação à "Consideração extemporânea" "D.F. Strauss"[121] (e que agora ele repete em formulação quase idêntica no "Ecce homo"): "A primeira esperteza para chamar a atenção 'da sociedade' é, logo no início, um *duelo* – afirma Stendhal. Eu não sabia disso, mas foi o que fiz".

A metáfora 'a melodia daquele que rege o mundo' é, nessa carta dirigida a Köselitz, ainda uma resposta irônica a Köselitz que, após ler as folhas de correção do "Crepúsculo dos ídolos", lhe escrevera em 25 de outubro: "Que 'iluminações', que êxtases do aprendizado devo ao seu espírito que rege o mundo!" Mas, como acontecia frequentemente, Nietzsche ficou fascinado com uma metáfora lançada em sua direção e a introduz como uma fórmula e com toda seriedade em sua linguagem. Esse "regente do mundo" ressurge em tom já menos irônico na carta de 7 de dezembro a Strindberg e, a partir daí, em sequência cada vez mais rápida. A "melodia dos Cantores mestres" remete a uma cena no primeiro ato, onde David enumera as variadas melodias dos mestres.

Agora, Nietzsche é acometido por uma terrível insegurança em relação à publicação de seus últimos trabalhos. Ele não sabe se pode ousar publicá-los sem se expor a um risco pessoal. Ao classificar o "Ecce homo" como prefácio "que cospe fogo", o próximo passo lógico seria publicar em seguida a "peça principal", adiando assim a publicação do "Anticristo", prevista agora apenas para o final do ano seguinte (1889), como Nietzsche comunica a Overbeck em 13 de novembro. Essa é a última decisão de Nietzsche referente a esse livro, que assim volta a ser um manuscrito. Já no passado havia sido difícil separar as obras umas das outras. Elas representavam "episódios" ou "continuações", recortes quase que arbitrários de um diálogo ininterrupto. Agora, esse processo se torna ainda mais evidente. Agora, torna-se praticamente irrelevante se esta ou aquela peça se originou neste ou naquele esboço e agora é transferido para outro contexto. Nietzsche não consegue encontrar ou manter uma linha clara. Em 1º de dezembro, ele revoga o manuscrito do "Ecce homo", que ele havia enviado para a gráfica em 6 de novembro, submetendo-o a uma nova revisão. Em 6 de dezembro, ele encerra essa revisão e devolve o manuscrito a Naumann no dia seguinte, observando em uma carta a Köselitz: "Ponderei, para acalmar a minha consciência, mais uma vez cada palavra desde o início até o fim. A obra transcende tanto o conceito da 'literatura', que nem mesmo a natureza conhece algo comparável: ela divide, literalmente, a história da humanidade em duas partes – o maior superlativo de dinamite". Nietzsche conferiu deliberadamente um tom polêmico ao texto, como ele confessa a Köselitz em 30 de outubro: "Pretendi não só apresentar-me antes do ato terrivelmente solitário da revalorização – eu gostaria de testar o que posso arriscar diante dos conceitos alemães da liberdade de imprensa. Suspeito que o primeiro livro da revalorização será confiscado imediatamente – de forma legal, com o apoio de toda a lei. Com esse 'Ecce homo' pretendo levar essa questão a um nível de seriedade e curiosidade, para ver se os conceitos no fundo sensatos permitiriam nesse caso uma exceção".

Na Rússia, seus escritos já haviam sido proibidos. Suas últimas anotações oferecem uma imagem nítida daquilo que ele esperava da Alemanha da dinastia de Hohenzollern sob a pressão de Bismarck e Stoecker, daquilo que ele temia deste lado, mas também da intensidade com a qual ele se ocupava com os planos de um ataque contra a cena política pública.

Antes, porém, surgiu uma irritação muito mais pessoal. Köselitz conseguira publicar na revista "Kunstwart" de Avenarius um artigo fulimante ("Nietzsche – Wagner"), com um ataque claro contra Richard Pohl, com um comentário do próprio editor da revista: Expressando todo seu respeito pelo filósofo Nietzsche, Avenarius critica ao mesmo tempo em que, em "O Caso Wagner", Nietzsche tenha apresentado apenas os seus gostos pessoais. Ele descreve o tom do escrito como "decepcionante" e encerra dizendo: "A mudança de opinião de um dos "wagnerianos" mais extraordinários, talvez até do wagneriano mais extraordinário de todos, é fato. Se este tivesse apresentado um desdobramento sóbrio e objetivo das razões que anularam suas razões anteriores – deveríamos-lhe apenas a nossa gratidão: não porque ele teria nos convencido, mas porque assim teria nos incentivado a submeter seus argumentos a uma investigação aguda. Mas assim como o escrito se apresenta, ele quase chega a ser uma contribuição de um folhetinista espirituoso que se entretém com grandes pensamentos. O fato de serem seus próprios, garante-lhe o direito de nosso interesse. Mas como evento final, permanece a tristeza sobre o fato de que, dessa vez, Nietzsche escreveu como [um] folhetinista"*.

---

* Cf. vol. III, Documento, n. 11.

Nietzsche teve que reconhecer que até mesmo um homem como Avenarius e, com ele, muitos outros tinham a impressão de que o "Caso Wagner" representava uma mudança de opinião repentina. Ele não ficou só surpreso, mas escandalizado com o comentário de Avenarius, mais ainda do que com o artigo de Pohl. De Pohl ele nunca tinha esperado qualquer coisa boa, mas o posicionamento de Avenarius o magoou profundamente. Ele precisava tomar alguma medida. O "Ecce homo" traria alguns esclarecimentos sobre sua relação com Wagner, mas talvez não de forma suficiente. Portanto, viu-se obrigado a fazer uma declaração específica. A princípio, Nietzsche pretendia convocar testemunhas que confirmariam que seu afastamento de Wagner já ocorrera bem antes. Mas quem poderia exercer essa função? Köselitz estava fora de questão, ele já se comprometera com seu artigo no "Kunstwart". Nietzsche precisava de uma personalidade respeitada, que seria ouvida e levada a sério, que defenderia sua posição em relação a Wagner. Em seu artigo no jornal "Bund" de Berna, Carl Spitteler havia se confessado "companheiro espiritual" de Nietzsche. Por isso, Nietzsche lhe escreveu em 11 de dezembro: "Quero hoje fazer-lhe uma sugestão e peço com insistência que não a recuse. Minha luta contra Wagner tem sido um fracasso absurdo simplesmente porque ninguém conhece meus escritos antigos, de forma que a 'mudança de opinião', como se expressa Avenarius, é vista como algo que coincide com o 'Caso Wagner'. Na verdade, estou em guerra há dez anos. – O próprio Wagner sabia disto: No 'Caso Wagner' não expressei uma única sentença, de natureza psicológica ou estritamente estética, que não tenha sido apresentada em outros escritos meus. Sob essas circunstâncias, pretendo agora, para levar essa questão ao auge e à guerra, publicar outro escrito tão extenso quanto o 'Caso Wagner', mas composto exclusivamente de oito textos selecionados de meus escritos anteriores. Seu título será

***'Nietzsche contra Wagner'* – Protocolos das obras de Nietzsche**

Prezado senhor, quero que o *senhor* publique esta obra e escreva um prefácio, uma verdadeira declaração de guerra. Sei que o senhor é capaz de fazê-lo. O senhor se preocupa tanto com o destino da música, que possui a paixão necessária para essa tarefa. As passagens – eu mesmo as copiarei e enviarei ao senhor – são as seguintes. (Suponho que o senhor possui os meus escritos? Caso contrário, basta uma palavra sua para que eu lhe envie imediatamente aquilo que ainda lhe falta.)

1) Dois antípodas (*Gaia ciência*, p. 312-316).

2) Uma arte sem futuro (*Humano, demasiado humano*, vol. 2, p. 76-78).

3) Barroco (*Humano, demasiado humano*, vol. 2, p. 62-64).

4) O expressivo a qualquer preço (*Andarilho e sua sombra*, p. 93; *Humano, demasiado humano* II, última parte).

5) Wagner, ator e só (*Gaia ciência*, p. 309-311).

6) O lugar de Wagner é a França (*Além do bem e do mal*, p. 220-224).

7) Wagner como apóstolo da castidade (*Genealogia da moral*, p. 99-105).

8) O rompimento de Nietzsche com Wagner (*Humano, demasiado humano*, vol. 2, prefácio p. VII-VIII).

O prefácio deveria lançar luz também sobre o caráter da decadência geral da música moderna. Seria aquilo que o escrito acrescenta àquilo que eu já disse antes. – Veja bem, essa plebe não sente a minha raiva porque minhas palavras foram excessivamente 'espirituosas'! [...] Avenarius exige 'um desdobramento sóbrio e objetivo das razões' quando nós estremecemos de paixão ---"

Mas já na noite seguinte, Nietzsche reconsiderou todo o caso. Ele reconheceu que sua passionalidade, mais uma vez, o desviou de seu caminho, e ele escreveu mais uma carta a Spitteler, antes mesmo de este responder à primeira[121]: "Nesta noite, lembrei-me de uma objeção, da qual não consigo me livrar durante o dia de hoje. Por trás de uma publicação como a que sugeri ontem, todos suspeitariam de mim como autor – as passagens que precisariam ser publicadas contêm coisas particulares demais".

Mais tarde, Spitteler interpretou a situação de forma incompreensível e acusou Nietzsche de intenções enganosas e de tentar esconder-se covardemente*. O próprio Nietzsche, porém, reagiu rapidamente. Já em 15 de dezembro ele envia o manuscrito de "Nietzsche contra Wagner; protocolos de um psicólogo" a Naumann. O documento se dirige não só contra a ignorância de Avenarius, mas – com o subtítulo – também contra Richard Pohl. Nietzsche tinha tanta pressa com esse "esclarecimento" que chegou a adiar a publicação do "Ecce homo" em prol dessa reação polêmica.

Outro motivo para adiar a publicação do "Ecce homo" é que Nietzsche ainda não conseguiu confirmar os tradutores, pois ele pretende apresentar o escrito simultaneamente em alemão, francês e inglês: "Preciso adiar alguns meses a impressão. Não há pressa". Por que não? Nietzsche teme pôr em risco sua obra e sua influência como filósofo, justamente agora, num momento em que ele a vê diante de si. Ele teme consequências políticas e jurídicas. E existia um exemplo para isso, que ele

---

* Cf. vol. III, Documento, n. 12.

menciona em suas anotações: o "Caso Geffcken". Prof. Dr. Heinrich Geffcken (nascido em 9 de dezembro de 1830 em Hamburgo, falecido em 30 de abril de 1896 em Munique), jurista, professor em Estrasburgo de 1872 a 1882, era um dos conselheiros do príncipe herdeiro Frederico Guilherme III. Por causa da publicação de um diário dessa época na "Deutsche Rundschau", Bismarck o acusou em 1888 de alta traição. Em 1889, porém, essa perseguição foi suspensa (fato este que não veio mais ao conhecimento de Nietzsche). É provavelmente com referência a esse "caso" que ele confessa a Köselitz em 16 de dezembro: "Não vejo por que eu deveria acelerar a catástrofe trágica da minha vida, que se inicia com o 'Ecce'". Mas, novamente, sua decisão veio tarde demais. Naumann já estava imprimindo o livro, e no mesmo dia 16 de dezembro Köselitz recebe a primeira folha de correção. Em 22 de dezembro, Nietzsche se vê obrigado a informar Overbeck que ele já havia recebido duas folhas de impressão do "Ecce homo", no Natal, já são cinco! Se Nietzsche tentara – em vão, como se mostra agora – adiar o "Ecce homo" em prol de "Nietzsche contra Wagner", a situação agora o obrigava a tomar a decisão contrária, pois os dois escritos não podiam ser publicados ao mesmo tempo, ainda mais que o "Crepúsculo dos ídolos" também estava prestes a ser lançado. Em 22 de dezembro, ele relata a Köselitz: "Não imprimiremos 'Nietzsche contra Wagner'. O 'Ecce' contém todas as informações decisivas, também sobre este assunto. A passagem que, entre outras coisas, fala também do maestro Pietro Gasti, já foi inserida no 'Ecce'. Talvez eu inclua ainda o canto de Zaratustra – chama-se 'Da pobreza dos mais ricos'. Como *intermezzo* entre duas partes principais". A pressa da gráfica obrigou Nietzsche a conferir uma forma ao "Ecce homo", sobretudo a dar-lhe um final, em relação ao qual ele ainda não havia tomado uma decisão. E o destino não lhe deu o tempo para definir sua forma final. Naumann continuou com a impressão, e em 8 de janeiro de 1889 Overbeck encontrou Nietzsche, já doente, debruçado sobre a leitura de duas folhas de impressão desse escrito, que ele já não entendia mais. Como substituto para "Nietzsche contra Wagner", Nietzsche teve ainda outra ideia: Carl Fuchs havia feito uma palestra sobre a obra tardia de Wagner – aparentemente influenciado por Nietzsche. Nietzsche acreditava que o texto existia na forma de um manuscrito e que, juntamente com o artigo de Köselitz para o "Kunstwart", ele poderia publicá-lo separadamente. Algo assim ele sugere em 27 de dezembro tanto a Fuchs quanto a Köselitz sob o título "O Caso Nietzsche; de Peter Gast e Carl Fuchs (ou: Observações marginais de dois músicos)". Aparentemente, ele já informou Avenarius como editor. Assim, acreditava poder substituir "Nietzsche contra Wagner", para o qual ele não tinha mais tempo, pois este foi abafado por outra preocupação, um verdadeiro medo infernal, que sufocava Nietzsche e que se manifestou ainda na mais profunda loucura na forma de imagens distorcidas como último vínculo com a realidade: seu medo do *Reich* fortalecido, da dinastia de Hohenzollern, de Bismarck e do movimento antissemita influente, cuja ira ele havia provocado com seus ataques. E também uma Igreja magoada, fomentada pela intolerância de Stoecker, se levantava contra ele. Trata-se de temores não só compartilhados, mas intensificados por seu editor Naumann.

As últimas anotações

A experiência da guerra de 1870 havia lhe mostrado o quanto sofrimento pode causar a arrogância de uma dinastia que se acredita poderosa (na época, Napoleão III). E também naquela ocasião ele já reconhecera que uma vitória militar pode vir acompanhada de uma inferioridade cultural e espiritual. Jacob Burckhardt lhe ensinara isso. Nietzsche temia que a nova constelação em Berlim lançaria – em breve – a Europa em uma nova catástrofe. Sua consciência já destruída não tomaria conhecimento das tensões graves que surgiram dentro de pouco tempo entre o jovem Imperador Guilherme II e o partido de Bismarck e Stoecker, levando ao afastamento destes do palco político de Berlim. Agora, ele ainda vê o perigo concentrado, e acredita que esta era a última oportunidade para bani-lo. E ele se sente chamado e obrigado a fazer isso como espírito filosófico mais importante de seu tempo. O fato de que ele superestimava imensamente o peso de sua influência e também da filosofia em geral sobre a sociedade moderna, o fato também de que ele não reconheceu que a importância da filosofia era, agora, muito menor do que nos dias de Platão ou Sêneca, não se deve apenas ao seu senso de realidade cada vez mais fraco nestes dias; é, também, uma característica geral de sua estrutura espiritual, resultado de uma formação humanista unilateral. "O mundo como ele realmente é" sempre lhe permaneceu estranho e incompreensível, as problemáticas do mundo e as do filósofo raramente coincidiram.

Essa "alienação geral do mundo" e a lógica pragmática já afetada pela doença o levam a iniciar um projeto ousado: "Estou trabalhando num *promemoria* para as cortes europeias com a finalidade de uma aliança antigermânica. Quero prender o *Reich* numa camisa de ferro e provocá-lo para uma guerra de desespero. Só estarei livre para trabalhar quando tiver o jovem imperador, e todos os seus acessórios, em minhas mãos", ele escreve em 26 ou 27 de dezembro a Overbeck. Mesmo declarando três dias depois, tentando se desculpar, que teria "escrito a carta em luz muito fraca", sua informação é correta: O último caderno de anotações de Nietzsche contém os esboços para um fascículo, um panfleto para esse tipo de *promemoria*. A despeito de se tratar apenas de um esboço, é possível identificar nele alguns pensamentos de importância histórica, que também nos revelam algo sobre a postura política de Nietzsche. E é difícil dizer qual teria sido o efeito desse documento sobre a política mundial![6]

"Trago a guerra. *Não* entre povo e povo: Não tenho palavras para expressar meu desdém pela política abominável de interesses das dinastias europeias, que fizeram da arrogância, da elevação do povo sobre outro um princípio e quase uma obrigação. Não entre estamentos. Pois não temos estamentos superiores, portanto, tampouco inferiores: aquilo que hoje se apresenta no topo da sociedade está fisiologicamente condenado e [...] se apresenta espiritualmente tão empobrecido, tão inseguro que chega a confessar o princípio contrário de um tipo superior de homem sem escrúpulos. Trago a guerra por todos os acasos absurdos de povo, estamento, raça, profissão, educação, formação: uma guerra como que entre emergência e declínio, entre vontade de viver e vingança contra a vida, entre retidão e mentira enganosa", ou seja, uma "guerra" no nível do espírito, com as armas do espírito. "O conceito da política desembocou completamente numa guerra de espíritos, todas as figurações de poder foram explodidas – haverá guerras como jamais existiram na terra".

"Como aquele que preciso ser, não homem, um destino, pretendo pôr um fim a esses idiotas criminosos, que, durante mais de um século, tiveram a grande palavra, a maior palavra. Desde os dias de ladrão de Frederico o Grande, eles nada fizeram além de mentir e roubar; preciso excluir um único, o inesquecível Frederico III, como o mais odiado de toda a raça... Hoje, momento em que um partido abominável está no poder, em que um bando cristão semeia a semente amaldiçoada do nacionalismo entre os povos, pretendendo 'libertar', por amor aos escravos, os servos domésticos negros, precisamos acusar a mentira e a inocência na mentira diante de um tribunal da história do mundo.

Seu instrumento, o Príncipe Bismarck, o idiota *par excellence* entre todos os estadistas, jamais pensou um milímetro para além da dinastia de Hohenzollern... Para que a casa de bufos e criminosos se sinta no topo, a Europa paga anualmente 12 bilhões, abre abismos entre nações emergentes, conduziu as guerras mais insensatas já conduzidas na face da terra: O Príncipe Bismarck destruiu, em prol de sua política doméstica e com a abominável certeza do instinto, todas as precondições para grandes tarefas, para fins históricos mundiais, para uma espiritualidade mais nobre e fina. Pretendo ser juiz aqui e, a cada milênio, pôr um fim à loucura criminosa das dinastias e dos sacerdotes... A humanidade já se acostumou tanto com essa loucura que hoje acredita precisar de exércitos para a guerra [...]. Ninguém exige com um rigor maior do que eu que todos sejam soldados: não existe outro meio para educar todo um povo nas virtudes da obediência e da ordem, no tato, na postura e nos gestos, na liberdade do espírito [...]. Mas é loucura expor essa seleção de força e juventude e poder aos canhões". (É provável que o ex-aluno de Pforta tenha pensado aqui ainda nos soldados e oficiais do espírito, da ciência, que se exercitavam na escola de Pforta para então serem sacrificados na guerra de 1870.) "Jamais admitirei que um canalha de Hohenzollern dê a alguém a ordem de cometer um crime... Não existe direito à obediência, se aquele que dá a ordem é apenas um dos de Hohenzollern [...]. O próprio *Reich* é uma mentira: Nenhum membro da dinastia de Hohenzollern, nenhum Bismarck jamais pensou na Alemanha... Daí a raiva contra o Prof. Geffcken... Bismarck preferiu bater nele com a palavra 'alemão' na boca".

"Última ponderação. Se pudéssemos desistir das guerras, melhor ainda. Eu saberia fazer uso melhor dos bilhões que a paz armada custa à Europa todos os anos. Existem outras maneiras – fora dos hospitais de campo – de trazer honra para a fisiologia."

> "*Condamno te ad vitam diaboli vitae*. Destruindo Hohenzollern, destruo a mentira."

Estas são as últimas palavras de Nietzsche em seus cadernos de anotações, estes são os últimos esboços para o último escrito anunciado. Em algum ponto entre estas linhas transcorre a fronteira fatídica entre conhecimento e loucura!

Se Nietzsche ainda tivesse tido a oportunidade de conferir uma forma domada a esses espaços já entregues à passionalidade, revelando já agora a proximidade da catástrofe, ele teria permanecido um profeta solitário no deserto, pois ele havia abandonado o solo em que adquirira sua fama, o solo da filosofia, cuja essência é o método. Agora, porém, ele tentou deixar para trás a "Revalorização de todos os valores" para atuar numa área onde apenas homens de poder conseguem agir, homens que ele admirava, mas aos quais ele não pertencia. Não teriam sido eles, nem Bismarck, nem a censura que teriam causado a catástrofe em sua vida, mas ele mesmo, no momento em que abandonou as trilhas de seu "mundo"; ele estava prestes a se perder. A loucura foi misericordiosa, pois não permitiu que ele se conscientizasse disso. E ela lhe deu mais uma coisa: o *tremendum* do acorde do gênio[150]. Sem este fim, teria lhe faltado aquele fascínio que destaca toda a sua existência filosófica da história da filosofia, que o aproxima do final trágico e heroico de Sócrates, daquele Sócrates do qual ele pretendia ser a contraparte no mínimo equivalente. Mas não é só o fim de Nietzsche que fascina. Toda a sua existência foi um martírio. E isso o vincula não só a Sócrates, mas a uma grande comunidade, aponta o caminho da solidão para uma comunidade dos mártires do espírito, que é muito maior do que se costuma imaginar.

EDITORA VOZES LTDA.
Rua Frei Luís, 100 – Centro – Cep 25689-900 – Petrópolis, RJ
Tel.: (24) 2233-9000 – E-mail: vendas@vozes.com.br